JN081105

新・明解 C言語 入門編 6色版 第2版

柴田望洋
BohYoh Shibata

SB Creative

はじめに

こんにちは。

本書『**新・明解C言語**入門編』で学習する**C言語**は、約半世紀という長いあいだにわたり、多くのプログラマの方々によって世界中で使われ続けるとともに、新しく生まれる言語に影響を与え続けているプログラミング言語です。

これから、みなさんと一緒に、**C言語の基礎**を学習していきます。

さて、いきなりですが、英語などの語学を学習したときのことを思い出してみましょう。単語や文法だけでなく、実際の会話や文書における利用例や応用例など、いろいろなことを学習したのではないでしょうか。

プログラミング言語の学習も、事情は似ています。キーワードやライブラリ関数などの語句や文法規則の学習は必要不可欠です。とはいえ、**それらの断片的な知識だけでは、プログラムを組めるようにはなれません。**単語や文法だけを知っていても、文章を書いたり会話ができたりするわけでないのと同じです。

そこで、本書では、生きたプログラムを学習できるように、243 編のプログラムリストを示しています。さらに、245 点もの図表を示すことで、難解な概念や文法を視覚的に理解できるように工夫しています。

プログラム数が多いということは、語学のテキストでいえば、単語や文法を応用した、会話文や例文がたくさん示されていることに相当します。**数多くのプログラムと、その理解を深める補助となる図表に触れて、C言語のプログラムになじみましょう。**

本書は、全編がやさしく語りかける口調です。特殊な印刷技術を用いた《6色版》ですから、難しい概念なども、スッキリまとめられたプログラムリストや図表で学べます。

私の講義を受講しているような感じで、全 13 章をおつきあいいただければ幸いです。

2021 年 7 月

柴田 望洋

本書の構成

本書は、全13章で構成されています。比較的簡単なところから始めて、少しずつ応用的な内容に移行していきます。

なお、いったん学習が終了した後も、マニュアル的な用途で利用できるように工夫しています。日頃から手の届くところに本書を置いて、ご愛用いただけると幸いです。

▶　本書『入門編』の学習が終了したら、ぜひ『中級編』へとお進みください。数当てゲーム、じゃんけん、キーボードタイピングなどの楽しいプログラムを通じて、配列、ポインタ、ファイル処理、記憶域の動的確保などを学びます。

本書を読み進める上での注意点

以下、本書を読み進める上で、知っておくべきこと・注意すべきことをまとめています。

▪ C言語自体の紹介について

本書は、何度も読んで理解してほしい**本文**を最初に配置しています。そのため、最初に行うべき、**C言語自体の紹介**は、巻末の**『付録』**に示しています。

▪ コンピュータ関連の基礎用語について

本書では、たとえば**『メモリ』**や**『記憶域』**といった、一般的なコンピュータの基礎用語についての解説は行っていません。というのも、それらの用語を解説すると、その分だけ分量が増えてしまいますし、用語をご存知の読者の方には無駄なものとなってしまうからです。

基礎的な用語については、他の書籍や、インターネット上の情報などで学習しましょう。

■ 数字文字ゼロの表記について

数字のゼロは、中に斜線が入った文字“Ø”で表記して、アルファベット大文字の“O”と区別しやすくしています。ただし、章・節・図表・ページなどの番号や、年月表示などのゼロは、斜線のない0を使っています。

また、数字の1（いち）、小文字のl（エル）、大文字のI（アイ）、記号文字の|（たてせん）も、見分けの付きやすい文字を使って表記しています。

■ C言語の標準ライブラリ関数について

本書に示すプログラムは、画面に数値や文字などを表示するための ***printf*** 関数、キーボードから数値や文字などを読み込むための ***scanf*** 関数など、C言語の標準ライブラリ関数を利用します。これらの関数の解説は、JIS規格の文書をベースとして、書きかえたものです。

規格の厳密な仕様を伝えるために、やや硬い表現となっています。

■ ソースプログラムについて

本書のソースプログラムは、次のサイトでダウンロードできます。

柴田望洋後援会オフィシャルホームページ　https://www.bohyoh.com/

なお、掲載プログラムの別解や、少し変更を加えただけのプログラムなどは、一部あるいはすべてを割愛しています。具体的には、本文中に（リスト番号を与えて）示しているソースプログラムは243編で、35編は一部あるいはすべてを割愛しています。ダウンロードファイルには、本書で学習する243編のソースプログラムが含まれています。

学習を進める際は、243編のプログラムを、飛ばさずに、すべて実行するのが基本です。

▶ 上記のサイトでは、C言語の標準ライブラリの仕様、C言語のFAQ（よく聞かれる質問と、その答え）など、プログラミングや情報処理技術に関する膨大な情報を提供しています。

■ 索引について

私の他の本と同様に、とても充実した索引を用意しています（索引をご覧いただくだけで、本書で解説している内容の、深さや網羅性がお分かりいただけるかと思います）。

たとえば、静的記憶域期間という用語は、次のいずれでも引けるようになっています。

き　**記憶域**	き　**期間**	せ　**静的**
静的〜期間	**静的記憶域〜**	**〜記憶域期間**

また、演算子などは、**記号**と**名称**の両方で引けるようになっています。

▶ 上記のサイトでは、本書の『**目次**』と『**索引**』のPDFもダウンロードできます。
　おもちのプリンタで印刷しておけば、本書内の調べものがスムーズに行えるようになります（目次や索引と、本文とを行き来するためにページをめくらなくてすみます）。

目次

第４章　プログラムの流れの繰返し　73

第1章

まずは慣れよう

もし、物ごとに慣れるだけで上達するのであれば、それに長く親しんだ人ほど“上手（じょうず）”になるはずです。ところが、実際は、そうではありません。たとえばスポーツを例にとってみても、練習をすればするほど悪いフォームがさらに改悪されていって、どんどん“下手（へた）”になってしまうのを見受けます。プログラミングも慣れるだけでは駄目（だめ）です。

とはいえ、何かを始めようとするときは、実際に触れてみることが不可欠です。本章では、画面への表示や、キーボードからの入力を行うプログラムを通じて、C言語のプログラミングに触れていきます。

1-1 まずは表示を行う

コンピュータで何らかの計算を行っても、画面に表示しなければ、計算結果がまったく分かりません。本節では、画面への表示方法を学習します。

整数の加算の結果を表示

コンピュータは、電子計算機と呼ばれるように、その任務は、何よりも**計算を行う**ことです。さっそくC言語を使って、次のプログラムを作りましょう。

整数値 15 と 37 を加算して、その値を表示する。

エディタなどを利用して **List 1-1** を打ち込みます。なお、プログラム中の大文字と小文字、全角文字と半角文字は区別されますので、ここに書いてあるとおりにします。

List 1-1 chap01/list0101.c

```
/* 整数値15と37を加えた結果を表示 */

#include <stdio.h>

int main(void)
{
    printf("%d", 15 + 37);       // 整数値15と37を加えた結果を10進数で表示

    return 0;
}
```

実行結果

```
52
```

▶ 余白や " などの記号を全角文字で打ち込まないように注意しましょう。余白は、スペースキーかタブキーを使って打ち込みます（p.111 で詳しく学習します）。
　なお、本書に示すプログラムは、ホームページからダウンロードできます（p.v）。プログラムリストの右上に示しているのは、フォルダ名とファイル名です。

プログラムとコンパイル

みなさんが打ち込んだのは、**文字の並び**です。このような、私たち人間の読み書きに都合のよいプログラムは、ソースプログラム（source program）と呼ばれ、それを格納したファイルはソースファイル（source file）と呼ばれます。

▶ source は『もとになるもの』という意味であって、ソースプログラムは、原始プログラムとも呼ばれます。なお、文字を保存したファイルの形式は、テキスト形式と呼ばれます（コンピュータの世界でのテキストは、**文字データ**を意味します）。

C言語のソースファイルには **.c** という**拡張子**を与える慣習がありますので、たとえば **chap01** といった名前のフォルダの中に、**list0101.c** という名前で保存します。

重要 ソースプログラムを格納するソースファイルは、拡張子 `.c` を与えて、テキスト形式で保存する。

さて、**文字の並び**として作成したソースプログラムは、コンピュータが理解できる**ビットの並び**（0と1の並び）の形式に変換する必要があります。

Fig.1-1 に示すように、ソースプログラムを翻訳（ほんやく）＝コンパイルしたり、リンクしたりする作業を行うことで、実行プログラムを作成します。

それらの作業が終わってプログラムを実行すると、画面に**52**と表示されます。

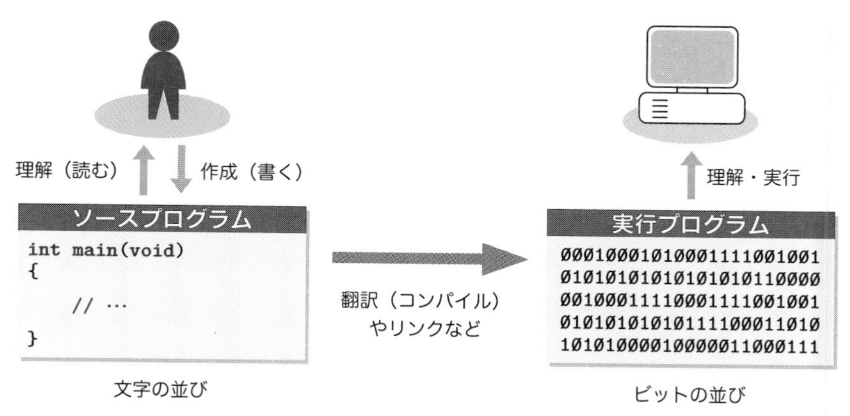

Fig.1-1 ソースプログラムと実行プログラム

▶ 翻訳の手順やプログラムの実行方法などは、処理系や実行環境によって異なりますので、みなさんが利用している処理系のマニュアルなどを参照しましょう（p.392）。なお、**翻訳**や**処理系**といった用語については、**Column 1-2**（p.6）で学習します。

ソースプログラムに綴（つづ）り間違いがあると、翻訳時にエラーが発生して、その旨の診断メッセージ（diagnostic message）がコンパイラによって通知されます。その際は、打ち込んだプログラムのミスを取り除いた上で、再度コンパイルを試みましょう。

重要 ソースプログラムは、そのままでは実行できないため、コンパイルやリンクの作業によって、実行プログラムに変換する必要がある。

プログラムには **#** や **{** などの記号が多いため、少しとまどったかもしれません。でも大丈夫です。少しずつ理解していきましょう。

▶ 記号文字の読み方は、p.9 にまとめています。

注釈（コメント）

それでは、プログラムの中身を理解していきましょう。

```
/* 整数値15と37を加えた結果を表示 */
#include <stdio.h>

int main(void)
{
    printf("%d", 15 + 37);       // 整数値15と37を加えた結果を10進数で表示

    return 0;
}
```

みなさんは、最初の行を読むだけで、これが何のプログラムであるのかが分かるはずです。

プログラム中の、2箇所の緑文字の部分、すなわち、/* から */ までと、// から行末までを、専門用語で注釈＝コメント（comment）と呼びます。注釈の有無や内容は、プログラムの動作には影響を与えません。

プログラムの作成者を含めて、その読み手に伝えたいことを、日本語や英語などの簡潔な言葉で書き込みます。

重要 ソースプログラムには、プログラム作成者自身を含めた**読み手**に伝えるべきことがらを、注釈＝コメントとして簡潔に記述する。

他の人が作成したプログラムに適切な注釈が書かれていれば、読みやすく、理解しやすくなります。また、自分が作ったプログラムのすべてを記憶することは不可能ですので、注釈の記入は、作成者自身にとっても重要です。

▶ コメントの記述内容が誤っていると、誤解を招きます。コメントは正しく書くようにしましょう。

二つの形式のコメントは、自由に使い分けられるようになっています。

① 伝統的コメント /* … */

/* と */ とで囲んで記述するコメントであり、その特徴は次のとおりです。

- 好きな場所に置ける（開始と終了が、行の先頭や末尾でなくてよい）。
- 開始と終了は同一行になくてもよい（複数行にまたがることが可能）。
- 注釈を閉じるための */ を、書き忘れる、または /* に書き間違えると大変なことになる。

▶ 開始を表す /* から、プログラムの終端までのすべてが注釈とみなされてしまうからです。

② 行末コメント // …

// から、その行の終端までがコメントです。特徴は、次のとおりです。

- 好きな場所に置ける（開始は行の先頭でなくてよい）。
- コメントの終了を書く必要がない（手短なコメントの記述に好適）。

▶ コメントとしてみなされるのは、その行末の改行文字の直前までです（改行文字はコメントには含まれません）。

プログラムの決まり文句

プログラムから注釈を取り去ったものを、**Fig.1-2** に示しています。現時点では、水色の部分を**決まり文句**と考えることにします。

これらの意味は、後の章で少しずつ学習していきますので、各部の綴りを含めて、丸暗記しておきましょう。

決まり文句の部分は、そのまま利用して、それ以外の箇所を作っていきます。

▶ `stdio` は、standard I/O（標準入出力）の略です。`studio` と間違えないようにします。

```
#include <stdio.h>

int main(void)
{
    printf("%d", 15 + 37);

    return 0;
}
```

Fig.1-2 プログラムの決まり文句

Column 1-1 コメントと文法用語について

ここでは、**コメント**を使う上での注意点と、C言語の**文法用語**について少し詳しく学習します。

▪ 伝統的コメントを入れ子にする（コメントの中にコメントを入れる）ことはできない

伝統的コメントの中に、伝統的コメントを入れることは許されていません。

そのため、次のように記述すると、エラーとなります。

```
/*   /* このようなコメントは駄目!! */    */
```

コメントとみなされるのは矢印の範囲です。すなわち、最初の `*/` までです。それより後ろ側の `*/` は、コメントとみなされません。

▪ 伝統的コメントの中では // を使えるし、行末コメントの中では /* と */ を使える

伝統的コメントの中では、自由に `//` を使うことができます（入れ子のコメントとみなされるのではなく、コメントの記述として `//` を使える、という意味です）。

その逆もOKです。行末コメントの中では、自由に `/*` や `*/` を使うことができます。

そのため、次に示すコメントがエラーとなることはありません。

```
/* // このコメントはOK!! */
// /* このコメントもOK!! */
```

▪ 文法用語について

日本語の**標準C**の文法書で使われている**用語**は、コメントではなく、注釈です。文法書の中では、《注釈》で統一されていて、コメントと書かれている箇所は1箇所もありません。

また、注釈に2種類の形式があることは解説されていますが、それぞれの形式に対して用語が与えられていません。

伝統的コメント、**行末コメント**という用語は、プログラミング言語Javaの文法書から借りてきた用語です。

printf 関数：書式化して表示を行う関数

画面への表示を行う箇所を、**Fig.1-3** を見ながら理解していきましょう。

この図は、*printf* という名前の関数（function）に、表示をゆだねる様子を示しています。

▶ *printf* はプリントエフと発音します。末尾の f は『書式』という意味の format に由来します。

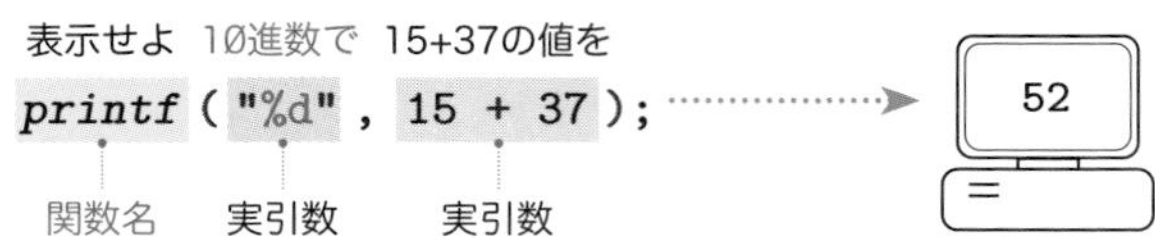

Fig.1-3 printf 関数の呼出しによる画面への表示

関数に処理をゆだねるための《**処理の依頼**》を、**関数呼出し**（function call）といいます。

関数呼出しの際の《**補助的な指示**》は、関数名の後ろの **( )** の中に、**実引数**（argument）として与えます。

なお、この例のように、実引数が2個以上あるときは、コンマ **,** で区切らなければなりません。

重要 関数呼出しは**処理の依頼**であり、その際に必要な**補助的な指示**は、関数名の直後に置く **( )** の中に実引数として（コンマ **,** で区切って）与える。

さて、先頭の実引数 `"%d"` は、

この後ろに与えている実引数の値の表示を“10 進数”で行ってください。

という書式の指示です。2番目の実引数 `15 + 37` の値が 10 進数で `52` と表示されるのは、この指示のおかげです。

▶ `"%d"` の `d` は、10 進数という意味の decimal に由来します。10 進数以外の表示などについては、第 7 章で学習します。また、*printf* 関数の詳細は、p.376 にまとめています。

Column 1-2 翻訳フェーズとコンパイル

C言語のプログラムを実行するには、理論上は8段階もの翻訳フェーズ（translation phase）を経ます。なお、ソースプログラムを実行させるために必要なソフトウェアのことを処理系（implementation）と呼びます（たとえば、Visual C++ などの処理系があります）。

C言語の処理系は、ソースプログラムをコンピュータが直接理解・実行できる形式に《翻訳》するコンパイル方式（本文で学習した方式です）が主流ですが、プログラムを１行ずつ《解釈》しながら実行するインタプリタ方式（実行速度が遅くなる傾向にあります）などもあります。

文

printf 関数の呼出しと、決まり文句の『**return 0;**』には、末尾にセミコロン ; が置かれています。これは、日本語の句点（くてん） 。に相当するものです。

末尾に句点を置くことで日本語の文になるように、末尾にセミコロン ; を置くことでC言語の文（statement）になります。

重要 文は、原則としてセミコロン ; で終わる。

プログラムを実行すると、決まり文句である { と } のあいだに置かれた**文**が順次実行される仕組みとなっています（詳細は第6章で学習します）。

▶ 本プログラムの場合は、次の二つの文が順次実行されます。

```
printf("%d", 15 + 37);
return 0;
```

整数の減算の結果を表示

次は、加算ではなく、減算（引き算）を行うプログラムを作りましょう。前のプログラムをもとにして、15から37を減じた（引いた）値を表示するようにプログラムを変更することにします。**List 1-2** に示すのが、そのプログラムです。

▶ **List 1-1** をコピーした上で、違うところのみを変更すると、素早くプログラムを作れます。

List 1-2 chap01/list0102.c

```
// 整数値15から37を減じた結果を表示

#include <stdio.h>

int main(void)
{
    printf("%d", 15 - 37);        // 整数値15から37を減じた結果を10進数で表示

    return 0;
}
```

実行結果

```
-22
```

プログラムを実行すると、-22と表示されます。このように、演算結果が負となったときの表示の先頭は、マイナス記号 - となります。

▶ 先頭行の注釈を、**伝統的コメント**から**行末コメント**に変更しました。これ以降は、行末コメントを主として使っていきます。

書式文字列と変換指定

プログラムを実行したときに和や差だけが表示されても、何のことだか分かりません。もう少し丁寧(ていねい)に和を表示するように作りかえましょう。それが、**List 1-3** のプログラムです。

List 1-3 chap01/list0103.c

```
// 整数値15と37を加えた結果を丁寧に表示

#include <stdio.h>

int main(void)
{
    printf("15と37の和は%dです。\n", 15 + 37);        // 表示後に改行

    return 0;
}
```

実行結果

15と37の和は52です。

プログラム水色の部分、すなわち *printf* 関数に与える最初の実引数は、書式文字列(しょしきもじれつ)(format string)と呼ばれます(**Fig.1-4** では、点線 で囲まれた箇所です)。

その中の %d が、『続く実引数を“10 進数で”表示せよ。』という書式の指示であることは先ほど学習しました。この部分は変換指定(conversion specification)と呼ばれます。

書式文字列中の変換指定でない文字は、(基本的には)そのまま画面へと出力されます。

ただし、末尾の \n は、改行(new line)を表す特別な表記です。2個の文字 \ と n を組み合わせて、**改行文字**という1個の文字を表します。

▶ 画面に \ と n の 2 文字が表示されるのではなく、(目に見えない)改行文字が出力されます。

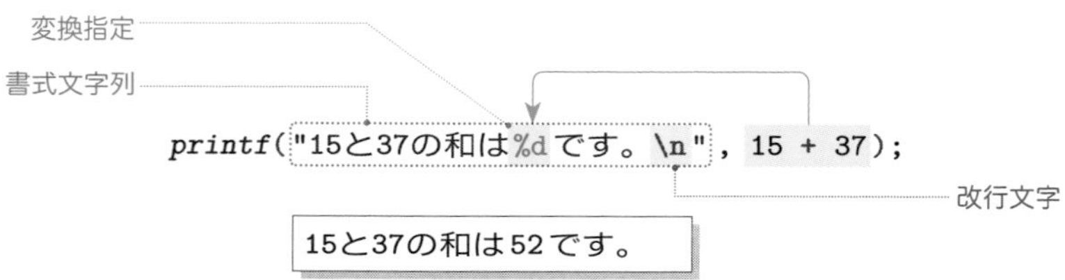

Fig.1-4 書式文字列と変換指定と改行文字

Column 1-3 プログラム最後の表示における改行の必要性

右に示すのは、**List 1-1** の実行の様子です(▷は、オペレーティングシステムのプロンプトであって、> や % などの記号が表示されます)。

多くの実行環境では、プログラムを実行すると、プログラムの出力結果である 52 の直後にプロンプトがくっついてしまいます。

List 1-3 のように、プログラムの最後に改行文字を出力しておけば、プロンプトが続くことはありません。

```
▷list0101⏎
52▷
```

```
▷list0103⏎
15と37の和は52です。
▷
```

記号文字の読み方

C言語で使う記号文字の読み方を、俗称(ぞくしょう)も含めてまとめたものが **Table 1-1** です。

Table 1-1 記号文字の読み方

記号	読み方
+	プラス符号、正符号、プラス、たす
-	マイナス符号、負符号、ハイフン、マイナス、ひく
*	アステリスク、アスタリスク、アスター、スター、かけ、こめ、ほし
/	スラッシュ、スラ、わる
\	逆斜線、バックスラッシュ、バックスラ、バック　※JISコードでは¥
¥	円記号、円、円マーク
%	パーセント
.	ピリオド、小数点文字、ドット、てん
,	コンマ、カンマ
:	コロン、ダブルドット
;	セミコロン
'	単一引用符、一重引用符、引用符、シングルクォーテーション
"	二重引用符、ダブルクォーテーション
(	左括弧、開き括弧、左丸括弧、始め丸括弧、左小括弧、始め小括弧、左パーレン
)	右括弧、閉じ括弧、右丸括弧、終り丸括弧、右小括弧、終り小括弧、右パーレン
{	左波括弧、左中括弧、始め中括弧、左ブレイス、左カーリーブラケット、左カール
}	右波括弧、右中括弧、終り中括弧、右ブレイス、右カーリーブラケット、右カール
[	左角括弧、始め角括弧、左大括弧、始め大括弧、左ブラケット
]	右角括弧、終り角括弧、右大括弧、終り大括弧、右ブラケット
<	小なり、左アングル括弧、左向き不等号
>	大なり、右アングル括弧、右向き不等号
?	疑問符、はてな、クエッション、クエスチョン
!	感嘆符、エクスクラメーション、びっくりマーク、びっくり、ノット
&	アンド、アンパサンド
~	チルダ、チルド、なみ、にょろ　※JISコードでは‾（オーバライン）
‾	オーバライン、上線、アッパライン
^	アクサンシルコンフレックス、ハット、カレット、キャレット
#	番号記号、ナンバー、ハッシュ、スクエア、オクトソープ、ダブルクロス、井桁(いげた)
_	下線、アンダライン、アンダバー、アンダスコア
=	等号、イクオール、イコール
|	縦線、バーチカルライン

注意 !!

▶ 日本で多くのパソコンに採用されているJISコードという文字体系では、逆斜線記号文字\の代わりに、円記号文字¥を使います。もし、**みなさんの環境が¥を使う環境であれば、**本書のすべての\を¥と読みかえましょう。

演習 1-1

15から37を引いた値を計算して「15から37を引いた値は-22です。」と表示するプログラムを作成せよ。

書式化を行わない表示

実引数を1個だけ与えて*printf*関数を呼び出すことができます。そうすると、書式文字列の文字がそのまま表示されます。**List 1-4**で確認しましょう。『こんにちは。私の名前は福岡太郎です。』と表示するプログラムです。

▶ みなさんは、ご自身の名前に変更してプログラムを打ち込むようにします。

List 1-4 chap01/list0104.c

```
// 挨拶と自己紹介

#include <stdio.h>

int main(void)
{
    printf("こんにちは。私の名前は福岡太郎です。\n");    // 最後に改行

    return 0;
}
```

自分の名前に変更しよう !!

実行結果

```
こんにちは。私の名前は福岡太郎です。
```

このプログラムを変更して、『こんにちは。』と『私の名前は福岡太郎です。』を別々の行に表示させましょう。それが**List 1-5**のプログラムです。

List 1-5 chap01/list0105.c

```
// 挨拶と自己紹介（別の行に表示・その１）

#include <stdio.h>

int main(void)
{
    printf("こんにちは。\n私の名前は福岡太郎です。\n"); // 途中と最後で改行

    return 0;
}
```

実行結果

```
こんにちは。
私の名前は福岡太郎です。
```

書式文字列の途中に置かれた`\n`によって改行が行われます。

なお、**List 1-6**に示すように、*printf*関数の呼出しを二つに分けても同じ結果が得られます。

List 1-6 chap01/list0106.c

```
// 挨拶と自己紹介（別の行に表示・その２）

#include <stdio.h>

int main(void)
{
    printf("こんにちは。\n");                    // 最後に改行
    printf("私の名前は福岡太郎です。\n");          // 最後に改行

    return 0;
}
```

実行結果

```
こんにちは。
私の名前は福岡太郎です。
```

▶ こちらのほうが、プログラムが読みやすくなります。

文字列リテラル

さて、"ABCDEF"や"こんにちは。"のように、一連の文字を二重引用符"で囲んだものは、文字列リテラル（string literal）と呼ばれ、文字の並びを表します。

文字列リテラルを打ち込む際は、末尾の"を書き忘れないようにします。

▶ リテラルとは、『文字どおりの』『文字で表された』という意味です。本書では、文字列リテラルを**"茶色の文字"**で表記します。なお、文字列リテラルについては、第9章で詳しく学習します。

拡張表記

改行文字を表す表記が\nであることは、既に学習しました。このような\で始まる特別な表記は、拡張表記（escape sequence）と呼ばれます。

警報（alert）を発する拡張表記\aを使うと、いわゆる**警報音**を出せます。**List 1-7**は、『こんにちは。』と表示して、警報を3回発するプログラムです。

List 1-7 chap01/list0107.c

```
// 挨拶して警報を３回発する

#include <stdio.h>

int main(void)
{
    printf("こんにちは。\a\a\a\n");      // 表示とともに警報を３回発する

    return 0;
}
```

実行結果

```
こんにちは。♪♪♪
```

▶ プログラムを実行する環境によっては、警報（音でなく視覚的なものである場合もありますが、普通はいわゆる**ビープ音**です）が鳴らないことや、三つの警報が一つにまとまって鳴ることもあります。

なお、本書の実行結果では、警報を♪と表記します。

演習 1-2

右に示す表示を行うプログラムを作成せよ。ただし、*printf*関数の呼出しは、プログラム中1回限りとする。

```
守
破
離
```

演習 1-3

右に示す表示を行うプログラムを作成せよ。ただし、*printf*関数の呼出しは、プログラム中1回限りとする。

```
こんにちは。
お元気ですか。

さようなら。
```

1-2 変数

計算の途中結果や最終的な結果を覚えさせておくために利用するのが、変数です。本節では、変数の基礎を学習します。

変数と宣言

ここまでのプログラムで表示したのは、15 や 37 といった定数（ていすう）(constant) の演算結果でした。複雑な演算を行う際は、定数だけでなく変数（へんすう）（variable）が必要となります。

変数について、まずは、次のように考えましょう。

変数とは、数値（や文字など）を格納する『箱』である。

数値を格納する**箱**に値を入れておけば、その箱が存在する限り、値が保持（ほじ）されます。また、値を取り出したり書きかえたりするのも自由です。

さて、プログラム中に複数の箱があると、どれが何の箱なのかが分からなくなりますので、箱には**名前**が必要です。そのため、箱を使うためには、変数を作るとともに、その変数に名前を与える宣言（せんげん）（declaration）が必要となります。

次に示すのが、その宣言です（**int** はイントと発音します）。

```
int n;          // 型がintで名前がnの変数の宣言
```

Fig.1-5 に示すように、この宣言によって、*n* という名前の、整数値を格納できる**変数**＝**箱**が用意されます。なお、変数 *n* は『**int** 型』と呼ばれます。

重要 変数を使うには、その型と名前を事前に宣言する。

▶ **int** は、整数という意味の語句 integer に由来します。なお、**型**については、主として第 2 章と第 7 章で詳しく学習して、変数に与える命名の規則は、p.108 で学習します。

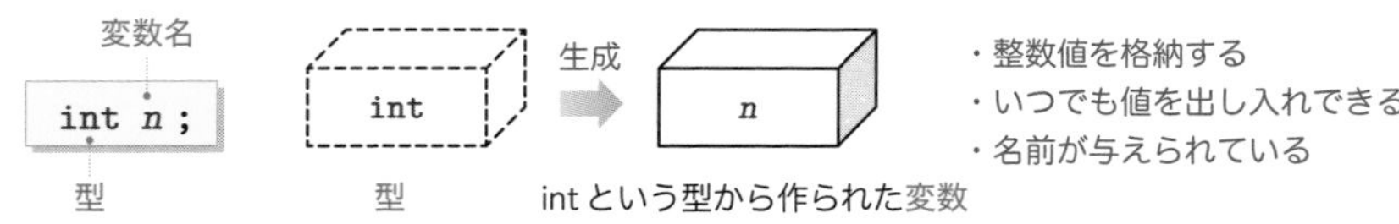

Fig.1-5 変数

それでは、次の問題を考えましょう。

二つの変数に適当な整数値を代入して、その値を表示する。

作成したプログラムを、右ページの **List 1-8** に示します。

List 1-8 chap01/list0108.c

```
// 二つの変数に整数値を代入して表示

#include <stdio.h>

int main(void)
{
    int x, y;                           // xとyはint型の変数

    x = 57;                             // xに57を代入          ―1
    y = x + 12;                         // yにx + 12を代入      ―2

    printf("xの値は%dです。\n", x);     // xの値を表示
    printf("yの値は%dです。\n", y);     // yの値を表示

    return 0;
}
```

実行結果

```
xの値は57です。
yの値は69です。
```

▶ 本プログラムでは、宣言の次の行など、ところどころが空(あ)けられています。このような少しの気配(きくば)りで、プログラムは読みやすくなります。

赤い部分が変数の宣言です。二つの **int** 型変数 **x** と **y** が一度に宣言され、二つの変数名がコンマ記号 **,** で区切られています。

もちろん、右に示すように、二つの変数を別々に宣言しても構いません。

```
int x;  // 変数（その１）
int y;  // 変数（その２）
```

▶ 各行に一つずつ宣言を書くと、宣言に対する注釈を記入しやすくなりますし、宣言の追加や削除が行いやすくなります。
ただし、プログラムの行数が増えるというデメリットもありますので、臨機応変(りんきおうへん)に使い分けましょう。

代入

宣言に続く1と2で使っている記号 **=** は、**『右側の値を左側の変数に代入せよ。』**という指示です。**Fig.1-6** を見ながら理解しましょう。

1 変数 **x** に 57 が代入されます。

2 **x** の値を取り出した値 57 に 12 を加えた 69 が **y** に代入されます。

▶ 数学のように、『**x** と 57 が等しい。』とか『**y** と **x + 12** が等しい。』といっているのではありません。

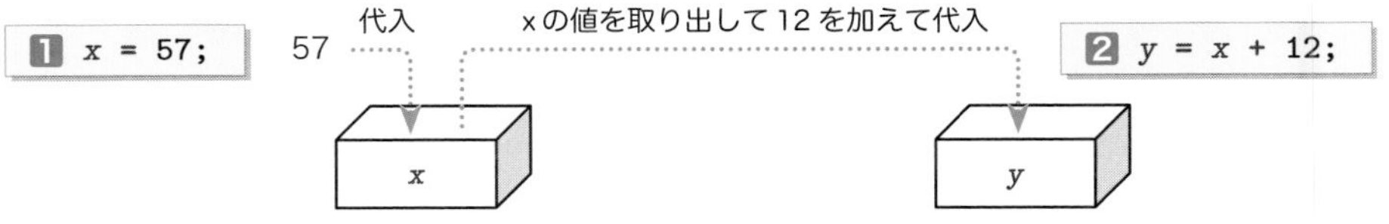

Fig.1-6 変数への値の代入と取出し

初期化

前ページのプログラムから、変数に値を代入する部分を削除するとどうなるかを実験してみましょう。**List 1-9** を実行します。

List 1-9 chap01/list0109.c

```
// 二つの変数に値を代入せずに表示

#include <stdio.h>

int main(void)
{
    int x, y;                              // xとyはint型の変数

    printf("xの値は%dです。\n", x);        // xの値を表示
    printf("yの値は%dです。\n", y);        // yの値を表示

    return 0;
}
```

実行結果一例

```
xの値は3535です。
yの値は938です。
```

変数 x と y が妙な値になっています。

実は、変数が生成されるときは、**不定値**すなわち**ゴミの値**が入れられるのです（**Fig.1-7**）。

そのため、値が設定されていない変数から値を取り出すと、思いもよらぬ結果となります。

生成時の変数は不定値となる

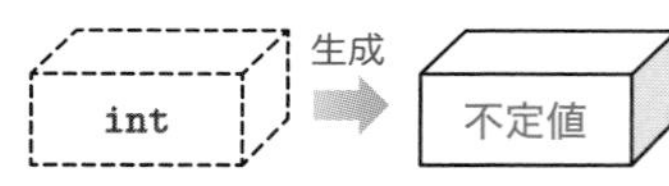

Fig.1-7 生成時の変数の値

▶ 表示される値は、実行環境や処理系などの条件によって異なります（実行時にエラーが発生して、プログラムの実行が中断される場合もあります）。

初期化を伴う宣言

整数を格納する変数を作る際に、入れるべき値が事前に分かっていれば、最初から値を入れておくとよさそうです。そのように変更したのが、**List 1-10** のプログラムです。

List 1-10 chap01/list0110.c

```
// 二つの変数を初期化して表示

#include <stdio.h>

int main(void)
{
    int x = 57;                            // xはint型の変数（57で初期化）
    int y = x + 12;                        // yはint型の変数（x + 12で初期化）

    printf("xの値は%dです。\n", x);        // xの値を表示
    printf("yの値は%dです。\n", y);        // yの値を表示

    return 0;
}
```

実行結果

```
xの値は57です。
yの値は69です。
```

変数の宣言の = 以降は初期化子（initializer）と呼ばれ、変数生成時に入れる値の指定です。そのため、Fig.1-8 aに示すように、変数 *x* は 57 で初期化（initialize）されます。

重要 変数は生成されたときに**不定値**が入れられる。変数を宣言する際は、初期化子を与えて初期化を行うとよい。

なお、変数 *y* は、初期化子として `x + 12` が与えられていますので、57 + 12 すなわち 69 で初期化されます。

▶ **静的記憶域期間**をもつ変数に限っては生成時に `0` が入れられる、などの例外があります。そのあたりのことは、第 6 章（p.174）で学習します。

初期化と代入

本プログラムで行っている**初期化**と、**List 1-8**（p.13）で行った**代入**は、値を入れる**タイミング**が異なります。次のように理解しましょう（**Fig.1-8**）。

- 初期化：変数の生成時に値を入れること。
- 代　入：生成ずみの変数に値を入れること。

▶ 本書では、初期化の記号 = を黒字で示し、代入の記号 = を青字で示しています。

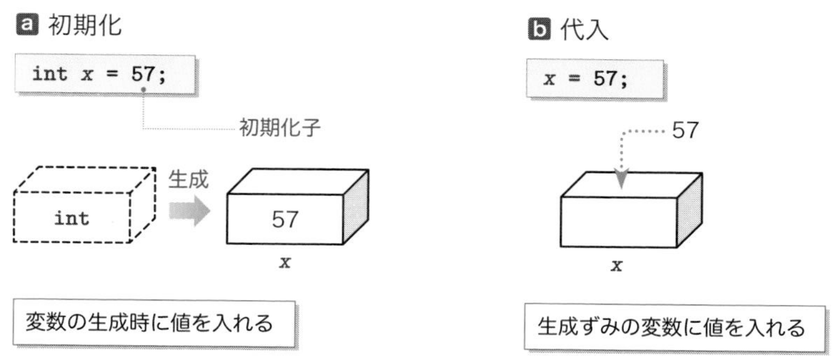

Fig.1-8 初期化と代入

▶ 変数 a を 5 で初期化して、b を 7 で初期化するのであれば、次のように宣言します。

```
int a = 5, b = 7;                // aを5で初期化してbを7で初期化
```

演習 1-4

`int` 型変数の宣言に実数値の初期化子（たとえば `3.14` や `5.7` など）を与えるとどうなるだろうか。プログラムを作成して確認せよ。

1-3 読込みと表示

本節では、整数値をキーボードから読み込んで、その値を変数に格納する方法などを学習していきます。

scanf 関数：キーボードからの読込みを行う関数

決まりきった値の演算結果を表示するだけでは面白(おもしろ)くありません。キーボードから数値を読み込んで、対話的に処理を行うようにしましょう。次のプログラムを作ります。

整数値を読み込んで、その値をそのまま表示する。

List 1-11 に示すのが、そのプログラムです。

List 1-11 chap01/list0111.c

```
// 読み込んだ整数値をそのまま表示

#include <stdio.h>

int main(void)
{
    int no;

    printf("整数を入力してください：");
    scanf("%d", &no);                          // 整数値を読み込む

    printf("あなたは%dと入力しましたね。\n", no);

    return 0;
}
```

いろいろな数値を打ち込んでみよう!!

実行例
```
整数を入力してください：37↵
あなたは37と入力しましたね。
```
打ち込んだ数値に応じて変化する

Fig.1-9 に示すように、キーボードからの読込みに使うのが *scanf* 関数です（*scanf* はスキャンエフと発音します）。

scanf 関数に与える変換指定 "%d" は、*printf* 関数と同様に **10 進数**の指定です。すなわち、

キーボードから 10 進数を読み込んで、その値を no に格納してください。

と依頼しているのです。

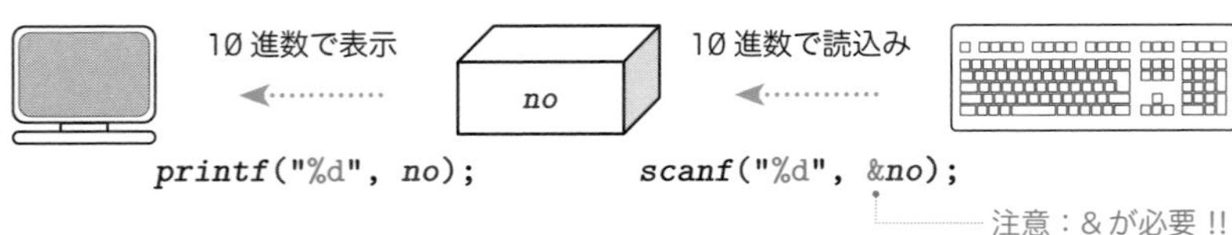

Fig.1-9 printf 関数による表示と scanf 関数による読込み

なお、次の点が要注意です。

重要 *scanf* 関数による読込みでは、実引数として与える変数名の前に & を置く。

▶ & の意味は第 10 章で学習します。なお、**int** 型が格納できる数値には限りがありますので、大きな正値や小さな負値の読込みは行えません（第 7 章で学習します）。

さて、プログラムでは、まず「整数を入力してください：」と表示して、キーボードからの入力を促します。***scanf*** 関数による読込みが完了すると、『あなたは ** と入力しましたね。』と表示します（このとき、変数 **no** に読み込んだ値が ** の部分に表示されます）。

▶ 本書の解説では、次のように「 」と『 』を使い分けます。
　「ABC」と表示 … 画面に **ABC** と表示します。
　『ABC』と表示 … 画面に **ABC** と表示した後に改行します（改行文字を出力します）。

乗算を行う

読み込んだ整数値をそのまま表示するのではなく、5倍した値を表示するように書きかえましょう。**List 1-12** に示すのが、そのプログラムです。

List 1-12 chap01/list0112.c

```
// 読み込んだ整数値の5倍の値を表示

#include <stdio.h>

int main(void)
{
    int no;

    printf("整数を入力してください：");
    scanf("%d", &no);                    // 整数値を読み込む

    printf("その数の5倍は%dです。\n", 5 * no);

    return 0;
}
```

実行例

```
整数を入力してください：357⏎
その数の5倍は1785です。
```

本プログラムで初めて利用したアステリスク * は、乗算（掛け算）の記号です。もちろん、プログラム中の **5 * no** を、**no * 5** に変更しても、同じ結果が得られます。

演習 1-5

右に示すように、読み込んだ整数値に 13 を加えた値を表示するプログラムを作成せよ。

```
整数を入力してください：56⏎
56に13を加えると69です。
```

演習 1-6

右に示すように、読み込んだ整数値から 7 を減じた値を表示するプログラムを作成せよ。

```
整数を入力してください：58⏎
58から7を減じると51です。
```

puts関数：表示を行う関数

変数を利用して、もう少し難しい問題を解くことにします。

二つの整数値を読み込んで、その和を表示する。

List 1-13 に示すのが、そのプログラムです。

List 1-13 chap01/list0113.c

```
// 読み込んだ二つの整数値の和（加算結果）を表示

#include <stdio.h>

int main(void)
{
    int n1, n2;

    puts("二つの整数を入力してください。");
    printf("整数n1："); scanf("%d", &n1);
    printf("整数n2："); scanf("%d", &n2);

    printf("それらの和は%dです。\n", n1 + n2);      // 和を表示

    return 0;
}
```

実行例

```
二つの整数を入力してください。
整数n1：27
整数n2：35
それらの和は62です。
```

▶ 水色の箇所では、一つの行に複数の文を置いています。逆に、一つの文を複数の行にまたがって記述することも可能です（プログラム表記の詳細はp.110で学習します）。

本プログラムで初めて使ったのが*puts*関数です（末尾の**s**はstringに由来し、一般に*puts*はプットエスなどと発音します）。

この関数は、実引数として与えられた文字の並びを出力した上で改行文字を出力します。すなわち、**Fig.1-10** に示すように、『*puts*("…")』は、『*printf*("…\n")』とほぼ同じ働きをします。

ほぼ同じ

- `printf("ABCDE\n");`
  - ・書式設定や数値の出力なども可能
  - ・改行文字の出力は明示的な指定が必要
- `puts("ABCDE");`
  - ・書式設定や数値の出力などは不可能
  - ・改行文字が自動的に出力される

Fig.1-10 printf関数とputs関数

最後に改行文字の出力を行って、かつ、書式化の必要がない場合は、*printf*関数よりも*puts*関数のほうが便利です。

▶ *puts*関数に与えられる実引数は1個だけです。なお、記号文字**%**の表示方法が、*printf*関数とは異なります（p.25で学習します）。

このプログラムを少し書きかえた**List 1-14**を考えていきましょう。

List 1-14 chap01/list0114.c

```
// 読み込んだ二つの整数値の和（加算結果）を変数に格納して表示

#include <stdio.h>

int main(void)
{
    int n1, n2;

    puts("二つの整数を入力してください。");
    printf("整数n1：");    scanf("%d", &n1);
    printf("整数n2：");    scanf("%d", &n2);

    int wa = n1 + n2;                           // n1とn2の和でwaを初期化

    printf("それらの和は%dです。\n", wa);        // 和を表示
    printf("すなわちn1 + n2 = %dです。\n", wa); // 和を表示

    return 0;
}
```

実行例

```
二つの整数を入力してください。
整数n1：27↵
整数n2：35↵
それらの和は62です。
すなわちn1 + n2 = 62です。
```

今回は、加算した値の表示を2回行うために、変数**wa**を新しく導入しています（二つの整数値*n1*と*n2*を読み込んだ後で、その加算結果で初期化しています）。

なお、次のように表示を行えば、変数**wa**は不要となるものの、同じ計算を2回行うことになります。

```
printf("それらの和は%dです。\n", n1 + n2);      // 和を表示
printf("つまりn1 + n2 = %dです。\n", n1 + n2); // 和を表示
```

▶ 本プログラムから、{と}のあいだに、**宣言**と**文**が混在できることが分かります。詳細は、p.60で学習します。

演習 1-7

『守』『破』『離』と表示するプログラムを作成せよ。表示には*printf*関数ではなく*puts*関数を利用すること。

```
守
破
離
```

演習 1-8

右に示すように、読み込んだ二つの整数値の積を表示するプログラムを作成せよ。

```
二つの整数を入力してください。
整数n1：27↵
整数n2：35↵
それらの積は945です。
```

演習 1-9

右に示すように、読み込んだ三つの整数値の和を表示するプログラムを作成せよ。

```
三つの整数を入力してください。
整数n1：7↵
整数n2：15↵
整数n3：23↵
それらの和は45です。
```

まとめ

- ソースプログラムは、**文字の並び**として作成する。そのままでは実行できないので、**コンパイル**（**翻訳**）や**リンク**を行って、実行可能な実行プログラムに変換する。

- ソースプログラム中の /* から */ までと、// から行末までは、注釈（コメント）である。作成者自身を含めた読み手に伝えるべき適切なことがらを簡潔に記入する。

- 右に示すプログラムの水色の部分は、**決まり文句**として覚えておく。
stdio.h の綴りを studio.h と間違えないようにする。

```
#include <stdio.h>

int main(void)
{
    printf("%d", 15 + 37);
    return 0;
}
```

- 文の末尾は、原則としてセミコロン ; である。

- プログラムを実行すると、{ と } のあいだの**文**が順次実行される。

- 改行文字を表す拡張表記は \n で、警報文字（通常はビープ音）を表す拡張表記は \a である。なお、環境によっては、逆斜線記号 \ の代わりに、円記号 ¥ を使わなければならない。

- 一連の文字を二重引用符 " で囲んだ **"ABC"** や **"こんにちは。"** といった文字列リテラルは、**文字の並び**を表す。

- 数値などのデータを自由に出し入れできる変数は、型から作られた**実体**である。変数を使うには、**型**と名前を与える宣言を事前に行う。int 型は、整数を表す型である。

- 変数は生成されたときに**不定値**が入れられる。そのため、変数を宣言する際は、特に不要でない限り、初期化子を与えて初期化を行うべきである。

- 初期化と代入は、変数に値を入れる点では同じであるが、そのタイミングが異なる。
  - 初期化：変数の生成時に値を入れること。
  - 代　入：生成ずみの変数に値を入れること。

型名 **変数名** 初期化子

```
int abc = 123;          // 初期化（変数の生成時に値を入れる）
int xyz;                // 不定値（ゴミの値）で初期化
xyz = 57;               // 代入（生成ずみの変数に値を入れる）
```

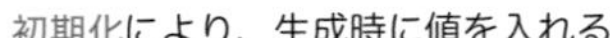

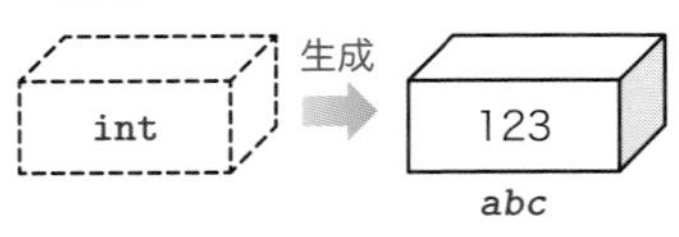

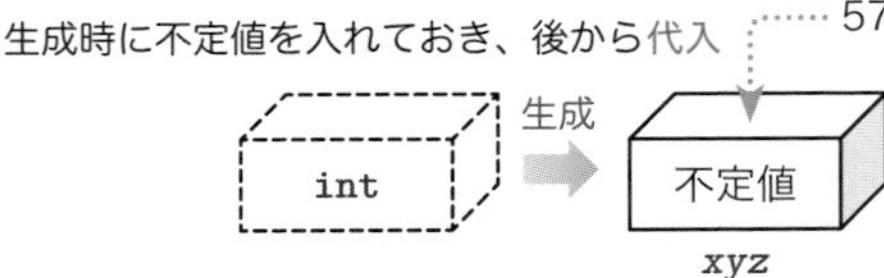

- 複数の変数を一度に宣言する場合は、次のように変数名をコンマ , で区切る。

```
int a, b;
```

- 関数呼出しは、処理の依頼である。呼出しの際に必要な補助的な指示は、( ) の中に実引数としてコンマ , で区切って与える。

- 画面への表示を行う関数として、*printf* 関数と *puts* 関数がある。

- *printf* 関数に与える最初の実引数は、書式文字列である。書式文字列は、続く実引数の書式を指定するための変換指定を含むことができる。書式文字列中の変換指定以外の文字は、基本的にそのまま表示される。
変換指定 %d は、続く実引数を 10 進数で表示するための指定である。

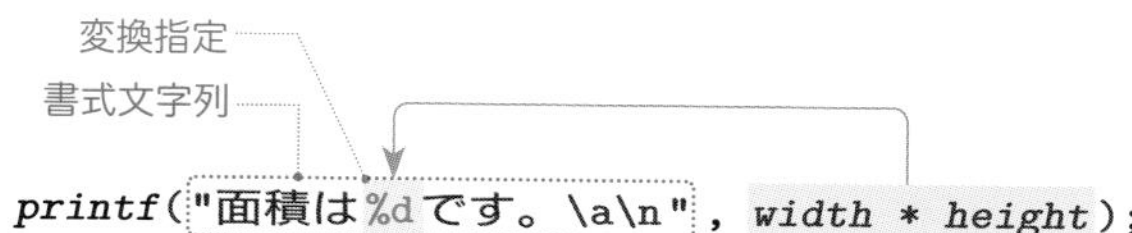

- *puts* 関数は、与えられた文字の並びを表示した上で改行文字を出力する。

- キーボードから数値などを読み込んで変数に格納するのが *scanf* 関数である。実引数として与える読込み先の変数名の前には & を置く。
変換指定 %d は、整数値を 10 進数で読み込むための指定である。

- 加算を行う記号は + で、減算を行う記号は - で、乗算を行う記号は * である。

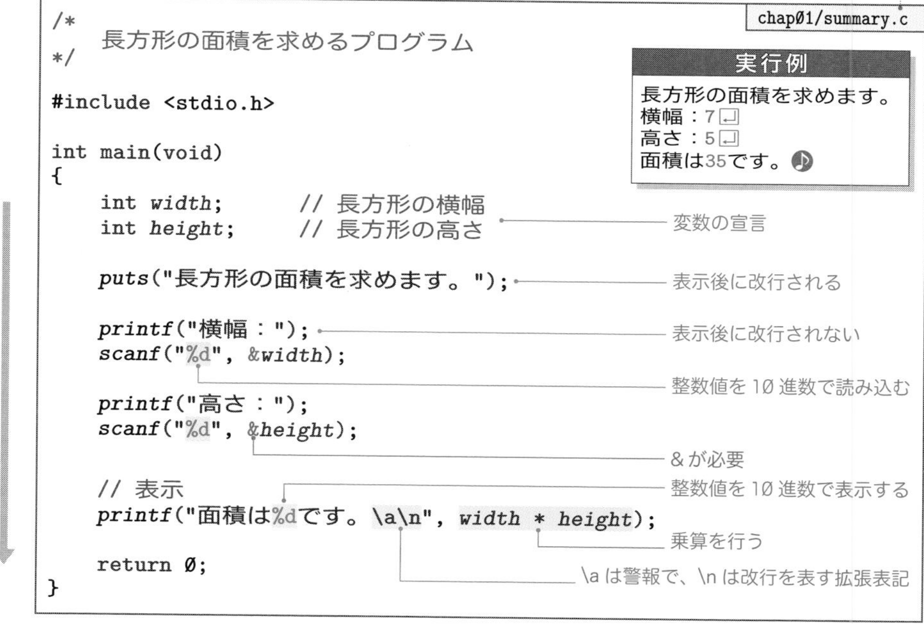


```
/*
    長方形の面積を求めるプログラム
*/

#include <stdio.h>

int main(void)
{
    int width;      // 長方形の横幅
    int height;     // 長方形の高さ

    puts("長方形の面積を求めます。");

    printf("横幅：");
    scanf("%d", &width);

    printf("高さ：");
    scanf("%d", &height);

    // 表示
    printf("面積は%dです。\a\n", width * height);

    return 0;
}
```

第2章

演算と型

もしも「身長と体重を教えてください。」と尋(たず)ねられて、「身長は175cmで体重は62kgです。」と答えたとします。しかし、それは嘘(うそ)(?)です。身長が175cmピッタリということは、まずありません。身長計で計って、175.3cmであったとしても、これも本当の値ではないでしょう。真の値は、おそらく175.2869758…cmといった値のはずです(しかも時間の経過とともに刻一刻と変化するでしょう)。

でも、通常は「身長は175cmで体重は62kgです。」で十分です。誰も真に正確な値を知る必要がないのですから。

… プログラムの世界でも同じです。現実の値を必ずしも正確に表す必要はありません。

この章では、C言語で数値を扱うために最低限の知識といえる、演算と型の基本について学習します。

2-1 演算

加算を行う + や、乗算を行う * などの記号は、演算子と呼ばれます。本節では、基本的な演算子を学習していきます。

演算子とオペランド

前章では、加算と減算と乗算を行いました。今度は、除算（割り算）もやってみます。

二つの整数値を読み込んで、その和・差・積・商・剰余を表示する。

プログラムを **List 2-1** に示します。

List 2-1 chap02/list0201.c

```
// 二つの整数値の和・差・積・商・剰余を表示

#include <stdio.h>

int main(void)
{
    int x, y;

    puts("二つの整数を入力せよ。");
    printf("整数x：");   scanf("%d", &x);
    printf("整数y：");   scanf("%d", &y);

    printf("x + y = %d\n",  x + y);      // 和
    printf("x - y = %d\n",  x - y);      // 差
    printf("x * y = %d\n",  x * y);      // 積
    printf("x / y = %d\n",  x / y);      // 商
    printf("x %% y = %d\n", x % y);      // 剰余

    return 0;
}
```

書式文字列内に % を 2 個並べると 1 個の % が表示される

実行例

```
二つの整数を入力せよ。
整数x：57⏎
整数y：21⏎
x + y = 78
x - y = 36
x * y = 1197
x / y = 2
x % y = 15
```

演算を行う + や * などの記号は演算子（operator）と呼ばれ、演算の対象となる変数や定数はオペランド（operand）と呼ばれます（**Fig.2-1**）。

たとえば、和を求める x + y では、演算子は + で、そのオペランドが x と y です。

▶ 各オペランドは、次のように呼ばれます。

- 左側のオペランド
  第1オペランド／左オペランド
- 右側のオペランド
  第2オペランド／右オペランド

C言語には数多くの演算子があります。全演算子の一覧表は p.221 に示しています。

なお、本プログラムでの x - y は、x から y を減じた値を求めるものであり、必ずしも差を求めるわけではありません（x よりも y のほうが大きければ、x - y は負の値となります）。差を求めるプログラムは、次章の **List 3-16**（p.59）で学習します。

Fig.2-1 演算子とオペランド

乗除演算子と加減演算子

本プログラムで使った5個の演算子は、**Table 2-1** の乗除演算子（multiplicative operator）と **Table 2-2** の加減演算子（additive operator）とに大別されます。

Table 2-1 乗除演算子

2項 * 演算子	a * b	aとbの積。
/ 演算子	a / b	aをbで割った商（整数どうしの場合は小数点以下は切捨て）。
% 演算子	a % b	aをbで割った剰余（aとbは整数でなければならない）。

Table 2-2 加減演算子

2項 + 演算子	a + b	aとbの和。
2項 - 演算子	a - b	aからbを引いた値。

除算の商と剰余

除算を行う演算子は、2種類があります。

■ **/ 演算子 … 商を求める**

商を求めるのが / 演算子です。整数どうしを対象とした

整数 / 整数 　　商の整数部

では、商の整数部（小数部は切捨て）が得られます。たとえば、5 / 3は1で、3 / 5は0です。

■ **% 演算子 … 剰余（あまり）を求める**

剰余を求めるのが % 演算子であり、オペランドは両方とも整数でなければなりません。

整数 % 整数 　　剰余

では、剰余が整数として得られます。たとえば、5 % 3は2で、3 % 5は3です。

▶ これら二つの演算子については、次ページの **Column 2-1** でも学習します。

printf 関数での % 文字の表示

剰余の表示を行う箇所では、書式文字列中に %% と書かれています。

書式文字列中の文字 % は、変換指定の開始文字です。そのため、書式指定を行うのではなく、本当に % と表示したい場合は、%% と表記することになっています。

▶ 書式指定の機能をもたない puts 関数による表示では、%% としてはいけません（%% と表示されてしまいます："chap02/percent.c"）。

```
puts("%");          // 1個の%を表示して改行
printf("%%\n");     // 1個の%を表示して改行
```

```
%
%
```

最下位桁の値を求める

剰余を求める**%**演算子をうまく使って、次の問題を解きましょう。

読み込んだ整数値の最下位桁の数字を表示する。

プログラムを **List 2-2** に示します。

List 2-2 chap02/list0202.c

```
// 読み込んだ整数値の最下位桁の数字を表示

#include <stdio.h>

int main(void)
{
    int no;

    printf("整数を入力せよ：");
    scanf("%d", &no);          // 整数値を読み込む

    printf("最下位桁は%dです。\n", no % 10);

    return 0;
}
```

実行例

```
1 整数を入力せよ：1357
  最下位桁は7です。
2 整数を入力せよ：1780
  最下位桁は0です。
```

整数値 *no* の最下位桁を、*no* を 10 で割った剰余として求めています。

演習 2-1

右に示すように、二つの整数値を読み込んで、前者の値が後者の何％であるかを表示するプログラムを作成せよ。

```
二つの整数を入力せよ。
整数x：54
整数y：84
xの値はyの64%です。
```

Column 2-1 除算の演算結果

第2版以降の標準Cでは、除算を行う二つの演算子の演算結果は、次のように定義されています。

/演算子 … 代数的な商から小数部を切り捨てた値。
%演算子 … (a / b) * b + a % b がaと等しくなる値。

この定義を読むだけでは、特にオペランドが負の場合の結果は把握しづらいかもしれません。

Table 2C-1 に、オペランドの符号ごとの具体例を示していますので、この表を参考にするようにしましょう。

なお、第2オペランドが 0 の場合、両演算子の挙動がどうなるのかは、言語では定義されていません（多くの場合、プログラムの実行が中断します）。

Table 2C-1 除算の演算結果の一例

		x / y	x % y
正 ÷ 正	例 x = 22 で y = 5	4	2
負 ÷ 負	例 x = -22 で y = -5	4	-2
正 ÷ 負	例 x = 22 で y = -5	-4	2
負 ÷ 正	例 x = -22 で y = 5	-4	-2

複数の変換指定

次は、二つの整数値を読み込んで、商と剰余を表示する **List 2-3** を理解しましょう。

List 2-3 chap02/list0203.c

```
// 二つの整数値を読み込んで商と剰余を表示

#include <stdio.h>

int main(void)
{
    int a, b;

    puts("二つの整数を入力せよ。");
    printf("整数a：");    scanf("%d", &a);
    printf("整数b：");    scanf("%d", &b);

    printf("aをbで割ると%dあまり%dです。\n", a / b, a % b);

    return 0;
}
```

実行例
```
二つの整数を入力せよ。
整数a：57
整数b：21
aをbで割ると2あまり15です。
```

演算結果を表示する書式文字列に、変換指定 %d が2個置かれています。**Fig.2-2** に示すように、先頭側から順に、第２実引数と第３実引数に対応します。

▶ もちろん、実引数と一対一で対応するのであれば、変換指定は3個以上あっても構いません。

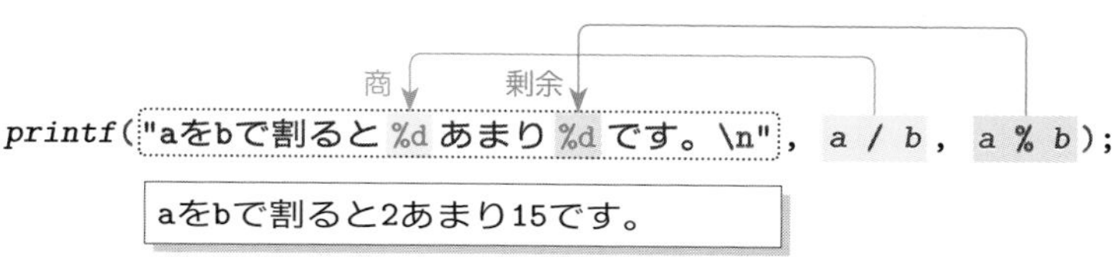

Fig.2-2 printf 関数で二つの値を書式化して表示

なお、*scanf* 関数による読込みでも、変換指定を2個以上置くことができます。

たとえば、本プログラムを次のように変更すると、変数 a と b への整数値の読込みを一度に指示できます（"chap02/list0203a.c"）。

```
puts("二つの整数を入力せよ。");
scanf("%d%d", &a, &b);
```

```
二つの整数を入力せよ。
57 21
aをbで割ると2あまり15です。
```

▶ 入力時は、二つの整数の区切りとして、スペース、タブ、改行のいずれかを入れる必要があります。

演習 2-2

右に示すように、二つの整数値を読み込んで、その和と積を表示するプログラムを作成せよ。

```
二つの整数を入力せよ。
整数a：54
整数b：12
それらの和は66で積は648です。
```

単項の算術演算子

次の問題を考えましょう。

読み込んだ整数値と、その符号を反転した値を表示する。

たとえば、7と入力されたら7と-7を表示して、-6と入力されたら-6と6を表示します。そのプログラムが**List 2-4**です。

List 2-4 chap02/list0204.c

```
// 読み込んだ整数値の符号を反転した値を表示

#include <stdio.h>

int main(void)
{
    int num;

    printf("整数を入力せよ：");
    scanf("%d", &num);        // 整数値を読み込む

    printf("%dの符号を反転した値は%dです。\n", +num, -num); // 単項演算子

    return 0;
}
```

実行例

```
1 整数を入力せよ：7
  7の符号を反転した値は-7です。
2 整数を入力せよ：-6
  -6の符号を反転した値は6です。
```

これまで利用してきた演算子のオペランドは2個でした。そのような演算子は、2項演算子（binary operator）と呼ばれます（**Fig.2-3**）。

その他に、オペランドを1個だけ必要とする単項演算子（unary operator）と、3個のオペランドを必要とする3項演算子（ternary operator）があります。

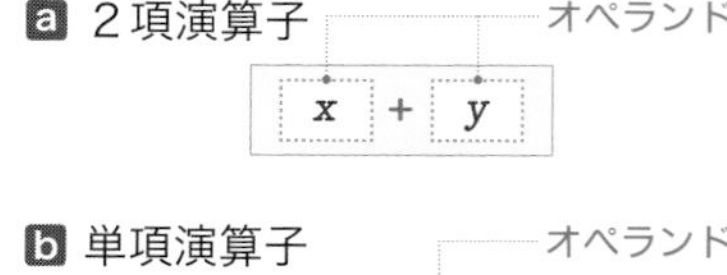

Fig.2-3 2項演算子と単項演算子

本プログラムで使っているのは、**Table 2-3**に示す単項+演算子（unary + operator）と単項-演算子（unary - operator）です。

Table 2-3 単項+演算子と単項−演算子

単項+演算子	+a	aの値。
単項-演算子	-a	aの符号を反転した値。

▶ 演算子+と-は、いずれも、2項版と単項版の2種類があることが分かりました。

単項+演算子は、実質的には演算を行いません。そのため、プログラム水色部分の+numから+を取り除いて、単なるnumとしても動作は同じです（"chap02/list0204a.c"）。

もう一つの単項-演算子は、オペランドの符号を反転した値を生成します。

なお、単項 + 演算子、単項 - 演算子、! 演算子（p.77）、~ 演算子（p.202）の四つの演算子の総称が、単項算術演算子（unary arithmetic operator）です。

代入演算子

これまでのいくつかのプログラムでは、**Table 2-4** の単純代入演算子（simple assignment operator）と呼ばれる = 演算子を利用しました。

演算子の名称が長いため、一般には、代入演算子と呼ばれます。

▶ オペランドが2個ですから、代入演算子 = は、2項演算子です。

Table 2-4 単純代入演算子

単純代入演算子	*a* = *b*	*b* を *a* に代入。

式と代入式

変数や定数、さらに、それらを演算子で結合したものを、式（expression）と呼びます。たとえば、

```
x + 32                    加算を行う式
```

では、*x*、32、*x* + 32 のいずれもが式とみなせます。また、

```
a = b - 5                 代入式
```

では、*a*、*b*、5、*b* - 5、*a* = *b* - 5 のいずれも式とみなせます。

代入演算子 = に着目すると、*a* が左オペランドであって、*b* - 5 が右オペランドです。

一般に、○○演算子を用いた式のことを、○○式と呼びます。そのため、代入演算子を用いた式は、代入式（assignment expression）と呼ばれます。

式文

既に学習したように、原則として、文の末尾はセミコロン ; です。そのため、先ほど示した代入式は、次の形となって、初めて正しい文となります。

```
a = b - 5;                式文（式の後ろにセミコロン）
```

このように、式の後ろにセミコロン ; を置いた文は、式文（しきぶん）（expression statement）と呼ばれます。

▶ 式文に関しては、第４章（p.101）でより詳しく学習します。なお、次章以降では、**if** 文や **while** 文など、いろいろな種類の文を学習していきます。

2-2 型

これまで利用してきたint型は、整数だけを取り扱う型でした。int型以外にも多くの型が提供されます。本節では、実数を取り扱うdouble型や演算と型の関係などを学習します。

整数型と浮動小数点型

次の問題を考えましょう。

二つの整数値を読み込んで、その平均値を求める。

そのプログラムを**List 2-5**に示します。

List 2-5 chap02/list0205.c

```
// 二つの整数値を読み込んで平均値を表示

#include <stdio.h>

int main(void)
{
    int a, b;

    puts("二つの整数を入力せよ。");
    printf("整数a：");   scanf("%d", &a);
    printf("整数b：");   scanf("%d", &b);

    printf("それらの平均は%dです。\n", (a + b) / 2);

    return 0;
}
```

実行例

```
二つの整数を入力せよ。
整数a：41
整数b：44
それらの平均は42です。
```

式a + bを囲む( )は、演算を優先的に行うために置かれた記号です（**Fig.2-4** a）。

もし、図bのように、a + b / 2となっていれば、『a』と『b / 2』の和が求められます。日常の計算と同じで、加減算よりも、乗除算のほうが優先されるからです。

▶ すべての演算子と、その優先順位は、**Table 7-13**（p.221）にまとめています。

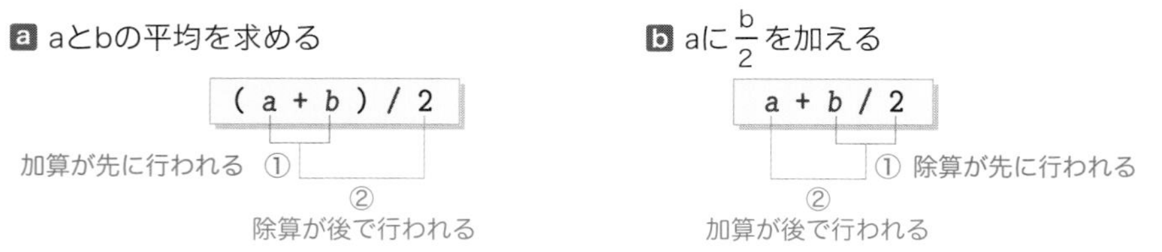

Fig.2-4 ( )による演算順序の変更

プログラムを実行して41と44を入力すると、平均値は42.5ではなく42と表示されます。小数部が切り捨てられるのは、整数しか扱えない**int**という型（type）の性質です。

C言語では、実数を浮動小数点数（floating point number）という形式で表します。その型には3種類ありますが、本節で学習するのは、double 型です。まずは、整数の int 型と浮動小数点数の double 型との違いを List 2-6 のプログラムで確認しましょう。

List 2-6 chap02/list0206.c

```
// 整数と浮動小数点数

#include <stdio.h>

int main(void)
{
    int n;              // 整数
    double x;           // 浮動小数点数

    n = 9.99;
    x = 9.99;

    printf("int    型変数 nの値  ：%d\n", n);        //    9
    printf("              n / 2  ：%d\n", n / 2);    //    9 / 2

    printf("double型変数 xの値  ：%f\n", x);         // 9.99
    printf("              x /2.0 ：%f\n", x / 2.0);  // 9.99 / 2.0

    return 0;
}
```

double 型の値の表示は %f

実行結果

```
int    型変数 nの値  ：9
              n / 2  ：4
double型変数 xの値  ：9.990000
             x/2.0  ：4.995000
```

最初に int 型の変数 *n* と、double 型の変数 *x* を宣言して、それから両方の変数に 9.99 を代入しています。同じように見える代入も、まったく違った働きをします（**Fig.2-5**）。

■ int 型変数 *n* に対する代入

int 型変数に実数値を代入する際は、小数部が切り捨てられます。そのため、*n* に格納される値は 9 です。

もちろん、*n* / 2 すなわち 9 / 2 は、『整数 / 整数』という整数どうしの演算ですから、その結果も小数部が切り捨てられた 4 となります。

■ double 型変数 *x* に対する代入

double 型の変数 *x* は実数値を表現できますので、格納される値は 9.99 です。

それを 2.0 で割る *x* / 2.0 の演算結果は 4.995 となります。

なお、*printf* 関数で double 型の値を表示するための変換指定は、%d ではなく %f です。

▶ 変換指定 %f の f は、浮動小数点 floating point の頭文字です。小数点以下の部分が 6 桁表示されますが、この桁数は変更できます（p.38 で学習します）。

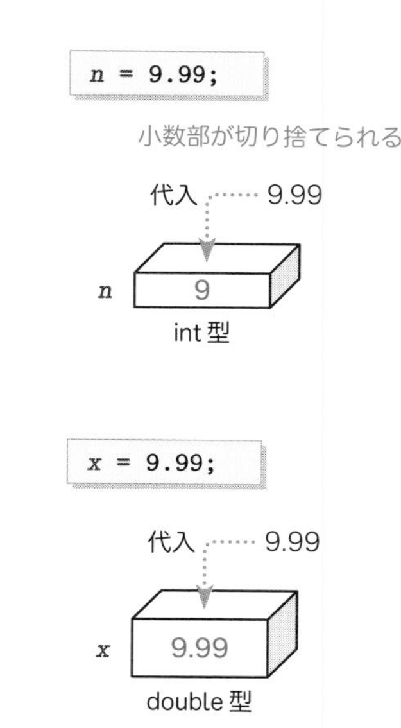

Fig.2-5 整数と浮動小数点数

型とオブジェクト

型と変数について、学習を進めていきましょう。**Fig.2-6** をご覧ください。

この図では、**int** 型と **double** 型を点線の箱で表し、それらの型をもつ変数 *n* と変数 *x* を実線の箱で表しています（変数の箱の大きさは、型の箱と同じです）。

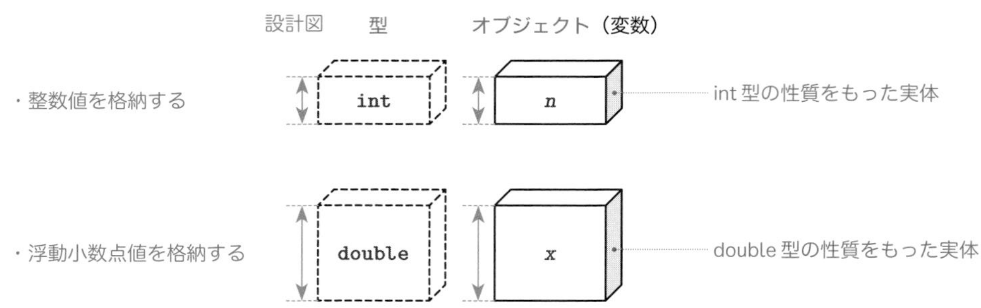

Fig.2-6　型とオブジェクト

int 型の変数は、整数のみを表現でき、**double** 型変数は、小数部をもつ実数値を表現できることは既に確認しました。実は、表現できる値の範囲も型に依存します。たとえば、**int** 型で確実に表現できる値は、**-32767** から **32767** までです（p.188）。

このように、各型には固有の性質があります。その性質をそっくり受け継いで作られた変数を表す専門用語が、オブジェクト（object）です。

重要 型は、その諸性質を内に秘めた**設計図**であり、オブジェクト（変数）は、設計図である型をもとに作られた**実体**である。

▶ たとえると、型はタコ焼きのカタで、カタから作られた本物のタコ焼きがオブジェクトです。

なお、オブジェクトよりも変数のほうが、一般的であって柔らかい感じです。本書では、厳密さが要求されない文脈では、オブジェクトではなく、変数という用語を使っていきます。

型と定数

変数だけでなく、プログラムに埋め込まれた定数にも型があります（**Fig.2-7**）。

■ 整数定数（integer constant）

5 や **37** などです。基本的に **int** 型となります。

■ 浮動小数点定数（floating constant）

3.14 や **2.0** などです。基本的に **double** 型となります。

▶ 定数の型は、値の大きさや特別な指示によって、変わります。
詳細は第 7 章で学習します。

整数定数
5　　int型

浮動小数点定数
3.14　double型

Fig.2-7　定数と型

double 型の演算

本章の冒頭で作った **List 2-1** は、二つの整数値の加減乗除の結果を求めるプログラムでした。これを実数値に書きかえたのが、**List 2-7** のプログラムです。

List 2-7 chap02/list0207.c

```
// 二つの実数値の和・差・積・商を実数で表示

#include <stdio.h>

int main(void)
{
    double x, y;          // 浮動小数点数

    puts("二つの実数を入力せよ。");
    printf("実数x：");   scanf("%lf", &x);
    printf("実数y：");   scanf("%lf", &y);

    printf("x + y = %f\n", x + y);      // 和
    printf("x - y = %f\n", x - y);      // 差
    printf("x * y = %f\n", x * y);      // 積
    printf("x / y = %f\n", x / y);      // 商

    return 0;
}
```

実行例

```
二つの実数を入力せよ。
実数x：45.77⏎
実数y：35.3⏎
x + y = 81.070000
x - y = 10.470000
x * y = 1615.681000
x / y = 1.296601
```

まずは、キーボードからの実数値の読込みに着目します。**Table 2-5** にまとめているように、`double` 型の変数に実数値を読み込む際に `scanf` 関数に与える変換指定は `%lf` です。

▶ `l` は小文字の**エル**です（数字のイチではありません）。

Table 2-5 変換指定の使い分け

	10 進数の `int` 型	`double` 型
`scanf` 関数による読込み	`scanf("%d", &n);`	`scanf("%lf", &x);`
`printf` 関数による表示	`printf("%d", n);`	`printf("%f", x);`

本来は `"%f"` であるが、現在では `"%lf"` も許容される

次は、加減乗除の演算です。**List 2-1** では、和・差・積・商・剰余の五つの値を求めていましたが、本プログラムでは剰余が求められていません。

Table 2-1（p.25）に示すように、剰余を求める `%` 演算子は、その性格上、整数どうしの演算でのみ使えて、浮動小数点数の演算では使えません。そのため、本プログラムに

```
printf("x %% y = %f\n", x % y);
```

を追加すると、コンパイル・実行が行えなくなります（`"chap02/list0207x.c"`）。

重要 剰余を求める `%` 演算子は、整数型のオペランドにのみ適用できる。

型と演算

ここまでの学習で、『整数 / 整数』の演算では、小数部を切り捨てた整数値が得られ、浮動小数点数どうしの演算では、切捨てが行われずに実数値が得られることが分かりました。

それらの演算の様子を図にしたのが、**Fig.2-8** の図**a**と図**b**です。

『**int / int**』や『**double / double**』といった、両方のオペランドの型が同一であれば、得られる演算結果は演算対象のオペランドと同じ型です。

> **重要** オペランドの型が同一であれば、得られる演算結果も同じ型となる。

それでは、二つのオペランドの型が異なっていたら、どうなるでしょうか。

図**c**と図**d**は、次のことを示しています。

> 『**double / int**』と『**int / double**』の演算では、**int** 型のオペランドの値が **double** 型に格上げされるという暗黙の型変換が行われた上で、**double** 型どうしの演算として行われる。

▶ 図**c**では **int** 型の 2 が **double** 型の **2.0** へと格上げされ、図**d**では **int** 型の 15 が **double** 型の 15.0 へと格上げされています。

両方のオペランドが **double** 型となるわけですから、当然、その演算結果も **double** 型となります。

もちろん、ここに示した規則は、**/** だけでなく、**+** や ***** などの演算にも適用されます。

C言語には、たくさんの型がありますので、細かい規則は複雑です。

詳しい規則はp.222 で学習しますので、それまでは、次のように理解しておきましょう。

a int / intの演算

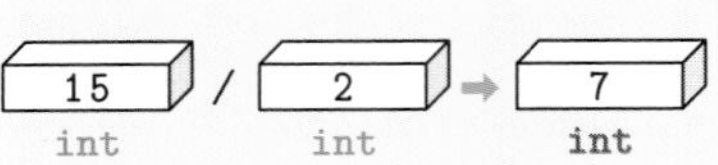

b double / doubleの演算

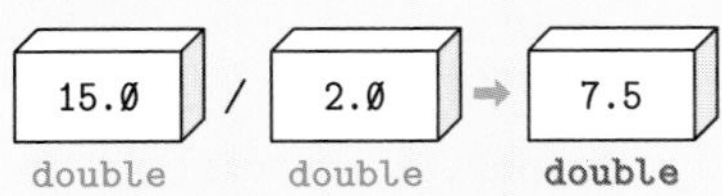

c double / intの演算

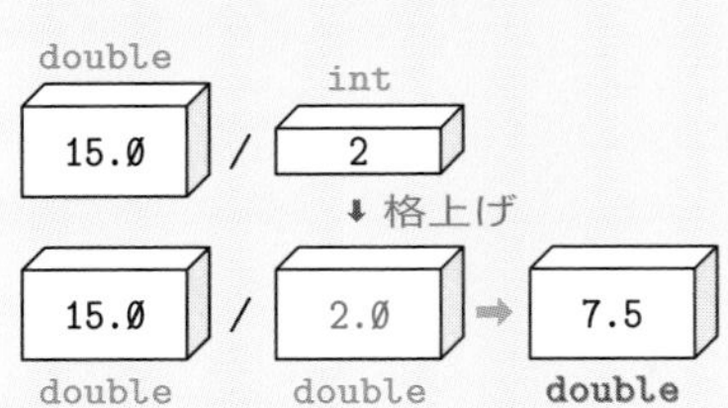

d int / doubleの演算

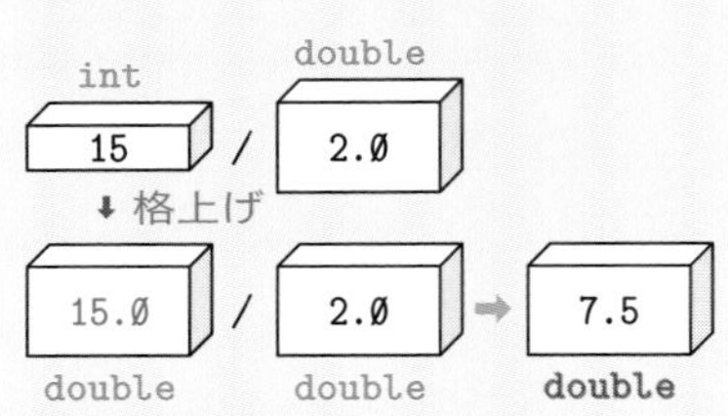

Fig.2-8 オペランドの型と演算結果

> **重要** 演算の対象となるオペランドの型が異なるとき、小さいほうの型のオペランドは、より大きくて懐の深いほうの型に変換された上で演算が行われる。

▶ ここで、“大きく” という表現を使っていますが、必ずしも **double** 型が、物理的に **int** 型より大きいわけではありません。小数部を格納する “余裕がある” という意味です。

ここで学習した規則を、**List 2-8** のプログラムで確認しましょう。

List 2-8 chap02/list0208.c

```
// 型と演算の確認

#include <stdio.h>

int main(void)
{
    int    n1, n2, n3, n4;  // 整数
    double d1, d2, d3, d4;  // 浮動小数点数

    n1 = 15   / 2;          // n1 ← 7
    n2 = 15.0 / 2.0;        // n2 ← 7.5（代入時に小数部を切捨て）
    n3 = 15.0 / 2;          // n3 ← 7.5（代入時に小数部を切捨て）
    n4 = 15   / 2.0;        // n4 ← 7.5（代入時に小数部を切捨て）

    d1 = 15   / 2;          // d1 ← 7
    d2 = 15.0 / 2.0;        // d2 ← 7.5
    d3 = 15.0 / 2;          // d3 ← 7.5
    d4 = 15   / 2.0;        // d4 ← 7.5

    printf("n1 = %d\n", n1);
    printf("n2 = %d\n", n2);
    printf("n3 = %d\n", n3);
    printf("n4 = %d\n\n", n4);   ← 空の行を出力

    printf("d1 = %f\n", d1);
    printf("d2 = %f\n", d2);
    printf("d3 = %f\n", d3);
    printf("d4 = %f\n", d4);

    return 0;
}
```

実行結果

```
n1 = 7
n2 = 7
n3 = 7
n4 = 7

d1 = 7.000000
d2 = 7.500000
d3 = 7.500000
d4 = 7.500000
```

本プログラムで行われている代入は、次のようになっています。

■ int 型変数 n1 ～ n4 への代入

int 型の変数 ***n1*** には 7 が代入され、***n2*** と ***n3*** と ***n4*** には **7.5** が代入されます。もっとも、代入時に小数部が切り捨てられますので、四つの変数はすべて 7 となります。

■ double 型変数 d1 ～ d4 への代入

double 型の変数 ***d1*** には 7 が代入されます（ただし、***d1*** の型が **double** 型ですから、7 は実数の **7.0** と解釈されます）。***d2*** と ***d3*** と ***d4*** には **7.5** が代入されます。

演習 2-3

右に示すように、読み込んだ実数値をそのまま表示するプログラムを作成せよ。

```
実数を入力せよ：57.3
あなたは57.300000と入力しましたね。
```

演習 2-4

整数定数、浮動小数点定数、**int** 型の変数、**double** 型の変数を、掛けたり割ったりするなど、いろいろな演算を行うプログラムを作成し、本文に示した規則を確認せよ。

キャスト

List 2-5（p.30）のプログラムは、二つの整数値の平均値の整数部を求めて表示するものでした。今度は、小数部を切り捨てることなく求めて表示するようにしましょう。**List 2-9** に示すのが、そのプログラムです。

List 2-9 chap02/list0209.c

```
// 二つの整数値を読み込んで平均値を実数で表示

#include <stdio.h>

int main(void)
{
    int a, b;

    puts("二つの整数を入力せよ。");
    printf("整数a："); scanf("%d", &a);
    printf("整数b："); scanf("%d", &b);

    printf("それらの平均は%fです。\n", (a + b) / 2.0);

    return 0;
}
```

『int / double』の演算

実行例

```
二つの整数を入力せよ。
整数a：41
整数b：44
それらの平均は42.500000です。
```

平均を求める赤い式に着目しましょう。

最初に行われる演算は、( ) で囲まれた a + b です。この演算は、『int + int』であって、その演算結果も int 型です。そのため、この式の演算は、次のように行われます。

int / double　　整数を実数で割る

この演算で得られる結果は double 型です。プログラムを実行すると、41 と 44 の平均値が 42.5 として求められて表示されます。これで、うまくいきました。

*

さて、私たちが平均を求めるときは、「2.0 で割ろう。」と考えるのではなく、「2 で割ろう。」と考えるのが普通です。

二つの整数の和をいったん実数に変換し、それを 2 で割ることによって平均値を求めるように変更しましょう。それが、**List 2-10** のプログラムです。

List 2-10 chap02/list0210.c

```
// 二つの整数値を読み込んで平均値を実数で表示（キャストを利用）

   printf("それらの平均は%fです。\n", (double)(a + b) / 2);    // キャスト
```

『double / int』の演算

変更された赤い式に着目しましょう。演算子 / の左オペランド (double)(a + b) は、初登場の形式であり、次の形をしています。

（型）式　　　　キャスト式

これは、**式**の値をもとにして、「**( )**の中に指定された**型**としての値」を生成する式です。次に示すのが、具体例です。

(int)5.7　…　浮動小数点定数**5.7**から小数部を切り捨てた**int**型の**5**を生成。
(double)5　…　整数定数**5**から**double**型の**5.0**を生成。

▶　これらの式のイメージを図で表したものを、**Fig.3-7**（p.55）に示しています。

このような、明示的な型変換は**キャスト**（cast）と呼ばれます。**Table 2-6**に示すように、**( )**の名称は**キャスト演算子**（cast operator）です。

Table 2-6　キャスト演算子

キャスト演算子	**（型名）a**	**a**の値を型名で指定された型の値に変換したものを生成。

▶　英語のcastは数多くの意味をもつ語句です。他動詞のcastには、『役を割り当てる』『投げかける』『ひっくりかえす』『計算する』『曲げる』『ねじる』などの意味があります。
　なお、**( )**は、優先的に演算を行うための区切り子（p.109）、関数呼出し演算子（p.146）など、いろいろな顔をもっています（文脈によって働きが異なるわけです）。

それでは、本プログラムのキャスト式を理解しましょう（**a**が**41**で**b**が**44**であるとします）。

Fig.2-9に示すように、**a + b**の演算結果は、**int**型の**85**です。その整数値を**double**型にキャストするキャスト式**(double)(a + b)**の演算結果は、**double**型の**85.0**です。

そのため、平均を求める演算は、次のように行われることになります。

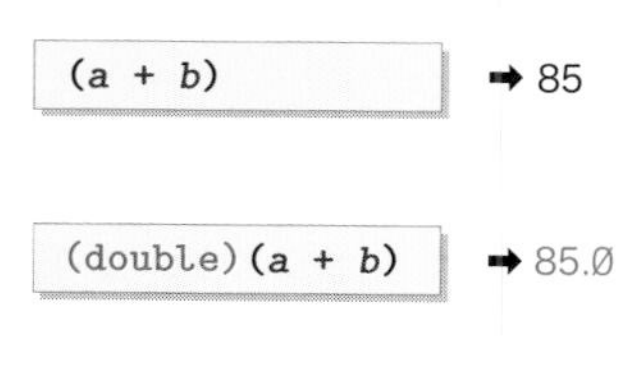

Fig.2-9　キャスト式の値

double / int　　　　実数を整数で割る

右オペランドの**int**が**double**に格上げされた上で、『**double / double**』という演算が行われます。得られる演算結果は、**double**型の実数です。

演習 2-5

右に示すように、二つの整数値を読み込んで、前者の値が後者の何%であるかを実数で表示するプログラムを作成せよ。

```
二つの整数を入力せよ。
整数a：54
整数b：84
aの値はbの64.285714%です。
```

変換指定

次は、合計値と平均値の対象を2値ではなく3値にしましょう。**List 2-11** に示すのが、そのプログラムです。前のプログラムと同様、キャスト演算子を使って平均を求めています。

List 2-11 chap02/list0211.c

```
// 三つの整数値を読み込んで合計値と平均値を表示

#include <stdio.h>

int main(void)
{
    int a, b, c;

    puts("三つの整数を入力せよ。");
    printf("整数a：");   scanf("%d", &a);
    printf("整数b：");   scanf("%d", &b);
    printf("整数c：");   scanf("%d", &c);

    int sum = a + b + c;                // 合計値
    double ave = (double)sum / 3;       // 平均値（キャスト式で求める）

    printf("それらの合計は%5dです。\n",   sum);      // 99999形式で出力
    printf("それらの平均は%5.1fです。\n", ave);      // 999.9形式で出力

    return 0;
}
```

実行例

```
三つの整数を入力せよ。
整数a：87⏎
整数b：45⏎
整数c：59⏎
それらの合計は  191です。
それらの平均は 63.7です。
```

さて、*printf* 関数に渡している書式文字列中の変換指定 %5d と %5.1f は、初めての形式です。それぞれが、次の指示を行っています。

%5d　… 整数を少なくとも5桁の10進数で表示。
%5.1f … 浮動小数点数を少なくとも5桁で表示。ただし、小数点以下は1桁。

Fig.2-10 に示すのが、変換指定の構造です。

図に示すように、変換指定は、% を含めて、5個のパーツで構成されています。

右ページの **List 2-12** と、その実行結果を対比しながら、各パーツの意味を理解していきましょう。

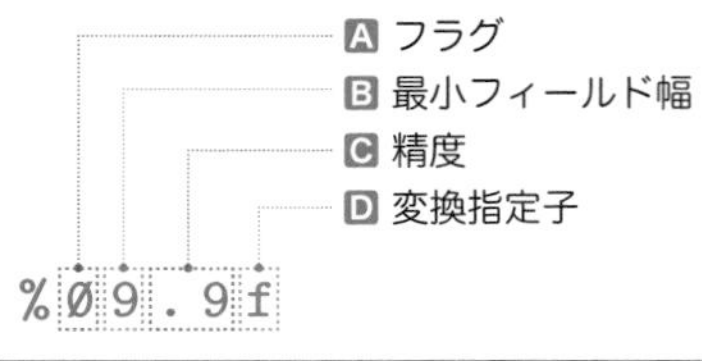

Fig.2-10 変換指定の構造

A フラグ

0 が指定されていると、数値の前に余白があるときに、0 をつめて表示します。なお、このフラグを省略した場合は、空白がつめられます。

B 最小フィールド幅

最低限の表示文字数の指定です。少なくとも、この桁数だけの表示が行われます。この指定が省略された場合や、実際に表示する数値が指定された値を超えるときは、その数値を表示するのに必要な桁数で表示されます。

List 2-12 chap02/list0212.c

```
// 整数と浮動小数点数を書式化して表示

#include <stdio.h>

int main(void)
{
    printf("[%d]\n",       123);
    printf("[%.4d]\n",     123);
    printf("[%4d]\n",      123);
    printf("[%04d]\n",     123);
    printf("[%-4d]\n\n",   123);

    printf("[%d]\n",       12345);
    printf("[%.3d]\n",     12345);
    printf("[%3d]\n",      12345);
    printf("[%03d]\n",     12345);
    printf("[%-3d]\n\n",   12345);

    printf("[%f]\n",       123.13);
    printf("[%.1f]\n",     123.13);
    printf("[%6.1f]\n\n",  123.13);

    printf("[%f]\n",       123.13);
    printf("[%.1f]\n",     123.13);
    printf("[%4.1f]\n\n",  123.13);

    return 0;
}
```

実行結果

```
[123]
[0123]
[ 123]
[0123]
[123 ]

[12345]
[12345]
[12345]
[12345]
[12345]

[123.130000]
[123.1]
[ 123.1]

[123.130000]
[123.1]
[123.1]
```


なお、-4 のように、フラグに - が指定されている場合は左側によせて表示され、指定がない場合は右側によせられます。

C 精度

表示する最小の桁数の指定です。省略すると、整数の精度は 1 とみなされ、浮動小数点数の精度は 6 とみなされます。

D 変換指定子

ここが、もっとも重要な部分です。

d … **int** 型の整数を 10 進数で表示することの指定です。

f … **double** 型の浮動小数点数を 10 進数で表示することの指定です。

▶ ここに示した変換指定の仕様は、ごく一部です。***printf*** 関数に関する詳細は、p.376 で学習します。

演習 2-6

右に示すように、身長を整数値として読み込んで、標準体重を実数で表示するプログラムを作成せよ。

標準体重は（身長 - 100）* 0.9 によって求め、その小数点以下を 1 桁だけ表示すること。

```
身長を入力せよ：175
標準体重は67.5です。
```

まとめ

- 演算を行うための + や * などの記号は演算子である。演算の対象となるオペランドの個数に応じて、単項演算子、２項演算子、３項演算子の３種類に大別される。

- 演算子によって優先度が異なる。たとえば、乗除算は加減算よりも優先的に行われる。特定の演算を優先的に実行するには、その演算を ( ) で囲む。

- 乗除演算子は、三つある。乗算を行う２項 * 演算子は二つのオペランドの**積**を求める。除算を行う / 演算子は除算の**商**を求めて、% 演算子は**剰余**を求める。なお、% 演算子のオペランドの型は両方とも整数でなければならない。

- 加減演算子は、加算を行う２項 + 演算子と、減算を行う２項 - 演算子の二つである。

- 単項 + 演算子はオペランドそのものの値を生成する演算子であり、単項 - 演算子はオペランドの符号を反転した値を生成する演算子である。

- 右オペランドの値を左オペランドに代入する = は、**(単純)** 代入演算子と呼ばれる。

- 変数や定数、さらに、それらを演算子で結合したものが式である。

- 式の後ろにセミコロンを置いたものが、式文である。

- “○○**演算子**”を利用する式は、“○○**式**”と呼ばれる。たとえば、**代入演算子 =** を利用する式 a = b は、代入式である。

- 型は、その諸性質を内に秘めた設計図（タコ焼きのカタ）であり、その型をもつオブジェクト（変数）は、その設計図をもとに作られた実体（カタから作られた本物のタコ焼き）である。

- 整数型の int 型は、**整数**を表す。小数部をもつ値が代入されても、小数部は切り捨てられる。5 や 37 などの定数は整数定数と呼ばれる。

- 浮動小数点型の double 型は、**浮動小数点数**（小数部をもつ**実数値**）を表す。3.14 や 2.0 などの小数部をもつ定数は浮動小数点定数と呼ばれる。

- 整数どうしの算術演算の結果は整数であり、浮動小数点数どうしの算術演算の結果は浮動小数点数である。

- 異なる型のオペランドが混在した演算では、暗黙の型変換が行われる。演算の対象となるオペランドの型が異なるとき、小さいほうの型のオペランドは、より大きくて懐の深いほうの型に変換された上で演算が行われる。そのため、int 型と double 型が混在した演算は、各オペランドが double 型に変換された上で行われる。

- ある式の値を、別の型として表現された値に変換するには、キャスト演算子 ( ) によるキャスト（型変換）を行う。たとえば、キャスト式 **(double)5** は、**int** 型の整数定数の値 **5** を **double** 型に変換した値 **5.0** を生成する。

- **double** 型の値を ***printf*** 関数で表示する際の変換指定が %f であるのに対し、***scanf*** 関数で読み込む際の変換指定は %lf である。

- ***printf*** 関数や ***scanf*** 関数に与える書式文字列には、複数の変換指定を置ける。各変換指定は、先頭から順に、第２実引数、第３実引数、… に対応する。

```
printf("aとbの和は%dで積は%dです。\n", a + b, a * b);
scanf("%d%d", &x, &y);
```

- 変換指定は、0フラグ、最小フィールド幅、精度、変換指定子などで構成される。

- ***printf*** 関数で **%** 文字を表示するには、書式文字列中に %% と書かなければならない。

chap02/summary.c

```
// 第２章のまとめ

#include <stdio.h>

int main(void)
{
    int a;                          ← int は整数型
    int b;

    double r;    // 半径             ← double は浮動小数点型（実数）

    printf("整数aとbの値：");
    scanf("%d%d", &a, &b);

    printf("a + b = %d\n",  a + b);   // 加算：２項+演算子
    printf("a - b = %d\n",  a - b);   // 減算：２項-演算子
    printf("a * b = %d\n",  a * b);   // 積　：２項*演算子
    printf("a / b = %d\n",  a / b);   // 商　：/演算子
    printf("a %% b = %d\n", a % b);   // 剰余：%演算子

    printf("(a+b)/2 = %d\n",    (a + b) / 2);          ← int / int の演算結果は int
    printf("平均値  = %f\n\n", (double)(a + b) / 2);   ← double / int の演算結果は double
                                                         (double)(a + b) … キャスト式

    printf("半径：");
    scanf("%lf", &r);

    printf("半径%.3fの円の面積は%.3fです。\n", r, 3.14 * r * r);   ← %.3f：小数部を３桁表示

    return 0;
}
```

実行例

```
整数aとbの値：5  2⏎
a + b = 7
a - b = 3
a * b = 10
a / b = 2
a % b = 1
(a+b)/2 = 3
平均値  = 3.500000

半径：4.25⏎
半径4.250の円の面積は
56.716です。
```

第３章

プログラムの流れの分岐

プログラムは、いつも同じことばかりを行うものではありません。

たとえば、あるキーが押されたら処理Ａを行って、別のあるキーが押されたら処理Ｂを行って … といったように、何らかの条件判定を行った結果をもとに、選択的に処理を実行するのが普通です。

本章では、条件によってプログラムの流れを変えるための基本的な手順を学習します。

3-1 if文

あらかじめ決められた手順でのみ動くプログラムというのは、ほとんどありません。本章では、条件に基づいてプログラムの流れを変える手順を学習します。

if文

みなさんは、毎日をどのように過ごしていますか。来る日も来る日も、まったく同じパターンで生活しているわけではないでしょう。それほど意識的であるかどうかは別として、常に何らかの判断を行って、自分の行動を決めているはずです。たとえば、『今日は雨が降りそうだから、傘(かさ)をもっていかなくちゃ。』といった具合です。

プログラムで判断を行うことにします。まずは、次の問題を考えましょう。

読み込んだ整数値が5で割り切れなければ、その旨を表示する。

List 3-1 に示すのが、そのプログラムです。

List 3-1 chap03/list0301.c

```
// 読み込んだ整数値は5で割り切れないか

#include <stdio.h>

int main(void)
{
    int n;

    printf("整数を入力せよ：");
    scanf("%d", &n);

    if (n % 5)
        puts("その数は5で割り切れません。");

    return 0;
}
```

実行例

```
1 整数を入力せよ：7↵
  その数は5で割り切れません。
2 整数を入力せよ：15↵
```

プログラム水色の部分に着目しましょう。冒頭の if(イフ) は、英語の if とほぼ同じで、『もしも』という意味です。さて、この部分全体は、

```
if ( 式 ) 文
```

の形をしており、if文（if statement）と呼ばれます。

if文は、プログラムの流れを、**Fig.3-1**（右ページ）のように制御する文です。

式を評価して、その値が非0であれば（ゼロでなければ）文を実行する。

▶ 『評価』という用語については、p.55で詳しく学習します。

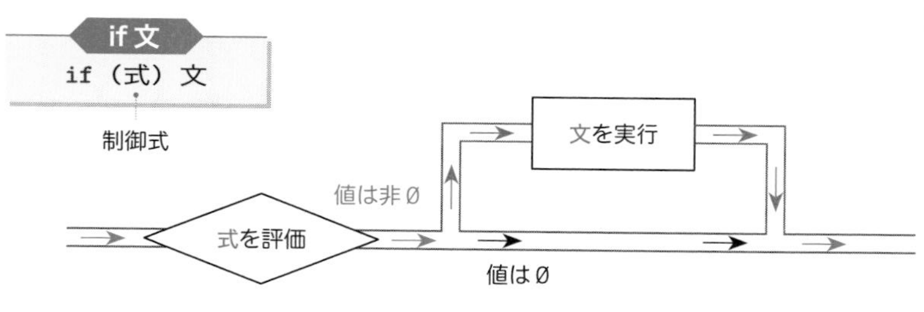

Fig.3-1 if文のプログラムの流れ（その1）

条件判定のために ( ) 内に置かれた**式**は、**制御式**（control expression）と呼ばれます。

さて、本プログラムの制御式 *n* % 5 の評価で得られるのは、*n* を 5 で割った剰余です。そのため、実行例①のように、*n* の値が 5 で割り切れないときにのみ、

```
puts("その数は5で割り切れません。");
```

の文が実行されます。

実行例②のように、整数値 *n* が 5 で割り切れるときは、上の文は実行されず、何も表示されません。

奇数の判定

読み込んだ整数値を 5 ではなくて 2 で割った剰余を求めると、**奇数**であるかどうかの判定が行えます。**List 3-2** に示すのが、そのプログラムです。

List 3-2 chap03/list0302.c

```
// 読み込んだ整数値は奇数か

#include <stdio.h>

int main(void)
{
    int n;

    printf("整数を入力せよ：");
    scanf("%d", &n);

    if (n % 2)
        puts("その数は奇数です。");

    return 0;
}
```

実行例

① 整数を入力せよ：7
その数は奇数です。

② 整数を入力せよ：8

▶ 実行例②のように、変数 *n* に読み込んだ値が偶数であれば、何も表示しません。

else 付きの if 文

List 3-1 のプログラムは、読み込んだ値が **5** で割り切れるときに何も表示されないため、プログラムを動かす人は、肩透(かたす)かしを食らってしまいます。**5** で割り切れるときは、その旨(むね)を表示するように変更しましょう。**List 3-3** が、そのプログラムです。

List 3-3 chap03/list0303.c

```
// 読み込んだ整数値は5で割り切れないか割り切れるか

#include <stdio.h>

int main(void)
{
    int n;

    printf("整数を入力せよ：");
    scanf("%d", &n);

    if (n % 5)
        puts("その数は5で割り切れません。");
    else
        puts("その数は5で割り切れます。");

    return 0;
}
```

実行例

```
1 整数を入力せよ：7↵
  その数は5で割り切れません。
2 整数を入力せよ：15↵
  その数は5で割り切れます。
```

このプログラムは、次の形式の **if** 文を利用しています。

if (式) 文$_1$ else 文$_2$

もちろん、else(エルス)は『〜でなければ』という意味です。この形式の **if** 文は、**式**（制御式）を評価した値が非 **0** であれば（**0** でなければ）**文$_1$** を実行し、そうでなければ（**0** であれば）**文$_2$** を実行します。すなわち、**Fig.3-2** に示すように、選択的な実行を行います。

▶ 実行されるのは、二つの文のいずれか一方です。両方とも実行されない、あるいは、両方とも実行される、といったことはありません。

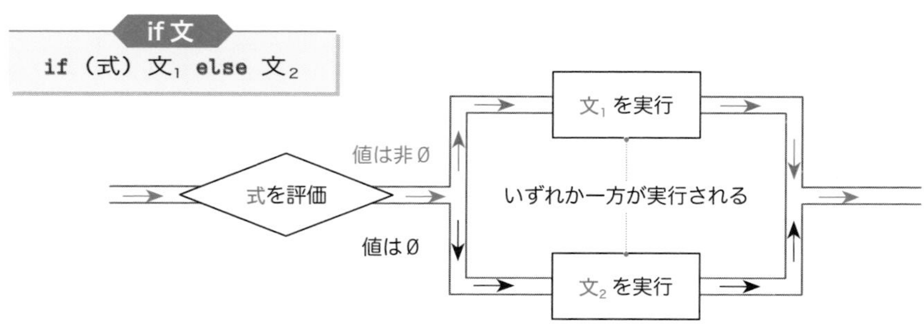

Fig.3-2 if 文のプログラムの流れ（その2）

奇数と偶数の判定

ここまで理解できれば、読み込んだ整数値が、**奇数**であるか**偶数**であるかを判定・表示するプログラムを作るのは容易です。プログラムを **List 3-4** に示します。

List 3-4 chap03/list0304.c

```
// 読み込んだ整数値は奇数であるか偶数であるか

#include <stdio.h>

int main(void)
{
    int n;

    printf("整数を入力せよ：");
    scanf("%d", &n);

    if (n % 2)
        puts("その数は奇数です。");
    else
        puts("その数は偶数です。");

    return 0;
}
```

実行例

```
① 整数を入力せよ：7↵
  その数は奇数です。
② 整数を入力せよ：8↵
  その数は偶数です。
```

2種類の **if** 文を学習しました。まとめましょう。

重要 if 文は、( ) の中の制御式の判定結果に応じてプログラムの流れを分岐する。

if (式) 文
制御式の条件が成立したときにのみ処理を行うときに使う。

if (式) 文$_1$ else 文$_2$
制御式の条件の成立の可否によって異なる処理を行うときに使う。

演習 3-1

右に示すように、二つの整数値を読み込んで、後者が前者の約数であれば『BはAの約数です。』と表示し、そうでなければ『BはAの約数ではありません。』と表示するプログラムを作成せよ。

```
二つの整数を入力せよ。
整数A：17↵
整数B：5↵
BはAの約数ではありません。
```

非ゼロの判定

読み込んだ値がゼロであるかどうかを判定するプログラムも作れるようになっているはずです。プログラムを **List 3-5** に示します。

List 3-5 chap03/list0305.c

```
// 読み込んだ整数値はゼロかどうか

#include <stdio.h>

int main(void)
{
    int num;

    printf("整数を入力せよ：");
    scanf("%d", &num);

    if (num)
        puts("その数はゼロではありません。");
    else
        puts("その数はゼロです。");

    return 0;
}
```

実行例

```
① 整数を入力せよ：7↵
  その数はゼロではありません。
② 整数を入力せよ：0↵
  その数はゼロです。
```

if 文の制御式が単なる ***num*** ですので、プログラムの流れは次のようになります。

変数 ***num*** の値が非 0 ➡ 先頭側の ***puts*** 関数の呼出しが実行される。
変数 ***num*** の値が 0 ➡ 後ろ側の ***puts*** 関数の呼出しが実行される。

if 文の構文図

これまでの 2 種類の **if** 文の形式を一つにまとめて表した構文図（文法上の形式を表す図）を **Fig.3-3** に示します。

▶ 構文図についての詳細は、右ページの **Column 3-1** で学習します。

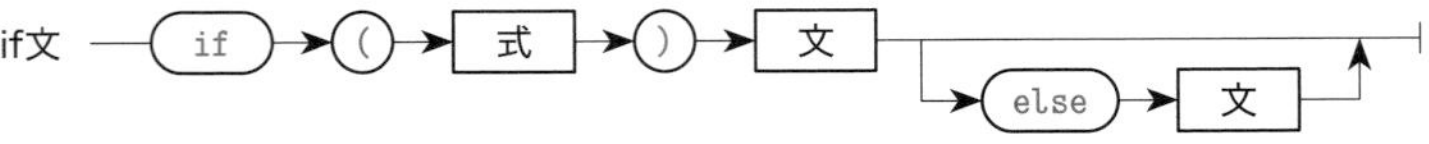

Fig.3-3 if 文の構文図

この構文にそぐわないものは、決して許されません。たとえば、次のようなものは翻訳時にエラーとなり、実行できません。

```
if va % vb puts("vaはvbで割り切れない。");    // エラー：式を囲む()が欠如
if (cx / dx) else d = 3;                    // エラー：最初の文が欠如
```

Column 3-1 構文図について（その1）

本書で使用する構文図は、要素を矢印で結んだものです。その要素には、丸囲みのものと、角囲みのものとがあります。

- 丸囲み … “**if**”などのキーワードや“**(**”などの区切り子は、綴(つづ)りどおりでなければならず、勝手に“もし”や“「”に変更することはできません。このようなものを丸囲みで表します。
- 角囲み … “式”や“文”は、“**n > 7**”や“**a = 5;**”といった具体的な式や文として記述します。このようなものを角囲みで表します。

■ 構文図の読み方

構文図を読むときは、矢印の方向にしたがって進みます。左端からスタートして、ゴールは右端です。分岐点は、どちらに進んでも構いません。

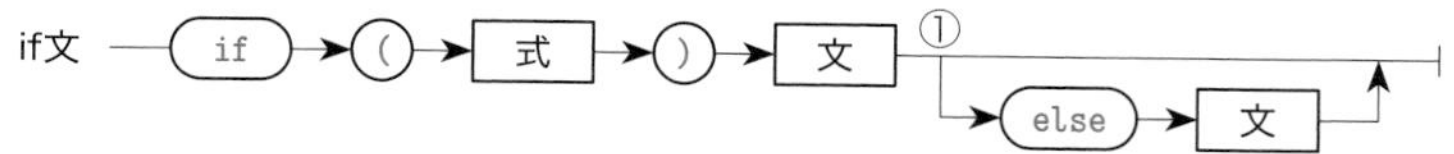

Fig.3C-1 if 文の構文図

①は分岐点ですから、**if** 文の構文図を左端から右端までたどるルートには、次の二つがあります。

```
if ( 式 ) 文
if ( 式 ) 文 else 文
```

これが **if** 文の形式すなわち構文を表しています。たとえば、**List 3-1** の **if** 文は、

```
if (n % 5) puts("その数は5で割り切れません。");
if (  式  )              文
```

ですし、**List 3-3** の **if** 文は、次のようになります。

```
if (n % 5) puts("その数は5で割り切れません。"); else puts("その数は5で割り切れます。");
if (  式  )              文                      else              文
```

それでは、**Fig.3C-2** の構文図を理解していきましょう。

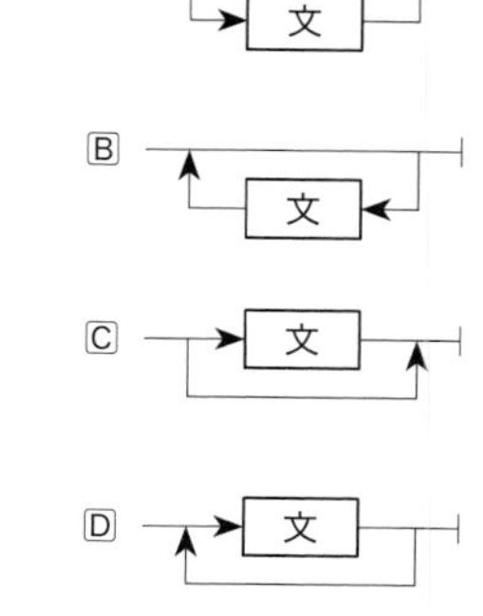

Fig.3C-2 構文図の例

Ａ先頭から末尾まで行って終了するルートと、分岐点から下におりて《文》を通るルートがあります。
　　『Ø個の文、または1個の文』を表します。

Ｂ先頭から末尾まで行って終了するルートがあるのはＡと同じです。また、分岐点で下におりて《文》を通って先頭に戻れます。いったん戻った後は、末尾まで行って終了することも可能ですし、再び分岐点から《文》を通って、先頭に戻ることもできます。
　　『Ø個以上の、任意の個数の文』を表します。

Ｃこの構文図はＡと同じです。
　　『Ø個の文、または1個の文』を表します。

Ｄ先頭から末尾まで行くルートの途中に《文》があります。また、分岐点で下におりて先頭に戻れます。いったん戻った後は、再び《文》を通過した上で終了することもできますし、再び分岐点から先頭に戻ることもできます。
　　『1個以上の、任意の個数の文』を表します。

等価演算子

それでは、次の問題を考えましょう。

二つの整数値を読み込んで、それらの値が等しいかどうかを判定する。

プログラムを **List 3-6** に示します。

List 3-6 chap03/list0306.c

```
// 読み込んだ二つの整数値は等しいか
#include <stdio.h>

int main(void)
{
    int n1, n2;

    puts("二つの整数を入力せよ。");
    printf("整数1：");    scanf("%d", &n1);
    printf("整数2：");    scanf("%d", &n2);

    if (n1 == n2)
        puts("それらの値は同じです。");  ←1
    else
        puts("それらの値は違います。");  ←2

    return 0;
}
```

実行例

```
1 二つの整数を入力せよ。
  整数1：5
  整数2：5
  それらの値は同じです。

2 二つの整数を入力せよ。
  整数1：4
  整数2：7
  それらの値は違います。
```

if 文の制御式に着目しましょう。初登場の **==** 演算子は、左右のオペランドの値が**等しいかどうか**を判定し、等しければ **1**、そうでなければ **0** という値を生成します（生成される **1** や **0** の型は **int** 型です）。

本プログラムの場合、**if** 文の挙動は、次のようになります。

n1 と n2 の値が等しい ➡ n1 == n2 を評価した値は 1 ➡ 1の文が実行される。
n1 と n2 の値が等しくない ➡ n1 == n2 を評価した値は 0 ➡ 2の文が実行される。

== 演算子とは逆に、左右のオペランドが**等しくないかどうか**を判定するのが **!=** 演算子です。二つの演算子の総称は、等価演算子（equality operator）です（**Table 3-1**）。

Table 3-1 等価演算子

== 演算子	a == b	a と b の値が等しければ 1、そうでなければ 0（その型は int 型）。
!= 演算子	a != b	a と b の値が等しくなければ 1、そうでなければ 0（その型は int 型）。

▶ == と != は、連続する2文字で1個の単語となります。そのため、= と = のあいだや、! と = のあいだに空白文字を入れて = = や ! = などとすることはできません。

本プログラムを、!= 演算子を用いて書きかえたのが、右ページの **List 3-7** です。

List 3-7 chap03/list0307.c

```
if (n1 != n2)
    puts("それらの値は違います。");    ─┐
else                                     │ List 3-6 とは順序が逆
    puts("それらの値は同じです。");    ─┘
```

if 文の制御式が変更され、puts 関数を呼び出す二つの文の順序が反転しています。

剰余の判定

次は、読み込んだ整数値の最下位桁の値が 5 であるかどうかを判定・表示するプログラムを作りましょう。**List 3-8** に示すのが、そのプログラムです。

List 3-8 chap03/list0308.c

```
// 読み込んだ整数値の最下位桁は5であるか
#include <stdio.h>

int main(void)
{
    int num;

    printf("整数を入力せよ：");
    scanf("%d", &num);

    if ((num % 10) == 5)
        puts("最下位の桁は5です。");
    else
        puts("最下位の桁は5ではありません。");

    return 0;
}
```

実行例

```
1 整数を入力せよ：15⏎
  最下位の桁は5です。

2 整数を入力せよ：37⏎
  最下位の桁は5ではありません。
```

num を 10 で割った剰余が 5 と等しいかどうかで、表示する内容を変えています。

▶ 演算子 == よりも % のほうが優先順位が高いため（p.221）、num % 10 を囲む ( ) は省略可能です。

Column 3-2 構文図について（その2）

Fig.3C-3 の構文図をよく読んで理解しましょう。

Ⓐ XとYのいずれか一方。

Ⓑ 空、あるいは、XとYのいずれか一方。

Ⓒ 0個あるいは1個のXに続いて、0個あるいは1個のY。

Ⓓ 1個以上の任意の個数のXに続いて、1個以上の任意の個数のY。

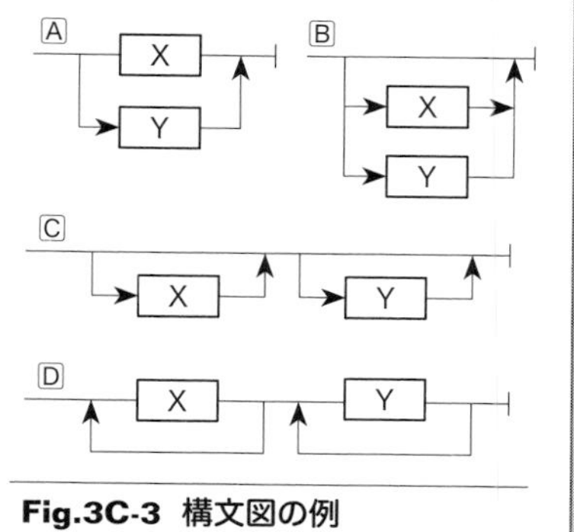

Fig.3C-3 構文図の例

関係演算子

これまでのプログラムは、流れを二つに分岐するものでした。三つの分岐にチャレンジしましょう。次の問題を考えます。

整数値を読み込んで、その符号（0／正／負）を判定する。

そのプログラムが **List 3-9** です。

List 3-9 chap03/list0309.c

```
// 読み込んだ整数値の符号を判定

#include <stdio.h>

int main(void)
{
    int no;

    printf("整数を入力せよ：");
    scanf("%d", &no);

    if (no == 0)
        puts("その数は0です。");      ←1
    else if (no > 0)
        puts("その数は正です。");     ←2
    else
        puts("その数は負です。");     ←3

    return 0;
}
```

実行例

1 整数を入力せよ：0⏎
その数は0です。

2 整数を入力せよ：35⏎
その数は正です。

3 整数を入力せよ：-4⏎
その数は負です。

本プログラムで初登場の `>` 演算子は、左オペランドが右オペランドより大きければ `1` を、そうでなければ `0` という値を生成します（生成される `0` と `1` の型は `int` 型です）。

そのため、*no* が `0` より大きければ、*no* `> 0` を評価した値は `1` となり、そうでなければ `0` となります。

＊

二つのオペランドの大小関係を判定する演算子は関係演算子（relational operator）と呼ばれ、**Table 3-2** に示す四つがあります。

Table 3-2 関係演算子

`<` 演算子	`a < b`	`a` が `b` よりも小さければ `1`、そうでなければ `0`（その型は `int` 型）。
`>` 演算子	`a > b`	`a` が `b` よりも大きければ `1`、そうでなければ `0`（その型は `int` 型）。
`<=` 演算子	`a <= b`	`a` が `b` 以下であれば `1`、そうでなければ `0`（その型は `int` 型）。
`>=` 演算子	`a >= b`	`a` が `b` 以上であれば `1`、そうでなければ `0`（その型は `int` 型）。

▶ `<=` 演算子と `>=` 演算子は、等号を左側に置いて `=<` や `=>` としたり、`<` と `=` のあいだに空白を入れたりすることはできないことに注意しましょう。

入れ子になったif文

プログラムの水色の部分を理解しましょう。

既に学習したように、**if** 文は、右の二つの形式です。

```
if ( 式 ) 文
if ( 式 ) 文 else 文
```

本プログラムには、『**else if** … 』とありますが、そのための特別な構文はありません。**if** 文は名前のとおり一種の**文**ですから、**else** が制御する文は、当然 **if** 文であってもよいのです。

Fig.3-4 に示すように、**else** の後ろに置く文が、**if** 文となっています。すなわち、水色の **if** 文の中に赤色の **if** 文が入る**入**(い)**れ子**(こ)の構造となっているのです。

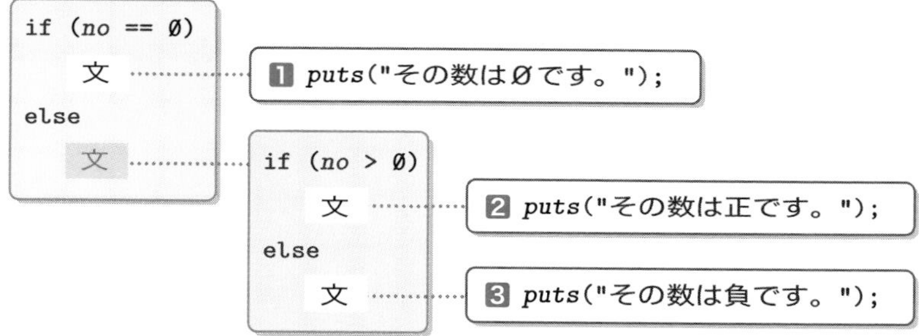

Fig.3-4 入れ子になったif文（その1）

本プログラムを実行すると、『その数は0です。』『その数は正です。』『その数は負です。』のいずれか1個が表示されます。すなわち、3個のどれも表示されない、あるいは、2個以上が表示される、ということはありません。

演習 3-2

List 3-9 の最後の **else** を、**else if (no < 0)** に変更するとどうなるかを検討せよ。

演習 3-3

右に示すように、整数値を読み込んで、その絶対値を表示するプログラムを作成せよ。

```
整数を入力せよ：-8
絶対値は8です。
```

演習 3-4

右に示すように、二つの整数値を読み込んで、それらの値が等しければ『AとBは等しいです。』と、Aのほうが大きければ『AはBより大きいです。』と、Bのほうが大きければ『AはBより小さいです。』と表示するプログラムを作成せよ。

```
二つの整数を入力せよ。
整数A：54
整数B：12
AはBより大きいです。
```

List 3-10 に示すのは、入れ子の **if** 文を利用した、別のプログラム例です。

List 3-10 chap03/list0310.c

```
// 読み込んだ整数値が正であれば偶数／奇数の別を判定して表示

#include <stdio.h>

int main(void)
{
    int no;

    printf("整数を入力せよ：");
    scanf("%d", &no);

    if (no > 0)
        if (no % 2 == 0)
            puts("その数は偶数です。");           ―1
        else
            puts("その数は奇数です。");           ―2
    else
        puts("正でない値が入力されました。\a\n");  ―3

    return 0;
}
```

実行例

```
1 整数を入力せよ：12
  その数は偶数です。
2 整数を入力せよ：35
  その数は奇数です。
3 整数を入力せよ：-4
  正でない値が入力されました。♪
```

読み込んだ整数値が正であれば、偶数／奇数のいずれであるのかを表示して、そうでなければ、その旨のメッセージを警報とともに表示します。**Fig.3-5** に示すのが、**if** 文の構造です。

▶ **if** 文が入れ子になっている点では前のプログラムと同じですが、入れ子の構造が異なります。

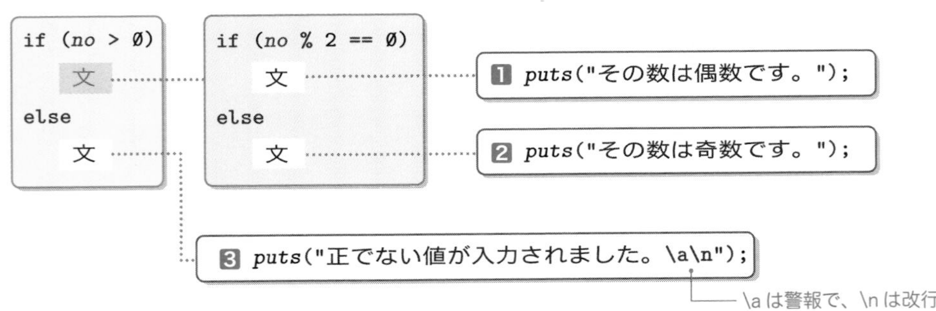

Fig.3-5 入れ子になったif文（その2）

▶ 本プログラムの **if** 文は、p.60 で学習する複合文を利用して実現すると、対応関係が明確になって読みやすくなります（"chap03/list0310a.c"）。

```
if (no > 0) {
    if (no % 2 == 0)
        puts("その数は偶数です。");
    else
        puts("その数は奇数です。");
} else {
    puts("正でない値が入力されました。\a\n");
}
```

評価

式には、（ごく一部の例外を除くと）値があります。その値は、プログラム実行時に調べられます。式の値を調べることを、**評価**（evaluation）といいます。

評価のイメージの具体例を示したのが、**Fig.3-6** です。枠内の小さな文字が型で、右側の大きな文字が値です。

▶ この図では、変数 `n` は `int` 型で値が `51` であるとしています。

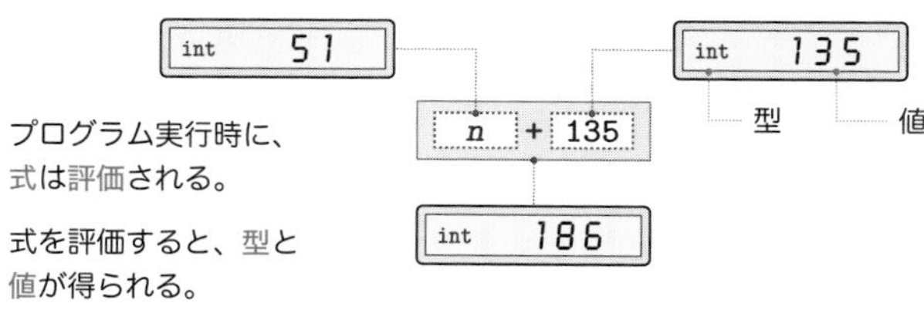

Fig.3-6 式の評価のイメージ

もちろん、変数 `n`、定数 `135`、変数と定数を加算する `n + 135` のいずれもが式です。それぞれの評価で得られるのは、`51` と `135` と `186` です（三つの値の型はいずれも `int` 型です）。

重要 式には値がある。式の値は、プログラムの実行時に評価される。

式と評価の例を **Fig.3-7** に示します（いずれも `n` は `int` 型で、値が `51` であるとします）。

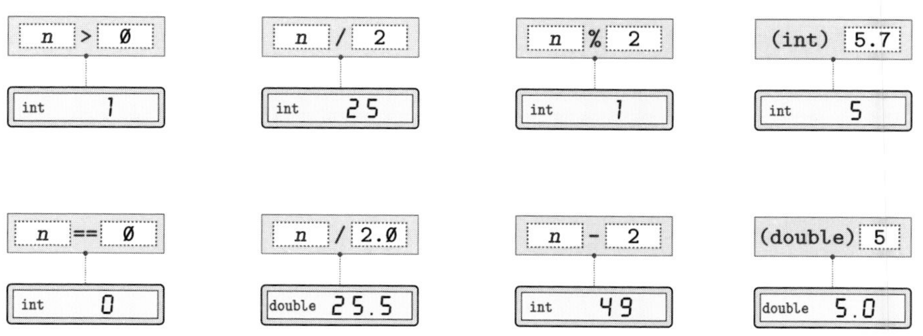

Fig.3-7 式と評価の一例

演習 3-5

等価演算子や関係演算子が、`1` あるいは `0` の値を生成することを確認するプログラムを作成せよ。

2値の最大値を求める

List 3-11 のプログラムを検討します。これは、読み込んだ二つの整数値の大きいほうの値を表示するプログラムです。

List 3-11 chap03/list0311.c

```
// 読み込んだ二つの整数値の大きいほうの値を表示
#include <stdio.h>

int main(void)
{
    int n1, n2;

    puts("二つの整数を入力せよ。");
    printf("整数１：");   scanf("%d", &n1);
    printf("整数２：");   scanf("%d", &n2);

    if (n1 > n2)
        printf("大きいほうの値は%dです。\n", n1);
    else
        printf("大きいほうの値は%dです。\n", n2);

    return 0;
}
```

実行例

```
1 二つの整数を入力せよ。
  整数１：8
  整数２：4
  大きいほうの値は8です。
2 二つの整数を入力せよ。
  整数１：3
  整数２：5
  大きいほうの値は5です。
```

さて、表示のメッセージの「大きいほう」を「デッカイほう」に変更しようとすると、二つの **printf** 関数の呼出しの両方の書きかえが必要です。

大きいほうの値をいったん変数に格納し、それから表示するように変更しましょう。そうすると、プログラムは **List 3-12** となります。

List 3-12 chap03/list0312.c

```
    int max;
    if (n1 > n2) max = n1; else max = n2;
    printf("大きいほうの値は%dです。\n", max);
```

メッセージを「デッカイほう」に変更するとしても、プログラムの書きかえが１箇所ですむようになりました。

▶ 本プログラムでは、**if** 文を１行につめて書いています。短い **if** 文であれば、このような表記でも構いませんが、必要以上につめすぎると読みづらくなってしまいます。

3値の最大値を求める

次は、三つの整数値を読み込んで、その最大値を表示しましょう。右ページの **List 3-13** に示すのが、そのプログラムです。

３値の最大値を求める箇所は、三つのステップで構成されています。**Fig.3-8** を見ながら理解していきましょう（変数の値の変化の様子を示しています）。

List 3-13 chap03/list0313.c

```
// 読み込んだ三つの整数値の最大値を求めて表示

#include <stdio.h>

int main(void)
{
    int n1, n2, n3;

    puts("三つの整数を入力せよ。");
    printf("整数1：");    scanf("%d", &n1);
    printf("整数2：");    scanf("%d", &n2);
    printf("整数3：");    scanf("%d", &n3);

    int max = n1;                      ←1
    if (n2 > max) max = n2;            ←2
    if (n3 > max) max = n3;            ←3

    printf("最大値は%dです。\n", max);

    return 0;
}
```

実行結果

```
三つの整数を入力せよ。
整数1：1
整数2：3
整数3：2
最大値は3です。
```

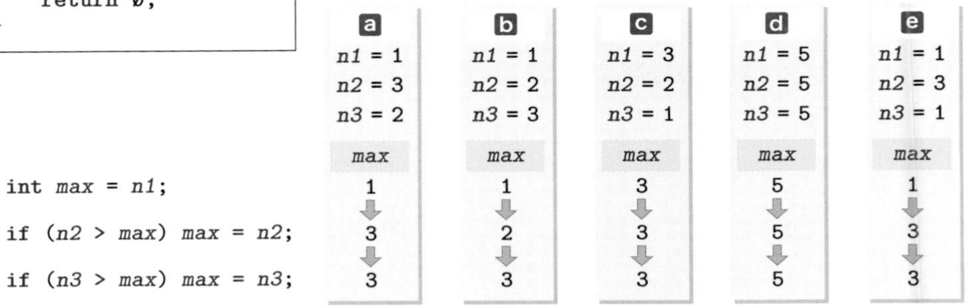

	a	b	c	d	e
	n1 = 1 n2 = 3 n3 = 2	n1 = 1 n2 = 2 n3 = 3	n1 = 3 n2 = 2 n3 = 1	n1 = 5 n2 = 5 n3 = 5	n1 = 1 n2 = 3 n3 = 1
	max	max	max	max	max
`int max = n1;`	1	1	3	5	1
`if (n2 > max) max = n2;`	↓ 3	↓ 2	↓ 3	↓ 5	↓ 3
`if (n3 > max) max = n3;`	↓ 3	↓ 3	↓ 3	↓ 5	↓ 3

Fig.3-8 3値の最大値を求める過程での変数の変化

1 **max** に **n1** の値を入れます（**max** が **n1** の値で初期化されます）。

2 その **max** よりも **n2** のほうが大きければ、**max** に **n2** を代入します。
※ **n2** が **max** 以下であれば、代入は行われません。

3 その **max** よりも **n3** のほうが大きければ、**max** に **n3** を代入します。
※ **n3** が **max** 以下であれば、代入は行われません。

この手続きが終了したときには、変数 **max** には **n1**、**n2**、**n3** の最大値が格納されています。

▶ 本プログラムも、各 **if** 文を1行につめて書いています。左ページのプログラムとは異なり、今回は、（変数 **n2** と **n3** や、**max** が縦に並ぶことから）むしろ読みやすくなっています。

演習 3-6

三つの整数値を読み込んで、その最小値を求めて表示するプログラムを作成せよ。

演習 3-7

四つの整数値を読み込んで、その最大値を求めて表示するプログラムを作成せよ。

条件演算子

List 3-14 に示すのは、読み込んだ二つの整数値の大きいほうの値を求めて表示するプログラム（p.56 の **List 3-12**）を、別の方法で実現したものです。

List 3-14 chap03/list0314.c

```
// 読み込んだ二つの整数値の大きいほうの値を表示（その３：条件演算子）
#include <stdio.h>

int main(void)
{
    int n1, n2;

    puts("二つの整数を入力せよ。");
    printf("整数１：");   scanf("%d", &n1);
    printf("整数２：");   scanf("%d", &n2);

    int max = n1 > n2 ? n1 : n2;        // 大きいほうの値でmaxを初期化

    printf("大きいほうの値は%dです。\n", max);

    return 0;
}
```

実行例

```
二つの整数を入力せよ。
整数１：8↵
整数２：4↵
大きいほうの値は8です。
```

大きいほうの値を求めるために使っているのが、**Table 3-3** に示す条件演算子（conditional operator）です。この演算子は、３個のオペランドを必要とする３項演算子です。

▶ ３項演算子は、条件演算子 `?:` のみであり、他の演算子は単項演算子か２項演算子です。

Table 3-3 条件演算子

条件演算子	`a ? b : c`	`a` が非 `0` であれば、`b` を評価した値、そうでなければ `c` を評価した値。

条件演算子を用いた条件式（conditional expression）がどのように評価されるのかを示したのが、**Fig.3-9** です。この図の解説を、じっくり読みましょう。

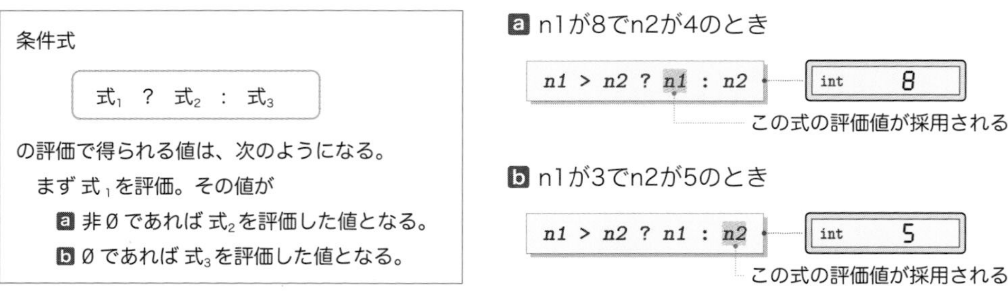

Fig.3-9 条件式の評価

変数 **max** に入れられるのが、**n1** が **n2** より大きければ **n1**、そうでなければ **n2** であることが分かるでしょう。

```
int max = n1 > n2 ? n1 : n2;
```

そうでなければn2
n1 > n2 であれば n1

if 文を凝縮した式ともいえる条件式は、熟練プログラマが好んで使います。

重要 条件演算子（? : 演算子）を使うと、式の評価結果に応じて異なる値を作り出す簡潔な条件式が実現できる。

なお、大きいほうの値を入れる変数を使わなければ、プログラムはさらに短くなります。

List 3-15 chap03/list0315.c

```
printf("大きいほうの値は%dです。\n", n1 > n2 ? n1 : n2);
```

2値の差を求める

条件演算子を使えば、2値の差を求める式も簡潔に実現できます。**List 3-16** に示すのが、そのプログラムです。

List 3-16 chap03/list0316.c

```
// 読み込んだ二つの整数値の差を求めて表示（条件演算子）
#include <stdio.h>

int main(void)
{
    int n1, n2;

    puts("二つの整数を入力せよ。");
    printf("整数1：");   scanf("%d", &n1);
    printf("整数2：");   scanf("%d", &n2);

    printf("それらの差は%dです。\n", n1 > n2 ? n1 - n2 : n2 - n1);

    return 0;
}
```

そうでなければn2–n1
n1 > n2 であればn1–n2

実行例

```
二つの整数を入力せよ。
整数1：15
整数2：32
それらの差は17です。
```

本プログラムの条件式は、大きいほうから小さいほうを引いた値となります。

- **n1 > n2** であれば ：式 **n1 - n2** を評価した値。
- そうでなければ ：式 **n2 - n1** を評価した値。

演習 3-8

List 3-16 のプログラムを、条件演算子でなく **if** 文を用いて書きかえよ。

演習 3-9

演習 **3-6**（p.57）のプログラムを、**if** 文でなく条件演算子を用いて書きかえよ。

複合文（ブロック）

次は、二つの整数値の大きいほうの値だけでなくて、小さいほうの値も求めることにします。それが、**List 3-17** のプログラムです。

List 3-17 chap03/list0317.c

```
// 読み込んだ二つの整数値の大きいほうの値と小さいほうの値を求めて表示
#include <stdio.h>

int main(void)
{
    int n1, n2;

    puts("二つの整数を入力せよ。");
    printf("整数１：");   scanf("%d", &n1);
    printf("整数２：");   scanf("%d", &n2);

    int max, min;
    if (n1 > n2) {
        max = n1;          ――❶
        min = n2;
    } else {
        max = n2;          ――❷
        min = n1;
    }

    printf("大きいほうの値は%dです。\n", max);
    printf("小さいほうの値は%dです。\n", min);

    return 0;
}
```

実行例

```
① 二つの整数を入力せよ。
   整数１：8⏎
   整数２：4⏎
   大きいほうの値は8です。
   小さいほうの値は4です。

② 二つの整数を入力せよ。
   整数１：3⏎
   整数２：5⏎
   大きいほうの値は5です。
   小さいほうの値は3です。
```

本プログラムの **if** 文が、*n1* が *n2* より大きければ、❶を実行し、そうでなければ❷を実行することは分かるでしょう。それらは、いずれも { で始まって } で終わっています。

これは、複合文（compound statement）あるいはブロック（block）と呼ばれる文です。

Fig.3-10 に示すのが、その構文図です。

すなわち、ブロックは、次の形式の文です。

{ 0 個以上の**文**または**宣言**の並び }

▶ **文**は何個でもよく、**宣言**も何個でもよいわけです。しかも、その順序も任意です。

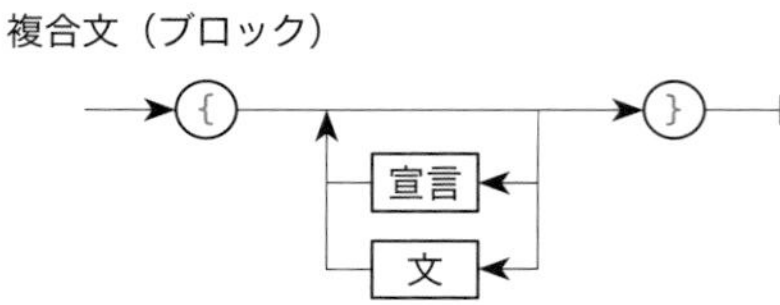

Fig.3-10 複合文（ブロック）の構文図

たとえば、次に示すものは、すべて複合文です。

```
{ }                                           { }
{ printf("ABC\n"); }                          { 文 }
{ int x;  x = 5;  printf("%d", x); }          { 宣言 文 文 }
{ int x;  x = 5;  printf("%d", x);  int y = x; }   { 宣言 文 文 宣言 }
```

複合文は、**if** 文と同様に、**文**の一種であり、構文上は**単一の文とみなされます。**そのため、本プログラムの **if** 文は、次のように解釈されるのです。

```
←──────────────── if文 ────────────────→
if (n1 > n2) { max = n1; min = n2; } else { max = n2; min = n1; }
if (  式  )          文             else          文
```

さて、**if** 文の構文は、右に示す二つの形式でした。すなわち、**if** が制御する文は**1個だけです**（**else** 以降も**1個だけ**です）。

```
if ( 式 ) 文
if ( 式 ) 文 else 文
```

if あるいは **else** で複数の文を制御できるのは、**複合文が単一の文とみなされる**からです。

重要 単一の文が要求される箇所に、複数の文（や宣言）を置かねばならないときは、それらをまとめて複合文（ブロック）として実現する。

この **if** 文から、両方の **{ }** を削除したらどうなるでしょうか（**"chap03/list0317x.c"**）。

```
←── if文 ──→              ← 式文 →      ⬇ 理解不能!!
if (n1 > n2) max = n1;   min = n2;    else max = n2; min = n1;
if (  式  )    文           式;
```

if 文とみなされるのは赤い部分であって、続く ***min = n2;*** は**式文**です。その後ろの **else** は **if** と対応していません。そのためエラーとなります。

1 個の文を **{ }** で囲んだ複合文も、もちろん単一の文として扱われます。

このことを利用すると、**List 3-12**（p.56）の **if** 文は、右のように実現できます（**"chap03/list0312a.c"**）。

```
if (n1 > n2) {
    max = n1;
} else {
    max = n2;
}
```

▶ このように、**if** で制御される文が、たとえ単一の文であっても、必ず **{ }** で囲むスタイルには、文の増減によって **{ }** を付けたり外（はず）したりしなくてすむ、というメリットがあります。

これまでのすべてのプログラムは、**Fig.3-11** に示す形式です。

図中の白い部分、すなわち **{** から **}** までの正体は、複合文だったわけです。

複合文について初めて学習しましたが、みなさんは、最初のプログラムから、ずっと使ってきていたのです。

```
#include <stdio.h>

int main(void)
{
    // …

    return 0;
}
```

Fig.3-11 プログラム中の複合文

論理演算子

今度は、次の問題を考えます。

読み込んだ月の季節を表示する。

List 3-9（p.52）と同様に、**if** … **else if** …をうまく利用すればよさそうです。作成したプログラムを **List 3-18** に示します。

List 3-18 chap03/list0318.c

```
// 読み込んだ月の季節を表示

#include <stdio.h>

int main(void)
{
    int month;                          // 月

    printf("何月ですか：");
    scanf("%d", &month);

    if (month >= 3 && month <= 5)                    // 春：3以上かつ5以下
        printf("%d月は春です。\n", month);
    else if (month >= 6 && month <= 8)               // 夏：6以上かつ8以下
        printf("%d月は夏です。\n", month);
    else if (month >= 9 && month <= 11)              // 秋：9以上かつ11以下
        printf("%d月は秋です。\n", month);
    else if (month == 1 || month == 2 || month == 12)   // 冬：1または2
        printf("%d月は冬です。\n", month);              //     または12
    else
        printf("%d月はありませんよ!!\a\n", month);

    return 0;
}
```

実行例

```
1 何月ですか：5
  5月は春です。
2 何月ですか：8
  8月は夏です。
3 何月ですか：10
  10月は秋です。
```

論理 AND 演算子

春と夏と秋の判定で使っている **&&** は、論理 AND 演算子（logical AND operator）です。

Fig.3-12 a に示すように、式 **a && b** の評価で得られるのは、**a** と **b** の両方とも非 **0** であれば **1**、そうでなければ **0** という値です（型は **int** 型です）。日本語での『**a** かつ **b**』に相当します。

▶ 非 **0** を**真**とみなして、**0** を**偽**とみなした上で、論理積の論理演算が行われます。

a 論理積 両方とも真（非0）であれば1

a	b	a && b
非0	非0	1
非0	0	0
0	非0	0
0	0	0

b 論理和 一方でも真（非0）であれば1

a	b	a || b
非0	非0	1
非0	0	1
0	非0	1
0	0	0

Fig.3-12 論理 AND 演算子と論理 OR 演算子

春の判定を行う式は、`month >= 3 && month <= 5`です。`month`の値が3以上かつ5以下であれば、その評価値が1となるため、続く『`printf("%d月は春です。\n", month);`』の文が実行されます。夏と秋の判定も同様です。

論理OR演算子

冬の判定で使っている`||`は、論理OR演算子（logical OR operator）です。

図**b**に示すように、式`a || b`の評価で得られるのは、`a`と`b`のいずれか一方でも非`0`であれば`1`、そうでなければ`0`です。日本語での『aまたはb』に相当します。

▶ 論理和演算子`||`は、連続する2個の**縦線記号**です（小文字のl（エル）ではありません）。
　また、日本語で、『僕**または**彼が行くよ。』といった場合、"僕"か"彼"の**いずれか一方のみ**というニュアンスですが、`||`演算子は、**どちらか一方でも**という意味です。

さて、冬の判定の制御式では、演算子`||`が2回使われています。一般に、加算式`a + b + c`が`(a + b) + c`とみなされるのと同じで、論理式`a || b || c`は、`(a || b) || c`のことです。

そのため、`a`と`b`と`c`のいずれか一つでも非`0`であれば、式`a || b || c`は`1`となります。

▶ 念のために、具体例で検証しましょう。

■ monthが1あるいは2のとき

`month == 1 || month == 2`の評価で`1`が得られる。⇨ 制御式全体は、`1`と`month == 12`の論理和を調べる`1 || month == 12`となる。⇨ その結果として`1`が生成される。

■ monthが12のとき

`month == 1 || month == 2`の評価で`0`が得られる。⇨ 制御式全体は、`0`と`month == 12`の論理和を調べる`0 || month == 12`となる。⇨ その結果として`1`が生成される。

論理AND演算子と論理OR演算子の総称が、論理演算子です（**Table 3-4**）。

Table 3-4 論理演算子

論理AND演算子	`a && b`	`a`と`b`の値がいずれも非`0`であれば`1`、そうでなければ`0`（その型は`int`型）。
論理OR演算子	`a || b`	`a`と`b`の値の一方でも非`0`であれば`1`、そうでなければ`0`（その型は`int`型）。

▶ `&&`演算子は、`a`を評価した値が`0`であれば`b`の評価を行いません。また、`||`演算子は、`a`を評価した値が非`0`であれば`b`の評価を行いません。
　以上のことは、短絡（たんらく）評価と呼ばれます。次ページで詳しく学習します。

なお、本プログラムの別解を、本章の『まとめ（p.71）』のプログラムに示しています。

演習 3-10

右に示すように、三つの整数値を読み込んで、それらの値がすべて等しければ『三つの値は等しいです。』と、どれか二つの値が等しければ『二つの値が等しいです。』と、そうでなければ『三つの値は異なります。』と表示するプログラムを作成せよ。

```
三つの整数を入力せよ。
整数A：12↵
整数B：35↵
整数C：12↵
二つの値が等しいです。
```

短絡評価

if 文で最初に行われる《春》の判定に着目します。変数 ***month*** の値が 2 であるとして、次の式の評価を考えましょう。

```
month >= 3 && month <= 5
```

左オペランドの ***month* >= 3** を評価した値は **0** ですから、右オペランドの式 ***month* <= 5** を調べるまでもなく、この式全体が**偽**となる（春でない）ことは明らかです。

そのため、**&&** 演算子の左オペランドを評価した値が **0** すなわち偽であれば、調べる必要のない右オペランドの評価は省略される**ことになっています。**

|| 演算子も同様です。《冬》の判定に着目しましょう。

```
month == 1 || month == 2 || month == 12
```

もし ***month*** が **1** であれば、2 月や 12 月の可能性を調べるまでもなく、式全体が **1** すなわち**真**となる（冬である）ことは明らかです。

そのため、**||** 演算子の左オペランドを評価した値が非 **0** すなわち真であれば、調べる必要のない右オペランドの評価は省略される**ことになっています。**

▶ 前ページでは、短絡評価が行われないとして具体例を考えました。実際には短絡評価が行われるため、評価の回数は少なくなります。***month*** が **1** であるとして、具体例で検証しましょう。

　式 ***month* == 1 || *month* == 2** は、左オペランドが **1** であるため、短絡評価によって、右オペランドを調べることなく **1** と評価されます。そのため、制御式全体は **1** と ***month* == 12** の論理和を調べる **1 || *month* == 12** となります。この式も、左オペランドが **1** すなわち真であるため、短絡評価によって、右オペランドを調べることなく **1** と評価されます。

＊

論理演算式の評価結果が、左オペランドの評価結果のみで明確になる場合に、右オペランドの評価が省略されることは、短絡評価（short circuit evaluation）と呼ばれます。

重要 論理 AND 演算子 **&&** と論理 OR 演算子 **||** の評価では、短絡評価が行われる。
すなわち：**&&** の左オペランドが偽（ **0** ）であれば、右オペランドは評価されない。
|| の左オペランドが真（非 **0**）であれば、右オペランドは評価されない。

右オペランドの評価が省略されることは、（わずかではあるものの）処理の高速化に貢献します。

演習 3-11

右に示すように、二つの整数値を読み込んで、それらの値の差が **10** 以下であれば『それらの差は **10** 以下です。』と、そうでなければ『それらの差は **11** 以上です。』と表示するプログラムを作成せよ。

論理 OR 演算子を利用すること。

```
二つの整数を入力せよ。
整数Ａ：12⏎
整数Ｂ：7⏎
それらの差は10以下です。
```

Column 3-3 初学者が誤りやすいif文

ここでは、初学者が誤りやすい if 文の例を示します。

▪ 制御式を囲む) の後ろにセミコロンを置く

次の if 文を考えましょう。

```
if (n > 0);
    printf("その値は正です。\n");
```

この if 文を実行すると、n がどんな値であっても（正でも負でも 0 でも）、『その値は正です。』と表示されます。そうなる原因は、(n > 0) の後ろに置かれたセミコロン ; です。

後の章で学習しますが、セミコロンだけの文は、空文（くうぶん）と呼ばれる文です（空（から）の文である**空文**を実行しても、実質的に何も行われません）。そのため、次のように解釈されるのです。

```
if (n > 0)
    ;                              ← nが正であれば空文（何も行わない文）が実行される
printf("その値は正です。\n");      ← if文とは無関係の文であるため必ず実行される
```

▪ 等価性の判定に = を利用する

等価性（等しいかどうか）の判定に利用する演算子 == を = に間違えないように注意しましょう。

- 誤：if (a = 0) 文　　　　// 文は実行されない、しかも、a は 0 になる
- 正：if (a == 0) 文

誤った例の場合、変数 a に 0 が代入されます。後の章で学習しますが、a = 0 を評価すると 0 すなわち偽が得られるため、（代入前の a の値とは関係なく）**文**は決して実行されません。

▪ 三つの変数の等価性の判定に == を利用する

次に示すのは、変数 a と変数 b と変数 c の値が等しいかどうかを判定する例です。

- 誤：if (a == b == c)
- 正：if (a == b && b == c)

等価演算子 == は2項演算子ですから、a == b == c では判定できません。

▪ 二つの条件の判定に && や || を利用しない

上の例と同様の例です。たとえば、次に示すのは、変数 a が 3 以上でかつ 5 以下であるかどうかを判定する例です。

- 誤：if (3 <= a <= 5)
- 正：if (a >= 3 && a <= 5)

▪ 論理演算子の代わりにビット単位の論理演算子を利用する

上記と同じ、変数 a が 3 以上でかつ 5 以下であるかどうかを判定する例です。

- 誤：if (a >= 3 & a <= 5)
- 正：if (a >= 3 && a <= 5)

論理演算である“かつ”と“または”に利用するのは、&& 演算子と || 演算子です。よく似て異なる演算子 & と | に間違えないようにします（演算子 & と | は、第 7 章で学習します）。

3-2 switch 文

if 文は、ある条件の判定結果に応じて、プログラムの流れを二つに分岐する文でした。本節で学習する switch 文を用いると、一度に複数に分岐できます。

switch 文と break 文

整数値を 3 で割った剰余を表示する **List 3-19** のプログラムを検討しましょう。

List 3-19 chap03/list0319.c

```
// 読み込んだ整数値を３で割った剰余を表示（if文）

#include <stdio.h>

int main(void)
{
    int no;

    printf("整数値：");
    scanf("%d", &no);

    if (no % 3 == 0)
        puts("３で割り切れます。");
    else if (no % 3 == 1)
        puts("３で割った剰余は１です。");
    else
        puts("３で割った剰余は２です。");

    return 0;
}
```

実行例

```
① 整数値：6
   ３で割り切れます。
② 整数値：7
   ３で割った剰余は１です。
③ 整数値：8
   ３で割った剰余は２です。
```

変数 **no** を 3 で割った剰余を求める演算 **no % 3** を２回行っています。このように同じ演算を複数回行うことは、①**タイプミスにつながる**、②**計算時間が余計にかかる**、③**プログラムが読みづらくなる**などの結果を招きます。

単一の式の値に基づいて、プログラムの流れを複数に分岐するときは、**if** 文ではなく、**switch** 文（switch statement）を使うと簡潔に表現できます。

その **switch** 文は、**Fig.3-13** の構文をもつ文であり、**( )** で囲まれた制御式を評価した値によって、プログラムの流れを複数に分岐させる、**切替え**（きりかえ）**スイッチ**のような文です。

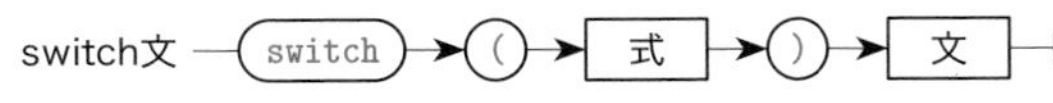

Fig.3-13 switch 文の構文図

▶ 制御式の型は、整数でなければなりません。

switch 文を用いて書き直したのが、右ページの **List 3-20** のプログラムです。

プログラムの流れが **switch** 文に差しかかると、まず **( )** 内の**制御式**が評価されます。そして、その評価結果に基づいて、プログラムの流れを、どこに移すのかが決定されます。

List 3-20 chap03/list0320.c

```
// 読み込んだ整数値を３で割った剰余を表示（switch文）

	switch (no % 3) {                                          // no % 3が
	 case 0 : puts("３で割り切れます。");          break;   // 0であれば…
	 case 1 : puts("３で割った剰余は１です。"); break;   // 1であれば…
	 case 2 : puts("３で割った剰余は２です。"); break;   // 2であれば…
	}
```


ラベル

no が 7 であるとして、プログラムの流れを考えていきましょう。*no* % 3 は 1 ですから、プログラムの流れは『**case 1 :**』と書かれた目印へと一気に移ります（**Fig.3-14**）。

プログラムの飛び先を示す目印となる『**case 1 :**』は、ラベル（label）と呼ばれます。

なお、ラベルの値は《定数》でなければならず、変数は許されません。また、複数のラベルが同じ値をもつことは許されません。

▶ 図にも示しているように、2 と : のあいだは空白を入れても入れなくても構いません。ただし、case と 2 のあいだには空白が必要です。空白を入れずに case2 とすることはできません。

```
switch (no % 3) {
 case 0 : puts("３で割り切れます。");          break;
 case 1 : puts("３で割った剰余は１です。");  → break;
 case 2 : puts("３で割った剰余は２です。");    break;
}
```


Fig.3-14 List 3-20 のプログラムの流れ

break 文

プログラムの流れがラベルに飛んだ後は、その後ろに置かれた文が実行されます。この場合、『3で割った剰余は1です。』と表示されます。

表示後に実行されるのが、**Fig.3-15** の構文をもつ break 文（break statement）です。**break** 文は、それを囲んでいる **switch** 文を中断・終了させる文です。

Fig.3-15 break 文の構文図

重要 break 文を実行すると、プログラムの流れは switch 文から抜け出す。

▶ break は、『破る』『抜け出る』という意味です。

break 文の働きによって、**switch** 文を突き破って抜け出ますので、その下に置かれている『*puts*("３で割った剰余は２です。");』は実行されません。

▶ プログラムの流れが『**case 1:**』に飛ぶ例を考えました。『**case 0:**』や『**case 2:**』も同様です。

複雑な switch 文

それでは、**List 3-21** のプログラムを例に、**switch** 文について理解を深めていきましょう。

List 3-21 chap03/list0321.c

```
// switch文の動作を確認するプログラム
#include <stdio.h>

int main(void)
{
    int sw;

    printf("整数 : ");
    scanf("%d", &sw);

    switch (sw) {
     case 1  : puts("A");  puts("B");  break;
     case 2  : puts("C");
     case 5  : puts("D");  break;
     case 6  :
     case 7  : puts("E");  break;
     default : puts("F");  break;
    }

    return 0;
}
```

注意：break 文がない

実行例

1	整数：1⏎ A B
2	整数：2⏎ C D
3	整数：5⏎ D
4	整数：6⏎ E
5	整数：7⏎ E
6	整数：8⏎ F

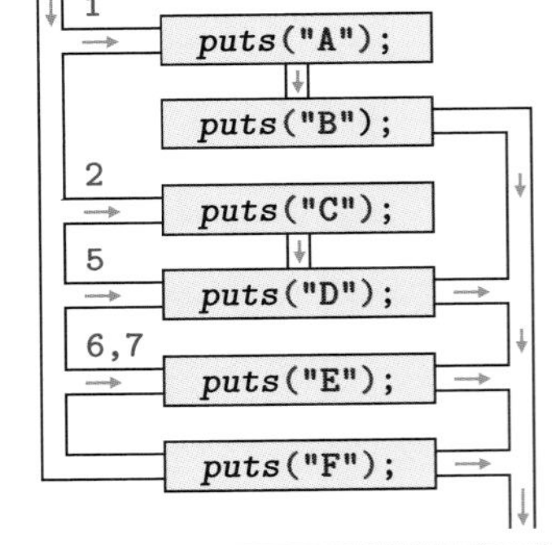

Fig.3-16 switch 文の流れ

switch 文の最後に置かれた『**default :**』は、制御式を評価した値が、どの **case** とも一致しないときにプログラムの流れが飛んでいくラベルです。そのため、この **switch** 文の流れは、**Fig.3-16** のように制御されます。

プログラムと図をよく見比べましょう。**break** 文がない箇所では、プログラムの流れが、次の文へと落ちる（fall through）ことが分かります。

▶ **switch** 文内のラベルの出現順序を変えると、実行結果が変わります。**switch** 文を使うときは、ラベルの順序などが妥当であるかをきちんと吟味しましょう。

次は、右に示す **switch** 文を考えます。変数 ***sw*** の値に応じて、3色のいずれかが表示されます。

```
switch (sw) {
 case 1 : printf("赤");  break;
 case 2 : printf("青");  break;
 case 3 : printf("白");
}
```

sw が **4** であれば「黒」と表示するように変更したのが、下の **switch** 文です。

『**case 4:**』以降を追加しているだけではなく、『**case 3:**』の末尾に **break** 文を追加していることに注意しましょう。

```
switch (sw) {
 case 1 : printf("赤");  break;
 case 2 : printf("青");  break;
 case 3 : printf("白");  break;
 case 4 : printf("黒");  break;
}
```

重要 **switch** 文の最後の **case** の末尾にも **break** 文を置いておけば、ラベルの増減に柔軟に対応できる。

switch 文と if 文

次に示す **if** 文と **switch** 文は、同じ動作をします。これらの文を対比しながら、**if** 文と **switch** 文について検討していきます。

```
if (p % 5 == 1)
    c = 3;
else if (p % 5 == 2)
    c = 5;
else if (p % 5 == 3)
    c = 7;
else if (q % 5 == 4)
    c = 9;
```

```
// 左のif文を書き直したswitch文
switch (p % 5) {
 case 1  : c = 3;  break;
 case 2  : c = 5;  break;
 case 3  : c = 7;  break;
 default : if (q % 5 == 4) c = 9;  break;
}
```

まずは、**if** 文をじっくり読んでみましょう。先頭三つの **if** は *p* **%** 5 の値を調べ、最後の **if** では *q* **%** 5 の値を調べています。変数 *c* に 9 が代入されるのは、*p* **%** 5 が 1、2、3 のいずれでもなく、かつ *q* **%** 5 が 4 のときです。

連続した **if** 文において、分岐のための比較対象が必ずしも**単一の式であるとは限りません。**最後の判定は、**if (***p* **% 5 == 4)** と読み間違えられたり、**if (***p* **% 5 == 4)** の書き間違いではないかと誤解されたりする可能性があります。

その点、**switch** 文は、全体の見通しがよいため、プログラムを読む人が、そのような疑念(ぎねん)を抱(いだ)くことが少なくなります。

> **重要** 単一の整数型の式に基づいたプログラムの流れの分岐は、**if** 文よりも **switch** 文で実現したほうがよい（場合が多い）。

選択文

本章で学習した **if** 文と **switch** 文は、いずれもプログラムの流れを選択的に分岐させるものですから、これらをまとめて**選択文**（selection statement）と呼びます。

演習 3-12

List 3-4（p.47）のプログラムを、**if** 文でなく **switch** 文を用いて書きかえよ。

演習 3-13

List 3-18（p.62）のプログラムを、**if** 文でなく **switch** 文を用いて書きかえよ。

まとめ

- 式は、プログラムの実行時に評価される。式を評価すると、その型と値が得られる。

- 0 以外の値は真とみなされ、0 は偽とみなされる。

- 左右のオペランドの等価性を判定するのが、等価演算子 == と != である。
  前者は等しいかどうか、後者は等しくないかどうかを判定する。
  いずれも、判定結果が成立すれば int 型の 1 を生成し、そうでなければ 0 を生成する。

- 左右のオペランドの大小関係を判定するのが、関係演算子 < と > と <= と >= である。
  いずれも、判定結果が成立すれば int 型の 1 を生成し、そうでなければ 0 を生成する。

- 左右のオペランドに対して論理積（両方とも真であれば真）と論理和（一方でも真であれば真）の論理演算を行うのが、論理 AND 演算子 && と論理 OR 演算子 || である。
  いずれも、判定結果が成立すれば int 型の 1 を生成し、そうでなければ 0 を生成する。

- 論理演算子は短絡評価を行う。
  - 論理 AND 演算子 && は、左オペランドを評価した結果が偽であれば、右オペランドを評価しない（判定結果が偽と判定できるため）。
  - 論理 OR 演算子 || は、左オペランドを評価した結果が真であれば、右オペランドを評価しない（判定結果が真と判定できるため）。

- ある条件が成立したとき（制御式を評価した値が非 0 となったとき）にのみ処理を行うことがあれば、else の付かない if 文を利用する。また、ある条件の成立の可否によって異なる処理を行うのであれば、else 付きの if 文を利用する。

- 単一の文が要求される箇所に、複数の文（や宣言）を置かねばならないときは、それらをまとめて複合文＝ブロックとして実現する。

- 条件演算子 ? : を使うと、if 文の働きを単一の**式**に凝縮できる。第 1 オペランドの評価結果に基づいて、第 2 オペランド／第 3 オペランドの一方のみが評価され、その値が得られる。

```
min = a < b ? a : b;        // aとbの小さいほうの値をminに代入
```

- switch 文を使うと、単一の整数型の式を評価した値に応じて、プログラムの流れを複数に分岐できる。評価結果に応じて、（整数型の定数で指定された）該当するラベルにプログラムの流れが飛ぶ。該当するラベルがない場合の飛び先は、default ラベルである。
  switch 文の中で break 文が実行されると、switch 文の実行は中断されて終了する。なお、break 文がない箇所では、プログラムの流れは、次の文へと落ちていく。

- if 文と switch 文の総称は、選択文である。

● if文

```
if (式)
    文
```

式を評価した値が非0であれば文を実行する

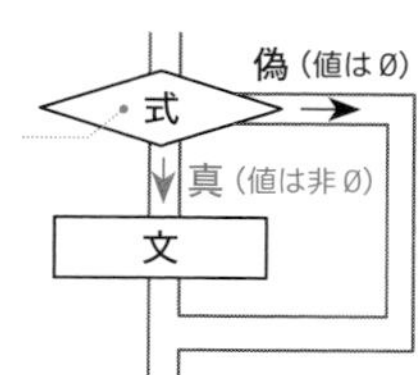

● if文（else付き）

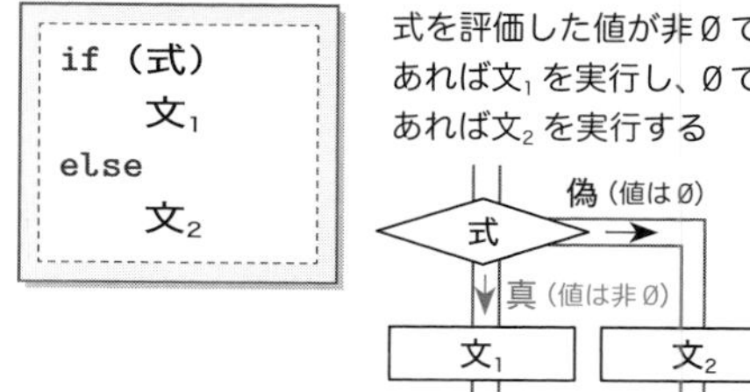


```
if (式)
    文1
else
    文2
```

式を評価した値が非0であれば文$_1$を実行し、0であれば文$_2$を実行する

● switch文

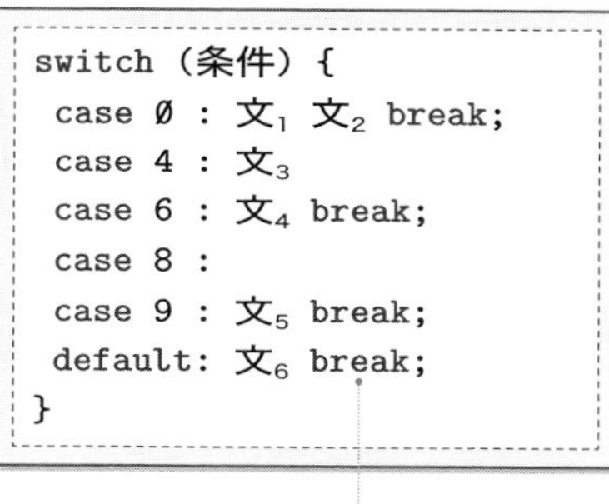

```
switch (条件) {
 case 0 : 文1 文2 break;
 case 4 : 文3
 case 6 : 文4 break;
 case 8 :
 case 9 : 文5 break;
 default: 文6 break;
}
```

break文
switch文の実行を中断・終了する

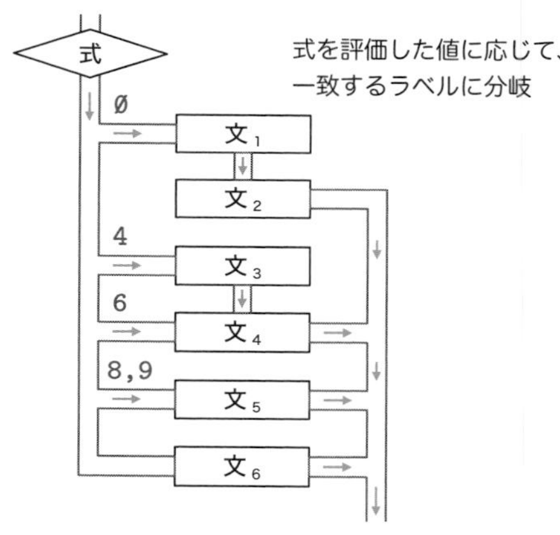

式を評価した値に応じて、一致するラベルに分岐

● 複合文（ブロック）

```
{ 0個以上の宣言または文 }
```

0個以上の宣言あるいは文を{}で囲んだもの

chap03/summary1.c

```
if (month < 1 || month > 12)
    printf("%d月はありませんよ!!\a\n", month);
else if (month <= 2 || month == 12)
    printf("%d月は冬です。\n", month);
else if (month >= 9)
    printf("%d月は秋です。\n", month);
else if (month >= 6)
    printf("%d月は夏です。\n", month);
else
    printf("%d月は春です。\n", month);
```

chap03/summary2.c

```
switch (sw) {
 case 1 : printf("赤");  break;
 case 2 : printf("青");  break;
 case 3 : printf("白");  break;
}
```

chap03/summary3.c

```
if (n1 > n2) {
    printf("大きいのはn1です。\n");
    printf("差は%dです。\n", n1 - n2);
} else {
    printf("大きいのはn2です。\n");
    printf("差は%dです。\n", n2 - n1);
}
```

プログラムの一部を示しています。
完全なプログラムは、インターネットからダウンロードできるファイルに含まれています。
※ 以降の章でも同様です。

3 まとめ

第４章

プログラムの流れの繰返し

　人生は、日々の繰返しです。何ごとにおいても『まったくの初めて』ということはあまりないでしょう。同じことの《繰返し》もありますし、よく似たことの《繰返し》もあります。

　もっとも、人生のすべての瞬間が、新たなる発見の連続というのが理想なのかもしれませんが…。

　本章では、プログラムの流れの《繰返し》を学習します。

4-1 do 文

プログラムの流れを繰り返すための手段として、C言語は3種類の文を提供します。最初に学習するのは、do 文です。

do 文

前章で作成した、整数値の奇数／偶数を判定するプログラム（**List 3-4**：p.47）は、整数値の読込みと判定結果の表示が1回に限られています。次のように書きかえましょう。

整数値を読み込んで、それが奇数か偶数かを判定表示する。その後、再び行うかどうかの確認を促して、入力と表示を好きなだけ繰り返して行えるようにする。

List 4-1 に示すのが、そのプログラムです。プログラムを起動し直すことなく、入力と表示が好きなだけ繰り返せるようになっています。

List 4-1 chap04/list0401.c

```
// 読み込んだ整数値は奇数であるか偶数であるか（好きなだけ繰り返せる）
#include <stdio.h>

int main(void)
{
    int retry;      // 処理を続けるか

    do {
        int no;

        printf("整数を入力せよ：");
        scanf("%d", &no);

        if (no % 2)
            puts("その数は奇数です。");
        else
            puts("その数は偶数です。");

        printf("もう一度？【Yes…0／No…9】：");
        scanf("%d", &retry);
    } while (retry == 0);

    return 0;
}
```

List 3-4 と同じ ／ ループ本体 ／ do 文

実行例

```
整数を入力せよ：17
その数は奇数です。
もう一度？【Yes…0／No…9】：0
整数を入力せよ：36
その数は偶数です。
もう一度？【Yes…0／No…9】：9
```

水色の部分は、do で始まり、**文**（複合文）をはさんで、**while (式);** で終わっています。これが、**Fig.4-1** の構文をもつ **do 文**（do statement）です。

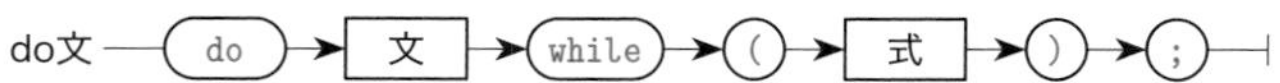

Fig.4-1 do 文の構文図

先頭の do[ドゥー] は『実行せよ』という意味で、while[ホワイル] は『〜のあいだ』という意味です。

do 文は、**『( ) の中に置かれた式（制御式）の評価で得られた値が真（非 0）のあいだ、文を繰り返し実行せよ』**と働く文です。

そのため、プログラムの流れは、**Fig.4-2** のように制御されます。

なお、繰返しを**ループ**（loop）ということから、繰返しの対象となる**文**は、**ループ本体**（loop body）と呼ばれます。

▶ この後で学習する while 文と for 文が繰返しの対象とする**文**も《**ループ本体**》です。

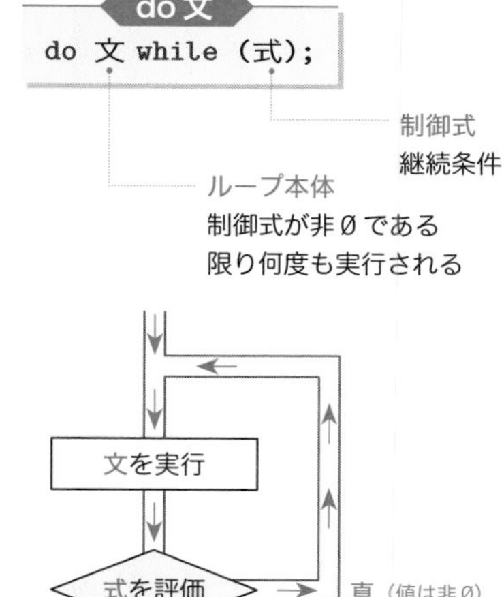

Fig.4-2 do 文のプログラムの流れ

本プログラムのループ本体は、{ から } までの複合文（ブロック）です。

その複合文では、奇数／偶数の判定表示を行って、「もう一度？【Yes…0 ／ No…9】：」と確認を促した上で、変数 *retry* に整数を読み込みます。

ループ本体が終了すると、プログラムの流れは、制御式にさしかかり、その評価が行われます。

■ 変数 *retry* が 0 であれば…

制御式 *retry* == 0 の評価で得られる値は 1 です。その 1 は**真**ですから、ループ本体である複合文が再び実行されます（**Fig.4-3**）。

▶ 真と判定された場合は、プログラムの流れが複合文の先頭へと戻り、再び複合文が実行されます。

■ 変数 *retry* が非 0 であれば…

制御式 *retry* == 0 を評価した値は 0 です。0 は**偽**ですから、do 文の実行は終了します。

制御式 *retry* == 0 が**真**すなわち非 0 であるかどうかが、繰返しを続けるための《**継続条件**》であることが分かりました。

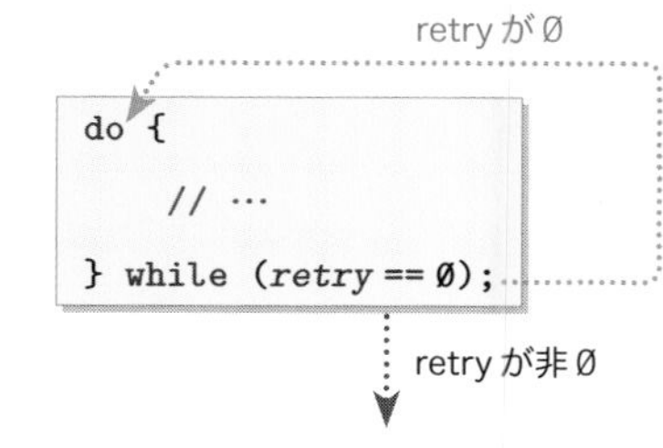

Fig.4-3 本プログラムの do 文

複合文内での宣言

キーボードから読み込んだ値を格納する変数 *no* は、ループ本体である複合文（ブロック）の中で宣言されています。複合文の中でのみ使う変数は、その中で宣言するのが原則です。

重要 複合文の中でのみ使う変数は、その複合文内で宣言する。

▶ 複合文の構文は "{ 0 個以上の**文**または**宣言**の並び }" でした（**Fig.3-10**：p.60）。

読み込む値を制限する

do 文をうまく使うと、キーボードから読み込む値に制限を加えられます。**List 4-2** に示すのが、そのプログラム例です。

List 4-2 chap04/list0402.c

```
// 読み込んだ整数値に応じてジャンケンの手を表示（0, 1, 2のみを受け付ける）

#include <stdio.h>

int main(void)
{
    int hand;    // 手

    do {
        printf("手を選んでください【0…グー／1…チョキ／2…パー】 : ");
        scanf("%d", &hand);
    } while (hand < 0 || hand > 2);
                                        handの値は0、1、2のいずれかとなる
    printf("あなたは");
    switch (hand) {
     case 0: printf("グー");     break;
     case 1: printf("チョキ");   break;
     case 2: printf("パー");     break;
    }
    printf("を選びました。\n");

    return 0;
}
```

実行例

```
手を選んでください【0…グー／1…チョキ／2…パー】 : 3⏎
手を選んでください【0…グー／1…チョキ／2…パー】 : -2⏎
手を選んでください【0…グー／1…チョキ／2…パー】 : 1⏎
あなたはチョキを選びました。
```

まずは実行して動作を確認しましょう。読み込んだ値に応じて、次のように動作します。

- **不当な値**（3 や -2 など） ➡ 再び入力するように促される。
- **妥当な値**（0 と 1 と 2 のいずれか） ➡ 「グー」、「チョキ」、「パー」が表示される。

それでは、**do** 文の繰返しの**継続条件**である制御式（水色の部分）に着目します。

```
hand < 0 || hand > 2      // handは不当な値（0未満 または 2より大きい）か？
```

論理 OR 演算子 **||** の判定は、『または』『いずれか一方でも』というニュアンスでした。

そのため、変数 **hand** の値が**不当な値**（**0** より小さいかまたは 2 より大きい値、すなわち、**0**、1、2 以外の値）であれば、この判定は**真**となって成立します（制御式の評価で **int** 型の **1** が得られるからです）。その結果、ループ本体が再び実行されます。

▶ 「手を選んでください【0…グー／1…チョキ／2…パー】 : 」と表示されて、入力が促されます。

なお、**hand** の値が **0** と **1** と **2** のいずれかの**妥当な値**であれば、繰返しは終了します。そのため、**do** 文が終了したときの **hand** の値は、必ず **0** と **1** と **2** のいずれかになります。

▶ **do** 文の後ろに置かれた **switch** 文では、変数 **hand** の値に応じてジャンケンの手を表示します。

論理否定演算子とド・モルガンの法則

『*hand* が不当な値であれば … 』という継続条件を、『*hand* が妥当な値でなければ … 』に書きかえてみましょう。次のようになります（"chap04/list0402a.c"）。

```
!(hand >= 0 && hand <= 2)    // handは妥当な値（0以上 かつ 2以下）ではないか？
```

初登場の ! は、論理否定演算子（logical negation operator）と呼ばれ、**Table 4-1** に示すように、**オペランドが 0 と等しいかどうか**を判定する演算子です。

▶ すなわち、上記の式は、(*hand* >= 0 && *hand* <= 2) == 0 と同じです。

Table 4-1 論理否定演算子

論理否定演算子	! a	a が 0 であれば 1、そうでなければ 0（その値は int 型）。

ド・モルガンの法則

Fig.4-4 を見ながら、理解を深めましょう。

オリジナルの制御式❶は、繰返しを続けるための**継続条件**です。一方、論理否定演算子 ! を使って書きかえた制御式❷は、繰返しを終了するための**終了条件の**否定です。

両者はコインの裏表であって、同じ条件を意味しています。文脈に応じて、分かりやすい、読みやすい、と感じられるほうの式を使うとよいでしょう。

なお、『**各条件の否定をとって、論理積・論理和を入れかえた式**』の**否定**が、もとの条件と同じであることは、ド・モルガンの法則（De Morgan's theorem）として知られています。

この法則を、C言語の演算子を使って表すと、次のようになります。

- x && y と !(!x || !y) は等しい。
- x || y と !(!x && !y) は等しい。

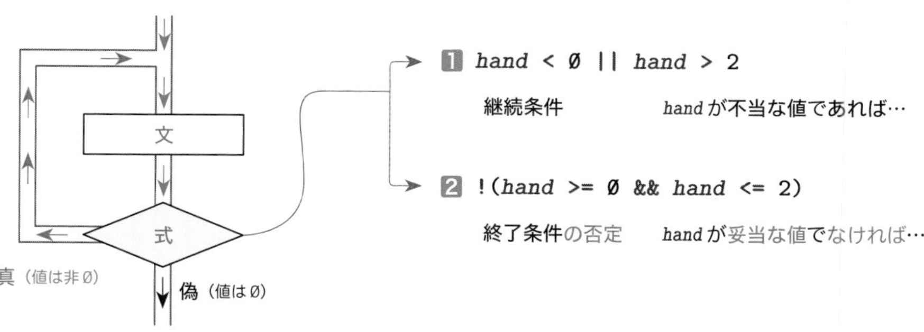

Fig.4-4 do 文の継続条件と終了条件

複数の整数値の合計と平均を求める

do 文を使って、次のプログラムを作りましょう。

整数値を次々と読み込んでいき、その合計と平均を表示する。

List 4-3 に示すのが、そのプログラムです。

List 4-3 chap04/list0403.c

```
// 整数値を次々と読み込んで合計と平均を表示（その１）

#include <stdio.h>

int main(void)
{
    int sum = 0;      // 合計               ―1
    int cnt = 0;      // 整数値の個数
    int retry;        // 処理を続けるか

    do {
        int t;

        printf("整数値を入力せよ：");
        scanf("%d", &t);

        sum = sum + t;    // sumにtを加えた値をsumに代入（sumにtを加える）  ―2
        cnt = cnt + 1;    // cntに1を加えた値をcntに代入（cntに1を加える）

        printf("まだ？<Yes…0/No…9>：");
        scanf("%d", &retry);
    } while (retry == 0);

    printf("合計は%dで平均は%.2fです。\n", sum, (double)sum / cnt);

    return 0;
}
```

%.2f ― 小数部を２桁表示　(double)sum ― キャスト式（p.37）

実行例
```
整数値を入力せよ：21
まだ？<Yes…0/No…9>：0
整数値を入力せよ：7
まだ？<Yes…0/No…9>：0
整数値を入力せよ：23
まだ？<Yes…0/No…9>：0
整数値を入力せよ：12
まだ？<Yes…0/No…9>：9
合計は63で平均は15.75です。
```

▶ 本プログラムの do 文は、List 4-1（p.74）と同じ構造です。キーボードから変数 retry に読み込んだ値が 0 である限り、何度も繰返しを続けます。

右ページの Fig.4-5 を見ながら、合計を求めていく流れを理解していきましょう。

1 準備（合計と個数の初期化）

合計を求めるための準備です。読み込んだ整数値の個数を格納する変数 cnt と、合計を格納する変数 sum の両方を 0 にします。

2 合計と個数の更新

ループ本体内で、変数 t に整数値を読み込んだ後に行う代入です。

```
sum = sum + t;    // sumにtを加えた値をsumに代入（sumにtを加える）
cnt = cnt + 1;    // cntに1を加えた値をcntに代入（cntに1を加える）
```

注釈に書かれているように、sum に t が加えられて、cnt には 1 が加えられます。

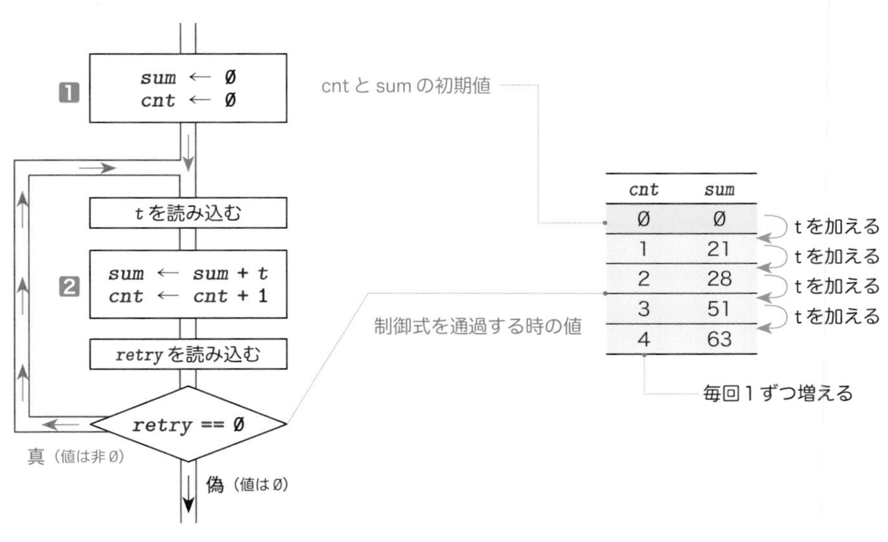

Fig.4-5 合計を求めていくプログラムの流れ

実行例の場合、1回目に読み込まれた **t** は **21** です。**sum** の値は **0** から **21** へと更新されて、**cnt** の値は **0** から **1** へと更新されます。

▶ その後、変数 **retry** に **0** が読み込まれるため、ループ本体が再び実行されます。

繰返しの 2 回目を考えましょう。整数値 **7** を **t** に読み込んだ後に、再び

```
sum = sum + t;    // sumにtを加えた値をsumに代入（sumにtを加える）
cnt = cnt + 1;    // cntに1を加えた値をcntに代入（cntに1を加える）
```

が実行されますので、**sum** は **21** から **28** に更新されて、**cnt** は **1** から **2** へと更新されます。

＊

このようにして、読込みと加算が繰り返され、二つの変数は、次の値となります。

- 変数 **sum**：キーボードから読み込んだ **t** を合計した値。
- 変数 **cnt**：読み込んだ数値の個数。

do 文が終了すると、合計 **sum** と、平均 **(double)sum / cnt** を表示します。

▶ 平均を求める式の **(double)** は、**double** 型に変換するための**キャスト**です。

演習 4-1

読み込んだ整数値の符号を判定する **List 3-9**（p.52）を、入力・表示を好きなだけ繰り返せるように変更したプログラムを作成せよ。

演習 4-2

右に示すように、二つの整数値を読み込んで、小さいほうの数以上で大きいほうの数以下の全整数を加えた値を表示するプログラムを作成せよ。

```
二つの整数を入力せよ。
整数a：37
整数b：28
28以上37以下の全整数の和は325です。
```

さて、整数値の合計と個数を更新する箇所は、次のようになっています。

```
sum = sum + t;    // sumにtを加えた値をsumに代入（sumにtを加える）
cnt = cnt + 1;    // cntに1を加えた値をcntに代入（cntに1を加える）
```

このコードをスッキリさせたのが、**List 4-4** のプログラムです。二つの演算子 **+=** と **++** が初登場です。それぞれを学習していきましょう。

List 4-4 chap04/list0404.c

```
sum += t;       // sumにtを加える                          ─1
cnt++;          // cntをインクリメントする（値を１増やす） ─2
```

▶ 変更部のみを示しています（プログラムの動作は **List 4-3** と同じです）。

複合代入演算子

まずは、1の **+=** 演算子です。この演算子は、**Fig.4-6** に示すように、加算 **+** と代入 **=** の二つの演算をこなす、一人二役（ひとりふたやく）の演算子です。

『sum に t を加えた値を sum に代入』が、『sum に t を加える』と表現できます。

```
        ┌→ sum = sum + t     // sumにtを加えた値をsumに代入
ほぼ同じ │
        └→ sum += t          // sumにtを加える
```

メリット：タイプ数が減る（変数名 sum をタイプするのが１回でよい）。
行う演算を簡潔に表している。

Fig.4-6 複合代入演算子による加算

その **+=** 演算子は、複合代入演算子（compound assignment operator）と呼ばれる演算子です。**Table 4-2** に示すように、**+=** を含めて全部で 10 個の複合代入演算子があります。

Table 4-2 複合代入演算子

複合代入演算子	a @= b	a = a @ bと基本的には同じ（ただしaの評価は1度のみ行われる）。 @=は次のいずれか：*=　/=　%=　+=　-=　<<=　>>=　&=　^=　|=

演算子 *、/、%、+、-、<<、>>、&、^、| に対しては、式 a @= b は、式 a = a @ b とほぼ同じ働きをする、と理解しておきましょう。

重要 += などの複合代入演算子を使うと、プログラムがシンプルで読みやすくなる。

▶ たとえば、次のように利用します。

```
a *= 3;     // aに3を掛ける（aの値を３倍にする）：aが5であれば15に更新
b -= 10;    // bを10減らす                      ：bが17であれば7に更新
```

後置増分演算子と後置減分演算子

次は、2の ++ です。これは、後置増分演算子（postfixed increment operator）と呼ばれる演算子です。Table 4-3 に示すように、式 a++ は、オペランドの値を一つだけ増やします。

値を**一つだけ増やす**ことを『インクリメントする』といいますので、覚えましょう。

Table 4-3 後置増分演算子と後置減分演算子

後置増分演算子	a++	a の値を一つだけ増やす（式全体を評価すると、増分前の値となる）。
後置減分演算子	a--	a の値を一つだけ減らす（式全体を評価すると、減分前の値となる）。

この演算子を使うことで、『cnt に 1 を加えた値を cnt に代入する』が、『cnt をインクリメントする（値を 1 増やす）』と表現できます。

なお、オペランドの値を逆に**一つだけ減らす**（『デクリメントする』といいます）のが、後置減分演算子（postfixed decrement operator）と呼ばれる -- 演算子です。

二つの演算子の働きをまとめると、Fig.4-7 のようになります。

重要 後置増分演算子 ++ と後置減分演算子 -- を利用すると、プログラムはシンプルで読みやすくなる。

なお、後置増分演算子と後置減分演算子の“後置”は、演算子をオペランドの後ろに置くことによるネーミングです。

▶ ++ と -- をオペランドの前に置く“前置”の演算子もあります（p.88 で学習します）。

```
ほぼ同じ ┌→ a = a + 1    // aに1を加えた値をaに代入
         └→ a++          // aをインクリメントする（aを1増やす）

ほぼ同じ ┌→ a = a - 1    // aから1を減じた値をaに代入
         └→ a--          // aをデクリメントする（aを1減らす）
```

Fig.4-7 後置増分演算子と後置減分演算子

複合代入演算子と後置増分／減分演算子は、数学で使わない演算子ですので、難しく感じられるかもしれません。しかし、慣れてしまえば、便利で簡単です。

▶ 今後のプログラムでも、頻繁に使っていきます。

4-2 while 文

do 文とは異なり、繰返しを継続するかどうかの判定を、ループ本体の実行後ではなく、実行前に行うのが、本節で学習する while 文です。

while 文

List 4-5 に示すのは、整数値を読み込んで、その値を 0 までカウントダウンしながら表示するプログラムです。

List 4-5 chap04/list0405.c

```
// 読み込んだ整数値を0までカウントダウン（その1）

#include <stdio.h>

int main(void)
{
    int no;

    printf("正の整数を入力せよ：");
    scanf("%d", &no);

    while (no >= 0) {
        printf("%d ", no);
        no--;           // noの値をデクリメント
    }
    printf("\n");    // 改行

    return 0;
}
```

実行例

```
① 正の整数を入力せよ：5⏎
  5 4 3 2 1 0
② 正の整数を入力せよ：0⏎
  0
③ 正の整数を入力せよ：-5⏎

```

正でなく 0 が入力されても表示される

改行文字だけが出力される

プログラムの流れを繰り返す水色の部分が、本節で学習する **while 文**（while statement）です（前節の do 文ではありません）。

do 文で使われる while が先頭に位置しており、構文が **Fig.4-8** のようになっていることは、プログラムから分かるでしょう。

さて、この while 文は、( ) の中に置かれた**式**（制御式）を評価した値が**真**である（0 でない）限り、**文**を繰り返し実行します。すなわち、プログラムの流れを、**Fig.4-9** のように制御します。

▶ **継続条件**である制御式の評価を最初に行う点が、do 文とは、まったく異なります。

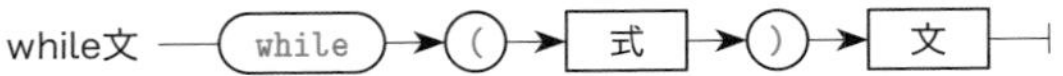

Fig.4-8 while 文の構文図

while 文
while（式）文

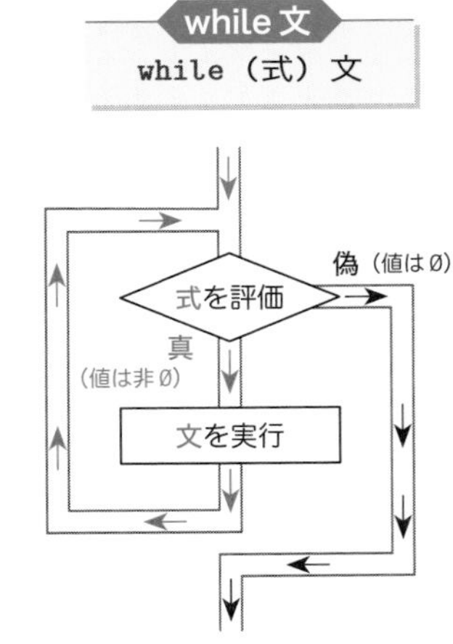

Fig.4-9 while 文のプログラムの流れ

それでは、**Fig.4-10** を見ながら、プログラムの流れを追っていきましょう（実行例①のように、変数 `no` に 5 が入力されているものとします）。

＊

まず制御式 `no >= 0` が評価されて 1 が得られます。非 0 である 1 は**真**ですから、ループ本体が実行されます。

ループ本体の複合文では、最初に

```
printf("%d ", no);
```

（スペース）

が実行されて、画面上に「5␣」と表示されます（5 に続いて空白文字が表示されます）。

その後で実行されるのが、次の文です。

```
no--;              // noの値をデクリメント
```

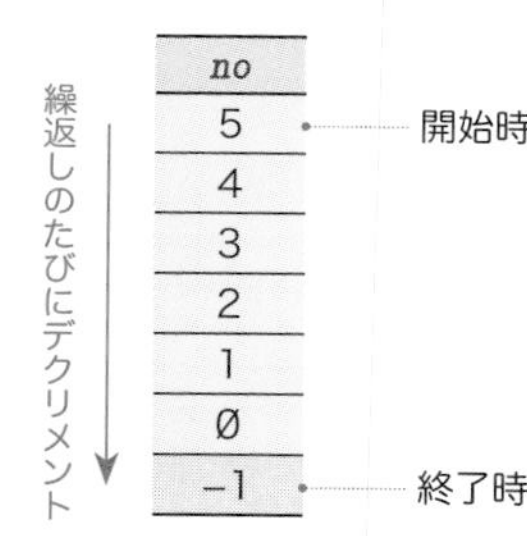

Fig.4-10 no の値の変化

後置減分演算子 `--` の働きによって、変数 `no` はデクリメントされて、その値が 5 から 4 へと更新されます。

これでループ本体の実行は終了し、プログラムの流れは `while` 文の先頭へと戻ります。

＊

繰返しの継続条件の判定＝制御式の評価が行われます（2回目です）。

制御式 `no >= 0` の評価で 1 が得られるため、ループ本体が再び実行されます。そのループ本体では、画面に「4␣」と表示されて、`no` が 4 から 3 へとデクリメントされます。

＊

この処理の繰返しによって、変数 `no` の表示とカウントダウンが行われていきます。

6回目の繰返しのときの `no` の値は 0 です。その値 0 が表示された後で、演算子 `--` の働きによって `no` の値は `-1` になります。

その後で行われる、繰返しを続けるかどうかの7回目の判定では、継続条件 `no >= 0` が成立しません（制御式の評価値が 0 となります）ので、`while` 文の繰返しが終了します。

＊

実行例③では、変数 `no` に `-5` が読み込まれています。制御式 `no >= 0` を1回目に評価したときに得られるのは 0 すなわち**偽**です。そのため、ループ本体は一度も実行されることはありません。すなわち、`while` 文は実質的に素通り（すどおり）されます。

▶ `while` 文の後ろに置かれた文『`printf("\n");`』は、`while` 文とは無関係に実行されます。そのため、実行例③のように、変数 `no` の値が負であれば、改行文字だけが出力されます。

演習 4-3

負の値を読み込んだときに改行文字を出力しないように、**List 4-5** のプログラムを書きかえよ。

減分演算子を用いた手短な表現

後置減分演算子 -- の特性をうまく利用すると、カウントダウンのプログラムは、もっと短く簡潔に実現できます。**List 4-6** に示すのが、そのプログラムです。

List 4-6 chap04/list0406.c

```
// 読み込んだ整数値を0までカウントダウン（その2）

#include <stdio.h>

int main(void)
{
    int no;

    printf("正の整数を入力せよ：");
    scanf("%d", &no);

    while (no >= 0)
        printf("%d ", no--);     // noの値を表示した後にデクリメント
    printf("\n");                // 改行

    return 0;
}
```

実行例

```
正の整数を入力せよ：11
11 10 9 8 7 6 5 4 3 2 1 0
```

後置増分演算子と後置減分演算子の概要を示した **Table 4-3**（p.81）を、もう一度読み直してみましょう。後置減分演算子 **a--** は、次のように解説されています。

> **a** の値を一つだけ減らす（式全体を評価すると、減分前の値となる）。

すなわち、式 **a--** の評価で得られるのが、デクリメント前の値であることが分かります。

Fig.4-11 に示すように、変数 *no* の値が **11** であれば、式 *no--* を評価して得られるのは、デクリメント前の **11** です（この値が得られた後に、デクリメントが行われます）。

＊

本プログラムの *printf*("%d ", *no*--) が行うことを分割して説明すると、

> 1 *no* の値を取り出して表示する。
> 2 *no* の値をデクリメントする。

となります。すなわち、*no* の値を表示した直後にデクリメントが行われる、というわけです。

評価するとデクリメント前の値が得られる

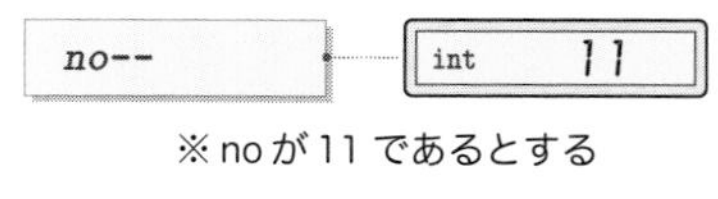

※ no が 11 であるとする

11 が得られた後にデクリメントする

Fig.4-11 後置減分演算式の評価

演習 4-4

List 4-6 のプログラムを、次のように書きかえたプログラムを作成せよ。

- 0 ではなく 1 までカウントダウンする。
- 入力された値が 0 以下であるときには、改行を行わない。

カウントアップ

前ページのプログラムとは逆に、0 から始めて、読み込んだ整数値までカウントアップすることを考えましょう。そのプログラムを **List 4-7** に示します。

List 4-7 chap04/list0407.c

```
// 読み込んだ正の整数値までカウントアップ

#include <stdio.h>

int main(void)
{
    int no;

    printf("正の整数を入力せよ：");
    scanf("%d", &no);

    int i = 0;
    while (i <= no)
        printf("%d ", i++);     // iの値を表示した後にインクリメント
    printf("\n");               // 改行

    return 0;
}
```

実行例

```
正の整数を入力せよ：12
0 1 2 3 4 5 6 7 8 9 10 11 12
```


カウントダウンのプログラムと大きく異なるのは、変数 `i` が新しく導入されていることです。その `i` の値は、後置増分演算子 `++` の働きによって、0、1、2、…と増えていきます。

▶ ループ本体が最初に実行されるときは、まず `i` の値 0 を表示して、その直後にインクリメントすることで値を 1 に更新します（2回目は、変数 `i` の値 1 を表示した直後にインクリメントすることで 2 に更新します）。

実行例の場合、繰返し 12 回目での変数 `i` の値は、`no` と同じ 12 です。その表示を行った直後に `i` の値がインクリメントされて 13 になるため、`while` 文の繰返しが終了します。

▶ 表示は 12 までですが、変数 `i` の最終的な値は 13 であることに注意しましょう。

演習 4-5

List 4-7 のプログラムを、次のように書きかえたプログラムを作成せよ。

- 0 からではなく 1 からのカウントアップを行う。
- 入力された値が 0 以下であるときには、改行を行わない。

演習 4-6

右に示すように、読み込まれた整数値以下である正の偶数を順に表示するプログラムを作成せよ。

```
正の整数を入力せよ：19
2 4 6 8 10 12 14 16 18
```

演習 4-7

右に示すように、読み込まれた整数値以下である正の 2 のべき乗の数を順に表示するプログラムを作成せよ。

```
正の整数を入力せよ：19
2 4 8 16
```

文字定数とputchar関数

整数値を読み込んで、その個数だけアスタリスク記号 * を横に連続して並べて表示するプログラムを作りましょう。それが、**List 4-8** に示すプログラムです。

List 4-8 chap04/list0408.c

```
// 読み込んだ整数の個数だけ＊を連続表示

#include <stdio.h>

int main(void)
{
    int no;

    printf("正の整数：");
    scanf("%d", &no);

    while (no-- > 0)
        putchar('*');
    putchar('\n');

    return 0;
}
```

実行例

```
1 正の整数：15⏎
  ***************
2 正の整数：0⏎
3 正の整数：-5⏎
```

実行例①のように、読み込んだ no が 15 であるとして、プログラムの流れを考えていきます。

まず最初に、**while** 文の制御式 **no-- > 0** が評価されます。**--** は後置減分演算子ですから、変数 no の値 15 が 0 より大きいかどうかが評価され、判定が成立することが確認された直後に、no の値がデクリメントされて 14 となります。

つまり、この制御式 **no-- > 0** の判定は、次のように行われます。

no が 0 より大きいかどうかを判定して、判定が終わった直後に no をデクリメントする。

さて、no の値は、制御式を通過するたびに 15 ⇨ 14 ⇨ 13…とデクリメントされていきます。

制御式 **no-- > 0** の評価値が**偽**になるのは、変数 no の値が 0 のときです。これで、全部で no 回の繰返しが行われます。

▶ no が 0 のときに no-- > 0 が評価された際も no のデクリメントは行われますので、**while** 文が終了したときの no の値は -1 です。

文字定数

while 文のループ本体では『**putchar('*');**』が実行され、終了後に『**putchar('\n');**』が実行されています。

ここで使われている **'*'** や **'\n'** のように、単一引用符 **'** で**文字**を囲んだ式は、文字定数 (character constant) と呼ばれ、その型は **int** 型です。

重要 文字は、単一引用符で文字を囲んだ **'*'** 形式の、**int** 型の文字定数で表す。

文字定数は、これまで使ってきた文字列リテラルとは、まったく異なります。

- 文 字 定 数 '*' … 単一の文字を表す（この場合は、文字 *）。
- 文字列リテラル "*" … 文字の並びを表す（この場合は、たまたま1個の文字 *）。

▶ 文法上、'ab' のように、'' の中に複数の文字を入れることも可能ですが、使うべきではありません。というのも、その解釈が処理系に依存するからです。

putchar 関数

単一文字の表示のために使っているのが、*putchar* 関数です。( ) の中には、**表示すべき文字**を実引数として与えます。

本プログラムでは、ループ本体で *no* 個の '*' を表示しています。そして、while 文終了後に改行するために、改行文字 '\n' を出力しています。

重要 *putchar* 関数を利用すると、単一文字の表示が行える。

なお、次に示すコードは、誤りです（"chap04/putcharx.c"）。

```
putchar("A");    // エラー：putcharに渡すのは文字。   正しくはputchar('A');
printf('A');     // エラー：printf に渡すのは文字列。正しくはprintf("A");
```

do 文と while 文

実行例②や実行例③のように、0 や負の値を入力すると、while 文が実質的に素通りされて、改行だけが行われます。すなわち、アステリスク記号 * が1個も表示されることなく、改行文字だけが出力されます（これまでのプログラムも同様でした）。

このように、while 文の制御式を1回目に評価した際に得られるのが**偽**（すなわち 0）であれば、**ループ本体は1回も実行されません。**

これが、do 文とは大きく異なる while 文の特徴です。

重要 do 文のループ本体は少なくとも1回は実行されるのに対し、while 文のループ本体は1回も実行されないことがある。

繰返しの継続条件の判定のタイミングは、do 文と while 文とでまったく異なります。

- do 文 … 後判定繰返し：ループ本体を実行した後に継続条件の判定を行う。
- while 文 … 前判定繰返し：ループ本体を実行する前に継続条件の判定を行う。

▶ 次節で学習する for 文は、前判定繰返しです。

演習 4-8

読み込んだ値が 1 未満であれば改行文字を出力しないように **List 4-8** を書きかえたプログラムを作成せよ。

前置増分演算子と前置減分演算子

List 4-9 のプログラムを考えましょう。最初に変数 **num** に整数値を読み込み、その **num** 個の整数を次々と読み込んで、合計値と平均値を表示するプログラムです。

List 4-9 chap04/list0409.c

```
// 指示された個数だけ整数を読み込んで合計値と平均値を表示

#include <stdio.h>

int main(void)
{
    int num;

    printf("整数は何個：");
    scanf("%d", &num);

    int i = 0;
    int sum = 0;            // 合計値
    while (i < num) {
        int tmp;
        printf("No.%d：", ++i);     // iの値をインクリメントした後に表示 ―1
        scanf("%d", &tmp);
        sum += tmp;
    }

    printf("合計値：%d\n", sum);
    printf("平均値：%.2f\n", (double)sum / num);

    return 0;
}
```

実行例

```
整数は何個：6
No.1：65
No.2：23
No.3：47
No.4：9
No.5：153
No.6：777
合計値：1074
平均値：179.00
```

1で使っている ++ は、前置増分演算子（prefixed increment operator）であり、これとペアになるのが前置減分演算子（prefixed decrement operator）です（**Table 4-4**）。

Table 4-4 前置増分演算子と前置減分演算子

前置増分演算子	++a	a の値を一つだけ増やす（式全体を評価すると、増分後の値となる）。
前置減分演算子	--a	a の値を一つだけ減らす（式全体を評価すると、減分後の値となる）。

前置増分演算子は、インクリメントを行う点では、後置増分演算子と同じですが、そのタイミングが異なります。それを対比したのが、**Fig.4-12** です。

Fig.4-12 増分演算式の評価

この図から、❶の表示が、次のように行われることが分かります。

> ① *i* の値をインクリメントする。
> ② *i* の値を取り出して表示する。

すなわち、*i* の値を表示する直前にインクリメントするわけです。そのため、繰返しの１回目では、0 をインクリメントした後の 1 が「No.1：」と表示されます。

前置と後置の、増分演算子 ++ と減分演算子 -- をまとめると、次のようになります。

重要 後置（前置）の増分演算子 ++ ／減分演算子 -- を適用した式の評価で得られるのは、インクリメント／デクリメントを行う前（後）の値である。

do 文の表記

do 文と while 文の両方にキーワード while が含まれています。そのため、プログラム中の while が、『do 文の一部』なのか『while 文の一部』なのかが見分けづらくなりがちです。

その対策を、Fig.4-13 で考えましょう。

ⓐ do文のループ本体は単一の文

```
x = 0;
do
    x++;
while (x < 5);
while (x >= 0)
    printf("%d ", --x);
```

２個の while が、
- do 文の while なのか
- while 文の while なのか

が見分けにくい。

do 文のループ本体を { } で囲んでブロックにする

ⓑ do文のループ本体は複合文

```
x = 0;
do {
    x++;
} while (x < 5);
while (x >= 0)
    printf("%d ", --x);
```

行の先頭で do 文と while 文を見分ける。
- 先頭が } であれば do 文。
- 先頭が } でなければ while 文。

▶ 最初の while は『do 文の一部』で、２番目の while は『while 文の一部』です。
　まず最初に変数 x に 0 が代入されます。その後、do 文によって x が 5 になるまで値がインクリメントされます。続く while 文では、x の値をデクリメントしながら表示します。

Fig.4-13 do 文と while 文

図ⓐは、『do 文の while』の真下に、『while 文の while』が位置しています。

一方、do 文のループ本体を { } で囲んで複合文にした図ⓑでは、行の先頭が } であるかどうかで、do 文と while 文の見分けが付くようになっています。

重要 do 文のループ本体は、たとえ単一の文であっても、{ } で囲んで複合文にするスタイルを採用すれば、プログラムの読みやすさが向上する。

本書は、このスタイルで統一します。

整数値を逆順に表示

List 4-10 は、読み込んだ正の整数値の桁の並びを《反転して》表示するプログラムです。たとえば、変数 no に 1963 が入力されると、3691 と表示します。

▶ 最初の do 文は、読み込むのを正値に制限するための繰返し文です。

List 4-10 chap04/list0410.c

```
// 読み込んだ正の整数値を逆順に表示

#include <stdio.h>

int main(void)
{
    int no;

    do {
        printf("正の整数を入力せよ：");
        scanf("%d", &no);
        if (no <= 0)
            puts("\a正でない数を入力しないでください。");
    } while (no <= 0);

    // noは0より大きくなっている
    printf("その数を逆から読むと");
    while (no > 0) {
        printf("%d", no % 10);   // 最下位の桁の値を表示 ―1
        no /= 10;                // 右に1桁ずらす ―2
    }
    puts("です。");

    return 0;
}
```

読み込む値を正値に制限する do 文

実行例

```
正の整数を入力せよ：-3
♪正でない数を入力しないでください。
正の整数を入力せよ：1963
その数を逆から読むと3691です。
```

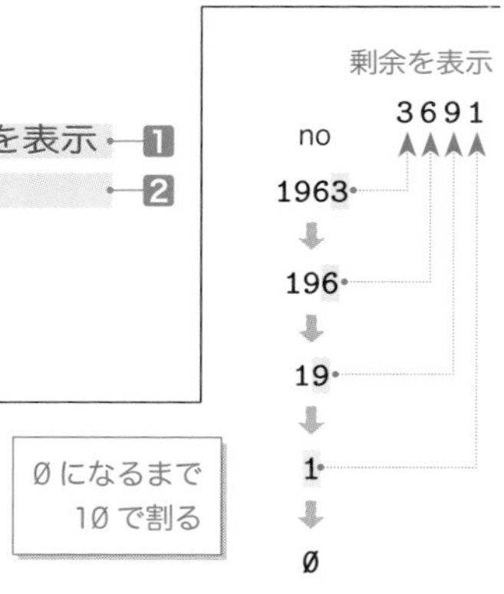

剰余を表示

no 1963 → 196 → 19 → 1 → 0

3691

0 になるまで 10 で割る

Fig.4-14 10 進数を逆順に表示

Fig.4-14 を見ながら、while 文を理解していきましょう。ループ本体で行うのは、次の二つのことです。

1 no の最下位桁の表示

no の最下位桁の値である no % 10 を表示します。

たとえば、no が 1963 であれば、表示するのは、10 で割った剰余の 3 です。

2 no を 10 で割る

表示後の『no /= 10;』が行うのは、『no を 10 で割る』ことです（演算子 /= は、p.80 で学習した**複合代入演算子**です）。

たとえば、no が 1963 であれば、演算後の no は、10 で割った 196 になります。

変数 no の最下位桁を弾（はじ）き出して、それ以外の桁を右に 1 桁ずらすことが分かるでしょう。

▶ 繰返しの2回目では、変数 no の値は 196 です。10 で割った剰余 6 を表示した後に、no を 10 で割って 19 にします。

以上の処理を繰り返して、no の値が 0 になると while 文は終了します。

複合代入演算子を利用した二つ目のプログラムでした。複合代入演算子には、次のメリットがあります。

■ 行うべき演算を簡潔に表せる

『no を 10 で割った商を no に代入する』よりも、『no を 10 で割る』のほうが、簡潔であるだけでなく、私たち人間にとっても自然に受け入れられる表現です。

■ 左辺の変数名を書くのが1回ですむ

変数名が長い場合や、（後の章で学習する）**配列**や**構造体**を用いた複雑な式では、タイプミスの可能性が少なくなり、プログラムも読みやすくなります。

■ 左辺の評価が 1 回限りである

複合代入演算子を利用する最大のメリットは、**左辺の評価が行われるのが1回のみであること**です。

これらのメリットは、コードが複雑になるほど大きくなります。たとえば、

```
computer.memory[vec[++i]] += 10;     // まずiを増やしてから10を加える
```

では、*i* のインクリメントは 1 回限りです。もし複合代入演算子を使わなければ、次のように、文を二つに分けるとともに、長い式を2回も書かなければなりません。

```
++i;                                                // まずiを増やす
computer.memory[vec[i]] = computer.memory[vec[i]] + 10;  // 10を加える
```

▶ ここで使っている演算子 [ ] は第 5 章で学習し、演算子 . は第 12 章で学習します。

演習 4-9

読み込んだ値の個数だけ + と - を交互に表示するプログラムを作成せよ。なお、0 以下の整数が入力された場合は、何も表示しないこと。

```
正の整数：13
+-+-+-+-+-+-+
```

演習 4-10

読み込んだ整数値の個数だけ * を縦に連続して表示するプログラムを作成せよ。なお、0 以下の整数が入力された場合は、何も表示しないこと。

```
正の整数：3
*
*
*
```

演習 4-11

List 4-10 のプログラムを、結果の出力時に読み込んだ値も表示するように書きかえよ。

```
正の整数を入力せよ：1963
1963を逆から読むと3691です。
```

演習 4-12

正の整数値を読み込んで、その桁数を表示するプログラムを作成せよ。

※ヒント：**List 4-10** の while 文の繰返しの回数は、no の桁数と一致する。

```
正の整数を入力せよ：1963
1963は4桁です。
```

break文とcontinue文

次の問題を考えましょう。

整数値を次々と読み込んで、正の値のみを加算する。ただし、-9999が入力されたら読込みを中断して、合計を表示する。

そのプログラムが**List 4-11**です。

List 4-11 chap04/list0411.c

```
// 整数を次々と読み込んで正の整数値のみの合計を求める

#include <stdio.h>

int main(void)
{
    puts("正の整数値を加算します（終了は-9999）。");

    int sum = 0;
    while (1) {
        int no;

        printf("整数値：");
        scanf("%d", &no);
        if (no == -9999)          ―❶
            break;
        else if (no <= 0)         ―❷
            continue;
        sum += no;
    }

    printf("正の整数の合計は%dです。", sum);

    return 0;
}
```

実行例

```
正の整数値を加算します
（終了は-9999）。
整数値：5↵
整数値：7↵
整数値：-2↵
整数値：4↵
整数値：-9999↵
正の整数の合計は16です。
```

正のみが加算される

無限ループ

while文の制御式に着目しましょう。ただ**1**とだけ書かれています。整数値**1**は**真**とみなされますので、この**while**文の繰返しは、永遠に行われることになります。

このような、永遠に行われる繰返しは、無限ループと呼ばれます。

さて、その**while**文のループ本体内の**if**文では、次のことを行っています。

❶ *no*が**-9999**であれば、break文を実行　：読込みを終了する
❷ *no*が**0**以下であれば、continue文を実行：加算を行わない

それぞれで使われている、**break**文と**continue**文を学習していきましょう。

break文

❶では、変数*no*に読み込んだ値が**-9999**のときに、**break**文が実行されています。

▶ **switch**文の中で**break**文が実行されると、プログラムの流れが**switch**文を抜け出ることは、前章で学習しました（p.67）。

do 文、while 文、（次節で学習する）for 文といった、繰返しを行う文のループ本体の中で break 文が実行されると、プログラムの流れは繰返し文を抜け出ます（**Fig.4-15**）。

重要 繰返しを行う文のループ本体の中で break 文が実行されると、プログラムの流れは、その繰返しを抜け出る（繰返しを強制的に中断する）。

変数 *no* に読み込んだ値が -9999 のときに break 文が実行される結果、無限ループであるはずの while 文の繰返しが、強制的に中断されることが分かりました。

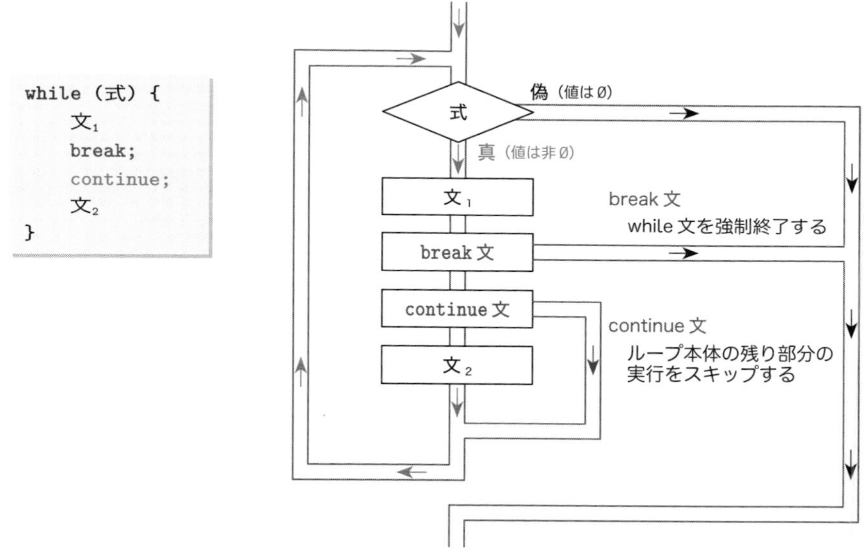

Fig.4-15 break 文と continue 文の働き

continue 文

2では、**Fig.4-16** に示す構文図をもつ continue 文が実行されています。

この continue 文は、break 文と対照的な働きをする文です。

ループ本体の中で continue 文が実行されると、ループ本体の残りの部分の実行がスキップされて、プログラムの流れは、制御式に飛びます。

Fig.4-16 continue 文の構文図

重要 繰返しを行う文のループ本体の中で continue 文が実行されると、ループ本体の**残りの部分の実行**がスキップされて、プログラムの流れは制御式に飛ぶ。

変数 *no* に読み込んだ値が 0 以下のときは continue 文が実行されますので、ループ本体の残りの部分『*sum* += *no*;』がスキップされる結果、*sum* への加算が行われなくなります。

4-3 for 文

定型的な繰返しは、for 文によって実現すると、while 文よりも簡潔かつ読みやすくなります。本節では、for 文を学習します。

for 文

本節で最初に考えるのは、**List 4-12** です。これは、**for 文**（for statement）と呼ばれる文を使って、**List 4-7**（p.85）のカウントアップのプログラムを書きかえたものです。

List 4-12 chap04/list0412.c

```
// 読み込んだ正の整数値までカウントアップ（for文）

#include <stdio.h>

int main(void)
{
    int no;

    printf("正の整数を入力せよ：");
    scanf("%d", &no);

    for (int i = 0; i <= no; i++)
        printf("%d ", i);
    putchar('\n');      // 改行

    return 0;
}
```

実行例

```
正の整数を入力せよ：12
0 1 2 3 4 5 6 7 8 9 10 11 12
```

```
//--- 参考：List 4-7 ---//
int i = 0;
while (i <= no)
    printf("%d ", i++);
printf("\n");
```

Fig.4-17 に示すのが、**for** 文の構文図です。**for** に続く **( )** の中は、２個のセミコロン **;** で区切られており、Ａ部、Ｂ部、Ｃ部の三つで構成されます。

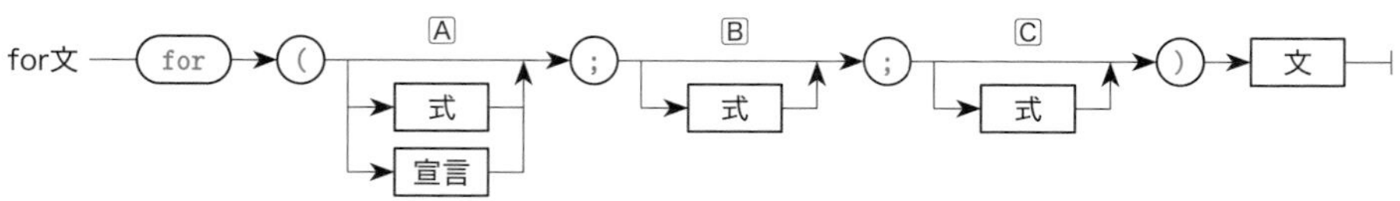

Fig.4-17 for 文の構文図

さて、本プログラムの **for** 文が、**while** 文を書きかえて作られていることからも分かるように、**for** 文が行うループは、**while** 文と同じく**前判定繰返し**です。

Fig.4-18 に示す **for** 文と **while** 文は、ほぼ同等です。少し書きかえるだけで、二つの文は相互に置換できます。

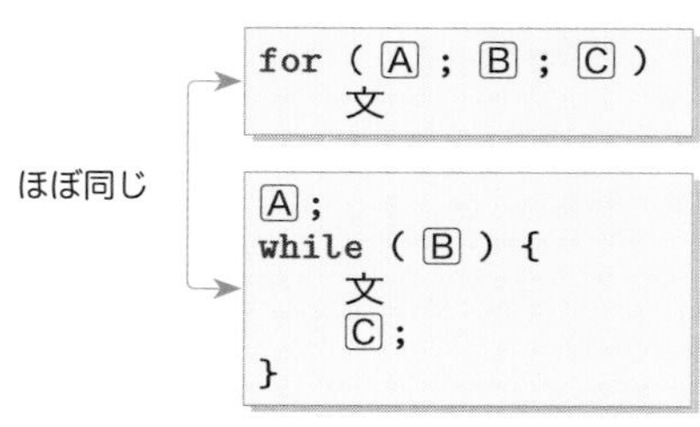

Fig.4-18 for 文と while 文

`while` 文と見比べると、`for` 文のプログラムの流れが、分かってきます。Fig.4-19 を見ながら理解していきましょう。

前処理ともいうべきⒶが、1回だけ評価・実行される（あるいは宣言された変数が作られる）。

繰返しの継続条件であるⒷの制御式の評価で得られたのが真（非 0）であればループ本体の文が実行され、偽（0）であればループ本体は実行されない。

ループ本体の実行後は、後始末的な処理、あるいは次の繰返しのための準備として、Ⓒが評価・実行された上で、制御式の判定Ⓑに戻る。

for文

`for（式1; 式2; 式3）文`

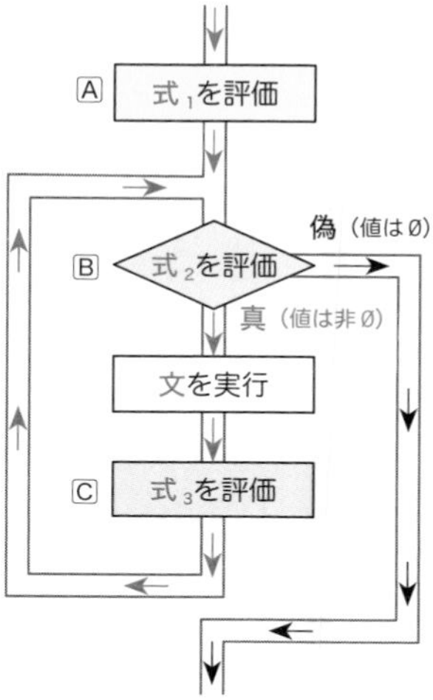

Fig.4-19 for 文のプログラムの流れ

本プログラムの `for` 文の繰返しは、次のように解釈すると分かりやすくなります。

変数 *i* を 0 から始めて、*no* と等しくなるまで、1 ずつ増やしながらループ本体を実行する。

最初に 0 で初期化された変数 *i* が、*no* 回インクリメントされることが分かるでしょう。

なお、変数 *i* のように、繰返しの制御に使う変数は、カウンタ用変数と呼ばれます。

`for` 文では、カウンタ用変数の**開始値**／**終了値**／**増分**のすべてを、( ) の中に集約できます。構文は複雑ですが、慣れてしまえば、`while` 文よりも読みやすくなります。

重要 後判定繰返しを行う for 文は、**カウンタ用変数の開始値／終了値／増分**を、頭部に集約して簡潔に表現できる。

▶ 増分は、カウンタ用変数が繰返しのたびに『いくつ増えるか』です（本プログラムでは 1 です）。

`for` 文の概要が分かりました。各部に関する細かい文法規則を学習していきましょう。

Column 4-1　なぜカウンタ用変数の名前は i や j なのか

多くのプログラマが、繰返し文を制御するためのカウンタ用変数の名前として `i` や `j` を使います。

その歴史は、技術計算用のプログラミング言語 FORTRAN の初期の時代にまで遡（さかのぼ）ります。この言語では変数は原則として実数です。しかし、名前の先頭文字が `I`、`J`、…、`N` の変数だけは自動的に整数とみなされていました。そのため、繰返しを制御するための変数としては `I`、`J`、…を使うのが最も簡単な方法だったのです。

Ⓐ 前処理

この式は、繰返しが行われる前に１回だけ評価・実行されます（あるいは、宣言された変数が作られます）。

なお、ここで宣言された変数は、**その for 文の中だけで使えます。**そのため、異なる for 文で同一名の変数を使うときは、次のように、**各 for 文ごとに宣言が必要です。**

```
for (int i = 0; i < no; i++)
    printf("%d ", i);
putchar('\n');

for (int i = no; i >= 0; i--)
    printf("%d ", i);
putchar('\n');
```

for 文ごとに変数 i の宣言が必要

```
正の整数を入力せよ：12
0 1 2 3 4 5 6 7 8 9 10 11 12
12 11 10 9 8 7 6 5 4 3 2 1 0
```

▶ ここに示したのは、**List 4-12** と同様のカウントアップを行った後に、0 までカウントダウンを行うプログラムです（"chap04/list0412a.c"）。

もし仮に、Ⓐ部で宣言された変数が、for 文を越えて通用する言語仕様であれば、上記のコードは、次のように記述することになります。

```
for (int i = 0; i < n; i++)        // iを0で初期化する宣言
    printf("%d ", i);
putchar('\n');

for (i = no; i >= 0; i--)          // iにnoを代入
    printf("%d ", i);
putchar('\n');
```

ここで、最初の for 文を削除したらどうなるでしょう。変数 i の宣言が失われるため、２番目の for 文の代入 i = no; を、宣言 int i = no; に変更しなければなりません。

上下に並んだ for 文の見た目のバランスがとれ、変数を確実に宣言でき、プログラムの変更にも対応しやすくなっているのは、for 文ごとに変数を宣言する文法仕様のおかげです。

なお、Ⓐ部で行うことがない、あるいは、変数の宣言の必要がないのであれば、この部分は省略可能です。

Ⓑ 制御式

繰返しの継続条件を表す**制御式**です。この式が**真**であれば（評価によって得られた値が非 0 であれば）、ループ本体が実行されます。

この式を省略すると、繰返しの判定は**真**（非 0）とみなされます。そのため、break 文などを使わない限り、無条件すなわち永遠に繰返しを行う**無限ループ**となります。

Ⓒ 後始末／次の繰返しのための準備

この式は、《後始末的な処理》または《次の繰返しのための準備》として、ループ本体の実行後に評価・実行されます。何も行うことがなければ、この式も省略できます。

▶ 次に示すのは、while 文による無限ループと、for 文による無限ループの実現例です（for 文のほうは、Ⓐ部、Ⓑ部、Ⓒ部のすべてを省略しています）。

```
// while文による無限ループ
while (1)
    文
```

```
// for文による無限ループ
for ( ; ; )
    文
```

for文による一定回数の繰返し

読み込んだ整数値の個数だけ*を連続して表示するプログラム（**List 4-8**：p.86）を、**for**文で書きかえてみましょう。**List 4-13**に示すのが、そのプログラムです。

List 4-13 chap04/list0413.c

```
// 読み込んだ整数の個数だけ*を連続表示（for文）

#include <stdio.h>

int main(void)
{
    int no;

    printf("正の整数：");
    scanf("%d", &no);

    for (int i = 1; i <= no; i++)
        putchar('*');
    putchar('\n');

    return 0;
}
```

実行例
```
正の整数：15
***************
```

```
//--- 参考：List 4-8 ---//
while (no-- > 0)
    putchar('*');
putchar('\n');
```

for文は、( )の中に繰返しの条件が集約されています。本プログラムの**for**文は、

変数 *i* を1から始めて、*no* と等しくなるまで、1ずつ増やしながらループ本体を実行する。

と読めます。

それでは、変数**i**の開始値を1ではなく**0**に変更しましょう。次のようになります（制御式の**<=**を**<**に変更します："**chap04/list0413a.c**"）。

```
for (int i = 0; i < no; i++)
    putchar('*');
```

『n回の繰返し』を行う**for**文と**while**文の定型的なパターンを**Fig.4-20**にまとめています。

▶ **for**文は、変数**i**の値が変化して**n**は変化しません。**while**文は、**n**の値そのものが変化します。

```
for (int i = 0; i < n; i++)
    文
```

繰返し終了時のiの値はn。
nの値は変化しない。

```
while (n-- > 0)
    文
```

繰返し終了時のnの値は−1。

```
for (int i = 1; i <= n; i++)
    文
```

繰返し終了時のiの値はn + 1。
nの値は変化しない。

```
while (--n >= 0)
    文
```

繰返し終了時のnの値は−1。

Fig.4-20 n回の繰返しを行うfor文とwhile文

次は、**List 4-14** のプログラムを理解しましょう。最初に整数値を読み込み、その個数だけの整数を次々と読み込んで合計値と平均値を表示するプログラム（**List 4-9**：p.88）を、`for` 文で書き直したものです。

List 4-14 chap04/list0414.c

```
// 指示された個数だけ整数を読み込んで合計値と平均値を表示

#include <stdio.h>

int main(void)
{
    int num;

    printf("整数は何個：");
    scanf("%d", &num);

    int sum = 0;                // 合計値
    for (int i = 1; i <= num; i++) {
        int tmp;
        printf("No.%d：", i);
        scanf("%d", &tmp);
        sum += tmp;
    }

    printf("合計値：%d\n", sum);
    printf("平均値：%.2f\n", (double)sum / num);

    return 0;
}
```

実行例

```
整数は何個：6
No.1：65
No.2：23
No.3：47
No.4：9
No.5：153
No.6：777
合計値：1074
平均値：179.00
```

```
//--- 参考：List 4-9 ---//
while (i < num) {
    int tmp;
    printf("No.%d：", ++i);
    scanf("%d", &tmp);
    sum += tmp;
}
```

`for` 文では、変数 `i` の値を 1 から `num` までインクリメントすることによって、`num` 回の繰返しを行っています。

▶ **List 4-9** では、変数 `i` を 0 から始め、『`printf("No.%d:", ++i);`』と、変数 `i` のインクリメントを行った上での表示を行っていました。本プログラムでは、このインクリメントは除去されています（変数 `i` の開始値が 1 に変更されて、そのインクリメントが `for` 文のⒸ部で行われているからです）。

演習 4-13

1 から `n` までの総和を求めるプログラムを作成せよ。`n` の値はキーボードから読み込むこと。

```
nの値：5
1から5までの総和は15です。
```

演習 4-14

右に示すように、1234567890 を繰り返し表示するプログラムを作成せよ。読み込まれた整数値の個数だけ数字を表示すること。

```
正の整数を入力せよ：25
1234567890123456789012345
```

演習 4-15

右に示すように、身長と標準体重（p.39）の対応表を表示するプログラムを作成せよ。なお、表示する身長の範囲（開始値、終了値、増分）は整数値として読み込んで、求めた標準体重は小数部を２桁表示すること。

```
何cmから：155
何cmまで：190
何cmごと：5
155cm  49.50kg
160cm  54.00kg
… 以下省略 …
```

読込みを《**中断**》できるようにしましょう。具体的には、**-9999** を読み込んだら、合計と平均を表示するように仕様変更します。それが、**List 4-15** のプログラムです。

List 4-15 chap04/list0415.c

```
// 指示された個数だけ整数を読み込んで合計値と平均値を表示（中断あり）

#include <stdio.h>

int main(void)
{
    int num;

    printf("整数は何個：");
    scanf("%d", &num);
    printf("終了は-9999\n");

    int i;                                          ―❶
    int sum = 0;          // 合計値
    for (i = 0; i < num; i++) {                     ―❷
        int tmp;
        printf("No.%d：", i + 1);                   ―❸
        scanf("%d", &tmp);
        if (tmp == -9999) break;                    ―❹
        sum += tmp;
    }

    printf("合計値：%d\n", sum);
    printf("平均値：%.2f\n", (double)sum / i);      ―❺

    return 0;
}
```

実行例

```
整数は何個：6
終了は-9999
No.1：65
No.2：23
No.3：47
No.4：-9999
合計値：135
平均値：45.00
```

数多くの点が変更されています。

❶ **for** 文の繰返しの制御のために使われていた変数 *i* を、**キーボードから読み込んだ整数値の個数**を覚える用途としても使うように変更しています。**for** 文終了後にも、変数 *i* の値が必要になるため、ここで（**for** 文より前で）宣言しています。

❷ 変数 *i* の宣言が、値の**代入**に変更されています（❶で宣言された変数 *i* に対して **1** ではなく **0** を代入しています）。

❸ 変数 *i* の値に **1** を加えた値を表示するように変更されています。

❹ 読み込んだ値が **-9999** であれば、**break** 文を実行することで、**for** 文の繰返しを中断します（このときの *i* の値は、読込みずみの整数の個数と一致します）。

❺ 平均を求める除算では、本来読み込むはずの個数であった **num** ではなく、実際に読み込んだ個数である *i* で割ります。

重要 **for** 文終了後も値が必要となるカウンタ用変数は、**for** 文の中ではなく、**for** 文の前で宣言しなければならない。

偶数の列挙

整数値を読み込んで、その整数値以下の正の偶数 2、4、… を表示するプログラムを作りましょう。

List 4-16 が、そのプログラムです。

for 文の C 部 *i* += 2 で使っている += は、右オペランドの値を左オペランドに加える複合代入演算子（p.80）です。

変数 *i* に 2 を加えるのですから、最初に 2 で初期化された変数 *i* は、繰返しのたびに二つずつ増えます。

List 4-16　chap04/list0416.c

```
// 読み込んだ整数値以下の偶数を表示

#include <stdio.h>

int main(void)
{
    int n;

    printf("整数値：");
    scanf("%d", &n);

    for (int i = 2; i <= n; i += 2)
        printf("%d ", i);
    putchar('\n');

    return 0;
}
```

iに2を加える

実行例

```
整数値：15
2 4 6 8 10 12 14
```

約数の列挙

次は、整数値を読み込んで、その整数値のすべての約数を表示するプログラムを作ります。

List 4-17 が、そのプログラムです。

for 文では、変数 *i* の値を 1 から *n* までインクリメントしていきます。

n を *i* で割った剰余が 0 であれば（*n* が *i* で割り切れたら）、*i* は *n* の約数であると判定できますから、その値を表示します。

List 4-17　chap04/list0417.c

```
// 読み込んだ整数値の全約数を表示

#include <stdio.h>

int main(void)
{
    int n;

    printf("整数値：");
    scanf("%d", &n);

    for (int i = 1; i <= n; i++)
        if (n % i == 0)
            printf("%d ", i);
    putchar('\n');

    return 0;
}
```

約数の判定と表示

実行例

```
整数値：12
1 2 3 4 6 12
```

演習 4-16

整数値を読み込んで、その整数以下の奇数を表示するプログラムを作成せよ。

```
整数値：15
1 3 5 7 9 11 13 15
```

演習 4-17

右に示すように、1 から *n* までの整数値の２乗値を表示するプログラムを作成せよ。

```
nの値：3
1の２乗は1
2の２乗は4
3の２乗は9
```

演習 4-18

整数値を読み込んで、その個数だけ '*' を表示するプログラムを作成せよ。ただし、５個表示するごとに改行すること。

```
何個*を表示しますか：12
*****
*****
**
```

式文と空文

次のコードを考えます。*n* 個の '+' が表示されると感じるのではないでしょうか。

```
for (int i = 1; i <= n; i++);
    putchar('+');
```

```
+
```

ところが、*n* がどのような値であっても、表示される '+' は1個だけです。

そうなる原因は、i++) の後ろに置かれた ; にあります。これは、空文（null statement）と呼ばれる文です。その空文は、実行しても何も行われません。

すなわち、上のコードは、次のように解釈されるのです。

```
for (int i = 1; i <= n; i++)    // for文：ループ本体をn回実行
    ;                           //          ループ本体は空文（何も行わない文）
putchar('+');                   // for文終了後に１回だけ実行される文
```

おそらくタイプミスによるセミコロン

もちろん、for 文だけでなく while 文でも、このようなミスを犯さないように気をつける必要があります。

重要 for 文や while 文の ( ) の後ろに、誤って空文を置かないように注意しよう。

第１章で学習したように、文の末尾には原則としてセミコロン ; が必要です。

たとえば、『a = b』という代入式の後ろに ; を置いて『a = b;』とすると文になります。

このように、式の後ろにセミコロンを置いた文が、式文（expression statement）です（**Fig.4-21**）。

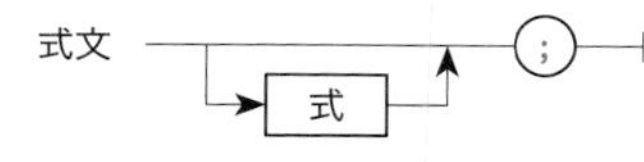

Fig.4-21　式文の構文図

この構文図は、**式**が省略可能であることを示しています。すなわち、式がないセミコロン ; だけでも、立派な《**式文**》であり、それが**空文**の正体です。

繰返し文

本章で学習した do 文、while 文、for 文は、いずれもプログラムの流れを繰り返すための文ですから、これらをまとめて繰返し文（iteration statement）と呼びます。

演習 4-19

読み込んだ整数値の全約数を表示する **List 4-17** を書きかえて、約数の表示が終了した後に、約数の個数を表示するプログラムを作成せよ。

```
整数値：4
1
2
4
約数は3個です。
```

4-4 多重ループ

繰返し文のループ本体の中に繰返し文が含まれていると、2重、3重、… の繰返しが行えます。このような繰返しが、本節で学習する多重ループです。

2重ループ

ここまでのプログラムの繰返しは、単純な構造でした。実は、繰返しの中で繰返しを行うことができ、そのような繰返しは、入れ子の深さに応じて、2重ループ、3重ループ、… と呼ばれます。もちろん、その総称は多重ループです。

2重ループを使って、九九の表を表示するプログラムを作りましょう。**List 4-18** に示すのが、そのプログラムです。

List 4-18 chap04/list0418.c

```
// 九九の表を表示

#include <stdio.h>

int main(void)
{
    for (int i = 1; i <= 9; i++) {
        for (int j = 1; j <= 9; j++)
            printf("%3d", i * j);
        putchar('\n');                  // 改行
    }

    return 0;
}
```

行（縦）
列（横）

実行結果

```
  1  2  3  4  5  6  7  8  9
  2  4  6  8 10 12 14 16 18
  3  6  9 12 15 18 21 24 27
  4  8 12 16 20 24 28 32 36
  5 10 15 20 25 30 35 40 45
  6 12 18 24 30 36 42 48 54
  7 14 21 28 35 42 49 56 63
  8 16 24 32 40 48 56 64 72
  9 18 27 36 45 54 63 72 81
```

この繰返しで、変数 *i* と *j* がどのように変化するのかを示したのが **Fig.4-22** です。この図を見ながら理解していきましょう。

外側の for 文では、変数 *i* の値を 1 から 9 までインクリメントします。

これは、表の1行目、2行目、… 、9行目に対応しています。すなわち、表の縦方向の9回の繰返しです。

その各行で実行される内側の for 文は、*j* の値を 1 から 9 までインクリメントします。これは、各行における横方向の9回の繰返しです。

なお、内側の **for** 文で9個の数値を表示した後は、*putchar* 関数を使って **\n** を出力することで改行します。

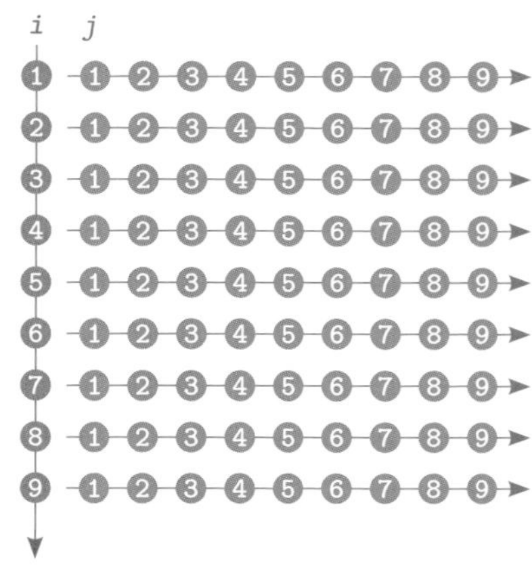

Fig.4-22 変数の値の変化

2重ループで、次のように処理を行っていることが分かりました。

- *i* が 1 のとき ： *j* を 1 ⇨ 9 とインクリメントしながら `1 * j` を表示して改行。
- *i* が 2 のとき ： *j* を 1 ⇨ 9 とインクリメントしながら `2 * j` を表示して改行。
- *i* が 3 のとき ： *j* を 1 ⇨ 9 とインクリメントしながら `3 * j` を表示して改行。
  … 中略 …
- *i* が 9 のとき ： *j* を 1 ⇨ 9 とインクリメントしながら `9 * j` を表示して改行。

これで、1 × 1 から 9 × 9 までの、合計 81 個の数が九九の表として出力されます。

▶ 書式指定 %3d によって、各値の出力を“（少なくとも）3 桁”で行っていることに注意しましょう。

多重ループにおける break 文の働き

本プログラムの2重ループを、次のように書きかえてみましょう（"chap04/list0418a.c"）。プログラムを実行すると、40 以下の値のみが表示されます。

```
for (int i = 1; i <= 9; i++) {
    for (int j = 1; j <= 9; j++) {
        int seki = i * j;
        if (seki > 40)
            break;
        printf("%3d", seki);
    }
    putchar('\n');        // 改行
}
```

```
 1  2  3  4  5  6  7  8  9
 2  4  6  8 10 12 14 16 18
 3  6  9 12 15 18 21 24 27
 4  8 12 16 20 24 28 32 36
 5 10 15 20 25 30 35 40
 6 12 18 24 30 36
 7 14 21 28 35
 8 16 24 32 40
 9 18 27 36
```

赤い部分は break 文です。繰返し文中で break 文が実行されると、プログラムの流れが繰返し文を抜け出ることは、p.93 で学習しました。

多重ループ内で break 文が実行されたときに抜け出るのは、その break 文を直接囲んでいるほうの繰返し文です（この場合、変数 *j* で制御されている内側の for 文です）。外側の繰返し文（変数 *i* で制御されている for 文）までをも一気に抜け出ることはありません。

本プログラムの break 文は、*i* と *j* の積が 40 を超えたときに、内側の for 文を強制的に抜け出して、現在出力中の行の表示を中断しているわけです。

Column 4-2　for 文のループ本体での continue 文

break 文と対照的な continue 文を実行すると、繰返しの残り部分がスキップされることを、while 文を例に、p.93 で学習しました

continue 文が、for 文のループ本体で実行された場合も同様であり、繰返しの残り部分がスキップされます。なお、残り部分がスキップされるとはいっても、for 文のⒸ部は、ちゃんと実行されます（この部分はスキップされません）。

なお、多重ループ中で cotinue 文が実行された場合、スキップの対象は、その continue 文を直接囲んでいる繰返し文です。

図形の描画

２重ループで記号文字を並べると、三角形や四角形などの各種図形の表示が行えます。**List 4-19** に示すのは、縦横に * を並べて長方形を表示するプログラムです。

List 4-19 chap04/list0419.c

```
// 長方形を描画

#include <stdio.h>

int main(void)
{
    int height, width;

    puts("長方形を表示します。");
    printf("高さ：");   scanf("%d", &height);
    printf("横幅：");   scanf("%d", &width);

    for (int i = 1; i <= height; i++) {        // 長方形はheight行
        for (int j = 1; j <= width; j++)       // 各行にwidth個の'*'を表示
            putchar('*');
        putchar('\n');                         // 改行
    }

    return 0;
}
```

実行例

```
長方形を表示します。
高さ：3
横幅：5
*****
*****
*****
```

heigth が 3 で width が 5 のときの長方形の表示を例に、変数 i と j の変化の様子を示したのが **Fig.4-23** です。

height 行の各行に width 個の * を並べることで、長方形の表示を行っています。

＊

次は、直角二等辺三角形の表示にチャレンジします。作るのは、次の二つのプログラムです。

変数iとjの変化

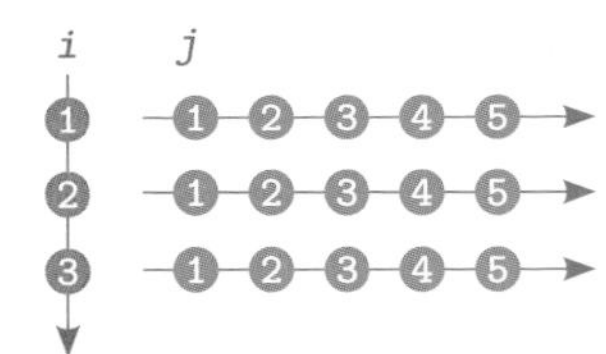

Fig.4-23 長方形描画における変数の変化

- **List 4-20** ：左下側が直角の二等辺三角形を表示。
- **List 4-21** ：右下側が直角の二等辺三角形を表示。

各プログラムでの表示における変数 i と j の変化の様子を示したのが、右ページの **Fig.4-24** です。いずれも、変数 len に読み込まれた段数（短辺）の三角形を表示します。

List 4-21 のプログラムは、少し複雑です。for 文の中に、２個の for 文が入っています。それぞれの for 文は、次のことを行います。

- 緑色の for 文 … 空白文字 ' ' を表示するための繰返し（表示は len - i 個）。
- 水色の for 文 … 記号文字 '*' を表示するための繰返し（表示は i 個）。

List 4-20 chap04/list0420.c

```
// 左下が直角の直角二等辺三角形を表示

#include <stdio.h>

int main(void)
{
    int len;

    puts("左下直角二等辺三角形を表示します。");
    printf("短辺：");
    scanf("%d", &len);

    for (int i = 1; i <= len; i++) {     // i行 (i = 1, 2, … , len)
        for (int j = 1; j <= i; j++)     // 各行にi個の'*'を表示
            putchar('*');
        putchar('\n');                   // 改行
    }

    return 0;
}
```

実行例

```
左下直角二等辺三角形
を表示します。
短辺：5↵
*
**
***
****
*****
```

List 4-21 chap04/list0421.c

```
// 右下が直角の直角二等辺三角形を表示

#include <stdio.h>

int main(void)
{
    int len;

    puts("右下直角二等辺三角形を表示します。");
    printf("短辺：");
    scanf("%d", &len);

    for (int i = 1; i <= len; i++) {          // i行 (i = 1, 2, … , len)
        for (int j = 1; j <= len - i; j++)    // 各行にlen - i個の' 'を表示
            putchar(' ');
        for (int j = 1; j <= i; j++)          // 各行にi個の'*'を表示
            putchar('*');
        putchar('\n');                        // 改行
    }

    return 0;
}
```

実行例

```
右下直角二等辺三角形
を表示します。
短辺：5↵
    *
   **
  ***
 ****
*****
```

a 左下が直角の直角二等辺三角形
変数iとjの変化（lenは5とする）

b 右下が直角の直角二等辺三角形
変数iとjの変化（lenは5とする）

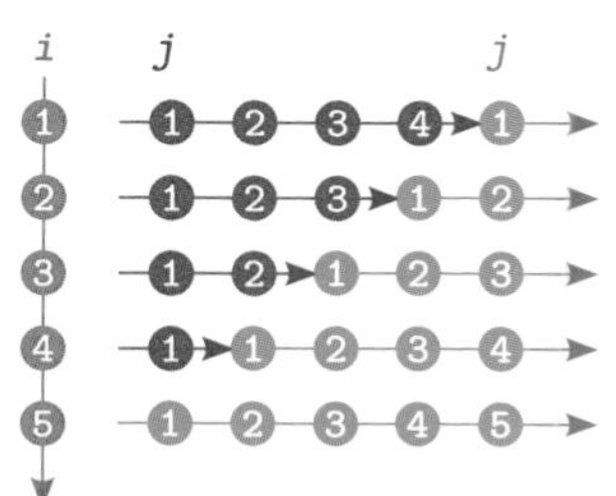

Fig.4-24 直角二等辺三角形描画における変数の値の変化

多重ループ

これまでの多重ループは、**for** 文の中に **for** 文が入るものばかりでした。繰返し文は、**do** 文、**while** 文、**for** 文ですから、これらはいずれも自由に入れ子にできます。

そのようなプログラム例を **List 4-22** に示します。

List 4-22 chap04/list0422.c

```
// 読み込んだ整数の個数だけ＊を連続表示（好きなだけ繰り返す）

#include <stdio.h>

int main(void)
{
    int retry;

    do {
        int no;
        do {
            printf("正の整数を入力せよ：");
            scanf("%d", &no);
            if (no <= 0)
                puts("\a正でない数を入力しないように。");
        } while (no <= 0);
                                    // noは0以上となっている
        for (int i = 1; i <= no; i++)
            putchar('*');
        putchar('\n');

        printf("もう一度？【Yes…0／No…9】：");
        scanf("%d", &retry);
    } while (retry == 0);

    return 0;
}
```

実行例

```
正の整数を入力せよ：-5
♪正でない数を入力しないように。
正の整数を入力せよ：17
*****************
もう一度？【Yes…0／No…9】：0
正の整数を入力せよ：5
*****
もう一度？【Yes…0／No…9】：9
```

本プログラムは、**do** 文の中に、**do** 文と **for** 文が入っている構造です。これまで作成してきたいくつかのプログラムを組み合わせたものです。よく読んで理解しましょう。

Column 4-3 名前と識別子

識別子（しきべつし）は、他と“識別”できるものでなければなりません。未来世界を描いたSF映画では、すべての人間にID番号が割り振られていたりしますね。この番号は、個人特有のものであり、他の人間が同じ番号をもつということは絶対にありえません。

いわゆる名前も、各個人に与えられるものですが、他の人間が同じ名前を使わないという保証はありません。すなわち、同姓同名の可能性があります。

プログラムの変数名に、同姓同名のものがあると不都合が生じます。したがって、専門用語としては**識別子**のほうがピッタリします。

演習 4-20

右に示すように、縦横のタイトルが付いた九九の表を表示するプログラムを作成せよ。

```
   |  1  2  3  4  5  6  7  8  9
---+---------------------------
 1 |  1  2  3  4  5  6  7  8  9
 2 |  2  4  6  8 10 12 14 16 18
 3 |  3  6  9 12 15 18 21 24 27
 4 |  4  8 12 16 20 24 28 32 36
         … 以下省略 …
```

演習 4-21

右に示すように、読み込んだ整数を辺の長さとしてもつ正方形を表示するプログラムを作成せよ。

```
正方形を作ります。
何段ですか：3
***
***
***
```

演習 4-22

List 4-19（p.104）のプログラムを書きかえて、横長の長方形を表示するプログラムを作成せよ。

※二つの辺の長さを読み込んで、小さいほうを行数として、大きいほうを列数とすること。

```
横長の長方形を作ります。
一辺（その１）：7
一辺（その２）：3
*******
*******
*******
```

演習 4-23

List 4-20 および **List 4-21**（いずれも p.105）を書きかえて、左上側および右上側が直角となる直角二等辺三角形を表示するプログラムを作成せよ（それぞれ個別のプログラムとして作成すること）。

演習 4-24

右に示すように、読み込んだ整数の段数をもつピラミッドを表示するプログラムを作成せよ。

ヒント：第 `i` 行目には `(i - 1) * 2 + 1` 個の `'*'` 記号を表示することになる。

```
ピラミッドを作ります。
何段ですか：3
  *
 ***
*****
```

演習 4-25

右に示すように、読み込んだ整数の段数をもつ下向き数字ピラミッドを表示するプログラムを作成せよ。

第 `i` 行目には `i % 10` によって得られる数字を表示すること。

```
下向き数字ピラミッドを作ります。
何段ですか：3
11111
 222
  3
```

4-5 プログラムの要素と書式

本節では、プログラムを構成する各要素（キーワードや演算子など）と、プログラム表記の書式について学習します。

キーワード

if や **else** のような語句には、特別な意味が与えられています。このような語句は**キーワード**（keyword）と呼ばれ、変数名などに利用することはできません。

キーワードは、**Table 4-5** に示す 37 個があります。

Table 4-5 キーワード

auto	break	case	char	const	continue	default	do
double	else	enum	extern	float	for	goto	if
inline	int	long	register	restrict	return	short	signed
sizeof	static	struct	switch	typedef	union	unsigned	void
volatile	while	_Bool	_Complex	_Imaginary			

演算子

これまで、**+** や **-** など、数多くの**演算子**（operator）を学習してきました。すべての演算子の一覧表は、p.221 に示しています。

▶ 複数文字で構成される **>=** や **+=** などの演算子の途中に空白を入れることはできません（すなわち、**> =** や **+ =** などとすることはできません）。

識別子

識別子（identifier）とは、変数、関数（第 6 章）、構造体（第 12 章）などの**名前**のことです（**Column 4-3**：p.106）。

その構文は、右ページの **Fig.4-25** のようになっています。すなわち、

- 先頭文字は必ず非数字
- 2文字目以降は非数字または数字です。

なお、ここでの非数字とは、大文字および小文字のアルファベットに下線 _ を加えたものです。大文字と小文字は区別されるため、*ABC*、*abc*、*aBc* は別の識別子として扱われます。

▶ 識別子の文字として、非数字と数字以外に、**国際文字名**（universal character name）と呼ばれる文字も利用できます。

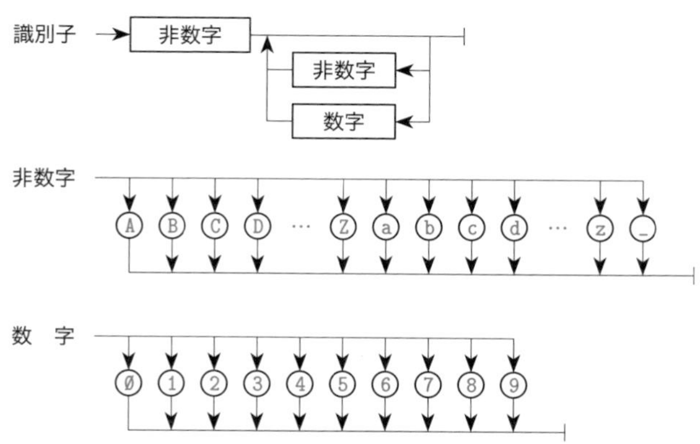

Fig.4-25 識別子・非数字・数字の構文図

次に示すのは、識別子として適切な（変数名や関数名などに利用できる）例です。

○ *x1　a　__y　abc_def　max_of_group　xyz　Ax3　If　iF　IF　if3*

識別子として誤った例を示します。

× *if　123　98pc　abc$　abc$xyz　abc@def*

▶ 下線で始まる識別子（たとえば *_x* や *_comp*）と、アルファベットの大文字が１字だけの識別子は、処理系が内部的に利用する可能性があるため、識別子として利用してはいけません。

区切り子

識別子やキーワードなど、各語句のあいだには、基本的には空白が必要です。たとえば、『`case 2:`』の `case` と 2 をくっつけて『`case2:`』とすることはできません。

ただし、区切り子（delimiter）が置かれていれば、その前後の空白は不要です。そのため、区切り子 **( )** を使えば、空白を入れずに『`case(2):`』と記述できます。

主要な区切り子を **Table 4-6** に示します。

Table 4-6 主要な区切り子

[	]	(	)	{	}	*	,	:	=	;	...	#

定数と文字列リテラル

文字定数、**整数定数**、**浮動小数点定数**、**文字列リテラル**なども、プログラムを構成する要素の一つです。

自由形式

List 4-23 は、九九の表を表示する **List 4-18**（p.102）のプログラムと、本質的には同じものであり、実行すると同じ結果が得られます。

List 4-23 chap04/list0423.c

```
/* 九九の表を
                              表示
       */
#include <stdio.h>

int main(
                                 void) {



for(int i=                       1;i<=9;i
++) { for(int j=1;j
<=9;j
++) printf("%3d",
   i *
j); putchar('\n');      // 改行
                }return   0
; }
```

実行結果

```
 1  2  3  4  5  6  7  8  9
 2  4  6  8 10 12 14 16 18
 3  6  9 12 15 18 21 24 27
 4  8 12 16 20 24 28 32 36
 5 10 15 20 25 30 35 40 45
 6 12 18 24 30 36 42 48 54
 7 14 21 28 35 42 49 56 63
 8 16 24 32 40 48 56 64 72
 9 18 27 36 45 54 63 72 81
```

C言語では、原則として、自由な位置にプログラムを記述できます。一部のプログラミング言語のように、プログラムの各行を、特定の桁位置を先頭に記述せねばならない、あるいは、一つの文を一つの行に収めなければならないといった制限はありません。

すなわち、自由形式（free formatted）の記述が許されます。

ここに示したプログラムは、思いっきり自由に（?）記述した例だといえるでしょう。もっとも、いくら自由であるとはいっても、それなりの制限はあります。

① 単語の途中に空白類文字を入れてはいけない

int や **return** などのキーワード、*n1* や *a2* などの識別子、**+=** や **++** などの演算子は、一つの『単語』です。これらの途中に空白類文字（くうはくるいもじ）（空白、タブ、改行など）を入れて、

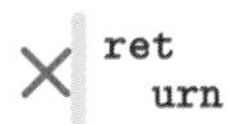

などとしてはいけません。

② 前処理指令の途中で改行してはいけない

原則としては自由形式であるC言語も、**#include** などのように先頭が **#** 文字である前処理指令は、特別扱いです。これらは原則として、１行で記述する必要がありますので、次のようなものは不可です。

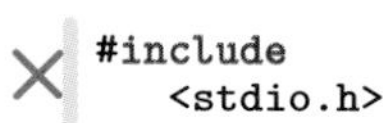

③ 文字列リテラルの途中や文字定数の途中で改行してはいけない

二重引用符で文字の並びを囲んだ文字列リテラル"…"も、一種の単語です。次のように、途中に改行文字などを入れてはいけません。

×
```
puts("昔々あるところにお爺さんとお婆さんが住んでいました。
                    お爺さんはお婆さんをこよなく愛していました。");
```

隣接した文字列リテラルの連結

空白類文字および注釈(コメント)をはさんで隣接している文字列リテラルは、ひとまとめのものとみなされます。たとえば、**"ABC" "DEF"** は、連結されて **"ABCDEF"** となります。

この規則を応用すると、長い文字列リテラルを読みやすく記述できます。上のコードは、次のように記述できます。

```
puts("昔々あるところにお爺さんとお婆さんが住んでいました。"    // 次行に続く
                   "お爺さんはお婆さんをこよなく愛していました。");
```

インデント

オリジナルの九九のプログラムの主要部分を抜粋したのが、**Fig.4-26** です。プログラム中の各行が、4桁ごとに右に深くなっていることが分かるでしょう。複合文{}は、まとまった宣言と文をくくったものであり、いわば日本語での《段落》のようなものです。

段落中の記述を、数桁ずつ右にずらして書くと、プログラムの構造がつかみやすくなります。そのための余白のことをインデント（段付け(だんづ)／字下げ(じさ)）といい、インデントを用いて記述することをインデンテーションと呼びます。

本書のプログラムは、4桁ごとのインデントを与えて表記しています。

▶ インデントは、タブキーとスペースキーのいずれでもタイプできます。ただし、エディタやその設定によっては、タブをタイプした文字と、保存したソースファイル上の文字とが一致しない（保存時に置換される）ことがあります。

階層の深さに応じてインデント（段付け／字下げ）する

```
//--- 参考：List 4-18より抜粋---//
int main(void)
{
    for (int i = 1; i <= 9; i++) {
        for (int j = 1; j <= 9; j++)
            printf("%3d", i * j);
        putchar('\n');                    // 改行
    }

    return 0;
}
```

Fig.4-26 ソースプログラム中のインデント

まとめ

- do 文、while 文、for 文の総称が、繰返し文である。いずれの繰返し文においても、制御式を評価した値が**真**（非 0）であればループ本体が実行される。なお、繰返し文のループ本体に繰返し文が含まれてもよい。そのような構造の繰返し文は、多重ループである。

- 後判定繰返しは、**do** 文で実現できる。ループ本体は少なくとも 1 回は必ず実行される。ループ本体は、単一の文であってもブロックとしたほうが読みやすくなる。

- 前判定繰返しは、**while** 文と **for** 文で実現できる。ループ本体は 1 回も実行されない可能性がある。単一の**カウンタ用変数**で制御する繰返しは、**for** 文を使えば簡潔に実現できる。

- 繰返し文中の break 文は、その繰返し文の実行を中断させる。繰返し文中の continue 文は、その繰返し文内のループ本体の残り部分の実行をスキップさせる。

- 増分演算子（インクリメント） ++ と減分演算子（デクリメント） -- はオペランドの値を、インクリメント（一つ増やす）／デクリメント（一つ減らす）する。後置（前置）の**増分演算子**／**減分演算子**を適用した式を評価して得られるのは、**インクリメント**／**デクリメント**を行う前（後）の値である。

- 式の後ろに **;** を置いた文が式文であり、式が省略された **;** だけの**式文**が空文である。

- 複合文に特有の変数は、その複合文の中で宣言して利用する。

- 二つの条件の否定をとって、論理積・論理和を入れかえた式の否定は、もとの条件と同じである。これは、ド・モルガンの法則として知られている。

- 単一の文字は、単一引用符 ' で文字を囲む '*' 形式の文字定数で表現できる。単一文字の表示は、*putchar* 関数で行える。

- 複合代入演算子は、演算と代入の両方を行う演算子である。演算と代入を二つの演算子で行うのに比べると、簡潔に記述できることや、左オペランドの評価が 1 回しか行われないことなどの特徴がある。

- **if** や **else** のような特別な意味が与えられた語句はキーワードであり、変数や関数などに与える名前は識別子である。

- 区切り子は、**キーワード**や**識別子**などの単語の区切りとなる記号である。

- 空白類文字（**空白**、**タブ**、**改行**など）と注釈をはさんで隣接した文字列リテラルは、自動的に連結される。

- C 言語のプログラムは、自由形式記述である。適切なインデントを与えて、読みやすくすべきである。

● do 文

```
do
    文
while (式);
```

式を評価した値が真である限り、文を繰り返し実行。

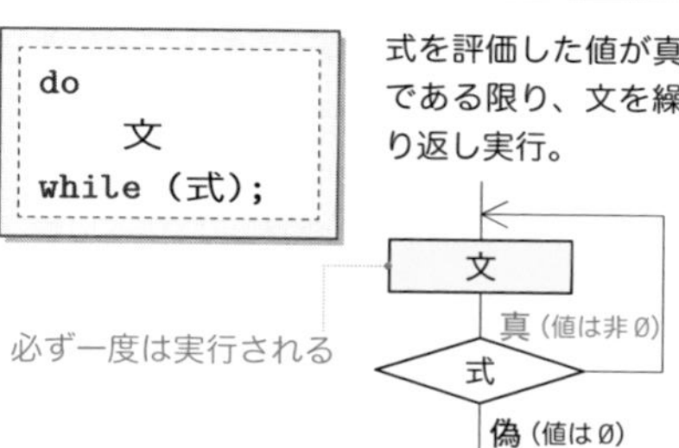

● while 文

```
while (式)
    文
```

式を評価した値が真である限り、文を繰り返し実行。

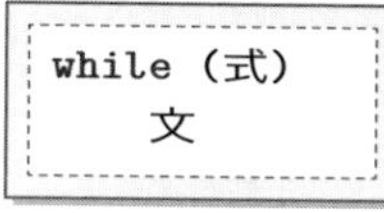

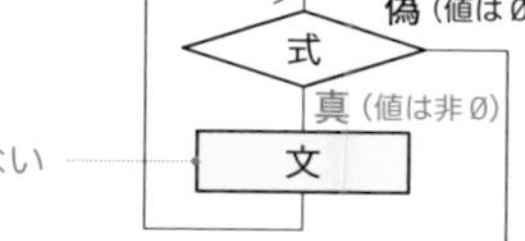

● for 文

```
for (式A; 式B; 式C)
    文
```

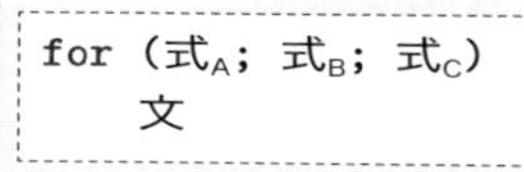

式$_A$を一度だけ評価・実行する（あるいは変数を宣言する）。
式$_B$を評価した値が真である限り、『文を実行して、式$_C$を評価・実行する』処理を繰り返す。

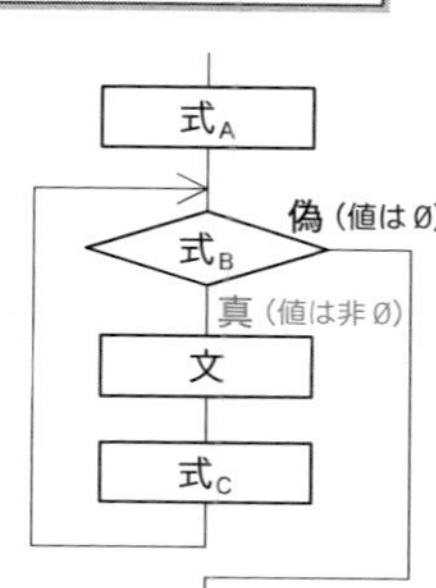

chap04/summary.c

```
#include <stdio.h>

int main(void)
{
    int x, y, z;

    do {
        printf("0～100の整数値：");
        scanf("%d", &x);
    } while (x < 0 || x > 100);

    y = x;
    z = x;
    while (y >= 0)
        printf("%d %d\n", y--, ++z);

    printf("縦横が整数で面積が%d"
           "の長方形の辺の長さ：\n", x);
    for (int i = 1; i < x; i++) {
        if (i * i > x) break;         // break文
        if (x % i != 0) continue;     // continue文
        printf("%d × %d\n", i, x / i);
    }

    puts("5行7列のアステリスク");
    for (int i = 1; i <= 5; i++) {
        for (int j = 1; j <= 7; j++)
            putchar('*');
        putchar('\n');
    }

    return 0;
}
```

chap04/summarya.c
別解 `!(x >= 0 && x <= 100)`
ド・モルガンの法則による別解

do文　while文　for文　2重ループ

実行例

```
0～100の整数値：-1↵
0～100の整数値：104↵
0～100の整数値：32↵
32 33
31 34
30 35
…中略…
2  63
1  64
0  65
縦横が整数で面積が32の
長方形の辺の長さ：
1 × 32
2 × 16
4 × 8
5行7列のアステリスク
*******
*******
*******
*******
*******
```

第 5 章

配　列

学生の学籍番号、野球選手の背番号、飛行機の座席番号 … 同じ種類の《もの》が集まっているときは、それらの一つ一つを名前で呼ぶよりも、番号で呼んで処理すると、分かりやすく便利なことがあります。

というのも、百を超える飛行機の座席が、“鶴の席”、“松の席” … などとなっていて、その名前で処理をするのは、現実的でないからです。

本章では、同じ型のデータの集合を効率よく扱うための配列について学習します。

5-1 配列

同じ型の変数の集まりは、ひとまとめにして扱うと便利です。そのために利用するのが、配列です。本節では、配列の基礎を学習します。

配列

まずは、5人の学生の点数を読み込んで、その合計点と平均点を求めて表示するプログラムを作りましょう。**List 5-1** に示すのが、そのプログラムです。

List 5-1 chap05/list0501.c

```
// 5人の学生の点数を読み込んで合計点と平均点を表示

#include <stdio.h>

int main(void)
{
    int tensu1;          // 1番の点数
    int tensu2;          // 2番の点数
    int tensu3;          // 3番の点数
    int tensu4;          // 4番の点数
    int tensu5;          // 5番の点数
    int sum = 0;         // 合計点

    printf("5人の点数を入力せよ。\n");
    printf(" 1番：");   scanf("%d", &tensu1);   sum += tensu1;
    printf(" 2番：");   scanf("%d", &tensu2);   sum += tensu2;
    printf(" 3番：");   scanf("%d", &tensu3);   sum += tensu3;
    printf(" 4番：");   scanf("%d", &tensu4);   sum += tensu4;
    printf(" 5番：");   scanf("%d", &tensu5);   sum += tensu5;

    printf("合計点：%5d\n", sum);
    printf("平均点：%5.1f\n", (double)sum / 5);

    return 0;
}
```

+= は左辺に右辺を加える複合代入演算子

実行例

```
5人の点数を入力せよ。
 1番：83
 2番：95
 3番：85
 4番：63
 5番：89
合計点：  415
平均点： 83.0
```

本プログラムでは、5人の点数が、5個の int 型変数で表されています。そのため、変数名が違うだけの**ほぼ同じ処理を繰り返しています**。

さて、学生の人数が300人に増えたとします。点数用の変数を300個用意して、それぞれに名前を与えることになるでしょう。**300もの変数の管理が必要となりますし**、プログラムのタイプ時に**変数名を打ち間違えないようにする**のも大変です。

学籍番号のように『何番目』と指定できれば都合がよく、それを実現するのが、次の特徴をもつ配列（はいれつ）(array) です。

重要 配列は、要素（element）と呼ばれる同一型の変数が直線状に連続して並んだものである。

配列の宣言（配列を使うための準備）

まずは宣言の方法を学習します。次のように、要素型（element type)、配列名（変数名＝識別子)、要素数を与えて宣言します。

```
要素型 配列名 [ 要素数 ];
```

なお、**[ ]** の中に置く**要素数**は、**定数式**とするのが原則です（**Column 5-2**：p.136)。

Fig.5-1 は、要素型が `int` 型で要素数が 5 の配列の宣言と、作られる配列のイメージです。

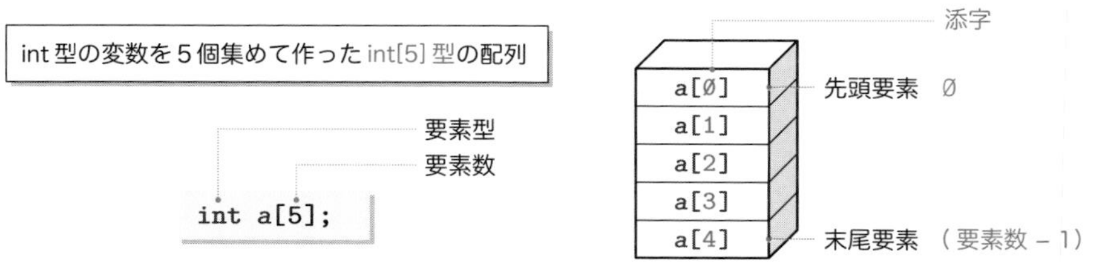

Fig.5-1 配列

要素と添字

配列の要素は、すべて同一型の変数です（ある要素が `int` 型で、別の要素が `double` 型になるようなことはありません)。

個々の要素のアクセス（読み書き）は、自由に行えます。その際に使うのが、**Table 5-1** に示す添字演算子（subscript operator）です。

Table 5-1 添字演算子

添字演算子	`a[b]`	配列 a の先頭から b 個後ろの要素をアクセスする。

演算子 **[ ]** の中のオペランドは、添字（subscript）と呼ばれます。これは、**“先頭要素から何個後ろの要素なのか”** を表す整数値です（**Fig.5-1** と **Fig.5-2** では、赤色の数値で示しています)。

そのため、各要素をアクセスする添字式は、先頭から順に `a[0]`、`a[1]`、`a[2]`、`a[3]`、`a[4]` となります。

要素数 n の配列の要素は `a[0]`、`a[1]`、…、`a[n - 1]` であって、`a[n]` は存在しません。

配列 a の先頭から 3 個後ろの要素
第 1 オペランド
第 2 オペランド
a [3]
ペアで 1 個の演算子

Fig.5-2 添字演算子と添字式

▶ 配列の宣言の **[ ]** は、単なる**区切り子**で、個々の要素をアクセスする **[ ]** は、**演算子**です。本書では、前者を黒字で、後者を**青字**で表しています。

なお、`a[-1]` や `a[n]` などの存在しない要素をアクセスした際の動作は保証されません。誤ってアクセスしないように注意しましょう。

配列の走査

それでは、配列の要素に値を代入して表示しましょう。**List 5-2** が、そのプログラムです。

List 5-2 chap05/list0502.c

```
// 配列の各要素に先頭から順に1〜5を代入して表示

#include <stdio.h>

int main(void)
{
    int a[5];    // int[5]型の配列

    a[0] = 1;
    a[1] = 2;
    a[2] = 3;
    a[3] = 4;
    a[4] = 5;

    printf("a[0] = %d\n", a[0]);
    printf("a[1] = %d\n", a[1]);
    printf("a[2] = %d\n", a[2]);
    printf("a[3] = %d\n", a[3]);
    printf("a[4] = %d\n", a[4]);

    return 0;
}
```

実行結果

```
a[0] = 1
a[1] = 2
a[2] = 3
a[3] = 4
a[4] = 5
```


Fig.5-3 添字と要素の値

要素型が int 型で、要素数が 5 の配列を作って、各要素に先頭から順に 1、2、3、4、5 を代入・表示しています。**Fig.5-3** に示すのが、代入後の状態です。

添字式に対しては、値を代入することも、値を取り出すことも可能です。本プログラムでは、全要素に対して、添字に 1 を加えた値を代入した上で、取り出して表示しています。

本プログラムを for 文で書きかえると、配列を利用するメリットがはっきりします。それが、**List 5-3** に示すプログラムです。

List 5-3 chap05/list0503.c

```
    for (int i = 0; i < 5; i++)        // 要素に値を代入
        a[i] = i + 1;

    for (int i = 0; i < 5; i++)        // 要素の値を表示
        printf("a[%d] = %d\n", i, a[i]);
```

実行結果

```
a[0] = 1
a[1] = 2
a[2] = 3
a[3] = 4
a[4] = 5
```

5行にわたっていた代入が、単一の for 文に置きかえられてシンプルになっています。

その for 文は、変数 *i* の値を 0 から始めてインクリメントしながら5回の繰返しを行います。

“開いて” 書くと、右のようになって、**List 5-2** と同じ代入を行っていることが分かります。

- *i* が 0 のとき：a[0] = 0 + 1;
- *i* が 1 のとき：a[1] = 1 + 1;
- *i* が 2 のとき：a[2] = 2 + 1;
- *i* が 3 のとき：a[3] = 3 + 1;
- *i* が 4 のとき：a[4] = 4 + 1;

表示の箇所も同様です。5行にわたっていたコードが、単一の**for**文に置きかえられています。

▶ 2個の値（添字と要素の値）を表示するため、***printf***関数の呼出しが複雑になっています。

```
printf("a[%d] = %d\n", i, a[i]);
```

要素の値
添字

重要 配列の要素は、添字演算子 [] を使った添字式でアクセスする。添字式 a[*i*] を使うことで、配列 a の先頭から *i* 個後ろの要素を**読み書き**できる。

次は、要素型が**int**ではない配列を作りましょう。**List 5-4** は、要素型が**double**型で要素数が7の配列の全要素に**0.0**を代入して表示するプログラムです。

List 5-4 chap05/list0504.c

```
// 配列の全要素に0.0を代入して表示

#include <stdio.h>

int main(void)
{
    double x[7];     // double[7]型の配列

    for (int i = 0; i < 7; i++)      // 要素に値を代入
        x[i] = 0.0;

    for (int i = 0; i < 7; i++)      // 要素の値を表示
        printf("x[%d] = %.1f\n", i, x[i]);

    return 0;
}
```

小数点以下を1桁表示

実行結果

```
x[0] = 0.0
x[1] = 0.0
x[2] = 0.0
x[3] = 0.0
x[4] = 0.0
x[5] = 0.0
x[6] = 0.0
```

一般に、要素型がType型である配列のことを『Typeの配列』と呼びます。今回のプログラムの配列は、『**double**の配列』です。

なお、ここまでの図やプログラムリストのコメントに記述していましたが、要素型がType型で要素数が*n*の配列の型は、『Type[*n*]型』と表します。

重要 要素型がType型で要素数が*n*の配列の型はType[*n*]型である。

List 5-2 の配列aの型は**int[5]型**で、**List 5-4** の配列*x*の型は**double[7]型**です。

▶ 本書では、型に関する一般的な規則を示す際に、『Type型』という表現を使います（Typeという型が実在するのではありません）。

なお、配列の要素を一つずつ順番になぞっていくことを走査（そうさ）（traverse）といいます。

演習 5-1

List 5-3 を書きかえて、先頭から順に0、1、2、3、4を代入するプログラムを作成せよ。

演習 5-2

List 5-3 を書きかえて、先頭から順に5、4、3、2、1を代入するプログラムを作成せよ。

配列の初期化

配列の各要素への値の設定を、代入でなく、初期化で行うように、**List 5-3**（p.118）のプログラムを書きかえましょう。**List 5-5** が、そのプログラムです。

List 5-5 chap05/list0505.c

```
// 配列の各要素を先頭から順に1～5で初期化して表示

#include <stdio.h>

int main(void)
{
    int a[5] = {1, 2, 3, 4, 5};      // 初期化

    for (int i = 0; i < 5; i++)      // 要素の値を表示
        printf("a[%d] = %d\n", i, a[i]);

    return 0;
}
```

実行結果

```
a[0] = 1
a[1] = 2
a[2] = 3
a[3] = 4
a[4] = 5
```

配列 a の宣言に着目しましょう。与えられている初期化子は、各要素に対する初期化子をコンマ , で区切って順に並べたものを { } で囲んだ形式です。

配列 a の要素 a[0] ～ a[4] が、先頭から順に 1、2、3、4、5 で初期化されていることは、実行結果からも確認できます。

＊

さて、配列に与える初期化子については、ややこしい規則が数多くあります。右ページの **List 5-6** を見ながら理解していきましょう。

■ 最後の初期化子の後ろにも , を置ける

配列 a は、明治、大正、昭和、平成の最初の年を西暦で表した配列です。初期化子が縦に並べられており、最後の初期化子 1989 の後ろにも , が置かれています。

最後の初期化子の後ろのコンマは、置いても省略してもよい、という決まりです。

重要 配列に与える初期化子は、各要素向けの初期化子とコンマ , を並べたものを { } で囲んだ形式である（最後の初期化子の後ろのコンマは省略できる）。

最後の初期化子の後ろにコンマを置くスタイルには、初期化子の追加や削除に伴って、コンマを付けたり外したりしなくてよい、というメリットがあります。

■ 初期化子の個数から配列の要素数が自動的に決定する

配列 b の宣言は、要素数が指定されていません。このように配列の要素数を与えずに宣言すると、初期化子の個数に基づいて、配列の要素数が自動的に決定されます。

▶ 配列 b は、3個の初期化子が与えられているため、要素数は 3 となります。

List 5-6　chap05/list0506.c

```
// 配列の要素の初期化

#include <stdio.h>

int main(void)
{
    int a[4] = {
        1868,       // 明治の最初の西暦年
        1912,       // 大正の最初の西暦年
        1926,       // 昭和の最初の西暦年
        1989,       // 平成の最初の西暦年
    };

    int b[] = {1, 2, 3};  // 要素数は3となる

    int c[5] = {1, 2};    // int c[5] = {1, 2, 0, 0, 0}; と同じ

    int d[5] = {0};       // 全要素を0で初期化

    // 要素の値を表示するコードは提示を省略

    return 0;
}
```

実行結果

```
a[0] = 1868
a[1] = 1912
a[2] = 1926
a[3] = 1989

b[0] = 1
b[1] = 2
b[2] = 3

c[0] = 1
c[1] = 2
c[2] = 0
c[3] = 0
c[4] = 0

d[0] = 0
d[1] = 0
d[2] = 0
d[3] = 0
d[4] = 0
```


■ { } 内に初期化子が与えられていない要素は 0 で初期化される

配列 c は、要素数が 5 と指定されているにもかかわらず、初期化子が2個しか与えられていません。{ } 内に初期化子が与えられていない要素は **0 で初期化される**という規則が適用されます。そのため、c[2] と c[3] と c[4] は、いずれも 0 で初期化されます。

配列 d も同様です。d[0] が 0 で初期化され、さらに、それ以降の要素 d[1] ～ d[4] のすべての要素が 0 で初期化されます（すなわち、全要素が 0 で初期化されます）。

ここで注意すべきことがあります。次の宣言では、全要素が 0 にならないことです。

```
int x[5];                    // 全要素を不定値で初期化
```

配列 x の全要素は、**不定値（ゴミの値）**で初期化されます（p.14）。

重要 Type[n] 型の配列 a の全要素を 0 で初期化するには、次の形式で宣言する。

```
Type a[n] = {0};
```

なお、初期化子の個数が、配列の要素数を超えるとエラーになります。

```
int a[3] = {1, 2, 3, 4};     // エラー：初期化子が要素数より多い
```

また、**初期化子を代入することはできません**。次の例は、誤りです。

```
int a[3];
a = {1, 2, 3};               // エラー：初期化子は代入できない
```

演習 5-3

List 5-5 を書きかえて、先頭から順に 5、4、3、2、1 で初期化するプログラムを作成せよ。

配列の要素に値を読み込む

次は、配列の要素の値を、キーボードから読み込むようにします。**List 5-7** に示すのは、int[5] 型の配列の各要素に値を読み込んで、その値を表示するプログラムです。

List 5-7 chap05/list0507.c

```
// 配列の要素に値を読み込んで表示

#include <stdio.h>

int main(void)
{
    int x[5];

    for (int i = 0; i < 5; i++) {   // 要素に値を読み込む
        printf("x[%d] : ", i);
        scanf("%d", &x[i]);
    }

    for (int i = 0; i < 5; i++)      // 要素の値を表示
        printf("x[%d] = %d\n", i, x[i]);

    return 0;
}
```

実行例

```
x[0] : 17
x[1] : 38
x[2] : 52
x[3] : 41
x[4] : 63
x[0] = 17
x[1] = 38
x[2] = 52
x[3] = 41
x[4] = 63
```

キーボードから読み込んだ値を格納するために scanf 関数を使うのは、配列でない普通の変数の場合と同じです（変数の前に & を置きます）。

▶ 読込み先が x[i] ですから、scanf 関数に与える第2引数は、& を置いた &x[i] となります。

配列の全要素の並びを反転する

値を読み込んだり表示したりするだけでは、つまらないでしょう。今度は、配列の要素の並びを**反転**します。右ページの **List 5-8** が、そのプログラムです。

水色の for 文で int[7] 型配列 x の要素を反転しています。ここで行うことをまとめたのが、**Fig.5-4** です。

次に示すように、《2値の交換》を3回行っています。

- x[0] の値 と x[6] の値 を交換
- x[1] の値 と x[5] の値 を交換
- x[2] の値 と x[4] の値 を交換

▶ for 文の繰返しの過程では、i の値が 0、1、2 と変化して、6 - i の値が 6、5、4 と変化します。

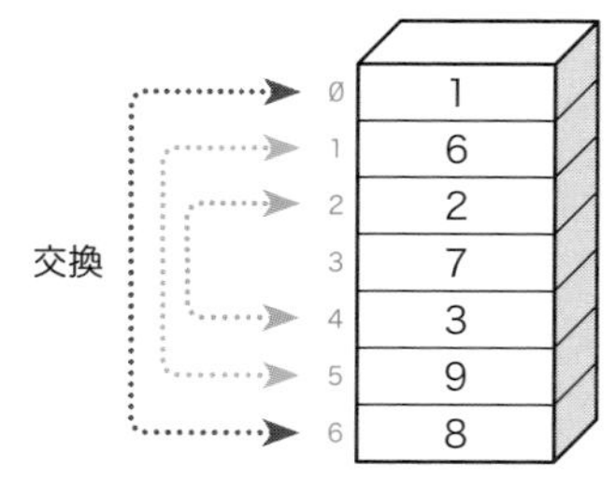

Fig.5-4 配列要素の反転

それでは、2値の交換の手順を、右ページの **Fig.5-5** を見ながら理解していきましょう。ここでは、a と b の2値の交換のために、余分な変数 t を用意してやりくりしています。

List 5-8 chap05/list0508.c

```
// 配列の全要素の並びを反転する

#include <stdio.h>

int main(void)
{
    int x[7];                              // int[7]型の配列

    for (int i = 0; i < 7; i++) {     // 要素に値を読み込む
        printf("x[%d] : ", i);
        scanf("%d", &x[i]);
    }

    for (int i = 0; i < 3; i++) {     // 要素の並びを反転
        int t    = x[i];
        x[i]     = x[6 - i];        ←―― x[i] と x[6-i] を交換
        x[6 - i] = t;
    }

    puts("反転しました。");
    for (int i = 0; i < 7; i++)       // 要素の値を表示
        printf("x[%d] = %d\n", i, x[i]);

    return 0;
}
```

実行例

```
x[0] : 1
x[1] : 6
x[2] : 2
x[3] : 7
x[4] : 3
x[5] : 9
x[6] : 8
反転しました。
x[0] = 8
x[1] = 9
x[2] = 3
x[3] = 7
x[4] = 2
x[5] = 6
x[6] = 1
```


具体的には、次のようになっています。

1 `t = a;` aの値をtに保存。
2 `a = b;` bの値をaに代入。
3 `b = t;` tに保存していた最初のaの値をbに代入。

本プログラムでは、aに相当するのが`x[i]`で、bに相当するのが`x[6 - i]`です。

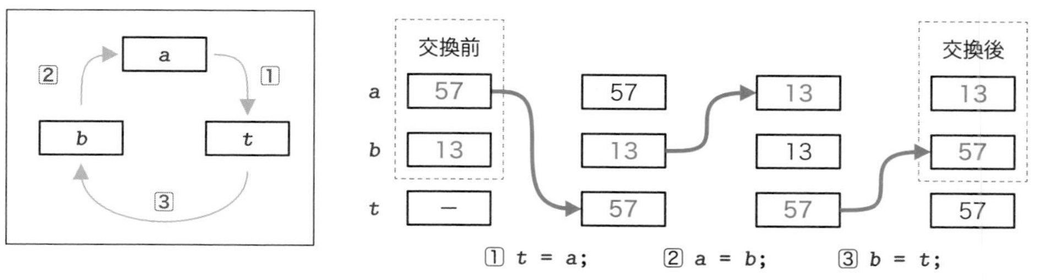

Fig.5-5 2値の交換

▶ 2値の交換を次のように行うことはできません。

```
a = b;
b = a;
```

これだと、二つの変数aとbの値が、代入前のbの値になってしまいます。

オブジェクト形式マクロ

本章冒頭の **List 5-1**（p.116）で考えた成績処理のプログラムを、配列を用いて作り直しましょう。**List 5-9** がそのプログラムであり、５人の点数を配列 ***tensu*** で表しています。

List 5-9 chap05/list0509.c

```
// ５人の学生の点数を読み込んで合計点と平均点を表示

#include <stdio.h>

int main(void)
{
    int tensu[5];         // 学生の点数
    int sum = 0;          // 合計点

    printf("5人の点数を入力せよ。\n");
    for (int i = 0; i < 5; i++) {
        printf("%2d番：", i + 1);
        scanf("%d", &tensu[i]);
        sum += tensu[i];
    }

    printf("合計点：%5d\n", sum);
    printf("平均点：%5.1f\n", (double)sum / 5);

    return 0;
}
```

5 … 学生の人数
5 … 表示の桁数

実行例

```
5人の点数を入力せよ。
 1番：83
 2番：95
 3番：85
 4番：63
 5番：89
合計点：  415
平均点： 83.0
```

▶ 点数の入力を促す際の「1 番：」や「2 番：」では、添字 ***i*** に 1 を加えた ***i* + 1** を表示していることに注意しましょう。

さて、学生の人数が８人に増えたとします。エディタで『5 ⇨ 8 の一括置換』を行うとよさそうですが、実は、そうはいきません。というのも、学生の人数の 5 は、8 に置換すべきである一方で、表示の桁数の 5 は、置換してはならないからです。

すなわち、**『選択的な置換（置換すべき箇所のみの置換）』**を行う必要があります。

このような変更に柔軟に対応できるように書きかえたのが、右ページの **List 5-10** です。

赤色の部分は、オブジェクト形式マクロ（object-like macro）を定義するための特殊な宣言であり、**#define** 指令（#define directive）と呼ばれます（通常の**式**や**文**とは異なります）。

その **#define** 指令は、次の形をしています。

```
#define  a  b        // この指令以降の a を b に置換せよ
```

この指令は、**『この指令以降の a を b に置換せよ。』**という指示です。そのため、a が b に置換された上でプログラムが翻訳・実行されることになります。

なお、置換の対象となる a は、マクロ名（macro name）と呼ばれます。マクロ名は、変数名と区別しやすくするために、大文字とする慣習があります。

本プログラムでは、マクロ名は ***NUMBER*** であり、プログラム中の ***NUMBER*** が 5 に置換されます。

List 5-10　chap05/list0510.c

```
// 学生の点数を読み込んで合計点と平均点を表示（人数をマクロで定義）

#include <stdio.h>

#define NUMBER  5        // 学生の人数

int main(void)
{
    int tensu[NUMBER];  // 学生の点数
    int sum = 0;        // 合計点

    printf("%d人の点数を入力せよ。\n", NUMBER);
    for (int i = 0; i < NUMBER; i++) {
        printf("%2d番：", i + 1);
        scanf("%d", &tensu[i]);
        sum += tensu[i];
    }

    printf("合計点：%5d\n", sum);
    printf("平均点：%5.1f\n", (double)sum / NUMBER);

    return 0;
}
```

NUMBER … 翻訳時に5に置換される

実行例

```
5人の点数を入力せよ。
 1番：83
 2番：95
 3番：85
 4番：63
 5番：89
合計点：  415
平均点： 83.0
```

さて、学生の人数の変更を考えているのでした。変更は容易です。マクロ NUMBER を定義する #define 指令を、次のように書きかえるだけです（"chap05/list0510a.c"）

```
#define NUMBER  8        // 学生の人数
```

これで、プログラム中の NUMBER が翻訳時に 8 に置換されます。

▶ 配列の要素数が 8 となり、8個の点数を読み込んで、それらの合計点と平均点が表示されます。

＊

オブジェクト形式マクロを利用するメリットは、次のとおりです。

- **値の管理を1箇所に集約できる。**
- **定数に対して名前が与えられるため、プログラムが読みやすくなる。**

▶ プログラム中に直接書かれた 5 や 8 などの定数は、マジックナンバーと呼ばれます（何を表すための数値なのかが、よく分からない数、という意味です）。オブジェクト形式マクロを導入すると、プログラム中のマジックナンバーを除去できます。

『ただ正しく動作しさえすればよい』のであれば、マクロを使う必要はありません。しかし、マクロを使うことによって、プログラム内部の品質が向上します。

重要 プログラムには**マジックナンバー**（秘密の数値）を埋め込まず、オブジェクト形式マクロによって名前を与えよう。

▶ 文字列リテラルや文字定数内の綴（つづ）りや、変数名などの識別子の一部としての綴り（たとえば、"NUMBER = " や NUMBER_1 内の NUMBER）は、置換の対象外です。

配列要素の最大値と最小値

次は、点数の最高点と最低点を求める、すなわち、配列要素の**最大値**と**最小値**の両方を求めることにしましょう。**List 5-11** に示すのが、そのプログラムです。

List 5-11 chap05/list0511.c

```
// 学生の点数を読み込んで最高点と最低点を表示

#include <stdio.h>

#define NUMBER  5          // 学生の人数

int main(void)
{
    int tensu[NUMBER];  // 学生の点数
    int max, min;       // 最高点と最低点

    printf("%d人の点数を入力せよ。\n", NUMBER);
    for (int i = 0; i < NUMBER; i++) {
        printf("%2d番：", i + 1);
        scanf("%d", &tensu[i]);
    }

    min = max = tensu[0];                           // 1
    for (int i = 1; i < NUMBER; i++) {              // 2
        if (tensu[i] > max) max = tensu[i];
        if (tensu[i] < min) min = tensu[i];
    }

    printf("最高点：%d\n", max);
    printf("最低点：%d\n", min);

    return 0;
}
```

実行例

```
5人の点数を入力せよ。
 1番：83
 2番：95
 3番：85
 4番：63
 5番：89
最高点：95
最低点：63
```

a int型変数nへの代入

n = 2.95 → int 2

b double型変数xへの代入

x = 2.95 → double 2.95

Fig.5-6 代入式の評価

代入式の評価

まずは1に着目します。2個の代入演算子 = が使われており、初めての形式です。これを理解するために、まずは、int 型変数 *n* に対する、次の代入式を考えます。

```
n = 2.95
```

整数 *n* は、小数点以下の部分を格納できないため、代入後の値は 2 となります。

さて、代入式について、次のことを必ず知っておく必要があります。

重要 代入式を評価して得られるのは、**代入後の左オペランド**の型と値である。

すなわち、代入式 *n* = 2.95 を評価して得られるのは、代入後の左オペランド *n* の型と値である『int 型の 2』です（**Fig.5-6** a）。

なお、図bに示すように、代入される側の変数 *x* が double 型であれば、代入式 *x* = 2.95 を評価して得られるのは『double 型の 2.95』となります。

さて、代入は右側から行われる（p.221）ことから、プログラム❶は次のように解釈されます。

```
min = (max = tensu[0]);
```

この代入の様子を示したのが、**Fig.5-7** です（実行例のように tensu[0] を 83 とします）。

代入式 max = tensu[0] を評価した値は、①の代入後の max の型と値である『int 型の 83』です。

その 83 が②によって min に代入されます。

Fig.5-7 多重の代入式の評価

その結果、min と max の両方に、tensu[0] の値 83 が代入されるというわけです。

このような多重の代入は、熟練者が好んで使います。たとえば、**代入式『a = b = 0』は、変数 a と b の両方に 0 を代入します**。とても便利です。

▶ これは代入の話であって、初期化子を伴う宣言には適用されません。二つの変数 a と b を、次のように同時に宣言することはできません。

```
int a = b = 0;        // エラー：このような初期化はできない
```

正しくは、コンマで区切って、

```
int a = 0, b = 0;
```

とするか、2 行に分けて以下のように宣言します。

```
int a = 0;
int b = 0;
```

プログラムに戻りましょう。❶と❷によって、最大値と最小値の両方を同時に求めています。それらを分離して、さらに for 文を開いて記述すると、次のようになります。

```
// tensu[0]～tensu[4]の最大値を求める
max = tensu[0];
if (tensu[1] > max) max = tensu[1];
if (tensu[2] > max) max = tensu[2];
if (tensu[3] > max) max = tensu[3];
if (tensu[4] > max) max = tensu[4];
```

```
// tensu[0]～tensu[4]の最小値を求める
min = tensu[0];
if (tensu[1] < min) min = tensu[1];
if (tensu[2] < min) min = tensu[2];
if (tensu[3] < min) min = tensu[3];
if (tensu[4] < min) min = tensu[4];
```

最大値を求める手続きは、**3値の最大値**を求める手続き（p.57）と同じです。対象の整数が3個から5個に増えて、バラバラの変数が配列の要素に置きかわっているだけです。

▶ 比較のための > 演算子が < に変更されていることを除くと、最小値を求める手続きも同様です。

演習 5-4

List 5-8（p.123）の配列の要素数をオブジェクト形式マクロで定義するように変更したプログラムを作成せよ。要素の交換を行う回数に関する規則性を見つけ出す必要がある。

演習 5-5

変数 a が double 型で、変数 b が int 型であるとする。次の代入によって、それぞれの変数の値はどうなるかを説明せよ。

```
a = b = 1.5;
```

配列の要素数

これまでの成績処理のプログラムは、学生の人数が5人でした。人数の変更を行う際は、プログラムを書きかえて翻訳・実行し直すことになります。配列の要素数を多めにしておいて、先頭側の必要な部分のみを使う、という方法も考えられます。

この方針で作ったのが、**List 5-12** に示すプログラムです。

List 5-12 chap05/list0512.c

```
// 学生の点数を読み込んで分布を表示

#include <stdio.h>

#define NUMBER  120      // 人数の上限

int main(void)
{
    int num;                    // 実際の人数
    int tensu[NUMBER];          // 学生の点数
    int bunpu[11] = {0};        // 点数の分布

    printf("人数を入力せよ：");

    do {
        scanf("%d", &num);
        if (num < 1 || num > NUMBER)
            printf("\a1～%dで入力せよ：", NUMBER);
    } while (num < 1 || num > NUMBER);

    printf("%d人の点数を入力せよ。\n", num);

    for (int i = 0; i < num; i++) {
        printf("%2d番：", i + 1);
        do {
            scanf("%d", &tensu[i]);
            if (tensu[i] < 0 || tensu[i] > 100)
                printf("\a0～100で入力せよ：");
        } while (tensu[i] < 0 || tensu[i] > 100);
        bunpu[tensu[i] / 10]++;
    }

    puts("\n---分布グラフ---");
    printf("      100：");

    for (int j = 0; j < bunpu[10]; j++)         // 100点
        putchar('*');
    putchar('\n');

    for (int i = 9; i >= 0; i--) {              // 100点未満
        printf("%3d ～%3d：", i * 10, i * 10 + 9);
        for (int j = 0; j < bunpu[i]; j++)
            putchar('*');
        putchar('\n');
    }

    return 0;
}
```

読み込む値を 1 ～ NUMBER に制限するための do 文

読み込む値を 1 ～ 100 に制限するための do 文

実行例

```
人数を入力せよ：125
♪1～120で入力せよ：15
15人の点数を入力せよ。
 1番：17
 2番：38
 3番：19
 4番：95
 5番：100
 6番：62
 7番：77
 8番：45
 9番：69
10番：81
11番：83
12番：51
13番：42
14番：36
15番：61

---分布グラフ---
      100：*
 90 ～ 99：*
 80 ～ 89：**
 70 ～ 79：*
 60 ～ 69：***
 50 ～ 59：*
 40 ～ 49：**
 30 ～ 39：**
 20 ～ 29：
 10 ～ 19：**
  0 ～  9：
```

点数用の配列 **tensu** の要素数 ***NUMBER*** は **120** です。ただし、プログラムの実行時に、**1** 以上 ***NUMBER*** 以下の人数を変数 **num** に読み込んで、配列の先頭側の **num** 個の要素のみを利用します。

▶ 実行例の場合、**num** に読み込まれているのは **15** ですから、120 個の要素中の先頭 15 個の要素、すなわち **tensu[0]** ～ **tensu[14]** を使います。

さて、本プログラムでは、点数を格納する **tensu** とは別に、点数の分布を格納するために **int[11]** 型の配列 **bunpu** を利用しています。

分布を求める赤色の部分は、配列 **bunpu** の添字が **tensu[i] / 10** となっていて、その要素の値をインクリメントしています。

『整数 / 整数』で小数部が切り捨てられることをうまく利用して、次のように分布をカウントアップしているのです。

- **tensu[i]** が 0 ～ 9 のとき ： **bunpu[0]** をインクリメント。
- **tensu[i]** が 10 ～ 19 のとき ： **bunpu[1]** をインクリメント。

  … 中略 …

- **tensu[i]** が 80 ～ 89 のとき ： **bunpu[8]** をインクリメント。
- **tensu[i]** が 90 ～ 99 のとき ： **bunpu[9]** をインクリメント。
- **tensu[i]** が 100 のとき ： **bunpu[10]** をインクリメント。

配列の **tensu** の全要素に対して、この処理を繰り返します。

▶ 実行例の場合、次のように分布が求められていきます。

17 点を読み込む ⇨ **tensu[0] / 10** は 1 ⇨ **bunpu[1]** を **0** から **1** にインクリメント。
38 点を読み込む ⇨ **tensu[1] / 10** は 3 ⇨ **bunpu[3]** を **0** から **1** にインクリメント。
19 点を読み込む ⇨ **tensu[2] / 10** は 1 ⇨ **bunpu[1]** を **1** から **2** にインクリメント。
… 以下省略 …

演習 5-6

右に示すように、配列に格納するデータ数と要素の値を読み込んで、その値を表示するプログラムを作成せよ。表示の形式は、全要素の値をコンマとスペースで区切ったものを **{** と **}** で囲んだものとする。

なお、配列の要素数は、**List 5-12** と同様に、オブジェクト形式マクロとして定義しておくこと。

```
データ数：4
 1番：23
 2番：74
 3番：9
 4番：835
{23, 74, 9, 835}
```

演習 5-7

List 5-12 の分布グラフの表示を逆順（**0** ～ 9、**10** ～ 19、… 、**100** の順）に行うプログラムを作成せよ。

演習 5-8

右に示すように、演習 **5-7** の分布グラフの表示を縦方向に行うプログラムを作成せよ。

```
                    *
          *  *      *     *
       *  *  *  *   *  *  *  *  *  *
---------------------------------
 0 10 20 30 40 50 60 70 80 90 100
```

配列のコピー

次に学習するのは、配列のコピーです。**List 5-13** に示すのが、そのプログラムです。

List 5-13 chap05/list0513.c

```
// 配列の全要素を別の配列にコピー

#include <stdio.h>

int main(void)
{
    int a[5];         // コピー元配列
    int b[5];         // コピー先配列

    for (int i = 0; i < 5; i++) {    // 要素に値を読み込む
        printf("a[%d] : ", i);
        scanf("%d", &a[i]);
    }

    for (int i = 0; i < 5; i++)                         ―❶
        b[i] = a[i];

    puts("  a    b");
    puts("---------");
    for (int i = 0; i < 5; i++)                         ―❷
        printf("%4d%4d\n", a[i], b[i]);

    return 0;
}
```

実行例

```
a[0] : 17
a[1] : 32
a[2] : 55
a[3] : 46
a[4] : 62
  a    b
---------
  17  17
  32  32
  55  55
  46  46
  62  62
```

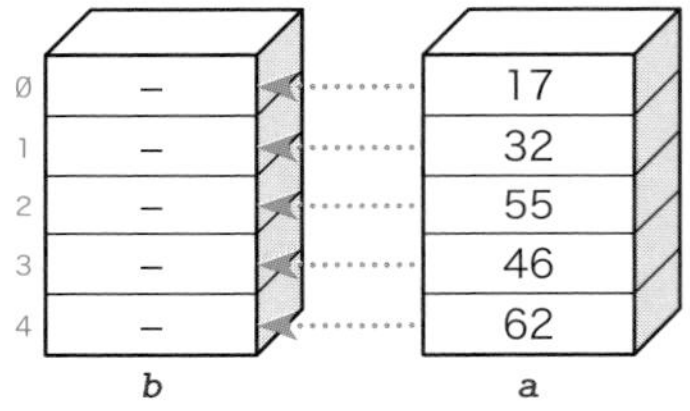

Fig.5-8 配列のコピー

配列のコピーを行っているのは、❶の for 文です。**Fig.5-8** に示すように、配列 a の全要素の値を、b の要素に代入しています。

▶ 二つの配列を同時に走査して、b[0] = a[0]; から b[4] = a[4]; までを順に実行します。

なお、単純代入演算子 = では、配列の代入は行えません。すなわち、

```
b = a;               // エラー：配列の代入はできない
```

によって配列をコピーしようとしても、エラーとなります（"chap05/list0513x.c"）。

重要 代入演算子によって、配列を代入することはできない。コピーは、繰返し文などを用いた全要素の逐一代入で行う。

なお、❷の for 文では、二つの配列を同時に走査して全要素の値を表示しています。

演習 5-9

List 5-13 を書きかえて、配列 a の要素の並びを逆順にしたものを b にコピーするプログラムを作成せよ。

条件を満たす要素のコピー

このプログラムを応用して、配列 a の要素のうち、正の要素のみを配列 b にコピーするように書きかえたのが **List 5-14** です。

List 5-14 chap05/list0514.c

```
// 配列の要素のうち正の要素を別の配列にコピー

#include <stdio.h>

int main(void)
{
    int a[5];          // コピー元配列
    int b[5];          // コピー先配列

    for (int i = 0; i < 5; i++) {    // 要素に値を読み込む
        printf("a[%d] : ", i);
        scanf("%d", &a[i]);
    }

    int count = 0;                   // コピーした要素数
    for (int i = 0; i < 5; i++)
        if (a[i] > 0)                // 正であれば
            b[count++] = a[i];       // コピー

    for (int i = 0; i < count; i++)
        printf("b[%d] = %d\n", i, b[i]);

    return 0;
}
```

実行例

```
a[0] : 17
a[1] : -5
a[2] : 55
a[3] : 15
a[4] : -62
b[0] = 17
b[1] = 55
b[2] = 15
```

正の要素のコピーを行うのが、水色の部分です。

- コピーした要素数を格納するための変数 *count* を 0 で初期化します。
- 配列 a の全要素を走査する **for** 文で、着目要素 a[*i*] が正であればコピーを行います。代入先は b[*count*] であって、代入直後に *count* をインクリメントします。

▶ 実行例の場合、次のように3回の代入が行われます。

```
iが0のとき：b[0] = a[0];   ※代入後にcountが0から1へとインクリメントされる
iが2のとき：b[1] = a[2];   ※代入後にcountが1から2へとインクリメントされる
iが3のとき：b[2] = a[3];   ※代入後にcountが2から3へとインクリメントされる
```

Column 5-1 警告

プログラムが文法的に誤りではないものの、何らかのミスが潜んでいる可能性がある（たとえば、関数原型宣言（p.157）が与えられていない関数を呼び出している）ときなどに、多くの処理系は、警告メッセージを発します。

警告 warning の発音をカタカナで表すと『ウォーニング』が近いのですが、多くのC言語の書籍では「ワーニング」と書かれています。

ちなみに「ワーニング」と読むのならば Star Wars は「スターワーズ」に、warming up は「ワーミングアップ」となってしまいます。

5-2 多次元配列

変数を集めたのが配列でした。その配列を集めると『配列の配列』となり、それが本節で学習する多次元配列です。

多次元配列

前節で学習した配列の要素は、`int` や `double` などの単一型でした。実は、配列の要素自体が《配列》である配列も作れます。

配列を要素型とするのが2次元配列であり、2次元配列を要素型とするのが3次元配列です。もちろん、4次元、5次元、6次元といった配列も作れます。

2次元以上の配列の総称が、多次元配列（multidimensional array）です。

重要 多次元配列は、配列を要素とする配列である。

なお、前節で学習した『要素型が配列ではない配列』は、多次元配列と区別するために、1次元配列と呼ばれます。

Fig.5-9 に示すのが、2次元配列を派生する（**作り出す**）過程です。派生は2段階です。

a ➡ b：`int` 型を3個まとめて1次元配列を派生。
b ➡ c：1次元配列を4個まとめて2次元配列を派生。

それぞれの型は、次のとおりです。

a：`int` 型
b：`int[3]` 型　　“`int`”を要素型とする要素数3の配列
c：`int[4][3]` 型　《“`int`”を要素型とする要素数3の配列》を要素型とする要素数4の配列

2次元配列は、要素が縦横に並んで、行と列で構成される表のイメージです。そのため、図cの配列は、**『4行3列の2次元配列』**と呼ばれます。

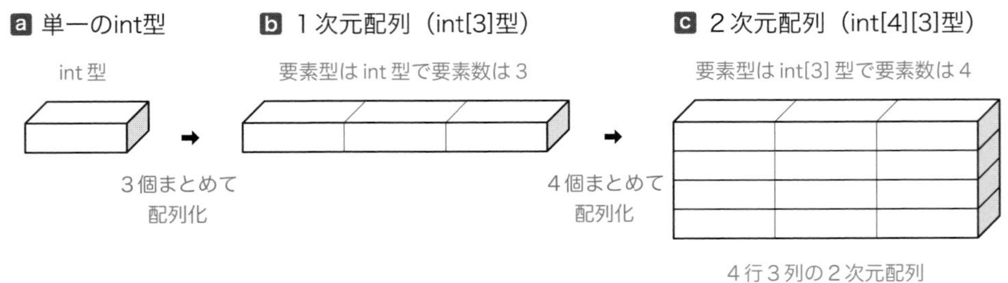

Fig.5-9 1次元配列と2次元配列の派生

その4行3列の2次元配列の**宣言**と**内部構造**を示したのが、**Fig.5-10** です。多次元配列の宣言では、最初にまとめる要素数（2次元配列の場合は列数）を末尾側に置きます。

▶ 要素数を逆にした `int a[3][4];` だと、3行4列の2次元配列となります。
《"int"を要素型とする要素数4の配列》を要素型とする要素数3の配列

配列 a の要素は a[0]、a[1]、a[2]、a[3] の4個です。いずれも、int 型が3個まとめられた int[3] 型の配列です。すなわち、要素の要素が int 型です。

配列でない次元まで分解した要素のことを、本書では**構成要素**と呼びます。各構成要素をアクセスする添字式は、添字演算子 [ ] を連続して適用した a[*i*][*j*] という形式です。

なお、添字が 0 から始まることは1次元配列と共通です。そのため、配列 a の構成要素をアクセスする添字式は、a[0][0]、a[0][1]、a[0][2]、…、a[3][2] の計 12 個です。

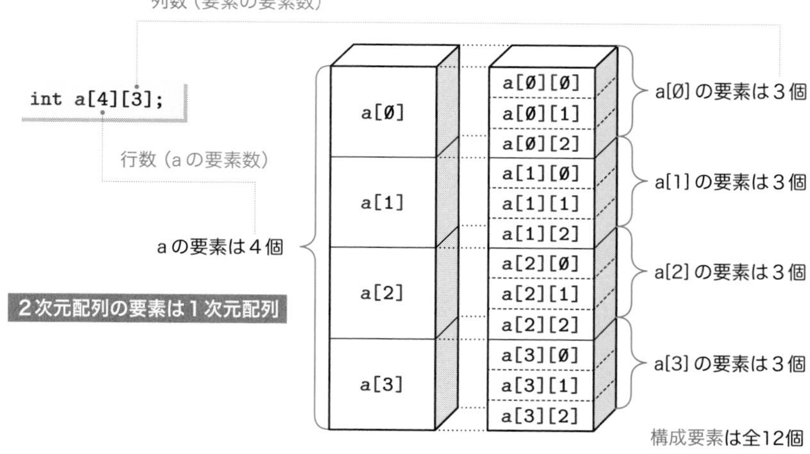

Fig.5-10 4行3列の2次元配列

1次元配列と同様に、多次元配列の全要素／全構成要素は記憶域上に直線状に連続して並びます。

構成要素の並びでは、まず末尾側の添字が順に 0、1、… と増えていき、それから先頭側の添字が 0、1、… と増えていく順番です。

a[0][0] a[0][1] a[0][2] a[1][0] a[1][1] a[1][2] … a[3][0] a[3][1] a[3][2]

そのため、たとえば a[0][2] の直後に a[1][0] が位置する、あるいは、a[2][2] の直後に a[3][0] が位置する、といったことが保証されます。

重要 多次元配列の構成要素は、末尾側の添字が優先的に増えていく順に並ぶ。

2次元配列を応用したプログラムを作りましょう。**List 5-15** に示すのは、テストの点数の合計を求めるプログラムです。学生は4人で、教科は3科目であって、そのテストが2回行われているとして、科目別の合計を求めて表示します。

List 5-15 chap05/list0515.c

```
// 4人の学生の3科目のテスト2回分の合計を求めて表示

#include <stdio.h>

int main(void)
{
    int tensu1[4][3] = { {91, 63, 78}, {67, 72, 46}, {89, 34, 53}, {32, 54, 34} };
    int tensu2[4][3] = { {97, 67, 82}, {73, 43, 46}, {97, 56, 21}, {85, 46, 35} };
    int sum[4][3];          // 合計

    // 2回分の点数の合計を求める
    for (int i = 0; i < 4; i++) {                         // 4人分の
        for (int j = 0; j < 3; j++)                       // 3科目の
            sum[i][j] = tensu1[i][j] + tensu2[i][j];      // 2回分を加算
    }

    // 1回目の点数を表示
    puts("1回目の点数");
    for (int i = 0; i < 4; i++) {
        for (int j = 0; j < 3; j++)
            printf("%4d", tensu1[i][j]);
        putchar('\n');
    }

    // 2回目の点数を表示
    puts("2回目の点数");
    for (int i = 0; i < 4; i++) {
        for (int j = 0; j < 3; j++)
            printf("%4d", tensu2[i][j]);
        putchar('\n');
    }

    // 合計点を表示
    puts("合計点");
    for (int i = 0; i < 4; i++) {
        for (int j = 0; j < 3; j++)
            printf("%4d", sum[i][j]);
        putchar('\n');
    }

    return 0;
}
```

実行結果

```
1回目の点数
  91  63  78
  67  72  46
  89  34  53
  32  54  34
2回目の点数
  97  67  82
  73  43  46
  97  56  21
  85  46  35
合計点
 188 130 160
 140 115  92
 186  90  74
 117 100  69
```

tensu1 と *tensu2* が1回目と2回目の点数を格納する配列で、*sum* は合計点を格納する配列です。いずれも4行3列の2次元配列であり、12個の構成要素に点数を格納します。

具体的には、右ページの **Fig.5-11** に示すように、各行が学生に対応して、各列が科目に対応しています。たとえば、*tensu1*[2][1] は、3番の学生の英語の1回目の点数を表し、*tensu2*[3][2] は、4番の学生の数学の2回目の点数を表します。

▶ 2次元配列 *tensu1* と *tensu2* は初期化子付きで宣言されていますので、すべての構成要素が与えられた初期化子の値で初期化されます。

一方、加算先の配列 *sum* の宣言には初期化子が与えられていませんので、全要素が不定値となります。

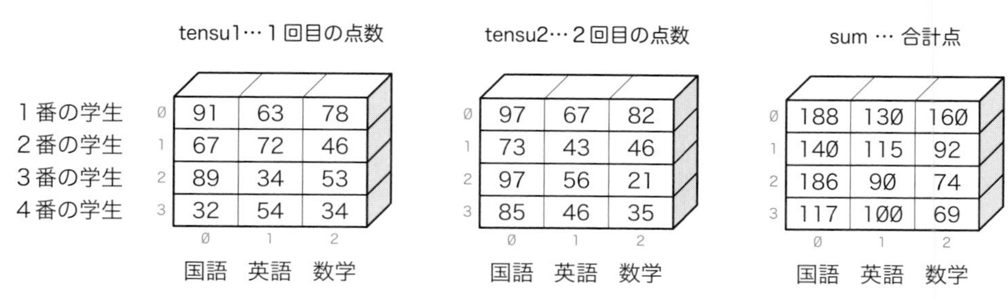

Fig.5-11 4行3列の2次元配列に格納されたテストの点数

点数の加算を行うのが水色の2重ループです。*tensu1*[*i*][*j*] と *tensu2*[*i*][*j*] の値を加えた値を *sum*[*i*][*j*] に代入する作業を、4行3列の全構成要素に対して繰り返します。

▶ 図に示している *sum* の構成要素の値は、合計を求めた後の値です。

＊

本プログラムでは、テストが2回でしたので、2個の2次元配列を利用しました。もし、テストの回数が15回であれば、2次元配列を15個用意するのではなく、2次元配列を15個集めた3次元配列を利用したほうがよさそうです。

その場合、点数の配列は、次のように宣言することになります。

```
int tensu[15][4][3];          // 15回分の4人の3科目の点数
```

3次元配列の各構成要素をアクセスする添字式は、添字演算子 [ ] を3重に適用した形式となります。

構成要素は、先頭から *tensu*[0][0][0]、*tensu*[0][0][1]、…、*tensu*[14][3][2] の順に並びます。

▶ 1次元配列や2次元配列と同様に、全構成要素が連続した領域に配置されます。

演習 5-10

4行3列の行列と3行4列の行列の積を求めるプログラムを作成せよ。各構成要素の値はキーボードから読み込むこと。

演習 5-11

6人の2科目（国語と数学）の点数を読み込んで、科目ごとの合計点と平均点、学生ごとの合計点と平均点を求めるプログラムを作成せよ。

演習 5-12

2回分の点数を3次元配列 *tensu* に格納するように **List 5-15** を書きかえたプログラムを作成せよ。

Column 5-2 配列に関する補足

ここでは、配列に関して、いくつかの点を補足学習します。

▪ 可変長配列（VLA = variable length array）

配列を定義する際は、要素数を定数とするのが原則であることを、p.117 で学習しました。

標準Cの第2版では、その制限が緩和され、要素数を変数とした可変長配列が定義できるようになっています。たとえば、次のようなコードが許されます（**標準Cの第1版ではエラーとなります**）。

```
// 標準C第2版での配列の宣言（第1版ではエラー）
void func(int n)
{
    int a[n];           // 要素数nの配列（要素数は実行時に決定する）
    //--- 中略 ---//
}
```

この言語拡張に対して、私は当初から疑問をもっていました（C言語の設計思想と相容れないからです）。

事実、可変長配列は、標準Cの第3版から“**オプション扱い**”となって、コンパイラはサポートしなくてよいことになっています（コンパイラが可変長配列をサポートしない場合は、`__STDC_NO_VLA__` というマクロが定義されます）。

▪ 要素指示子（designator）

標準Cの第2版では、配列に与える初期化子についても拡張が行われています。要素指示子（**指示付き初期化子**）を使うことで、配列の任意の要素に対する初期化子の指定が行えます。

次に示すのが、宣言の一例です。

```
int a[] = {[2] = 5, 9, [6] = 3, 1};
```

この宣言により、`a[2]` が `5`、その次の要素が `9`、`a[6]` が `3`、その次の要素が `1` で初期化されます。

最後の初期化子が8番目の要素 `a[7]` に対するものであることから、配列 `a` の要素数は自動的に `8` となります。また、初期化子が不足する要素は `0` で初期化されますので、次の宣言と同等です。

```
int a[8] = {0, 0, 5, 9, 0, 0, 3, 1};
```

なお、要素数が `1000` の配列の最後の要素のみを `1` で初期化して、それ以外の要素を `0` で初期化するのであれば、次のようになります。

```
int a[1000] = {[999] = 1};
```

第 12 章で学習する**構造体**型のオブジェクトを宣言する際に与える初期化子でも、要素指示子が利用できるようになっています。

＊

ここまでに紹介した二つの機能は、C++ には取り入れられていません。プログラミング言語 C++ の開発者である Bjarne Stroustrup 氏は、著書の中で次のように述べられています[(8)]。

> **C 言語が C89 から C99 に進化したときに、C++ は機能として誤っている VLA（可変長配列：variable-length array）と、冗長である指示付き初期化子（designated initializer）以外の、ほとんどの新機能を取り込んだ。**

可変長配列は、言語設計上のミスと考えるべきです。正式に取り入れられたのが、標準Cの第2版のみということもあり、その利用はおすすめできません。

▪ 配列の動的な生成

配列の要素数をプログラム実行時に決定する必要がある場合は、*calloc* 関数と *free* 関数を使って実現します（標準Cの第1版を含め、すべてのバージョンに対応する手法です）。

List 5C-1 に示すのが、プログラム例です。

List 5C-1 chap05/listC0501.c

```
// int型の配列を動的に生成して破棄

#include <stdio.h>
#include <stdlib.h>

int main(void)
{
    int na;      // 配列aの要素数

    printf("要素数：");
    scanf("%d", &na);

    int *a = calloc(na, sizeof(int));   // 要素数naのint型配列を生成

    if (a == NULL)
        puts("記憶域の確保に失敗しました。");
    else {
        printf("%d個の整数を入力してください。\n", na);
        for (int i = 0; i < na; i++) {
            printf("a[%d] : ", i);
            scanf("%d", &a[i]);
        }

        printf("各要素の値は次のとおりです。\n");
        for (int i = 0; i < na; i++)
            printf("a[%d] = %d\n", i, a[i]);

        free(a);               // 要素数naのint型配列を破棄
    }

    return 0;
}
```

実行例

```
要素数：5↵
5個の整数を入力
してください。
a[0] : 1↵
a[1] : 7↵
a[2] : 2↵
a[3] : 4↵
a[4] : 6↵
各要素の値は次の
とおりです。
a[0] = 1
a[1] = 7
a[2] = 2
a[3] = 4
a[4] = 6
```

本プログラムの理解のためには、入門書である本書の学習の対象外の知識が必要ですので、ここでは、要点のみを簡単に解説します。

- 変数 a は、int 型ではなく、（第10章で学習する）ポインタです。
- *calloc* 関数は、プログラムの実行時に記憶域を確保する関数です（特殊な空き領域から、メモリを借りてくる関数です）。確保されたオブジェクトの生存期間は、割り付け記憶域期間となります。
  第1引数に与えるのは、確保する配列の要素数で、第2引数に与えるのは、要素の大きさ（バイト数）です。
- 上記の関数の返却値を変数 a に入れることによって、ポインタ a は配列の先頭要素を指すポインタとなります（ポインタは、あたかも配列のように振る舞います：p.296）。
- *free* 関数は、確保していた記憶域を解放する関数です（借りていたメモリを返す関数です）。

  詳細は、明解**C言語シリーズ**の、他の書籍で学習していただけると幸いです。

まとめ

- 同一型のオブジェクトを集めて、記憶域上に連続して一直線に並べたものが、配列である。配列は、要素型、要素数、与えられた名前で特徴付けられる。

- 要素型が Type である配列は、Type の配列と呼ばれる。なお、要素数が *n* の Type の配列の型は Type[*n*] 型である。

- 配列の個々の要素は、添字演算子 [ ] を使った添字式でアクセスする。[ ] の中に与える添字は、先頭要素から何個後ろに位置するのかを表す整数値である。要素数が *n* の配列の要素をアクセスする式は、先頭から順に a[0]、a[1]、…、a[*n* - 1] である。

- オブジェクト形式マクロは、#define 指令を使って定義する。

```
#define a b
```

  は、この指令以降の a を b に置換する。置換対象の a はマクロ名と呼ばれる。

- オブジェクト形式マクロで定数に名前を与えると、マジックナンバーを除去できる。

- 配列の宣言時には、要素数を**定数式**として与えるのが基本である。オブジェクト形式マクロで要素数を表す値を定義しておくと、要素数の変更が柔軟に行える。

- 配列の要素を一つずつ順になぞっていくことを、走査という。

- 配列に与える初期化子は、個々の要素に対する初期化子○、△、□を先頭から順に並べたものを { } で囲んだ { ○ , △ , □ , } という形式である。最後のコンマは省略できる。
  要素数の指定を省略した場合は、初期化子の個数に基づいて要素数が決定する。また、指定された要素数に対して { } 内の初期化子が不足する場合、初期化子が与えられていない要素は 0 で初期化される。

- 配列を要素とする配列が、多次元配列である。多次元配列を配列でない次元まで分解した要素が、構成要素である。個々の構成要素は、次元数の数だけ添字演算子 [ ] を多重に適用した式によってアクセスできる。

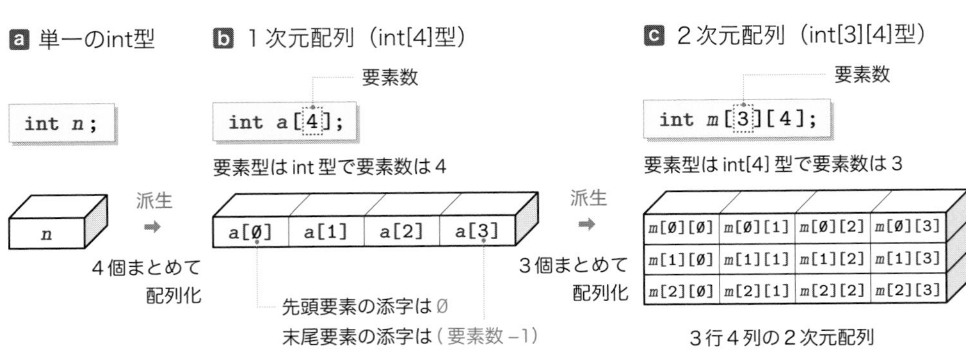

- 多次元配列の構成要素は、末尾側の添字が優先的に増えていく順に並ぶ。

- 代入式を評価すると、代入後の左オペランドの型と値が得られる。

- 代入演算子 = によって配列の全要素を丸ごとコピーすることはできない。

chap05/summary.c

```
// 第５章のまとめ

#include <stdio.h>

#define SIZE    5        // 配列aとbの要素数

int main(void)
{
    int sum;

    // 配列aとbはint[5]型の１次元配列（要素型はintで要素数は5）
    int a[SIZE];                   // 全要素を不定値で初期化
    int b[SIZE] = {1, 2, 3};       // {1, 2, 3, 0, 0}で初期化

    // 配列cはint[2][3]型の２次元配列（要素型はint[3]で要素数は2）
    int c[2][3] = {
        {11, 22, 33},
        {44, 55, 66},
    };                             このコンマは省略可

    // 配列bの全要素をaにコピー
    for (int i = 0; i < SIZE; i++)
        a[i] = b[i];

    // 配列aの全要素の値を表示
    for (int i = 0; i < SIZE; i++)
        printf("a[%d] = %d\n", i, a[i]);

    // 配列bの全要素の値を表示
    for (int i = 0; i < SIZE; i++)
        printf("b[%d] = %d\n", i, b[i]);

    // 配列aの全要素の合計をsumに求めて表示
    sum = 0;
    for (int i = 0; i < SIZE; i++)
        sum += a[i];
    printf("配列aの全要素の合計＝%d\n", sum);

    // 配列cの全構成要素の値を表示
    for (int i = 0; i < 2; i++) {
        for (int j = 0; j < 3; j++) {
            printf("c[%d][%d] = %d\n", i, j, c[i][j]);
        }
    }

    return 0;
}
```

実行結果

```
a[0] = 1
a[1] = 2
a[2] = 3
a[3] = 0
a[4] = 0
b[0] = 1
b[1] = 2
b[2] = 3
b[3] = 0
b[4] = 0
配列aの全要素の合計＝6
c[0][0] = 11
c[0][1] = 22
c[0][2] = 33
c[1][0] = 44
c[1][1] = 55
c[1][2] = 66
```

第6章

関　数

前章までは、画面に表示を行うときにはprintf関数、puts関数、putchar関数を利用して、キーボードからの読込みを行うときにはscanf関数を利用してきました。

すなわち、入出力の処理を行うたびに、各関数に対して、『お願いしましたよ！』と頼むばかりでした。

しかし、このような“人まかせ”だけでは、作成できるプログラムには限界が生じます。

本章では、関数を作る方法や使う方法などを学習します。

6-1 関数とは

プログラムは、多くの部品の組合せで構成されます。プログラムの部品の単位の一つが、本章で学習する関数です。

main 関数とライブラリ関数

これまで学習してきたすべてのプログラムは、**Fig.6-1** に示す形式でした。この中の赤色の部分は、`main` 関数（main function）と呼ばれます。

`main` 関数は1個だけ必要であり、プログラムの実行時には、その本体部が実行されます。

前章までは、`main` 関数の中で、*printf* 関数、*puts* 関数、*scanf* 関数といった関数を利用してきました。

C言語によって標準で提供される、これらの関数は、ライブラリ関数（library function）と呼ばれます。

```
#include <stdio.h>

int main(void)
{
    // … 中略 …

    return 0;
}
```

Fig.6-1 main 関数

関数とは

関数（function）は、自分でも作成できます。というよりも、どんどん関数を作っていかなければなりません。まずは、次の関数の作成にチャレンジしましょう。

二つの整数を受け取って、大きいほうの値を求めて返す関数。

この関数のイメージを、回路ふうの図で表したのが、**Fig.6-2** です。

さて、*printf* 関数などのライブラリ関数は、中身を知らなくても、使い方さえ分かれば、容易に使いこなせる"魔法の回路"のような存在です。

魔法の回路ともいえる関数を使いこなすには、提供する側と、使う側の両方の立場にたった、右記の二つの学習が必要です。

- 関数の作り方 … 関数定義
- 関数の使い方 … 関数呼出し

▶ function には、『機能』『作用』『働き』『仕事』『効用』『職務』『役目』などの意味があります。

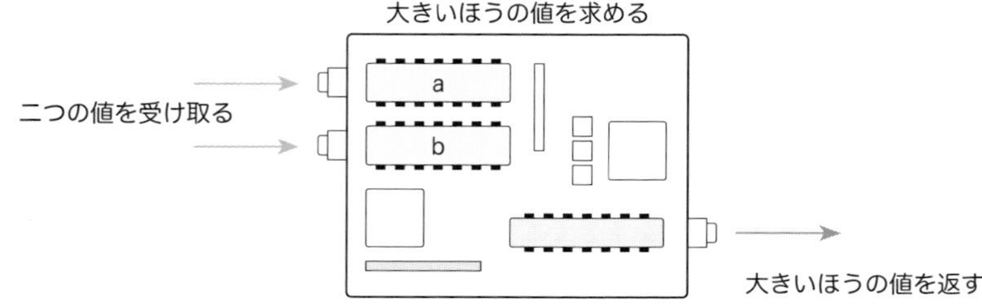

Fig.6-2 二つの値の大きいほうの値を求める関数のイメージ

関数定義

まずは、関数の作り方を学習します。ここで考えている関数を、*max2* という名前で宣言するのが、**Fig.6-3** です。

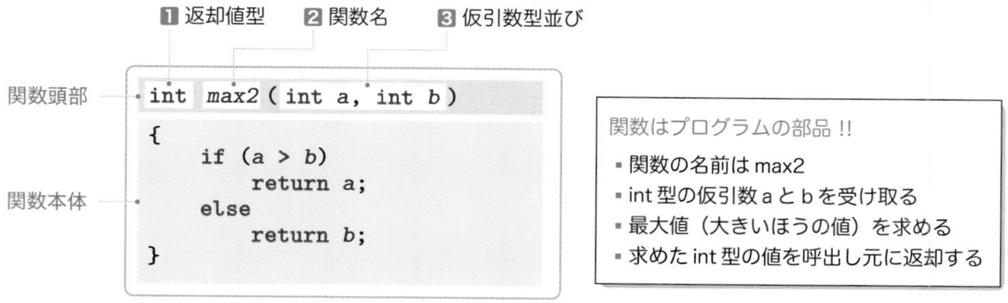

```
int  max2 ( int a, int b )
{
    if (a > b)
        return a;
    else
        return b;
}
```


Fig.6-3 関数定義の構造

この宣言は関数定義（function definition）と呼ばれ、多くのパーツで構成されています。

▪ 関数頭部（function header）

関数の名前を含む**仕様**を記述する部分です。関数頭部という名前ですが、関数の“顔”と表現したほうが適切かもしれません。

1 返却値型（return type）

関数が戻す値である返却値（return value）の型です。関数 *max2* の場合、求めて返却するのが二つの **int** 型の大きいほうの値ですから、その型である **int** となっています。

2 関数名（function name）

関数の名前です。この名前をもとに、他の部品から呼び出されます。

3 仮引数型並び（parameter type list）

( ) の中は、補助的な指示を受け取るための変数である仮引数（かりひきすう）（parameter）の宣言です。

通常の変数の宣言と同様に、**型**と**変数名**（仮引数名）を宣言します。なお、本関数のように、複数の仮引数を受け取る場合は、各仮引数の宣言をコンマ **,** で区切って並べます。

▶ 関数 *max2* では、**a** と **b** のいずれもが **int** 型の仮引数として宣言されています。

▪ 関数本体（function body）

関数の本体は、呼び出された際に実行する処理を記述した**複合文**です。

関数の中でのみ利用する変数があれば、この複合文の中で宣言・利用するのが原則です（ただし、関数 *max2* にはありません）。

なお、仮引数と同一名の変数は宣言できません（名前が衝突するからです）。

関数呼出し

関数の**作り方**＝**関数定義**の概要が分かりました。次は、**使い方**＝**関数呼出し**です。関数 *max2* を定義して利用する **List 6-1** のプログラムで理解していきましょう。

List 6-1 chap06/list0601.c

```
// 二つの整数の大きいほうの値を求める

#include <stdio.h>

//--- 大きいほうの値を返す ---//
int max2(int a, int b)
{
    if (a > b)
        return a;
    else
        return b;
}

int main(void)
{
    int n1, n2;

    puts("二つの整数を入力せよ。");
    printf("整数１：");   scanf("%d", &n1);
    printf("整数２：");   scanf("%d", &n2);

    printf("大きいほうの値は%dです。\n", max2(n1, n2));

    return 0;
}
```

呼び出されたときに実行される

プログラムの実行

実行例

```
① 二つの整数を入力せよ。
   整数１：45↵
   整数２：83↵
   大きいほうの値は83です。

② 二つの整数を入力せよ。
   整数１：37↵
   整数２：21↵
   大きいほうの値は37です。
```

二つの関数（関数 *max2* と **main** 関数）が定義されています。プログラムが起動された際に実行されるのは **main** 関数です。

▶ **main** 関数より先頭側で定義されている *max2* 関数のほうが先に実行されることはありません。

関数を使う際に“**関数を**呼び出す”ことは、第１章で学習しました（p.6）。関数 *max2* を呼び出しているのが、プログラムの水色の式（右ページの **Fig.6-4** の ［　　］ 部）です。

この式 *max2(n1, n2)* は、次の依頼と考えるとよいでしょう。

> **関数 *max2* さん、int 型の整数値 *n1* と *n2* を渡しますので、それらの大きいほうの値を教えてください！**

関数呼出しの際に、関数名の後ろに置く **( )** は、関数呼出し演算子（function call operator）です。そのため、この式は、関数呼出し式（function call expression）となります。

▶ ○○演算子を使う式は、○○式と呼ぶのでした（p.29）。

なお、関数呼出し演算子 **( )** の中に、補助的な指示である実引数（じつひきすう）（argument）を与えることや、実引数が２個以上ある場合に、コンマ **,** で区切ることは、第１章で学習ずみです。

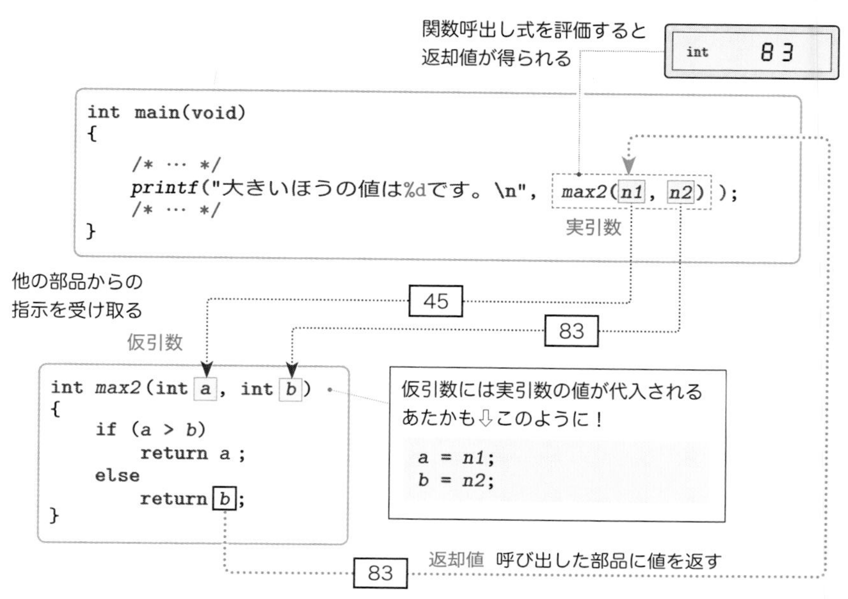

Fig.6-4 関数呼出しと値の返却

関数呼出しが行われると、プログラムの流れは、その関数へと一気に移ります。具体的には、**main** 関数の実行が一時的に中断されて、関数 ***max2*** の実行が開始されます。

その際、仮引数用の変数が生成された上で、実引数の値が**代入されます**。実行例①の場合、仮引数 a と b が作られて、実引数 *n1* の値 45 と、*n2* の値 83 が代入されます。

重要 関数呼出しが行われると、プログラムの流れは呼び出された関数に移る。その際、呼出し側が与えた実引数の値が、関数が受け取る仮引数に代入される。

仮引数への値の代入が終わると、関数本体の複合文が実行されます。

＊

関数本体の実行中に、プログラムの流れが **return 文**（return statement）に出会うか、関数本体の末尾の } に到達すると、関数から抜け出して、呼び出した場所に戻ります。

すなわち、プログラムの流れは呼出し元に戻って、中断されていた **main** 関数の実行が再開されます。戻る際の《手みやげ》が、**return** の後ろに置かれた式の値（図の例では、式 b の値 83）です。

その返却値は、**関数呼出し式の評価**で得られる仕組みです。図の場合、[破線枠] で囲んだ関数呼出し式 ***max2(n1, n2)*** を評価した値が『**int** 型の 83』となります。

重要 return 文は、関数の実行を終了させて、プログラムの流れを呼出し元に戻すとともに値を返却する。その返却値は、関数呼出し式の評価によって得られる。

その結果、関数 ***max2*** の返却値 83 が ***printf*** 関数に渡されて、その値が表示されます。

関数呼出し演算子の概要をまとめたのが、**Table 6-1** です。

Table 6-1 関数呼出し演算子

関数呼出し演算子	`x(arg)`	関数 `x` に実引数 `arg` を渡して呼び出す（`arg` は 0 個以上の実引数をコンマで区切ったもの）。（返却値型が `void` でなければ）関数 `x` が返却した値を生成する。

▶ 返却値型の `void` は、p.152 で学習します。

さて、呼出し側の実引数は、変数ではなく定数でも構いません。

たとえば、次の関数呼出しは、変数 `n1` と 5 の大きいほうの値を求めて返却します。

```
max2(n1, 5)          // n1と5の大きいほうの値を求める
```

return 文と返却値

前ページで学習した `return` 文の構文図を **Fig.6-5** に示しています。

関数が返却するのは、`return` に続く**式**の値です。

構文図が示すように、`return` の後ろに置く**式**は 0 個か 1 個です。関数は**2個以上の値を返却できない**ことが分かります。

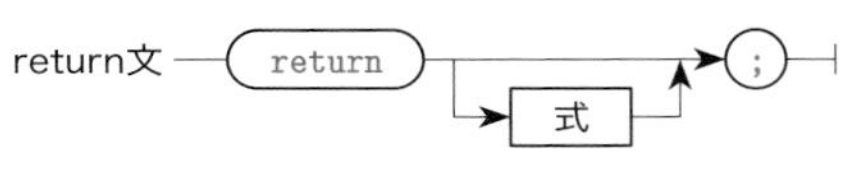

Fig.6-5 return 文の構文図

*

単純な関数 `max2` ですが、いろいろな実現法が考えられます。その一例が、**Fig.6-6** です。

▶ aとbでは、大きいほうの値を格納するための変数 `max` を使っています。関数の中でのみ利用する変数は、その関数中で宣言するのが原則です（p.143）。ただし、その変数の名前を、仮引数（この例では `a` と `b`）と同じにすることはできません。

a "chap06/list0601a.c"

```
int max2(int a, int b)
{
    int max;

    if (a > b)
        max = a;
    else
        max = b;

    return max;
}
```

b "chap06/list0601b.c"

```
int max2(int a, int b)
{
    int max = a;

    if (b > max)
        max = b;

    return max;
}
```

c "chap06/list0601c.c"

```
int max2(int a, int b)
{
    return a > b ? a : b;
}
```

Fig.6-6 関数 max2 の実現例

さて、これら三つの関数が **List 6-1** と異なるのは、`return` 文が1個だけという点です。

関数の入口（いりぐち）は一つです。出口（でぐち）がたくさんあると、プログラムの構造が把握しづらくなります。なるべく `return` 文を1個にして、出口を一本化したほうが好ましいと考えられます。

3値の最大値を求める関数

今度は、三つの整数の最大値を求める関数を作りましょう。その関数 *max3* と、それを呼び出す main 関数とで構成されるプログラムを **List 6-2** に示します。

List 6-2 chap06/list0602.c

```
// 三つの整数の最大値を求める

#include <stdio.h>

//--- 三つの整数の最大値を返す ---//
int max3(int a, int b, int c)
{
    int max = a;
    if (b > max) max = b;
    if (c > max) max = c;

    return max;
}

int main(void)
{
    int a, b, c;

    puts("三つの整数を入力せよ。");
    printf("整数a：");    scanf("%d", &a);
    printf("整数b：");    scanf("%d", &b);
    printf("整数c：");    scanf("%d", &c);

    printf("最大値は%dです。\n", max3(a, b, c));

    return 0;
}
```

実行例

```
三つの整数を入力せよ。
整数a：5
整数b：3
整数c：4
最大値は5です。
```

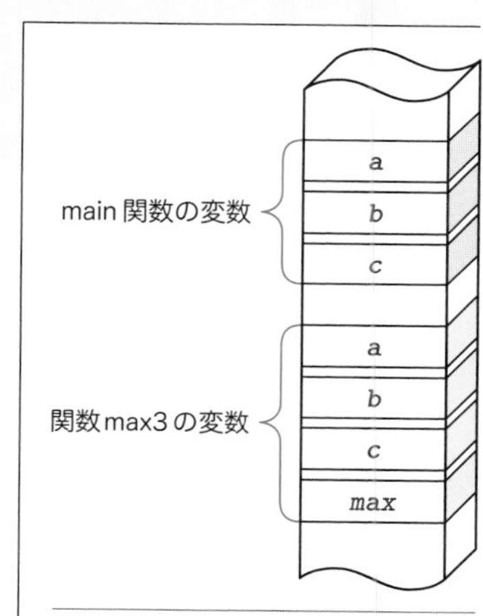

Fig.6-7 二つの関数と変数

Fig.6-7 に示すように、関数が受け取る仮引数や、関数内で定義される変数は、それぞれの関数に独自のものです。関数 *max3* の仮引数 *a*、*b*、*c* と、main 関数の変数 *a*、*b*、*c* は、たまたま名前が同一というだけであって、何の関係もありません。

『実引数と仮引数の変数名が同じでも大丈夫だろうか。』といった心配も無用です。

▶ 関数 *max3* を呼び出す際に、main 関数の *a*、*b*、*c* の値が、それぞれ関数 *max3* の仮引数 *a*、*b*、*c* に渡されて代入されます。

演習 6-1

二つの int 型整数の小さいほうの値を返す関数を作成せよ。

```
int min2(int a, int b);
```

動作確認のための main 関数などを含むプログラムを作ること（以降の演習でも同様である）。

演習 6-2

三つの int 型整数の最小値を返す関数を作成せよ。

```
int min3(int a, int b, int c);
```

※ ; の意味は、p.157 で学習します。

関数の返却値を引数として関数に渡す

次は、プログラム中に（main 関数とは別に）関数を2個作成しましょう。**List 6-3** に示すのは、二つの整数を読み込んで、その2乗値の差を求めて表示するプログラムです。

List 6-3 chap06/list0603.c

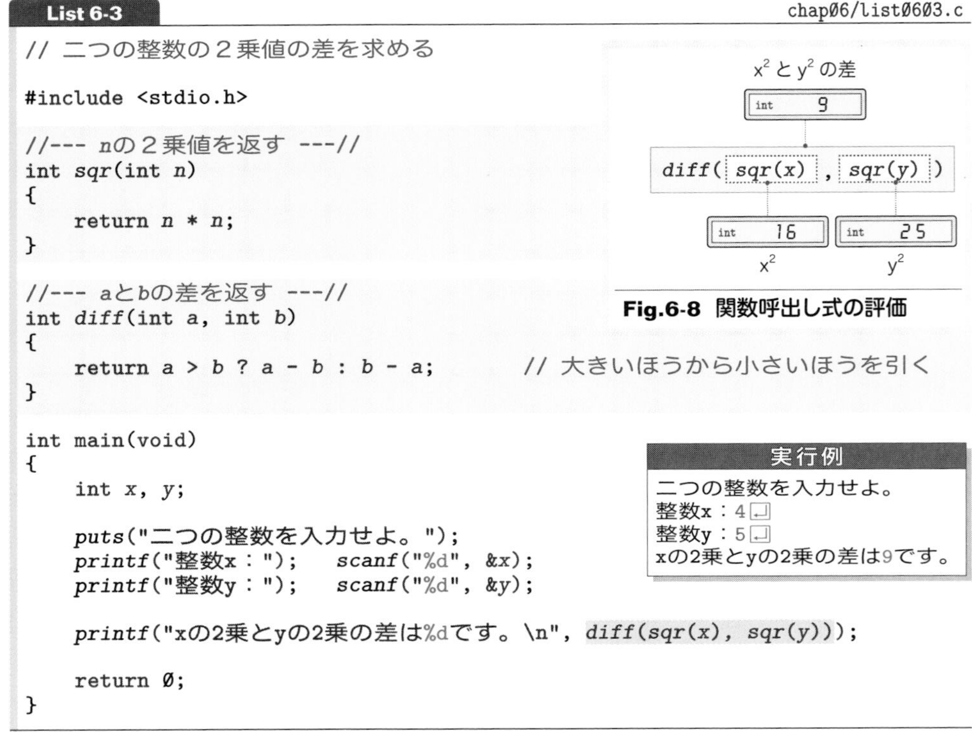

```
// 二つの整数の２乗値の差を求める

#include <stdio.h>

//--- nの２乗値を返す ---//
int sqr(int n)
{
    return n * n;
}

//--- aとbの差を返す ---//
int diff(int a, int b)
{
    return a > b ? a - b : b - a;        // 大きいほうから小さいほうを引く
}

int main(void)
{
    int x, y;

    puts("二つの整数を入力せよ。");
    printf("整数x：");    scanf("%d", &x);
    printf("整数y：");    scanf("%d", &y);

    printf("xの2乗とyの2乗の差は%dです。\n", diff(sqr(x), sqr(y)));

    return 0;
}
```


Fig.6-8 関数呼出し式の評価

実行例
```
二つの整数を入力せよ。
整数x：4↵
整数y：5↵
xの2乗とyの2乗の差は9です。
```

二つの関数は、次のことを行います。

・関数 *sqr* ：仮引数 *n* に受け取った値の２乗値を求めて返却する。

・関数 *diff*：仮引数 a と b に受け取った値の差を求めて返却する。

プログラム赤色部の関数呼出し式に着目しましょう。呼び出している関数が *diff* で、与えている二つの実引数は *sqr* を呼び出す関数呼び出し式です。

実行例の場合、**Fig.6-8** に示すように、関数呼出し式 *sqr*(*x*) と *sqr*(*y*) を評価した値は、16 と 25 となります。その二つの値 16 と 25 が、そのまま関数 *diff* を呼び出す際の実引数として渡されますので、関数呼出し式 *diff*(*sqr*(*x*), *sqr*(*y*)) は、*diff*(16, 25) となります。

この関数呼出し式を評価すると、関数 *diff* が返却する 9 が得られます。

main 関数では、その返却値をそのまま *printf* 関数に渡して表示を行っています。

演習 6-3

int 型整数の３乗値を返す関数を作成せよ。

```
int cube(int x);
```

自作の関数を呼び出す関数

これまで、main 関数の中で、ライブラリ関数や自作の関数を呼び出してきました。次は、自作の関数の中で、別の自作関数を呼び出すことにします。**List 6-4** が、そのプログラム例です。

List 6-4 chap06/list0604.c

```
// 四つの整数の最大値を求める

#include <stdio.h>

//--- 大きいほうの値を返す ---//
int max2(int a, int b)
{
    return a > b ? a : b;
}

//--- 四つの整数の最大値を返す ---//
int max4(int a, int b, int c, int d)
{
    return max2(max2(a, b), max2(c, d));
}

int main(void)
{
    int n1, n2, n3, n4;

    puts("四つの整数を入力せよ。");
    printf("整数n1 : ");    scanf("%d", &n1);
    printf("整数n2 : ");    scanf("%d", &n2);
    printf("整数n3 : ");    scanf("%d", &n3);
    printf("整数n4 : ");    scanf("%d", &n4);

    printf("最も大きい値は%dです。\n", max4(n1, n2, n3, n4));

    return 0;
}
```

実行例

```
四つの整数を入力せよ。
整数n1 : 5↵
整数n2 : 3↵
整数n3 : 8↵
整数n4 : 4↵
最も大きい値は8です。
```

関数 *max4* の赤色部では、関数 *max2* を使って、次のように4値の最大値を求めています。

『a と b の大きいほうの値』と『c と d の大きいほうの値』の大きいほうの値

関数は、プログラムの《**部品**》です。もし部品を作るときに、それを実現するのに便利な部品があるのならば、どんどん使っていきましょう。

重要 関数はプログラムの部品である。部品を作るのに便利な部品があれば、それを積極的に利用する。

演習 6–4

int 型整数の４乗値を返す関数を作成せよ。

```
int pow4(int x);
```

関数の内部で、**List 6-3** の関数 *sqr* を呼び出すこと。

値渡し

次は、べき乗を求める関数を作成します。*n* が整数であれば、*x* の *n* 乗は、*x* を *n* 回掛け合わせることで求められます。この考えに基づいて作ったのが、**List 6-5** のプログラムです。

List 6-5 chap06/list0605.c

```
// べき乗を求める

#include <stdio.h>

//--- xのn乗を返す ---//
double power(double x, int n)
{
    double tmp = 1.0;

    for (int i = 1; i <= n; i++)
        tmp *= x;    // tmpにxを掛ける
    return tmp;
}

int main(void)
{
    double a;
    int b;

    printf("aのb乗を求めます。\n");
    printf("実数a : ");   scanf("%lf", &a);
    printf("整数b : ");   scanf("%d",  &b);

    printf("%.2fの%d乗は%.2fです。\n", a, b, power(a, b));

    return 0;
}
```

実行例

```
aのb乗を求めます。
実数a : 4.6
整数b : 3
4.60の3乗は97.34です。
```

関数呼出しの際の、引数の受渡しについて考えていきます。右ページの **Fig.6-9** に示すように、仮引数 *x* に実引数 a の値が代入され、仮引数 *n* に実引数 *b* の値が代入されます。

引数として《値》がやりとりされるメカニズムは、値渡し（pass by value）と呼ばれます。

＊

さて、*x* の値の掛け合わせは、*n* の値を 5、4、…、1 とカウントダウンしていくことでも行えます。そのように書きかえた関数 *power* が、**List 6-6** です。

List 6-6 chap06/list0606.c

```
//--- xのn乗を返す ---//
double power(double x, int n)
{
    double tmp = 1.0;

    while (n-- > 0)
        tmp *= x;    // tmpにxを掛ける
    return tmp;
}
```

ループカウンタ用の変数 *i* が除去された結果、関数はコンパクトになっています。

ただし、*n* の値は、デクリメントされていく結果として、関数の終了時には -1 となります。そうすると、

仮引数 *n* の値を変更すると、実引数 *b* の値までもが変更されてしまうのではないか？

と感じられるかもしれませんが、心配無用です。

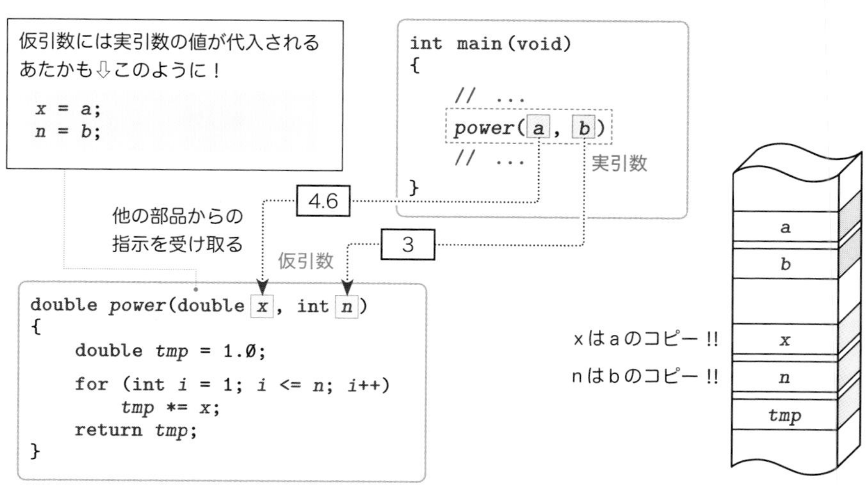

Fig.6-9 関数呼出しにおける引数の値渡し

やりとりされるのは単なる**値**ですから、仮引数 *n* は実引数 b の**コピー**にすぎません。本のコピーをとって、そのコピーに赤鉛筆で何かを書き込んでも、もとの本には、何の影響もないのと同じ理屈です。

重要 関数間の引数の受渡しは、値渡しによって行われる。そのため、関数本体の中で仮引数の値を変更しても、実引数の値に影響が及ぶことはない。

関数 *power* から main 関数に戻った後の実引数 b の値は 3 のままです（-1 にはなりません）。

＊

さて、関数 *power* の第1引数は double 型です。この引数に対して、次のように int 型の値を渡しても、べき乗は、正しく求められます（"chap06/list0606a.c"）。

```
power(5, 3);          // 5の3乗が求められる
```

実引数と仮引数の型が一致しないときは、暗黙の型変換が行われるのです。

重要 仮引数とは異なる型の実引数を渡すと、必要に応じて暗黙の型変換が行われる。

▶ すなわち、第1引数の 5 が、double 型の 5.0 へと格上げされた上で関数に渡されます。
ただし、次のように、暗黙の型変換を行えない場合は、エラーとなります。

```
power("*", 5);    // エラー：文字列を数値に暗黙に変換することはできない
```

演習 6-5

1 から *n* までの全整数の和を求めて返却する関数を作成せよ。

```
int sumup(int n);
```

6-2 関数の設計

前節では、関数の定義と呼出しの基礎を学習しました。本節では、より本格的な関数の作り方などを学習していきます。

値を返さない関数

第４章では、記号文字を並べて三角形を表示するプログラムを作りました（p.105）。任意の個数だけ＊を連続表示する関数を定義して、それを呼び出すことで『左下側が直角の直角二等辺三角形』を表示するのが、**List 6-7** のプログラムです。

List 6-7 chap06/list0607.c

```
// 左下直角の直角二等辺三角形を表示（関数版）

#include <stdio.h>

//--- 記号文字'*'をn個連続して表示 ---//
void put_stars(int n)
{
    while (n-- > 0)
        putchar('*');
}

int main(void)
{
    int len;

    printf("左下直角二等辺三角形を作ります。\n");
    printf("短辺：");
    scanf("%d", &len);

    for (int i = 1; i <= len; i++) {
        put_stars(i);
        putchar('\n');
    }

    return 0;
}
```

カウントダウンの制御式は p.150 の List 6-6 と同じ

実行例

```
左下直角二等辺三角形
を作ります。
短辺：5
*
**
***
****
*****
```

```
//--- 参考：List 4-20（p.105）---//
for (int i = 1; i <= len; i++) {
    for (int j = 1; j <= i; j++)
        putchar('*');
    putchar('\n');
}
```

関数 ***put_stars*** は表示を行うだけであって、返却するものがありません。このような関数の返却値型は、void（ボイド）とします（**void** は、『空（から）の』という意味です）。

重要 値を返却しない関数の返却値型は、voidとする。

関数の汎用性

関数 ***put_stars*** を導入したおかげで、三角形表示の２重ループが１重ループに変更され、プログラムの見とおしがよくなりました。それでは、右下側が直角の直角二等辺三角形を表示するプログラムを作りましょう。右ページの **List 6-8** に示すのが、そのプログラムです。

List 6-8 chap06/list0608.c

```
// 右下直角の直角二等辺三角形を表示（関数版）

#include <stdio.h>

//--- 文字chをn個連続して表示 ---//
void put_chars(int ch, int n)
{
    while (n-- > 0)
        putchar(ch);
}

int main(void)
{
    int len;

    printf("右下直角二等辺三角形を作ります。\n");
    printf("短辺：");
    scanf("%d", &len);

    for (int i = 1; i <= len; i++) {
        put_chars(' ', len - i);
        put_chars('*', i);
        putchar('\n');
    }

    return 0;
}
```

実行例

```
右下直角二等辺三角形
を作ります。
短辺：5
    *
   **
  ***
 ****
*****
```

```
//--- 参考：List 4-21（p.105）---//
for (int i = 1; i <= len; i++) {
    for (int j = 1; j <= len - i; j++)
        putchar(' ');
    for (int j = 1; j <= i; j++)
        putchar('*');
    putchar('\n');
}
```


今回は、空白文字' 'の連続表示と、記号文字'*'の連続表示が必要です。その役目を担う関数put_charsは、仮引数chに与えられた文字を、n個連続して表示する関数です。

▶ 文字定数がint型であることは、第4章のp.86で学習しました。関数間でやりとりする文字の引数も、char型ではなくint型とします。

main関数のfor文では、関数put_charsを次のように呼び出しています。

- put_chars(' ', len - i);　　len - i個の' 'の表示を依頼
- put_chars('*', i);　　i個の'*'の表示を依頼

空白文字' 'の連続表示と、'*'の連続表示の両方がput_charsにゆだねられています。

前のプログラムの関数put_starsは、表示できるのが'*'に限られていましたが、本プログラムの関数put_charsは、任意の文字が表示できるという点で、汎用性（はんようせい）が高い（使い道が広い）ものとなっています。

重要 関数はなるべく汎用性の高いものとしよう。

演習 6-6

警報をn回連続して発する関数を作成せよ。

```
void alert(int n);
```

引数を受け取らない関数

List 6-9 を考えましょう。正の整数値を読み込んで、逆順に表示するプログラムです。

▶ 本プログラムは、List 4-10（p.90）をベースにして書きかえたものです。

List 6-9　chap06/list0609.c

```
// 読み込んだ正の整数値を逆順に表示

#include <stdio.h>

//--- 正の整数を読み込んで返す ---//
int scan_pint(void)
{
    int tmp;

    do {
        printf("正の整数を入力せよ：");
        scanf("%d", &tmp);
        if (tmp <= 0)
            puts("\a正でない数を入力しないでください。");
    } while (tmp <= 0);
    return tmp;
}

//--- 非負の整数を反転した値を返す ---//
int rev_int(int num)
{
    int tmp = 0;

    if (num > 0) {
        do {
            tmp = tmp * 10 + num % 10;
            num /= 10;
        } while (num > 0);
    }
    return tmp;
}

int main(void)
{
    int nx = scan_pint();

    printf("反転した値は%dです。\n", rev_int(nx));

    return 0;
}
```

引数を受け取らない

引数を与えない

実行例

```
正の整数を入力せよ：-5
正でない数を入力しないでください。
正の整数を入力せよ：128
反転した値は821です。
```

関数 *scan_pint* は、正の整数値を読み込んで、その値を返す関数です。この関数は、受け取る仮引数がないため、( ) の中が **void** と宣言されています。

重要 引数を受け取らない関数は、仮引数型並びを void と宣言する。

呼出し側でも、関数呼出し演算子 ( ) の中を空にします（与える実引数がないからです）。

▶ C言語プログラムの『決まり文句』の一部である

```
int main(void)
```

が、**main** 関数が引数を受け取らないことの宣言であることが分かりました。

関数の返却値での初期化

main 関数冒頭の変数 *nx* の宣言に着目します。関数呼出し式 *scan_pint()* が、初期化子として与えられています。そのため、関数の返却値（関数 *scan_pint* の実行時にキーボードから読み込んだ非負の整数値）で、変数 *nx* が初期化されることが分かります。

▶ このように、プログラムの実行時に初期値が決定するタイプの初期化は、p.174 で学習する**自動記憶域期間**をもつオブジェクトに限られます。

ブロック有効範囲

関数 *scan_pint* と関数 *rev_int* の両方に、同じ識別子（名前）の変数 *tmp* がありますが、それぞれの関数に独自のものです（p.147）。

Fig.6-10 に示すように、関数 *scan_pint* 中の変数 *tmp* は関数 *scan_pint* に特有のものであり、関数 *rev_int* 中の変数 *tmp* は関数 *rev_int* に特有のものです。

```
int scan_pint(void)
{
    int tmp ;
    // …
    return tmp;
}
```

```
int rev_int(int num )
{
    int tmp = 0;
    // …
    return tmp;
}
```

```
int main(void)
{
    int nx = scan_pint();
    // …
    return 0;
}
```

Fig.6-10 関数内で宣言されたオブジェクト

変数や関数の識別子（名前）には、どこからどこまで通用するのかという**範囲**が決められています。その範囲を表すのが、有効範囲（スコープ）（scope）です。

ブロック（複合文）の中で宣言された変数の名前は、変数が宣言された場所から、その宣言を囲むブロック終端の } まで通用します（ブロックの外には通用しません）。

この有効範囲は、ブロック有効範囲（block scope）と呼ばれます。

重要 ブロック（複合文）の中で宣言された変数の名前には、宣言された場所から、その宣言を囲むブロック終端の } まで通用するブロック有効範囲が与えられる。

演習 6-7

画面に『こんにちは。』と表示する関数を作成せよ。

```
void hello(void);
```

ファイル有効範囲

有効範囲について、**List 6-10** で学習を進めていきます。これは、5人の学生の点数を読み込んで、その最高点を求めて表示するプログラムです。

List 6-10 chap06/list0610.c

```
// 最高点を求める

#include <stdio.h>

#define NUMBER  5   // 学生の人数

int tensu[NUMBER];  // 配列の定義                         ―1 定義

int top(void);      // 関数topの関数原型宣言                ―A 宣言

int main(void)
{
    extern int tensu[];       // 配列の宣言（省略可）       ―2 宣言

    printf("%d人の点数を入力せよ。\n", NUMBER);
    for (int i = 0; i < NUMBER; i++) {
        printf("%d : ", i + 1);
        scanf("%d", &tensu[i]);
    }                                            C 呼出し
    printf("最高点＝%d\n", top());

    return 0;
}

//--- 配列tensuの最大値を返す関数topの関数定義 ---//
int top(void)
{
    extern int tensu[];       // 配列の宣言（省略可）       ―3 宣言
    int max = tensu[0];                                   ―B 定義

    for (int i = 1; i < NUMBER; i++)
        if (tensu[i] > max)
            max = tensu[i];
    return max;
}
```

実行例

```
5人の点数を入力せよ。
1 : 53↵
2 : 49↵
3 : 21↵
4 : 91↵
5 : 77↵
最高点＝91
```

点数用の配列 tensu が、**main** 関数と関数 *top* の外に位置する❶で宣言されています。

このように、関数の外で宣言された識別子は、宣言された場所から、そのソースプログラムの終端まで名前が通用します。これが、ファイル有効範囲（file scope）です。

▶ 関数 *top* の中で宣言されている変数 *max* には、宣言された場所から、その宣言を囲むブロック終端の } まで通用する**ブロック有効範囲**（前ページ）が与えられます。

宣言と定義

さて、❶で宣言された配列 tensu は、❷と❸でも宣言されています。先頭の❶は、要素型が **int** 型で、要素数が *NUMBER* の配列 tensu を作り出す宣言です。

このような、変数の実体を作り出す宣言は、次のニュアンスです。

定義（definition）でもある宣言　　　　実体を作り出すための宣言 1

一方、**extern** 付きの2と3は、**『どこか別の箇所で作られている** *tensu* **を使いますよ。』**といった、次の宣言です。

定義ではない、単なる宣言　　　　実体を使うための宣言　　2と3

▶ 配列 *tensu* は、ファイル有効範囲が与えられているため、**main** 関数や関数 *top* の中では、わざわざ宣言しなくとも、ちゃんと利用できます。すなわち、2と3の宣言は、省略可能です。

関数原型宣言

私たち人間と同様に、コンパイラはプログラムを先頭から末尾へと読み進めます。そのため、関数 *top* を呼び出すコードCに出会ったときに、

関数 *top* は、引数を受け取らず、int 型の値を返す関数である。

という情報が（コンパイラにとっても、私たち人間にとっても）必要です。その情報を与えているのがAの宣言です。

この宣言は、**関数の仕様**ともいうべき、関数の返却値型／関数名／仮引数が記述されていることから、関数原型宣言（プロトタイプ）（function prototype declaration）と呼ばれます。

▶ この宣言の末尾には、セミコロン **;** が必要です。

関数の仕様に関する情報を、コンパイラやプログラムの読み手に与える関数原型宣言は、関数の実体を定義するわけではありません。すなわち、次のようになります。

B 関数 *top* の関数定義　　　… 定義でもある宣言
A 関数 *top* の関数原型宣言 … 定義ではない、単なる宣言

ちなみに、関数 *top* の仕様（返却値型や仮引数など）を変更する場合は、関数定義Bと関数原型宣言Aの両方を変更することになります。

＊

さて、関数 *top* の関数定義Bを、**main** 関数より前に配置しておけば、関数原型宣言Aは不要となります（コンパイラも私たちも、プログラムを先頭から読み進めるからです）。

関数の仕様を変更しても、その関数定義のみの変更ですみます。

一般的には、**main** 関数を最後に配置し、呼び出される側の関数を前方に配置したほうが、何かと都合がよいのです。

重要 呼び出される側の関数を前側に、呼び出す側の関数を後ろ側に配置しよう。

ヘッダとインクルード

関数を呼び出す際には、**関数原型宣言**が与える、**関数の仕様**というべき引数や返却値型などの情報が必要であることが分かりました。

それでは、*printf* 関数や *scanf* 関数などのライブラリ関数の関数原型宣言はどうなっているのでしょう。実は、これらの関数の関数原型宣言は、`<stdio.h>` の中に置かれています。

その情報を取り込むのが、C言語プログラムの**決まり文句**の一つである、

```
#include <stdio.h>                    // ヘッダ<stdio.h>をインクルード
```


です。これは、**#include 指令**（#include directive）と呼ばれる特殊な指令です。

▶ 前章で **#define** 指令を学習しました（p.124）。**#define** 指令や **#include** 指令などの、**#** で始まる指令は、通常の式や文とはまったく異なります。

ライブラリ関数の関数原型宣言などが置かれた **<stdio.h>** は、**ヘッダ**（header）と呼ばれ、それを **#include** 指令で取り込むことを**インクルード**するといいます。

Fig.6-11 に示すように、**#include** 指令の行が、そっくりそのまま **<stdio.h>** の内容と入れかわる、というイメージです。

▶ ヘッダの実現方法などは、処理系によって異なります。個々のヘッダが、それぞれ単独のファイルで供給されるという保証すらありません。『ヘッダファイル』ではなく、『ヘッダ』という用語で呼ばれるのは、そのためです。

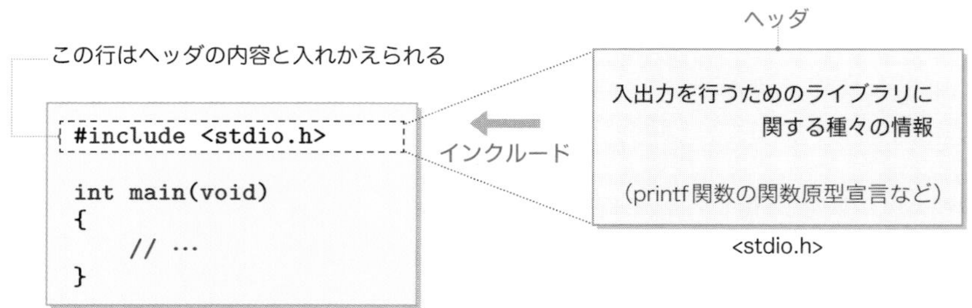

Fig.6-11 ヘッダのインクルード

たとえば、*putchar* 関数の関数原型宣言は、**<stdio.h>** ヘッダ中で、次のように宣言されています。

```
int putchar(int __c);                    // putchar関数の関数原型宣言の一例
```

▶ 仮引数の名前は、処理系によって異なります。
また、関数原型宣言では、仮引数の名前は省略できることになっているため、
`int putchar(int);`
と宣言されていることもあります。
なお、入出力をまったく行わないプログラムでは、**#include <stdio.h>** は不要です。

関数の汎用性

プログラムに戻りましょう。関数 **top** の仕様を説明すると、次のようになります。

int 型配列 tensu の先頭 NUMBER 個の要素の最大値を求めて、その値を返却する。

プログラムの中身を知らない人が、このような説明を聞いたら、次のような疑問を抱(いだ)くことになるでしょう。

『配列 **tensu** って何？』
『*NUMBER* の値って、いくつなの？』

これらの疑問の答えは、関数 **top** 以外のコードを読むことによってしか得られません。

すなわち、関数 **top** は、自身の関数以外の変数やマクロなどに依存している、すなわち、**独立していない**ということです。

＊

本プログラムで取り扱っているのは、単一科目の点数用配列 **tensu** です。しかし、英語の点数と、数学の点数の各々の最高点を求める必要性が将来的に生じるかもしれません。また、英語が選択科目で、数学が必修科目であって、それぞれの人数が異なる場合を考えなければならないこともあるでしょう。

そうすると、関数 **top** では、まったくの“お手上げ”となってしまいます。

重要 関数の外で定義された変数などの情報に依存する関数を作るべきではない。

＊

関数の独立性や汎用性を考えると、少なくとも次の条件を満たしておくべきです。

■ 任意の配列が取り扱える

配列 **tensu** だけではなく、任意の配列を取り扱える必要があります。

■ 異なる要素数の配列に対応できる

最大値を求めるべき配列の要素数が *NUMBER* すなわち 5 であるとは限りません。処理対象となる配列の要素数（ここでは人数）も、自由に指定できる必要があります。

このような条件を満たす関数を作っていきましょう。

配列の受渡し

List 6-11 に示すのが、前ページで考えた問題を解決するプログラムです。

List 6-11 chap06/list0611.c

```
// 英語の点数と数学の点数の最高点を求める

#include <stdio.h>

#define NUMBER  5           // 学生の人数

//--- 要素数nの配列vの最大値を返す ---//
int max_of(int v[], int n)
{
    int max = v[0];

    for (int i = 1; i < n; i++)
        if (v[i] > max)
            max = v[i];
    return max;
}

int main(void)
{
    int eng[NUMBER];          // 英語の点数
    int mat[NUMBER];          // 数学の点数

    printf("%d人の点数を入力せよ。\n", NUMBER);
    for (int i = 0; i < NUMBER; i++) {
        printf("[%d] 英語：", i + 1);   scanf("%d", &eng[i]);
        printf( "    数学：");          scanf("%d", &mat[i]);
    }
    int max_e = max_of(eng, NUMBER);    // 英語の最高点
    int max_m = max_of(mat, NUMBER);    // 数学の最高点

    printf("英語の最高点＝%d\n", max_e);
    printf("数学の最高点＝%d\n", max_m);

    return 0;
}
```

配列を受け取る仮引数は[]を付けて宣言する

呼出し側では[]を付けずに配列の名前だけを記述する

実行例

```
5人の点数を入力せよ。
[1] 英語：53
    数学：82
[2] 英語：49
    数学：35
[3] 英語：21
    数学：72
[4] 英語：91
    数学：35
[5] 英語：77
    数学：12
英語の最高点＝91
数学の最高点＝82
```

main 関数では二つの配列が定義されています。***eng*** は英語の点数用で、***mat*** は数学の点数用です（それぞれの最高点は、変数 ***max_e*** と変数 ***max_m*** に格納します）。

点数の最高点を求めるのが、関数 ***max_of*** です。まずは、関数頭部に着目しましょう。

```
int max_of(int v[], int n)
```

このように、配列を受け取る仮引数は、『**型名 引数名[]**』という形式で宣言しておき、要素数は別の仮引数（この場合は ***n***）として受け取るのが基本です。

▶ すなわち、**要素型は一意に決まる**ものの、**要素数は自由**です。
数学と英語の配列の要素数は、いずれも ***NUMBER*** すなわち **5** ですが、この関数 ***max_of*** 自体は要素数に依存しません（すなわち、前のプログラムの問題点が解決しています）。

この関数を呼び出す赤色部の第1実引数は、単なる**eng**です。このように、呼び出す側の実引数は、（添字演算子**[ ]**を付けずに）配列の名前だけとします（**Fig.6-12**）。

もちろん、第2引数に与えている*NUMBER*は、配列**eng**の要素数です。

重要 関数間で引数として配列をやりとりする際は、配列と要素数を別々に受け渡す。

図に示すように、関数呼出し式**max_of(eng, *NUMBER*)**で呼び出された関数**max_of**の中では、仮引数の配列**v**は、実引数の配列**eng**そのものとなります。たとえば、**v[0]**は**eng[0]**を表し、**v[1]**は**eng[1]**を表します。

▶ もちろん、**max_of(mat, *NUMBER*)**で呼び出された際の関数**max_of**の中では、仮引数の配列**v**は、事実上、実引数の配列**mat**そのもの、ということになります。
このようになる原理は、第10章で詳しく学習します。

呼び出された関数**max_of**の仕様を説明すると、次のようになります。

受け取った配列の要素の最大値を求めて、その値を返却する。

受け取るのは、**int**の配列でさえあれば、体重の配列や身長の配列など何でもよく、要素数も自由です。

関数**top**のように、**tensu**や*NUMBER*といった、関数の外の情報に縛られません。他の部品に依存しない、ということは、**独立性が高い**、ということです。

重要 関数を設計するときは、なるべく独立性が高くなるようにしよう。

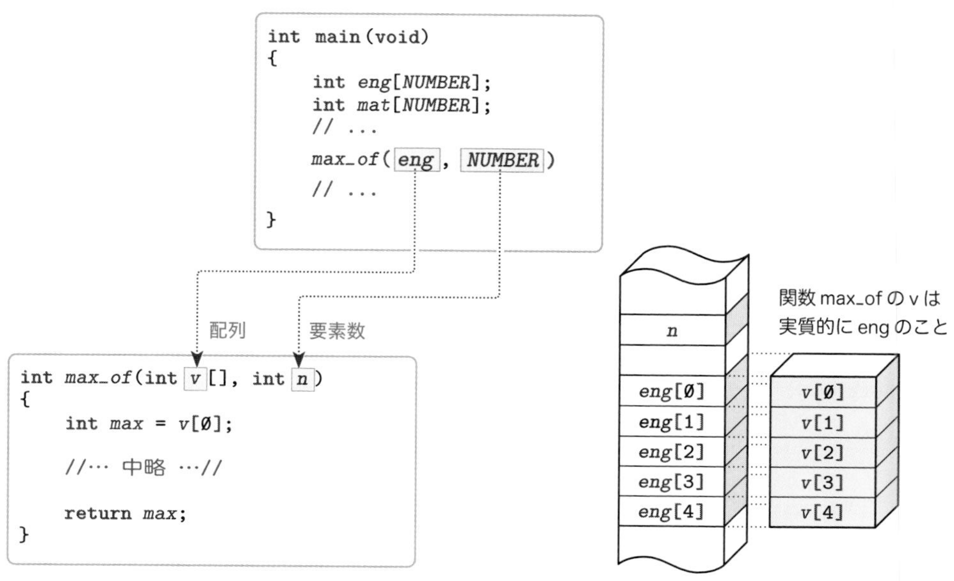

Fig.6-12 関数呼出しにおける配列の受渡し

配列の受渡しと const 型修飾子

前ページでは、次のことを学習しました。

重要 呼び出された側の関数で仮引数として受け取った配列は、呼び出した側で与えた**実引数の配列そのもの**である。

ということは、受け取った配列の要素に値を代入すれば、それが呼出し側の配列に反映されるはずです。**List 6-12** のプログラムで確認しましょう。

List 6-12 chap06/list0612.c

```
// 配列の全要素をゼロにする

#include <stdio.h>

//--- 要素数nの配列vの要素に0を代入 ---//
void set_zero(int v[], int n)
{
    for (int i = 0; i < n; i++)
        v[i] = 0;
}

//--- 要素数nの配列vの全要素を表示して改行 ---//
void print_array(const int v[], int n)
{
    printf("{ ");
    for (int i = 0; i < n; i++)
        printf("%d ", v[i]);
    printf("}\n");
}

int main(void)
{
    int ary1[] = {1, 2, 3, 4, 5};
    int ary2[] = {3, 2, 1};

    printf("ary1 = ");   print_array(ary1, 5);
    printf("ary2 = ");   print_array(ary2, 3);

    set_zero(ary1, 5);       // 配列ary1の全要素に0を代入
    set_zero(ary2, 3);       // 配列ary2の全要素に0を代入

    printf("両配列の全要素に0を代入しました。\n");
    printf("ary1 = ");   print_array(ary1, 5);
    printf("ary2 = ");   print_array(ary2, 3);

    return 0;
}
```

const：受け取る配列の要素の値を変更しないことを宣言する

1：printf("ary1 = ")〜print_array(ary2, 3) の最初の2行
2：set_zero の2行
3：代入後の print_array の2行

実行結果

```
ary1 = { 1 2 3 4 5 }
ary2 = { 3 2 1 }
両配列の全要素に0を代入しました。
ary1 = { 0 0 0 0 0 }
ary2 = { 0 0 0 }
```

このプログラムには、main 関数の他に、二つの関数が定義されています。

- 関数 *set_zero*： 配列 *v* の全要素に 0 を代入する。 ※要素の値を更新する。
- 関数 *print_array*：配列 *v* の全要素の値を表示する。 ※要素の値を更新しない。

main 関数では、これらの関数を呼び出して、配列 *ary1* と *ary2* の両方に対して、次の処理を行っています。

1 全要素の値の表示 ➡ 2 全要素への 0 の代入 ➡ 3 全要素の値の表示

関数 ***set_zero*** が、仮引数として受け取った配列 ***v*** に値を代入した結果、呼出し側の実引数の配列 ***ary1*** と ***ary2*** の要素の値が更新されている（全要素が **0** になっている）ことが、実行結果から確認できます。

そうすると、関数に対して配列を渡すときは、

渡す配列の要素の値を勝手に書きかえられると困るのだが、大丈夫だろうか。

と不安を感じることになってしまいます。

しかし、心配は無用です。受け取った配列を関数内で書きかえられないようにする手段が用意されているからです。

関数 ***print_array*** のように、仮引数に const という型修飾子（かたしゅうしょくし）(type qualifier) を置いて宣言するだけで、受け取った配列の要素の値は、書込みが不能となります。

重 要 **仮引数に受け取った配列の要素の値を読み取るだけで書き込まないのであれば、その仮引数は const 付きで宣言する（呼出し側も安心して呼び出せる）。**

▶ 関数 *print_array* 内に、次のようなコードがあればエラーとなります（**"chap06/list0612x.c"**）。

```
v[1] = 5;    // エラー : const宣言された配列の要素には代入できない
```

また、配列の要素に対して値を書き込む関数 *set_zero* の仮引数 *v* の宣言に const 型修飾子を置くと、エラーとなります。

ここまでの学習で、**List 6-11**（p.160）の関数 *max_of* が受け取る仮引数 *v* も、const 型修飾子を付けて宣言すべきであることが分かりました。

ここで、単純な実験をします。関数 ***set_zero*** を呼び出す 2 の箇所を、次のコードに置きかえて実行してみましょう（**"chap06/list0612a.c"**）。

```
set_zero(ary1, 3);        // 配列ary1の先頭3要素に0を代入
set_zero(ary2, 2);        // 配列ary2の先頭2要素に0を代入
```

```
ary1 = { 0 0 0 4 5 }
ary2 = { 0 0 1 }
```

そうすると、**0** が代入されるのが、配列 ***ary1*** は先頭 3 個の要素、配列 ***ary2*** は先頭 2 個の要素のみとなります。

関数 ***set_zero*** と ***print_array*** の仮引数 ***n*** は、**『配列の要素数』**というよりも、**『処理対象の要素の個数』**であることが分かりました。

▶ 関数 *set_zero* のコメントは、次のようになっています。

　　要素数 *n* の配列 *v* の要素に *0* を代入 … A

より正確に記述するのであれば、次のようになります。

　　配列 *v* の先頭 *n* 個の要素に *0* を代入 … B

一般的には、Aのような表現を使うのが普通です。本書では、主としてAを使いますが、Bの表現も使っています。

線形探索（逐次探索）

配列内に、ある値の要素が存在するかどうか、存在するのであれば、どの要素なのかを調べる関数を作りましょう。**List 6-13** に示すのが、そのプログラムです。

List 6-13 chap06/list0613.c

```
// 線形探索（逐次探索）

#include <stdio.h>

#define NUMBER      5       // 要素数
#define FAILED      -1      // 探索失敗

//--- 要素数nの配列vからkeyと一致する要素を探索 ---//
int search(const int v[], int key, int n)
{
    int i = 0;

    while (1) {
        if (i == n)
            return FAILED;          // 探索失敗          ―1
        if (v[i] == key)
            return i;               // 探索成功          ―2
        i++;
    }
}

int main(void)
{
    int ky, idx;
    int x[NUMBER];

    for (int i = 0; i < NUMBER; i++) {
        printf("x[%d] : ", i);
        scanf("%d", &x[i]);
    }
    printf("探す値 : ");
    scanf("%d", &ky);

    idx = search(x, ky, NUMBER);     // 要素数NUMBERの配列xからkyを探索

    if (idx == FAILED)
        puts("\a探索に失敗しました。");
    else
        printf("%dは%d番目にあります。\n", ky, idx + 1);

    return 0;
}
```

実行例

```
1 x[0] : 8
  x[1] : 5
  x[2] : 7
  x[3] : 4
  x[4] : 2
  探す値 : 4
  4は4番目にあります。

2 x[0] : 8
  x[1] : 5
  x[2] : 7
  x[3] : 4
  x[4] : 2
  探す値 : 1
  ♪探索に失敗しました。
```

関数 *search* は、要素数 *n* の int 型配列 *v* から、値が key の要素を探索する関数です。

▶ 前ページまでに学習した内容を反映しています。すなわち、
- 受け取る配列は、要素型が int 型であることは一意に決まるものの、要素数は任意である。
- 探す値は任意である。
- 関数の動作は、関数外部の情報に依存しない（探索失敗を表すマクロ *FAILED* を除く）。
- 仮引数の受け取った配列の要素の値は、読み取るだけなので const 付きで宣言されている。

Fig.6-13 に示すように、探索は成功する場合と失敗する場合があります。関数 ***search*** が返却するのは、成功時は見つけた要素の添字 ***i*** で、失敗時は ***FAILED*** すなわち **-1** です。

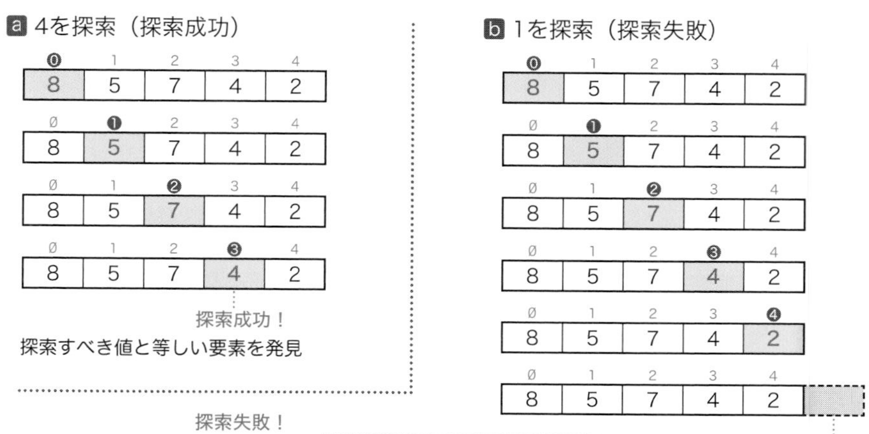

Fig.6-13 逐次探索

図に示すように、探索は、配列の要素を先頭から順に走査することで行います。走査を行う **while** 文は、制御式が **1** ですから、**無限ループ**の構造です（p.92）。

ただし、次のいずれかの終了条件が満たされたときにループを抜け出ます。

1. 探索すべき値が見つからず、末端を通り越した（*i* == *n* が成立）。　➡ 探索失敗
2. 探索すべき値を見つけた（*v*[*i*] == *key* が成立）。　➡ 探索成功

配列の先頭から順に走査して、目的とするものと同じ値をもつ要素を見つける一連の手続きは、**線形探索**（せんけいたんさく）（linear search）あるいは**逐次探索**（ちくじたんさく）（sequential search）と呼ばれます。

Column 6-1　インライン関数

関数定義の際に、**inline** という関数指定子を前置きすると、その関数はインライン関数（inline function）となります。インライン関数とは、高速に動作する可能性がある関数です（実際に高速に動作するようにコンパイルするかどうかは、処理系にゆだねられます）。

```
//---- インライン関数の定義の一例 ---//
inline int max2(int a, int b)
{
    return a > b ? a : b;
}
```

なお、関数の**結合性**が通常の関数とは異なるなど、利用にあたっては注意を要します（関数の結合性については、入門書である本書の学習の範囲外です）。

番兵法

繰返しのたびに行う終了条件❶と❷の二つの判定は、手軽であるとはいえ、何度となく積み重なると、その負荷は小さくありません。

配列の要素数に余裕があるとして、解決法を考えていきましょう。

探索すべき要素の並びの直後である `v[n]` に、探索すべき値 `key` を格納します（**Fig.6-14** の赤い要素です）。そうすると、配列の本来の要素内に目的とする値がない場合も、`v[n]` まで走査したところで、必ず `key` が見つかって、終了条件❷が必ず満たされます。

このことは、判定❶が不要であることを示しています。

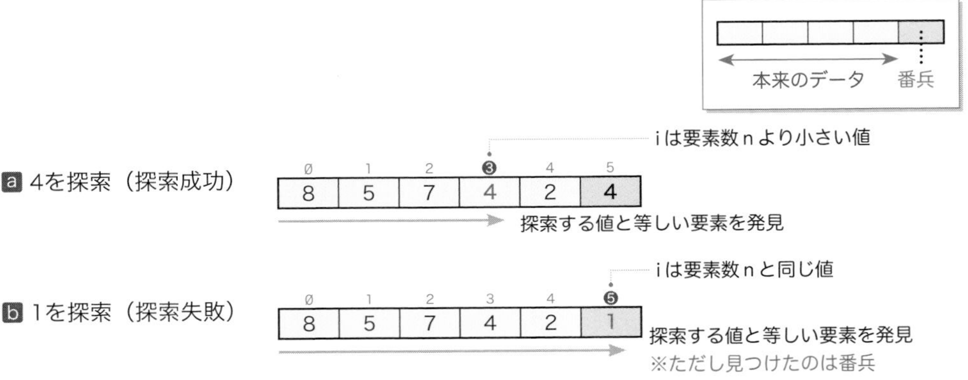

Fig.6-14 逐次探索（番兵法）

末端に追加したデータを番兵（ばんぺい）（sentinel）と呼び、それを用いた手続きを番兵法と呼びます。番兵を導入すると、繰返し終了のための判定を簡略化できます。

番兵法を使って書きかえたのが、右ページの **List 6-14** のプログラムです。

まずは、関数 `search` に着目します。微妙ですが、いろいろと変更されています。

▪ 配列を受け取る仮引数の宣言

配列を受け取る仮引数 `v` の宣言では、オリジナルのプログラムで置かれていた `const` 型修飾子が取り去られています。関数本体で、配列の要素 `v[n]` に書込みを行うからです。

▪ 繰返し終了条件の判定

`while` 文の中の `if` 文が、2個から1個に減っています（❶が削除されて❷のみが残っています）。このことは、繰返しの終了条件の判定回数が半分になることを示しています。

▪ 繰返し終了後の判定

`while` 文終了後に実行するⒶに、条件演算子 `? :` による判定が追加されています。これは、見つけた要素（値が `key` と等しい要素）が、もともと配列中に存在した要素なのか（図ⓐ）、それとも、番兵として追加した要素なのか（図ⓑ）の判定です。

List 6-14　　chap06/list0614.c

```
// 逐次探索（番兵法）

#include <stdio.h>

#define NUMBER      5       // 要素数
#define FAILED      -1      // 探索失敗

//--- 要素数nの配列vからkeyと一致する要素を探索（番兵法）---//
int search(int v[], int key, int n)
{
    int i = 0;

    v[n] = key;     // 番兵を格納

    while (1) {
        if (v[i] == key)
            break;          // 探索成功
        i++;
    }
    return i < n ? i : FAILED;      A
}

int main(void)
{
    int ky, idx;
    int x[NUMBER + 1];      B

    for (int i = 0; i < NUMBER; i++) {
        printf("x[%d] : ", i);
        scanf("%d", &x[i]);
    }
    printf("探す値：");
    scanf("%d", &ky);                               C

    if ((idx = search(x, ky, NUMBER)) == FAILED)
        puts("\a探索に失敗しました。");
    else
        printf("%dは%d番目にあります。\n", ky, idx + 1);

    return 0;
}
```

実行例

```
1 x[0] : 8
  x[1] : 5
  x[2] : 7
  x[3] : 4
  x[4] : 2
  探す値：4
  4は4番目にあります。

2 x[0] : 8
  x[1] : 5
  x[2] : 7
  x[3] : 4
  x[4] : 2
  探す値：1
  ♪探索に失敗しました。
```

そのため、この関数が返却するのは、次の値となります。

- 探索成功時（図a）　*i*
- 探索失敗時（図b）　*FAILED*

次は、main 関数に着目します。この関数も、いろいろな変更が施されています。

Bでは、配列の要素数が、*NUMBER* ではなく、*NUMBER* + 1 と宣言されています。これは、番兵を格納するために1要素だけ余分に必要だからです。

次は、判定結果を表示するCの箇所に着目します。

```
if ((idx = search(x, ky, NUMBER)) == FAILED)
    puts("\a探索に失敗しました。");
else
    printf("%dは%d番目にあります。\n", ky, idx + 1);
```

if 文の制御式は、構造が複雑です。この式を **Fig.6-15** を見ながら理解しましょう。

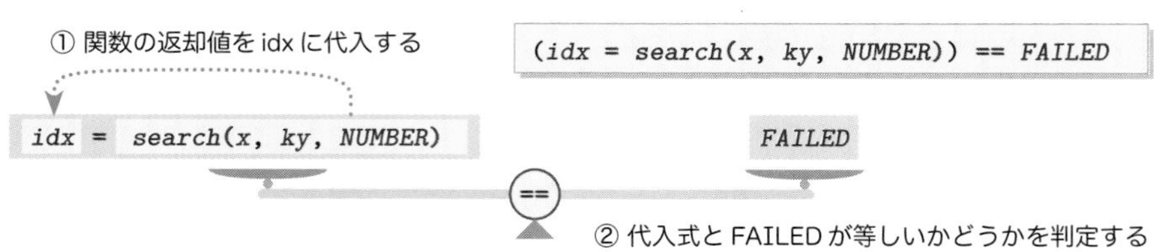

Fig.6-15 代入式と等価式の評価

二つの演算子 **=** と **==** が使われています。演算を優先させるための **()** が置かれていますので、この式の評価は、次の2段階で行われます。

① 代入演算子 = による代入

関数 ***search*** の返却値が変数 ***idx*** に代入されます。

② 等価演算子 == による等価性の判定

左オペランドの代入式 ***idx = search(x, ky, NUMBER)*** と、右オペランドの ***FAILED*** が等しいかどうかの判定が行われます。

代入式を評価して得られるのは、代入後の左オペランドの値ですから、この制御式を日本語で表現すると、次のようになります。

関数呼出し式の返却値を *idx* に代入して、代入後の *idx* が *FAILED* と等しければ …

▶ 式 ***idx = search(x, ky, NUMBER)*** を囲む **()** は、省略できません。等価演算子 **==** の優先度が代入演算子 **=** よりも高いからです。

複雑な式でしたが、熟練者が好んで使う表現です。

重要 関数 *f* が返却する値を変数 *v* に代入するとともに、それが *x* と等しいかどうかを判定する式は、次のように表現できる。

```
(v = f(...)) == x
```

▶ このような式を使った判定は、**if** 文だけでなく、**while** 文や **for** 文などでも多用されます。

さて、関数 **search** 中の **while** 文による繰返しは、**for** 文を使って書きかえるとプログラムがすっきりします。**List 6-15** に示すのが、そのプログラムです。

List 6-15 chap06/list0615.c

```
//--- 要素数nの配列vからkeyと一致する要素を探索（番兵法：for文）---//
int search(int v[], int key, int n)
{
    int i;

    v[n] = key;        // 番兵を格納

    for (i = 0; v[i] != key; i++)
        ;
    return i < n ? i : FAILED;
}
```

▶ この **for** 文は、**key** と同じ値の要素に出会うまで **i** をインクリメントします。ループ本体としては、何も行うことがないため、空文となっています。

演習 6-8

要素数が **n** である **int** の配列 **v** の要素の最小値を返す関数を作成せよ。

```
int min_of(const int v[], int n);
```

演習 6-9

要素数が **n** である **int** の配列 **v** の要素の並びを反転する関数を作成せよ。

```
void rev_intary(int v[], int n);
```

List 5-8（p.123）と演習 **5-4**（p.127）を参考にすること。

演習 6-10

要素数が **n** である **int** の配列 **v2** の並びを反転したものを配列 **v1** に格納する関数を作成せよ。

```
void intary_rcpy(int v1[], const int v2[], int n);
```

演習 6-11

要素数 **n** の配列 **v** 内の **key** と等しい全要素の添字を配列 **idx** に格納する関数 **search_idx** を作成せよ。返却するのは **key** と等しい要素の個数とする。

```
int search_idx(const int v[], int idx[], int key, int n);
```

たとえば、**v** に受け取った配列の要素が **{1, 7, 5, 7, 2, 4, 7}** で **key** が **7** であれば、**idx** に **{1, 3, 6}** を格納した上で **3** を返却する。

多次元配列の受渡し

前章の **List 5-15**（p.134）は、二つの２次元配列の全要素の和を求めるプログラムでした。

和を求める部分と、表示を行う部分の、それぞれを関数として独立させて実現したのが、**List 6-16** のプログラムです。

List 6-16 chap06/list0616.c

```
// ４人の学生の３科目のテスト２回分の合計を求めて表示（関数版）

#include <stdio.h>

//--- ４行３列の行列aとbの和をcに格納する ---//
void mat_add(const int a[4][3], const int b[4][3], int c[4][3])
{
    for (int i = 0; i < 4; i++)
        for (int j = 0; j < 3; j++)
            c[i][j] = a[i][j] + b[i][j];
}

//--- ４行３列の行列mを表示 ---//
void mat_print(const int m[4][3])
{
    for (int i = 0; i < 4; i++) {
        for (int j = 0; j < 3; j++)
            printf("%4d", m[i][j]);
        putchar('\n');
    }
}

int main(void)
{
    int tensu1[4][3] = { {91, 63, 78}, {67, 72, 46}, {89, 34, 53}, {32, 54, 34} };
    int tensu2[4][3] = { {97, 67, 82}, {73, 43, 46}, {97, 56, 21}, {85, 46, 35} };
    int sum[4][3];          // 合計

    mat_add(tensu1, tensu2, sum);                   // ２回分の点数の合計を求める

    puts("１回目の点数");  mat_print(tensu1);      // １回目の点数を表示
    puts("２回目の点数");  mat_print(tensu2);      // ２回目の点数を表示
    puts("合計点");        mat_print(sum);         // 合計点を表示

    return 0;
}
```

実行結果

```
１回目の点数
  91  63  78
  67  72  46
  89  34  53
  32  54  34
２回目の点数
  97  67  82
  73  43  46
  97  56  21
  85  46  35
合計点
 188 130 160
 140 115  92
 186  90  74
 117 100  69
```

本プログラムでは、二つの関数が受け取るすべての配列が、４行３列の配列として宣言されているため、要素数を受け取るための仮引数は宣言されていません。

▶ 関数間の多次元配列の受渡しでは、最も高い次元の要素数のみを、配列とは別の引数としてやりとりするのが一般的です（**Column 6-2**：右ページ）。

演習 6-12

４行３列の行列 *a* と３行４列の行列 *b* の積を、４行４列の行列 *c* に格納する関数を作成せよ。

```
void mat_mul(const int a[4][3], const int b[3][4], int c[4][4]);
```

演習 6-13

２回分の点数を３次元配列に格納するように **List 6-16** を書きかえたプログラムを作成せよ。

Column 6-2 多次元配列の受渡し

n 次元の多次元配列を受け取る関数の仮引数は、次のルールに基づいて宣言します。

- *n* 次元の要素数は省略可能（宣言しても無視されるため、別の引数として受け取る）。
- (*n* - 1) 次元以下の要素数は、定数として宣言する。

そのため、１次元配列～３次元配列を受け取る引数の典型的な宣言例は、次のようになります。

```
void func1(int v[],       int n);   // 要素型はintで、        要素数は別の引数n
void func2(int v[][3],    int n);   // 要素型はint[3]で、     要素数は別の引数n
void func3(int v[][2][3], int n);   // 要素型はint[2][3]で、要素数は別の引数n
```

このように、任意に指定できるのは、最も高い次元の要素数のみです。そのことを利用して作成したプログラムを **List 6C-1** に示します。

List 6C-1 chap06/listC0601.c

```
// n行3列の２次元配列の全構成要素に同一値を代入

#include <stdio.h>

//---int[3]型を要素型とする要素数nの配列mの全構成要素にvを代入 ---//
void fill(int m[][3], int n, int v)
{
    for (int i = 0; i < n; i++)
        for (int j = 0; j < 3; j++)
            m[i][j] = v;
}

//---int[3]型を要素型とする要素数nの配列mの全構成要素の値を表示 ---//
void mat_print(const int m[][3], int n)
{
    for (int i = 0; i < n; i++) {
        for (int j = 0; j < 3; j++)
            printf("%4d", m[i][j]);
        putchar('\n');
    }
}

int main(void)
{
    int no;
    int x[2][3] = {0};      // 2行3列：要素型はint[3]型で要素数は2
    int y[4][3] = {0};      // 4行3列：要素型はint[3]型で要素数は4

    printf("全構成要素に代入する値：");
    scanf("%d", &no);

    fill(x, 2, no);         // xの全構成要素にnoを代入
    fill(y, 4, no);         // yの全構成要素にnoを代入

    printf("--- x ---\n");   mat_print(x, 2);
    printf("--- y ---\n");   mat_print(y, 4);

    return 0;
}
```

実行例

```
全構成要素に代入する値：18↵
--- x ---
  18  18  18
  18  18  18
--- y ---
  18  18  18
  18  18  18
  18  18  18
  18  18  18
```

関数 `fill` と関数 `mat_print` が受け取る引数 `m` の２次元の要素数（行数）は省略されており、１次元の要素数（列数）が 3 となっています。そのため、これらの関数に対しては、行数は任意で、列数が 3 の配列を渡せます（本プログラムでは、２行３列の配列と、４行３列の配列を渡しています）。

6-3 有効範囲と記憶域期間

規模の大きいプログラムを作るには、有効範囲や記憶域期間などについての理解が必要です。本節では、それらの事項を学習します。

有効範囲と識別子の可視性

本節の最初に考えるのは、**List 6-17** のプログラムです。同一の名前をもつ変数 *x* が３箇所で宣言されています（宣言順に *x*、*x*、*x* と色分けしています）。

List 6-17 chap06/list0617.c

```
// 識別子の有効範囲を確認する

#include <stdio.h>

int x = 75;                          // Ⓐファイル有効範囲

void print_x(void)
{
    printf("x = %d\n", x);
}

int main(void)
{
    int x = 999;                     // Ⓑブロック有効範囲

    print_x();                                          ―――1

    printf("x = %d\n", x);                              ―――2

    for (int i = 0; i < 5; i++) {
        int x = i * 100;             // Ⓒブロック有効範囲
        printf("x = %d\n", x);                          ―――3
    }

    printf("x = %d\n", x);                              ―――4

    return 0;
}
```

実行結果

```
x = 75
x = 999
x = 0
x = 100
x = 200
x = 300
x = 400
x = 999
```

まず、Ⓐで宣言された *x* に着目します。初期化子 75 が与えられた変数 *x* は、関数の外で宣言・定義されているため、**ファイル有効範囲**が与えられます。

関数 *print_x* の中で、“*x*” といえば、この *x* のことですから、関数 *print_x* を実行すると、次のように表示されます。

```
x = 75                    … 表示されるのはxの値
```

1では、その関数 *print_x* を呼び出していますので、最初に上記の表示が行われます。

次に、Ⓑで宣言された x に着目します。**main** 関数の関数本体であるブロック（複合文）の中で宣言されているため、この x には、**ブロック有効範囲**が与えられます（名前が通用するのは、**main** 関数の終端の **}** までです）。

ということは、**2**では同じ名前の **x** と x の二つが存在することになります。このような状況で適用されるのが、次の規則です。

重要 ファイル有効範囲とブロック有効範囲をもつ同じ名前の変数が存在する場合は、ブロック有効範囲の名前が見えて、ファイル有効範囲の名前は隠される。

つまり、**2**での“**x**”は x のことであり、その x の値が、次のように表示されます。

```
x = 999                          … 表示されるのはxの値
```

その表示に続く **for** 文のループ本体の赤い部分では、３番目の x が宣言・定義されています。宣言位置がブロック内ですから、この x にはブロック有効範囲が与えられます。

そうすると、隠されている **x** 以外に、x と x が存在することになります。ここで適用されるのは、次の規則です。

重要 ブロック有効範囲をもつ同じ名前の変数が存在する場合、より内側のものが見えて、より外側のものが隠される。

そのため、**for** 文のループ本体のブロック内で“**x**”といえば、x のことになります。

▶ 内側・外側は、次のように解釈されます。

```
{ int x = 999;   /*--- 中略 ---*/  { int x = i * 100; }   /*--- 中略 ---*/  }
                                   ←──── 内側 ────→
←──────────────────────────── 外側 ────────────────────────────→
```

その **for** 文は5回の繰返しを行いますから、**3**では、x の値が次のように表示されます。

```
x = 0                            … 表示されるのはxの値
x = 100
x = 200
x = 300
x = 400
```

for 文が終了すると、もはや x の名前は通用しません。そのため、最後の ***printf*** 関数の呼出し**4**では、x の値が、次のように表示されます。

```
x = 999                          … 表示されるのはxの値
```

これで、本プログラムの挙動が理解できました。

▶ 宣言された識別子は、**その名前を書き終わった直後から有効となります。**そのため、Ⓑの宣言を

```
int x = x;
```

と書きかえても、**=** の右側の初期化子の x は、ここで宣言している x のことであって、プログラム冒頭のⒶで宣言された **x** ではない、ということです。そのため、x は **75** ではなくて、自身の値である不定値で初期化されます（**"chap06/list0617a.c"**）。

記憶域期間

オブジェクト（変数）は、必ずしもプログラムの開始から終了まで存在し続けるのではありません。オブジェクトの**生存期間**（**寿命**）を表すのが、記憶域期間（storage duration）という考え方です。

具体的なことを、右ページの **List 6-18** のプログラムで学習していきましょう。

関数 *func* の本体では、二つの変数 *sx* と **ax** が宣言されています。ただし、*sx* の宣言には `static` という記憶域クラス指定子（storage duration specifier）が置かれています。

そのためでしょうか、同じ値で初期化して、インクリメントを同じように行っているにもかかわらず、**ax** と *sx* の値が異なります。

自動記憶域期間（automatic storage duration ）

関数の中で、記憶域クラス指定子 **static** を付けずに定義されたオブジェクト（変数）には、次の性質の自動記憶域期間が与えられます。

> **プログラムの流れが宣言を通過する際に、オブジェクトが生成される。宣言を囲むブロックの終端である } を通過するときに、そのオブジェクトは役目を終えて破棄される。**
> **初期化子が与えられずに宣言されると、初期値は不定値となる。**

これは、ブロックの中でのみ生きる**はかない命**です。変数 **ax** は、

```
int ax = 0;                // この宣言を通過する際に0で初期化される
```

の宣言を通過する際に、生成されると同時に初期化されます。

静的記憶域期間（static storage duration ）

関数の中で **static** を付けて宣言されたオブジェクトや、関数の外で宣言・定義されたオブジェクトには、次の性質の静的記憶域期間が与えられます。

> **プログラムの開始時、具体的には main 関数の実行開始前の準備段階でオブジェクトが生成されて、プログラムの終了時に破棄される。**
> **初期化子が与えられずに宣言されると、自動的に 0 で初期化される。**

これは、**永遠の命**ともいうべきものです。

静的記憶域期間が与えられたオブジェクトは、**main** 関数の実行が開始される前に初期化が行われます。そのため、変数 *sx* は、

```
static int sx = 0;         // この宣言を通過する際に0で初期化されない
```

の宣言を通過するたびに初期化されるのではありません（**0** で初期化されるのは、**main** 関数の実行が開始される前の準備段階の１回限りです）。

List 6-18　　chap06/list0618.c

```
// 自動記憶域期間と静的記憶域期間

#include <stdio.h>

int fx = 0;                   // 静的記憶域期間＋ファイル有効範囲

void func(void)
{
    static int sx = 0;   // 静的記憶域期間＋ブロック有効範囲
    int        ax = 0;   // 自動記憶域期間＋ブロック有効範囲

    printf("%3d%3d%3d\n", ax++, sx++, fx++);
}

int main(void)
{
    int i;

    puts(" ax sx fx");
    puts("----------");
    for (i = 0; i < 10; i++)
        func();
    puts("----------");

    return 0;
}
```

実行結果

```
 ax sx fx
----------
  0  0  0
  0  1  1
  0  2  2
  0  3  3
  0  4  4
  0  5  5
  0  6  6
  0  7  7
  0  8  8
  0  9  9
----------
```


２種類の記憶域期間の性質をまとめたのが、**Table 6-2** です。

Table 6-2　オブジェクトの記憶域期間

	自動記憶域期間	静的記憶域期間
生　成	プログラムの流れが宣言を通過するとき	プログラム実行開始時の準備段階
初期化	明示的に初期化しなければ不定値	明示的に初期化しなければ 0
破　棄	その宣言を含むブロックを抜け出るとき	プログラム実行終了時の後始末の段階

▶ 関数の中で、記憶域クラス指定子 **auto** または **register** を付けて宣言・定義された変数に対しても自動記憶域期間が与えられます（**auto** はあってもなくても同じであり、付ける必要はありません）。

```
auto int ax = 0;        // int ax = 0;と同じ
```

また、**register** 記憶域クラス指定子を付けて

```
register int ax = 0;
```

と宣言すると、コンパイラに対して、『変数 **ax** を、主記憶よりも（高速な）レジスタに格納したほうがよい。』というヒントが与えられます（その結果、演算が高速になることが期待できます）。

ただし、レジスタの個数には限りがありますし、コンパイル技術が進歩した現在では、どの変数をレジスタに格納すればよいのかを、コンパイラ自身が判断して最適化します（レジスタに格納する変数を、プログラムの実行時に動的に変えるものまであります）。

もはや **register** 宣言を行う意味はなくなりつつあります。

それでは、**Fig.6-16** を見ながらプログラムの挙動を考えていきましょう。

▶ この図では、次のように色分けしています。
静的記憶域期間をもつ変数：赤
自動記憶域期間をもつ変数：黒

```
int fx = 0;

void func(void)
{
    static int sx = 0;
    int        ax = 0;

    printf("%3d%3d%3d\n",
              ax++, sx++, fx++);
}

int main(void)
{
    int i;
    /*… 中略 …*/
    for (i = 0; i < 10; i++)
        func();
    /*… 中略 …*/
}
```

```
 ax sx fx
----------
  0  0  0
  0  1  1
  0  2  2
  0  3  3
  0  4  4
  0  5  5
  0  6  6
  0  7  7
  0  8  8
  0  9  9
----------
```

a main 関数実行開始直前の状態です。
静的記憶域期間をもつ *fx* と *sx* とが、記憶域上に生成されて 0 で初期化されます。
なお、これらの変数は、プログラムの実行を通じて、同じ場所に存在し続けます。

b main 関数の実行が開始します。自動記憶域期間をもつ変数 *i* が生成されます。

c main 関数から関数 *func* が呼び出され、自動記憶域期間をもつ変数 **ax** が生成されて 0 で初期化されます。ここで、**ax**、*sx*、*fx* の値が

0 0 0

と表示されます。その後、これら三つの変数はインクリメントされますから、それらの値は 1、1、1 となります。

d 関数 *func* の実行終了とともに **ax** が破棄されます。

e main 関数では、変数 *i* をインクリメントして、再び関数 *func* を呼び出します。このとき、変数 **ax** が生成されて 0 で初期化されます。ここで、三つの変数の値が

0 1 1

と表示されます。表示後に、これらの変数はインクリメントされ、それぞれ、1、2、2 となります。
main 関数は関数 *func* を 10 回呼び出しますが、永遠の寿命を与えられている *fx* と *sx* は、そのたびに値がインクリメントされていきます。

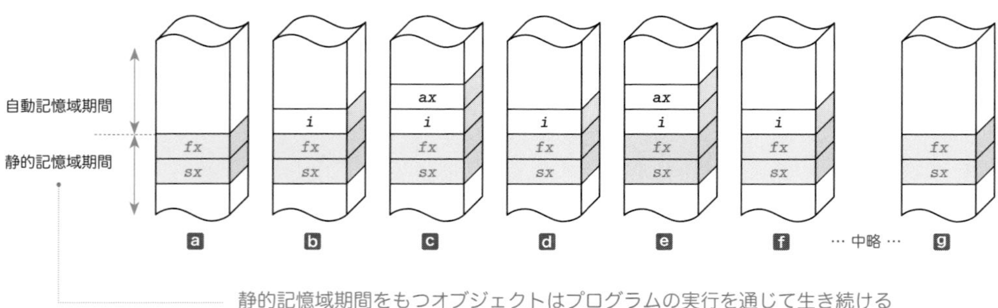

Fig.6-16 オブジェクトの生成と破棄

一方、関数 *func* の中でしか生きることのできない **ax** は、毎回生成されて **0** に初期化されるため、その値は 10 回とも **0** と表示されます。

g main 関数の終了と同時に、変数 *i* は役目を終えて破棄されます。

これで、プログラムの挙動が理解できました。

▶ これまでバラバラの箱と考えてきた変数が、記憶域の一部であることが分かりました。そのあたりの詳細は、第 10 章で学習します。

＊

静的記憶域期間が与えられたオブジェクトが暗黙のうちに **0** で初期化されることを、プログラムで確認しましょう。**List 6-19** に示すのが、そのプログラムです。

List 6-19 chap06/list0619.c

```
// 静的記憶域期間をもつオブジェクトの暗黙の初期化を確認

#include <stdio.h>

int fx;                         // 0で初期化される

int main(void)
{
    static int    si;           // 0で初期化される
    static double sd;           // 0.0で初期化される
    static int    sa[5];        // 全要素が0で初期化される

    printf("fx = %d\n", fx);
    printf("si = %d\n", si);
    printf("sd = %f\n", sd);

    for (int i = 0; i < 5; i++)
        printf("sa[%d] = %d\n", i, sa[i]);

    return 0;
}
```

実行結果

```
fx = 0
si = 0
sd = 0.000000
sa[0] = 0
sa[1] = 0
sa[2] = 0
sa[3] = 0
sa[4] = 0
```

静的記憶域期間を与えられる **int** 型変数 *fx* と *si*、**double** 型変数 *sd*、**int** の配列の全要素 **sa[0]** ～ **sa[4]** のすべてが **0**（あるいは **0.0**）で初期化されることが確認できます。

演習 6-14

静的記憶域期間が与えられた **double** 型配列の全要素が **0.0** で初期化されることを確認するプログラムを作成せよ。

演習 6-15

呼び出された回数を表示する関数 *put_count* を作成せよ（右に示すのは、関数 *put_count* を 3 回呼び出した実行結果である）。

```
void put_count();
```

```
put_count : 1回目
put_count : 2回目
put_count : 3回目
```

まとめ

- ひとまとまりの手続きは、プログラムの**部品**である関数として実現する。関数は返却値型／関数名／仮引数型並びによって特徴付けられる。引数を受け取らない関数は、**仮引数型並び**を void とする。

- 関数本体は複合文（ブロック）である。関数に特有の変数は、関数本体の中で宣言する。

- 関数呼出しは、関数呼出し演算子 ( ) を用いた『**関数名 (実引数の並び)**』の形式で行う。実引数がない場合は ( ) の中を空とする。複数の実引数がある場合はコンマで区切る。

- 関数呼出しが行われると、プログラムの流れは呼び出された関数に移る。

- 引数の受渡しは値渡しによって行われ、実引数の値が仮引数に**代入**される。そのため、受け取った仮引数の値を変更しても、実引数の値に反映されることはない。値渡しのメリットを活かすと、関数はコンパクトで効率のよいものとなる可能性がある。

- 関数内で return 文を実行するか、関数本体の実行が終了すると、プログラムの流れが呼出し元に戻る。返却値型が void でない関数は、呼出し元へと戻る際に、単一の値を返却する。

- 関数呼出し式を評価すると、関数によって返却された値が得られる。

- 変数や関数の実体を作り出す宣言は定義でもある宣言で、そうでない宣言は定義ではない宣言である。

- プログラムを実行すると、main 関数の本体部が実行される。main 関数以外の関数が先に実行されることはない。

- 呼び出される側の関数を前方で定義し、呼び出す側の関数を後方で定義すると都合がよい。
  前方で定義されていない関数を呼び出すには、関数の返却値型や仮引数の型や個数を記述した関数原型宣言が必要である。

- 関数は、できるだけ汎用性や独立性の高い仕様となるように設計すべきである。

- C言語が提供する *printf* 関数、*scanf* 関数などの関数は、ライブラリ関数と呼ばれる。

chap06/summary1.c

```c
// 二つの整数値の平均値を求める

#include <stdio.h>

// aとbの平均値を実数で返す
double ave2(int a, int b)
{
    return (double)(a + b) / 2;
}

int main(void)
{
    int n1, n2;

    puts("二つの整数を入力せよ。");
    printf("整数１：");   scanf("%d", &n1);
    printf("整数２：");   scanf("%d", &n2);

    printf("平均値は%.1fです。\n", ave2(n1, n2));

    return 0;
}
```

実行例

```
二つの整数を入力せよ。
整数１：5
整数２：6
平均値は5.5です。
```

- <stdio.h> などのヘッダには、ライブラリ関数の関数原型宣言などが含まれている。ヘッダの内容は、#include 指令によってインクルードする（取り込む）。

- 配列を受け取る仮引数は、『**型名 変数名[]**』の形式で宣言し、要素数は別の引数として受け取る。なお、受け取った配列要素の値を参照するだけで書きかえないのであれば、配列を受け取る仮引数には const を付けて宣言する。

- 配列を走査して、目的とする値をもつ要素を見つける手続きを、**線形探索**あるいは**逐次探索**という。番兵法の併用も可能である。

- 関数の外で定義された変数は、ファイル終端まで名前が通用する**ファイル有効範囲**をもち、関数の中で定義された変数は、ブロック終端まで名前が通用する**ブロック有効範囲**をもつ。

- 異なる有効範囲をもつ同一名の変数が存在する場合、より内側のものが見えて外側のものが隠される。

- 関数の外で定義されたオブジェクトと、static を伴って関数の中で定義されたオブジェクトは、プログラムの開始から終了まで生きる**静的記憶域期間**をもつ。明示的に初期化されない場合は 0 で初期化される。

- 関数の中で static を伴わずに定義されたオブジェクトは、ブロックの終端まで生きる**自動記憶域期間**をもつ。明示的に初期化されない場合は不定値で初期化される。

chap06/summary2.c
```c
// noを記憶して前回の値を返却
int val(int no)
{
    static int v;
    int temp = v;

    v = no;
    return temp;
}
```

chap06/summary3.c
```c
// 配列aの全要素の平均を実数で返す
double ave_ary(const int a[], int n)
{
    double sum = 0;

    for (int i = 0; i < n; i++)
        sum += a[i];
    return sum / n;
}
```

chap06/summary4.c
```c
// 警報を出力
void put_alert(void)
{
    putchar('\a');
}
```

chap06/summary5.c
```c
// 配列bの先頭n個の要素をaにコピー
void cpy_ary(int a[], const int b[], int n)
{
    for (int i = 0; i < n; i++)
        a[i] = b[i];
}
```

chap06/summary6.c
```c
// 2次元配列aの全構成要素の合計を返す
int sum_ary2D(const int a[][3], int n)
{
    int sum = 0;

    for (int i = 0; i < n; i++)
        for (int j = 0; j < 3; j++)
            sum += a[i][j];
    return sum;
}
```

第7章

基本型

int型は整数のみを表すことができる型ですから、小数部をもつ実数を表現することはできません。そのため、前章までは、実数を扱うときには、double型を利用してきました。

型によって、表現できる数値の特徴や範囲などが変わります。本章では、C言語が提供する数多くの型を学習します。

7-1 基本型と数

本章の目的は、基本的な型をひととおり学習することです。本節では、そのための基礎知識として、"数" そのものについて学習します。

算術型と基本型

これまで使ってきた**int**型や**double**型は、加算や減算などの算術演算が適用できることから、算術型（arithmetic type）と呼ばれます。**Fig.7-1** に示すように、数多くの型の総称です。

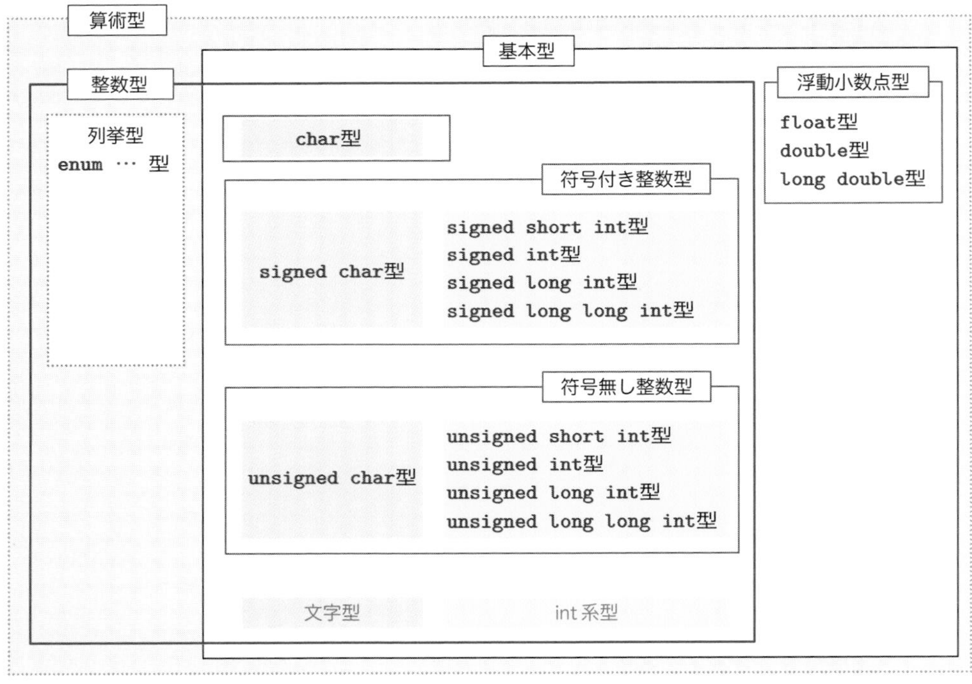

Fig.7-1 主要な算術型

この図は、算術型が、次のように分類されることを示しています。

▪ 整数型（integer type）	**整数値を表す型**	※ 広義の整数
▫ 文字型（character type）	文字を表す型	
▫ **int** 系型（int kind type）	整数を表す型	※ 狭義の整数
▫ 列挙型（enumeration type）	限られた整数の集合を表す型	
▪ 浮動小数点型（floating type）	**実数値を表す型**	

なお、文字型と int 系型と浮動小数点型は、int や double といったキーワードだけで型名を表せるため、基本型（basic type）と呼ばれます。

▶ 基本型ではない算術型が、**列挙型**です（8-3 節で学習します）。なお、厳密に区別する必要のない文脈では、列挙型以外の整数型（文字型と int 系型）を『**整数型**』と呼びます。

基数

型の学習に入る前に、**整数**について学習しましょう。

たとえば、1753 という数を考えます。**みなさんが日常生活で使っている、この数値は 10 進数です**（10 進数は、10 を基数（きすう）とする数です）。

ところが、信号の ON と OFF、すなわち 1 と 0 でデータを表現するコンピュータにとっては、10 進数よりも、2を基数とする2進数のほうが便利です。

そのため、ハードウェアを制御するようなプログラムでは、数値は2進数で表したほうが都合よくなります。

とはいえ、2進数は桁数が極めて多くなることから、8進数や16進数による表記が多用されます。C言語のプログラムで直接扱えるのは、10 進数、8進数、16 進数です。

▶ Table 7-1 に示すのは、10 進数の 0 ～ 20 を、8進数／16 進数／2進数で表した一覧です。

Table 7-1　数と基数

10進数	8進数	16進数	2進数
0	0	0	0
1	1	1	1
2	2	2	10
3	3	3	11
4	4	4	100
5	5	5	101
6	6	6	110
7	7	7	111
8	10	8	1000
9	11	9	1001
10	12	A	1010
11	13	B	1011
12	14	C	1100
13	15	D	1101
14	16	E	1110
15	17	F	1111
16	20	10	10000
17	21	11	10001
18	22	12	10010
19	23	13	10011
20	24	14	10100

■ 10 進数

10 進数では、0、1、2、3、4、5、6、7、8、9 の 10 種類の数字を使います。

これらをすべてを使い切った段階で桁が繰り上がって 10 となります。その後、2桁で 10 ～ 99 を使い切ると、さらに桁が繰り上がって 100 となります。

■ 8進数

8進数では、0、1、2、3、4、5、6、7 の8種類の数字を使います。

これらを使い切ると、桁が繰り上がって 10 となります。そして、2桁で 10 ～ 77 までを使い切ると、桁が繰り上がって 100 となります。

■ 16 進数

16 進数では、0、1、2、3、4、5、6、7、8、9、A、B、C、D、E、F の 16 種類の数字を使います。

これらを使い切ると、繰り上がって 10 となります。そして、2桁で 10 ～ FF までを使い切ると、さらに桁が繰り上がって 100 となります。

基数変換

次は、異なる基数間で整数値を変換する方法を学習します。

8進数／16進数／2進数 ⇨ 10進数の変換

10進数の各桁は、10のべき乗の重み（最下位桁から順に 10^0、10^1、10^2、… の重み）をもっています。そのため、たとえば1998は、次のように解釈できます。

$$1998 = 1\times\overset{1000}{10^3} + 9\times\overset{100}{10^2} + 9\times\overset{10}{10^1} + 8\times\overset{1}{10^0}$$

この考え方を他の基数にそのまま適用すると、10進数への変換が行えます。

▪ 2進数の101を10進数に変換

$$101 = 1\times2^2 + 0\times2^1 + 1\times2^0$$
$$= 1\times4 + 0\times2 + 1\times1 = 5$$

▪ 8進数の123を10進数に変換

$$123 = 1\times8^2 + 2\times8^1 + 3\times8^0$$
$$= 1\times64 + 2\times8 + 3\times1 = 83$$

▪ 16進数の1FDを10進数に変換

$$1FD = 1\times16^2 + 15\times16^1 + 13\times16^0$$
$$= 1\times256 + 15\times16 + 13\times1 = 509$$

10進数 ⇨ 2進数／8進数／16進数の変換

10進数を他の基数に変換する学習に進む前に、まずは**『10進数を10進数に変換する』**方法を**Fig.7-2**を見ながら考えていきます。

10進数を10で割った剰余は、最下位桁の値と一致します。たとえば1962を10で割って得られる剰余は、最下位桁の2です。

さて、ここで行った除算1962 / 10の商196は、1962を右に1桁ずらした値です（最後の桁である2は弾（はじ）き出されています）。**すなわち、10進数の値を10で割ることは、その数値を丸ごと右に1桁ずらすことを意味します。**

その196を10で割った剰余の6は、下から2桁目の桁の値です。このときの商である19を10で割ると……。

10進数を10で割った剰余を求め、その商に対して除算を繰り返します。その過程で求められた剰余を逆に並べれば、めでたく変換後の10進数が完成します。

0になるまで
10で割る

```
10 ) 1962
10 )  196   2  ↑
10 )   19   6  │
10 )    1   9  │
        0   1  │
```

剰余を逆順に並べる

Fig.7-2 10進数 ➡ 10進数

この手順における10をnに置きかえれば、『10進数をn進数に変換する』方法となります。

▶ ある数をnで割ることは、n進数で右に1桁ずらすことに相当するからです。

■ 10進数を2進数に変換

Fig.7-3に示すのは、10進数の57を2進数に変換する具体例です。この数を2で割ると、商は28で剰余は1です。その商である28を2で割ると、商は14で剰余は0です。

この作業を繰り返して、剰余を逆に並べると、変換後の111001が得られます。

```
2) 57
2) 28  1
2) 14  0
2)  7  0
2)  3  1
2)  1  1
    0  1
```

Fig.7-3 10進数 ➡ 2進数

■ 10進数を8進数に変換

10進数を8進数に変換する手順も同様です。0になるまで8で割って、その剰余を並べると完成します。

Fig.7-4に示すように、10進数の57を8進数に変換すると71が得られます。

```
8) 57
8)  7  1
    0  7
```

Fig.7-4 10進数 ➡ 8進数

■ 10進数を16進数に変換

16進数に変換する手順も同様です。0になるまで16で割って、その剰余を並べると完成します。

Fig.7-5に示すように、10進数の57を16進数に変換すると39となります。

```
16) 57
16)  3  9
     0  3
```

Fig.7-5 10進数 ➡ 16進数

Column 7-1 2進数と16進数／8進数の基数変換

Table 7C-1に示すように、4桁の2進数は、1桁の16進数に対応します（すなわち、4ビットで表せる0000～1111は、16進数1桁の0～Fです）。

このことを利用すると、『2進数から16進数への基数変換』と『16進数から2進数への基数変換』が容易に行えます。

たとえば、2進数0111101010011100を16進数に変換するには、4桁ごとに区切って、それぞれを1桁の16進数に置きかえるだけです。

```
0111 1010 1001 1100
  7    A    9    C
```

16進数から2進数への変換では、逆の作業を行います（16進数の1桁を4桁の2進数に置きかえます）。

なお、2進数と8進数間の変換も同じ手順で行えます（3桁の2進数が1桁の8進数に対応することを利用します）。

Table 7C-1 2進数と16進数の対応

2進数	16進数	2進数	16進数
0000	0	1000	8
0001	1	1001	9
0010	2	1010	A
0011	3	1011	B
0100	4	1100	C
0101	5	1101	D
0110	6	1110	E
0111	7	1111	F

7-2 整数型と文字型

整数を表すための基本的な型が、文字型を含む整数型です。本節では、これらの型について学習します。

整数型と文字型

本節で学習するのは、文字型（character type）を含む整数型（integer type）です。これは、**有限範囲の連続した整数**を表す型です。

まず、『有限範囲の連続した整数』について考えます。たとえば、《10 個の連続した整数》が必要であれば、

-5　-4　-3　-2　-1　0　1　2　3　4　… ⓐ

の 10 個を表すとよさそうです（もちろん、-4 から 5 までなど、他の範囲も考えられます）。

また、非負の数（0 と正の数）のみが必要であれば、

0　1　2　3　4　5　6　7　8　9　… ⓑ

の 10 個を表すとよさそうです。この場合、表す値の絶対値は、ⓐの約 2 倍になります。

これら 2 種類は、用途や目的に応じて、自由に使い分けられるようになっていて、次のように呼ばれます。

ⓐ 符号付き整数型（signed integer type）　負／0／正を表現する整数型
ⓑ 符号無し整数型（unsigned integer type）　0／正を表現する整数型

どちらを使うのかは、変数を宣言する際に、**signed**（サインド）あるいは **unsigned**（アンサインド）の型指定子（type specifier）を置くことで指定します。ただし、型指定子を与えなければ、符号付き型とみなされるのが基本です。次に示すのが、宣言のパターンです。

```
int          x;    // xは符号付きint型（負／0／正を表現）
signed int   y;    // yは符号付きint型（負／0／正を表現）
unsigned int z;    // zは符号無しint型（    0／正を表現）
```

（x と y：同じ型）

▶ x と y の両方が signed int 型となり、z が unsigned int 型となります。

さて、符号付き／無しだけでなく、表現可能な値の**範囲**によっても、型を使い分けられるようになっています。先ほどは、10 個の数を表す例を考えましたが、何個の数を表すかによって、右に示す 5 種類の型の使い分けが可能です。

それぞれに対して符号付き版と符号無し版とが用意されています（ただし、char については、signed char 型と、“単なる” char 型が区別されます）。

1. char
2. short int
3. int
4. long int
5. long long int

▶ 宣言時に signed あるいは unsigned の型指定子を与えなければ、符号付き型とみなされる規則は、2の short int ～5の long long int に適用されます（1の char には適用されません）。

まとめると、整数型は **Fig.7-6** のように分類されます。

▶ 上のほうの型は低い、下のほうの型は高い、と表現されます。なお、`signed` や `unsigned` と同様に、`short` と `long` も型指定子の一種です。

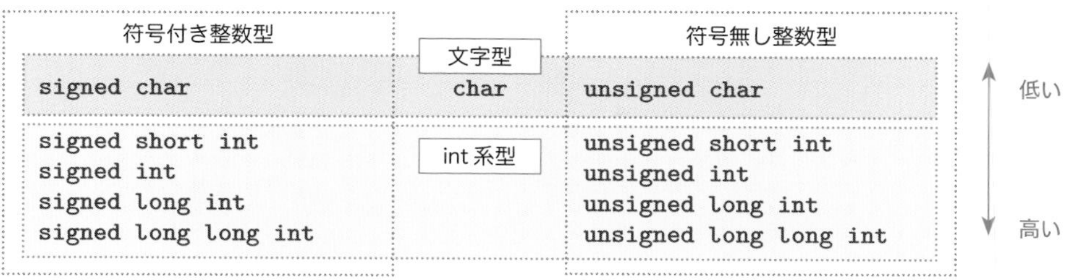

Fig.7-6 整数を表す型の分類

`char` 以外の型名は、複数のキーワードで構成されます。名前が長くなってしまうことから、一部は省略可能です。省略した場合、次の規則に基づいて解釈されます。

- `signed` あるいは `unsigned` が省略された `int` 系型は、`signed` とみなされる。
- 単なる `short` と `long` と `long long` は、`int` が省略されたものとみなされる。
- 単なる `signed` と `unsigned` は、（`short` や `long` や `long long` でない）`int` とみなされる。

Table 7-2 に示すのが、型名の一覧であり、各行は、同じ型を表します。

たとえば、上から４行目の `signed shor int` は、一部のキーワードを省略して、`signed short` あるいは `short int` あるいは `short` と表記できます。

Table 7-2 整数型（文字型・int 系型）の名称と短縮名

文字型	char			
	signed char			
	unsigned char			
int 系型	signed short int	signed short	short int	short
	signed int	signed		int
	signed long int	signed long	long int	long
	signed long long int	signed long long	long long int	long long
	unsigned short int	unsigned short		
	unsigned int	unsigned		
	unsigned long int	unsigned long		
	unsigned long long int	unsigned long long		

左端が本来の名前である**フルネーム**で、右端の赤文字が最も短い表記です。これ以降は、最も短い表記を（原則として）使っていきます。

整数型の使い分け

文字型と int 系型を使い分けるには、各型で**表現可能な数値の範囲（最小値と最大値）**を知る必要があります。それをまとめたのが、**Table 7-3** です。

Table 7-3 整数型（文字型と int 系型）で表現できる値の範囲（標準Cで保証された値）

型	最小値	最大値
char	0	255
	-127	127
signed char	-127	127
unsigned char	0	255
short	-32767	32767
int	-32767	32767
long	-2147483647	2147483647
long long	-9223372036854775807	9223372036854775807
unsigned short	0	65535
unsigned	0	65535
unsigned long	0	4294967295
unsigned long long	0	18446744073709551615

どちらになるのかは処理系依存

⇦ この型を使うのが基本

まずは、次の点をおさえます。

int 型は、最も取り扱いが容易で、高速な演算が可能な型である。

この後でも学習しますが、long 型や long long 型だと、計算速度が遅くなることがありますし、必要な記憶域（メモリ）も大きくなります。そのため、int 系型については、次の指針をとるのが一般的です。

- **基本的には int 型を使う。**
- **int 型で表現不能な大きな数値が必要なときは、long 型／long long 型を使う。**
- **ハードウェア制御など、0 と正値のみが必要とされる状況では、符号無し型を使う。**

<limits.h> ヘッダ

さて、**Table 7-3** に示しているのは、最低限の範囲であって、**ほとんどの処理系では、この表よりも広い範囲の値が表現できます。**

そのため、各型で表現できる“最小値”と“最大値”が、<limits.h> ヘッダ内でオブジェクト形式マクロとして提供される、という仕組みがとられています。

右ページに示すのが、その定義の一例です。

▶ 具体的な数値は、処理系に依存します。また、一部の整数定数の末尾に付いている、U や L などの記号については、p.211 で学習します。

本書で想定する<limits.h>の一部

```
#define UCHAR_MAX   255U                    // unsigned charの最大値

#define SCHAR_MIN   -128                    // signed charの最小値
#define SCHAR_MAX   +127                    // signed charの最大値

#define CHAR_MIN    0                       // charの最小値
#define CHAR_MAX    UCHAR_MAX               // charの最大値

#define SHRT_MIN    -32768                  // shortの最小値
#define SHRT_MAX    +32767                  // shortの最大値

#define INT_MIN     -32768                  // intの最小値
#define INT_MAX     +32767                  // intの最大値

#define LONG_MIN    -2147483648L            // longの最小値
#define LONG_MAX    +2147483647L            // longの最大値

#define LLONG_MIN   -9223372036854775807LL  // long longの最小値
#define LLONG_MAX   +9223372036854775807LL  // long longの最大値

#define USHRT_MAX   65535U                  // unsigned shortの最大値
#define UINT_MAX    65535U                  // unsignedの最大値
#define ULONG_MAX   4294967295UL            // unsigned longの最大値
#define ULLONG_MAX  18446744073709551615ULL // unsigned long longの最大値
```

これらのマクロの値を調べれば、みなさんが利用している処理系での、各型の数値の範囲が分かります。**List 7-1** のプログラムで確認しましょう。

実行すると、みなさんの処理系での各型の表現可能な値の範囲が表示されます。

List 7-1 chap07/list0701.c

```
// 整数型の表現範囲を表示する

#include <stdio.h>
#include <limits.h>

int main(void)
{
    puts("本環境での整数型の値の範囲");

    printf("char               : %d～%d\n",     CHAR_MIN , CHAR_MAX);
    printf("signed char        : %d～%d\n",     SCHAR_MIN, SCHAR_MAX);
    printf("unsignd char       : %d～%d\n",     0        , UCHAR_MAX);

    printf("short              : %d～%d\n",     SHRT_MIN , SHRT_MAX);
    printf("int                : %d～%d\n",     INT_MIN  , INT_MAX);
    printf("long               : %ld～%ld\n",   LONG_MIN , LONG_MAX);
    printf("long long          : %lld～%lld\n", LLONG_MIN, LLONG_MAX);

    printf("unsigned short     : %u～%u\n",     0        , USHRT_MAX);
    printf("unsigned           : %u～%u\n",     0U       , UINT_MAX);
    printf("unsigned long      : %lu～%lu\n",   0LU      , ULONG_MAX);
    printf("unsigned long long : %llu～%llu\n", 0LLU     , ULLONG_MAX);

    return 0;
}
```

符号無し整数型の最小値は0マクロは定義されていない

実行結果一例

```
本環境での整数型の値の範囲
char           : 0～255
signed char    : -128～127
unsignd char   : 0～255
short          : -32768～32767
int            : -32768～32767
     … 以下省略 …
```

▶ 表示される値は、処理系や実行環境によって異なります。

本書では、各型で表現可能な範囲は、**Table 7-4** のようになっていると想定して、学習を進めていきます。

Table 7-4 整数型（文字型と int 系型）で表現できる値の範囲（本書で想定する値）

型	最小値	最大値
char	0	255
signed char	-128	127
unsigned char	0	255
short	-32768	32767
int	-32768	32767
long	-2147483648	2147483647
long long	-9223372036854775807	9223372036854775807
unsigned short	0	65535
unsigned	0	65535
unsigned long	0	4294967295
unsigned long long	0	18446744073709551615

▶ すなわち、“単なる char 型” は、符号無し型と想定します（この後すぐに学習します）。
なお、本書で想定しているものを含めて、多くの処理系で、たとえば short 型の表現できる範囲は -32768 から 32767 までというように、**Table 7-3** よりも負の数が一つ多く表現できます（そのような処理系では、p.200 で学習する “**2の補数**” による表現が用いられています）。

文字型

まずは、文字型を学習しましょう。**char** は、character の略であって、文字を格納するための型です。

右に示す3種類の型があることや、**signed** と **unsigned** が付かない “単なる” **char** 型が、符号付き型／符号無し型のいずれであるのかが処理系依存であることは、簡単に学習しました。

- char 型
- signed char 型
- unsigned char 型

単なる **char** 型が、どちらの型であるのかを調べてみましょう。**List 7-2** に示すのが、そのプログラムです（変換指定 %s は、文字列を表示することの指定です）。

List 7-2 chap07/list0702.c

```
// 単なるchar型が符号付き型か符号無し型かを判定

#include <stdio.h>
#include <limits.h>

int main(void)
{
    printf("この処理系のchar型は%sです。\n",
                            CHAR_MIN ? "符号付き型" : "符号無し型");
                            CHAR_MIN が非0であれば…   そうでなければ…
    return 0;
}
```

実行結果一例

```
この処理系のchar型は符号無し型です。
```

▶ 実行結果は、処理系や実行環境によって異なります。本書では、符号無し型と想定しています。

規則により、単なる **char** 型で表せる範囲は、次のいずれかとなります。

ⓐ 単なる **char** 型が符号付き型であれば、**signed char** 型　と同じ範囲。
ⓑ　　　〃　　　　　符号無し型であれば、**unsigned char** 型と同じ範囲。

▶ ⓐの処理系の **<limits.h>** では、次のように定義されます。

```
// ⓐ単なるchar型が符号付き型である処理系での<limits.h>の定義
#define CHAR_MIN   SCHAR_MIN      // signed charの最小値と同じ
#define CHAR_MAX   SCHAR_MAX      // signed charの最大値と同じ
```

ⓑの処理系の **<limits.h>** では、次のように定義されます。

```
// ⓑ単なるchar型が符号無し型である処理系での<limits.h>の定義
#define CHAR_MIN   0              // 必ず0となる
#define CHAR_MAX   UCHAR_MAX      // unigned charの最大値と同じ
```

本プログラムでは、**CHAR_MIN** の値が **0** でないかどうかで判定を行っています。

▶ **'C'** や **'\n'** などの**文字定数**が **int** 型であることを、p.86 で学習しました。**char** 型ではないことに注意しましょう（文字に関しては、次章以降でも詳しく学習していきます）。

Column 7-2　charの読み方

char は『**チャー**』と発音するのが一般的です。character の略であることから、『**キャラ**』と発音されることもあるようですが、それは、

① 主として日本人特有の
② カタカナ読み

であることを知っておきましょう。

① 略語と同じ綴りの単語がある場合、その単語の発音を借りるのが一般的です。英語には、『雑用』などの意味をもつ char という単語（発音は tʃάɚ）がありますので、その発音を借ります。単語の途中までを発音するのは、非英語圏的な発想です。

ちなみに、『キャラ（kέərə）』と発音する単語 chara は、藻類であるシャジクモのことです。

② 単語の途中まで発音するとしても、奇異に感じられるのが、『キャラ』のラの発音です。同様の読み方を他の単語にも適用するのでしたら、integer の略である **int** は『インテ』となって、floating の略である **float** は、『フローティ』となってしまいます。

ちなみに、C++ の開発者である Bjarne Stroustrup 氏のホームページ内の『Bjarne Stroustrup's C++ Style and Technique FAQ（**https://www.stroustrup.com/bs_faq2.html**）』には、一般に『キャー』でなく『チャー』と発音されると書かれています（当然ですが、『キャラ』にはまったく言及されていません）。その部分を読んでみましょう：

▪ How do you pronounce “char”?

“char” is usually pronounced “tchar”, not “kar”. This may seem illogical because “character” is pronounced “ka-rak-ter”, but nobody ever accused English pronunciation (not “pronounciation” :-) and spelling of being logical.

日本語訳：一般に、“**char**” は “キャー” ではなく “チャー” と発音します。“character” は “キャ・ラク・タ” と発音しますから、理屈にあわないように感じられるでしょう。しかし、英語の発音（“pronounciation” ではなく “pronunciation” と綴る！）と綴りの論理性は、責められるべきものではありません。

補足：『発音する』という動詞 pronounce には o がある一方で、『発音』という名詞 pronunciation には **o** がありません。

ビットとCHAR_BIT

コンピュータは0と1のビット（bit）でデータを表現しますので、数値を表現する《箱》の内部は、0と1の並びです（ここでの箱は、変数や定数のことです）。

▶ C言語におけるビットの定義は、次のとおりです。
　2種類の値のうちの一つをもちうるオブジェクトを保持するために十分な大きさをもつ実行環境でのデータ記憶域の単位。オブジェクトの個々のビットのアドレスを表現できる必要はない。
　ビットがもちうる2種類の値のうちの一方を値0という。ビットの値を値0以外にすることを、"ビットをセットする（set）"という。

さて、char型の構成ビット数（箱の中のビット数）は、『**最低でも8ビット**』とだけ決められており、具体的なビット数は処理系まかせです。

そのため、そのビット数は、<limits.h>ヘッダで、オブジェクト形式マクロCHAR_BITとして提供される仕組みとなっています。次に示すのが、その定義の一例です。

CHAR_BIT
```
#define CHAR_BIT  8      // 定義の一例：値は処理系によって異なる
```

もしCHAR_BITが8であれば、char型の箱は8ビットで構成される、ということです。その場合、charの内部は、**Fig.7-7**のようになっています。

CHAR_BIT個のビットを並べたもの**が**char型の1個の箱**になる**、というイメージです。

▶ 文字型で表現できる値の範囲が処理系によって異なるのは、構成ビット数が処理系によって異なるからであることが分かりました。

CHAR_BIT

char型のビット数は
処理系に依存
少なくとも8

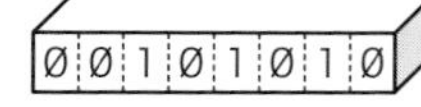

Fig.7-7 char型の内部

sizeof演算子

C言語では、char型が占有する《1個の箱の大きさ》が1と定義されていて、それ以外の型の大きさは決まっていません。そのため、**Table 7-5**のsizeof演算子（sizeof operator）で調べられるようになっています。

Table 7-5 sizeof演算子

sizeof演算子	sizeof a	a（オブジェクト、定数、型名など）の大きさを求める。

sizeof演算子が生成する値は、いわゆるバイト数です。この演算子を利用して、整数型の大きさを表示してみましょう。右ページの**List 7-3**に示すのが、そのプログラムです。

▶ char型が8ビットで、int型が16ビットであれば、sizeof(int)の評価で2が得られます。

List 7-3 chap07/list0703.c

```
// 整数型の大きさを表示する

#include <stdio.h>

int main(void)
{
    printf("sizeof(char)      = %zu\n", sizeof(char));
    printf("sizeof(short)     = %zu\n", sizeof(short));
    printf("sizeof(int)       = %zu\n", sizeof(int));
    printf("sizeof(long)      = %zu\n", sizeof(long));
    printf("sizeof(long long) = %zu\n", sizeof(long long));

    return 0;
}
```

実行結果一例

```
sizeof(char)      = 1
sizeof(short)     = 2
sizeof(int)       = 2
sizeof(long)      = 4
sizeof(long long) = 8
```

必ず1になる

処理系に依存

実行結果のイメージを **Fig.7-8** に示しています。

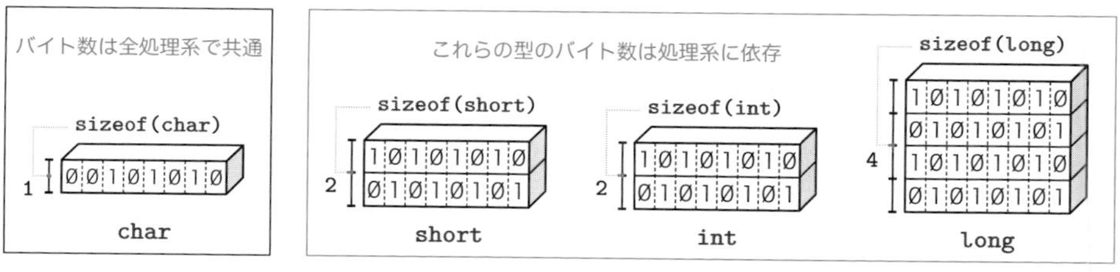

Fig.7-8 整数型の大きさと内部の一例

▶ sizeof(char) は必ず 1 となりますが、それ以外の値は、処理系や実行環境によって異なります。
　ここに示す実行例と図は、CHAR_BIT が 8 であり、sizeof(short) と sizeof(int) の両方が 2 で、sizeof(long) が 4 の例です（long long の図は省略しています）。

なお、int 系型には、次の関係が成立します。

sizeof(short) ≦ sizeof(int) ≦ sizeof(long) ≦ sizeof(long long)

すなわち、右側の高い型の大きさは、左側の低い型と等しいか、より大きくなります。

▶ 処理系によっては、四つすべてが同じ大きさになることも（理論上は）あり得ます。

なお、**各型の符号付き版と符号無し版の大きさは同一です**。

すなわち、右に示す関係が成立します。

```
sizeof(short)     = sizeof(unsigned short)
sizeof(int)       = sizeof(unsigned)
sizeof(long)      = sizeof(unsigned long)
sizeof(long long) = sizeof(unsigned long long)
```

＊

さて、*printf* 関数での表示の際に使われている書式指定は、初登場の "%zu" です。sizeof 演算子が生成する値が、int 型でないことが分かります。いったい、何型なのでしょうか。

size_t 型と typedef 宣言

sizeof 演算子が生成するのは、**符号無し整数型**の値です。ただし、**short** から **long long** までの４種類の符号無し整数型の、どの型であるのかは定められていません。

そこで取り入れられているのが、どの型であるのかを <stddef.h> ヘッダ中で定義するという仕組みです。次に示すのが、その定義の一例です。

size_t

```
typedef unsigned size_t;  // 定義の一例：赤色部の型は処理系によって異なる
```


ここで使われている typedef 宣言（typedef declaration）は、初登場です。まずは、この宣言について、**Fig.7-9** を例に理解していきましょう。

typedef 宣言は、型の**別名**／**同義語**／**あだ名**を作り出す宣言です。**typedef** の後ろに置かれた *A* が既存の型名で、その後ろの *B* が**別名**です。すなわち、

型Aに対して、Bというあだ名を与えます！

というニュアンスです。

この宣言によって、*B* は型名**として振る舞える**ようになります。なお、新しく作られた名前は、typedef 名と呼ばれます。

既存の型*A*に別名*B*を与える

既存の型名　　別名（あだ名）

```
typedef A B;
```

Bは型名として振る舞えるようになる

Fig.7-9 typedef 宣言

重要 typedef 宣言は、既存の型に対して、新しい別の名前＝typedef 名を与える。

typedef 宣言は、既存の型に別の名前を与える宣言です。決して、新しい型を作るのではありません。

＊

さて、**sizeof** 演算子が生成する値の型は、**unsigned short**／**unsigned**／**unsigned long**／**unsigned long long** のいずれかの型です。

ある処理系で **sizeof** 演算子が生成する値の型が **unsigned** 型であれば、その **unsigned** 型に対して、size_t 型という別名を **typedef** 宣言によって与えます（もし **unsigned long** 型であれば、それに対して **size_t** 型という別名を与えます）。

こうすることによって、どの処理系でも『sizeof 演算子が生成するのは size_t 型』と表現できるようになっているのです。

重要 sizeof 演算子が生成する値の型は、（いずれかの）符号無し整数型の同義語となるように **typedef** 宣言された size_t 型である。

なお、**size_t** 型の値を ***printf*** 関数で出力する際の書式文字列は、**"%zu"** とします。

さて、**sizeof** 演算子には、次の2種類の使い方があります。

Ⓐ **sizeof**（型名）　　※ () は必須であって省略できない
Ⓑ **sizeof**　式

大きさを調べる対象が型であればⒶの形式を利用して、**変数**や**定数**や、それらを演算子で結んだ式であればⒷの形式を利用します。

▶ Ⓑの形式では、式を囲む ( ) は不要です。ただし、文脈によっては紛らわしくなりますので、本書では、両者に対して ( ) を付けています。

これら両方の形式の動作を確かめましょう。**List 7-4** に示すのが、そのプログラムです。

List 7-4 chap07/list0704.c

```
// 型や変数の大きさを表示

#include <stdio.h>

int main(void)
{
    int    a, b;
    double x, y;

    printf("sizeof(int)    = %zu\n", sizeof(int));
    printf("sizeof(double) = %zu\n", sizeof(double));

    printf("sizeof(a)      = %zu\n", sizeof(a));
    printf("sizeof(x)      = %zu\n", sizeof(x));

    printf("sizeof(a + b)  = %zu\n", sizeof(a + b));
    printf("sizeof(a + y)  = %zu\n", sizeof(a + y));
    printf("sizeof(x + y)  = %zu\n", sizeof(x + y));

    return 0;
}
```

実行結果一例

```
sizeof(int)    = 2
sizeof(double) = 8
sizeof(a)      = 2
sizeof(x)      = 8
sizeof(a + b)  = 2 ←int + int は int
sizeof(a + y)  = 8 ←int + double は double
sizeof(x + y)  = 8 ←double + double は double
```

int 型と **double** 型、それらの変数や計算結果などの大きさを表示しています。

▶ 実行によって表示される値は、処理系や実行環境によって異なります。

演習 7-1

次に示す各式の値を表示するプログラムを作成するとともに、各式の値を説明せよ。

sizeof 1	sizeof(unsigned)-1	sizeof *n*+2
sizeof+1	sizeof(double)-1	sizeof(*n*+2)
sizeof-1	sizeof((double)-1)	sizeof(*n*+2.0)

ここで、*n* は **int** 型の変数であるとする。

配列の要素数の求め方

sizeof 演算子を応用すると、**配列の要素数**を計算で求められます。**List 7-5** に示すプログラムで学習していきましょう。

List 7-5 chap07/list0705.c

```
// 配列の要素数を求める

#include <stdio.h>

int main(void)
{
    int    a[5];
    double x[7];

    printf("配列aの要素数=%zu\n", sizeof(a) / sizeof(a[0]));
    printf("配列xの要素数=%zu\n", sizeof(x) / sizeof(x[0]));

    return 0;
}
```

実行結果

```
配列aの要素数=5
配列xの要素数=7
```


int[5] 型の配列 **a** と、**double[7]** 型の配列 **x** が宣言され、それらの要素数が求められて表示されています。配列 **a** の要素数を求める式 **sizeof(a) / sizeof(a[0])** を、**Fig.7-10** を見ながら理解していきましょう。

▪ 左オペランド **sizeof(a)**

C言語の規則により、**sizeof** 演算子を配列に適用すると、配列全体の大きさが生成されます（**Column 10-3**：p.293）。

▪ 右オペランド **sizeof(a[0])**

配列の先頭要素 **a[0]** の大きさ、すなわち要素１個分の大きさが得られます。

配列全体の大きさを、要素の大きさで割ることで、配列の要素数が求められます。

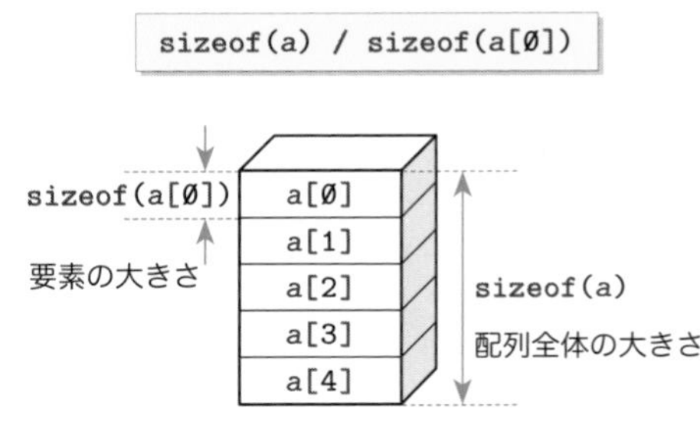

Fig.7-10 配列の要素数

重要 配列 a の要素数は、次の式で求められる。
sizeof(a) / sizeof(a[0])

この式は、a の要素の型や大きさに依存することなく、要素数を求めます。公式的に覚えておくとよいでしょう。

▶ 念のために確認しましょう。**sizeof(int)** が 2 の処理系であれば、**10 / 2** で 5 が得られますし、**sizeof(int)** が 4 の処理系であれば **20 / 4** で 5 が得られます。
なお、**char** の配列の要素数は **sizeof(a)** のみで求められます（要素の大きさが 1 だからです）。

整数型の内部表現

次は、値が格納される箱の中を探っていきます。箱を構成するビットの意味（ビットと値の関係）は、型によって異なります。

整数型の内部で採用されているのは、純２進記数法（pure binary numeration system）という表現法です。

なお、符号無し整数型と符号付き整数型は、表現が異なりますので、まずは符号無し整数型から学習していきます。

Column 7-3　整数型に関する補足

ここでは、整数型に関して補足学習します。

■ _Bool 型

本文で学習した整数型以外に、`_Bool` 型という `0` あるいは `1` の値をもつ型があります。

名前の由来はGeorge Booleというイギリスの数学者・哲学者に由来します。C言語以外の多くのプログラミング言語で採用されている、論理型（真偽型）を模したものです。

なお、`<stdbool.h>` ヘッダをインクルードすることで、`_Bool` の代わりに `bool`、`0` と `1` の代わりに `false` と `true` が使えるようになります。

■ 拡張整数型

本文で学習した、`char` から `long long` までの整数型は、標準整数型（standard integer type）と呼ばれます。処理系独自で整数型を追加してもよいことになっており、そのような整数型は拡張整数型（extended integer type）と呼ばれます。

■ <stdint.h> ヘッダによる整数型と各種マクロ

本文では、整数型のビット数が処理系に依存することや、処理系に依存する情報が `<limits.h>` ヘッダで提供されることなどを学習しました。

この他にも、`<stdint.h>` ヘッダで、整数型に関する、型の定義や、各種のマクロなどが数多く提供されることになっています。次に示すのが、主な型やマクロです。

- 幅指定整数型
- 最小幅指定整数型
- 最速最小幅指定整数型
- オブジェクトを指すポインタを保持可能な整数型
- 最大幅整数型
- 幅指定整数型の限界値
- 最小幅指定整数型の限界値
- 最速最小幅指定整数型の限界値
- オブジェクトポインタを保持可能な整数型の限界値
- 最大幅整数型の限界値
- 上記以外の整数型の限界値

符号無し整数の内部表現

符号無し整数の内部は、値を2進数で表し、それをそのままビットに対応させたものです。

ここでは、**unsigned** 型の **25** を例にとって考えてみます。10 進数の **25** を2進数で表すと **11001** です。そこで、**Fig.7-11** に示すように、上位側のビットすべてを **0** で埋めつくした **0000000000011001** で表現します。

▶ ここに示すのは、**unsigned** 型が 16 ビットである処理系での例です。

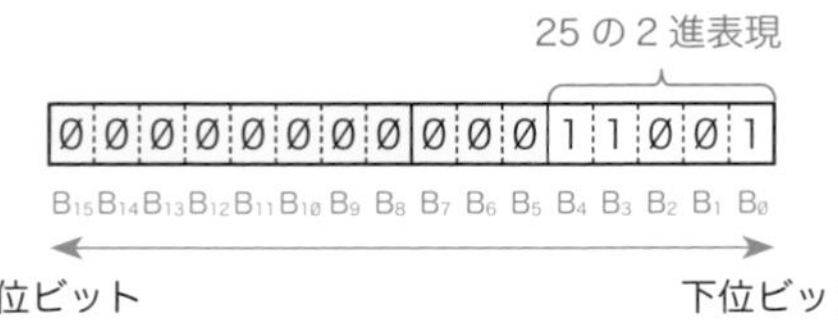

Fig.7-11 16 ビットの符号無し整数における整数値 25 の表現

▶ n ビットの符号無し整数の各ビットを、下位側から B_0、B_1、B_2、… 、B_{n-1} と表すと、そのビットの並びによって表現される整数値は、次の式で得られます。

$B_{n-1} \times 2^{n-1} + B_{n-2} \times 2^{n-2} + \cdots + B_1 \times 2^1 + B_0 \times 2^0$

たとえば、ビット構成が **0000000010101011** の整数は、

$$0\times2^{15} + 0\times2^{14} + \cdots + 0\times2^{8}$$
$$+ 1\times2^{7} + 0\times2^{6} + 1\times2^{5} + 0\times2^{4} + 1\times2^{3} + 0\times2^{2} + 1\times2^{1} + 1\times2^{0}$$

であり、その値は 10 進数での **171** です。

なお、最下位から *pos* 個上位に位置する B_{pos} ビットのことを、『第 *pos* ビット』と呼びます。

整数型が占有する記憶域のビット数は、多くの処理系で、8、16、32、64、… と、8 の倍数です。それらの各ビット数で符号無し整数が表現できる最小値と最大値をまとめたのが **Table 7-6** です。

Table 7-6 符号無し整数の表現範囲の一例

ビット数	最小値	最大値
8	0	255
16	0	65535
32	0	4294967295
64	0	18446744073709551615

たとえば、**unsigned int** 型が 16 ビットであれば、**0** から **65535** までの 65,536 種類の数値が表現できます。右ページの **Fig.7-12** に、その数値とビット構成の対応を示しています。

最小値 **0** は全ビットが **0** であり、最大値 **65535** は全ビットが **1** です。

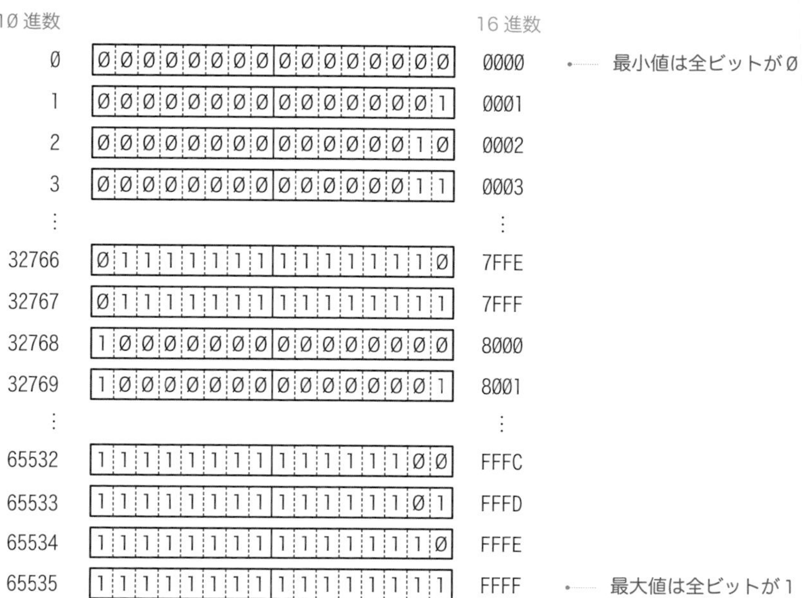

Fig.7-12 16 ビットの符号無し整数の値と内部表現のビット

一般に、n ビットの符号無し整数で表現できる数値は、**0** から 2^n **- 1** までの 2^n 種類です。

▶ これは、n 桁の 10 進数で、**0** から 10^n **- 1** までの 10^n 種類を表現できる（たとえば、3桁までの 10 進数で、**0** から **999** までの 1,000 種類を表現できる）のと同じ理屈（りくつ）です。

Column 7-4 負値のビット構成の求め方

次ページでは、負値の表し方として、3種類の内部表現法を学習します。正値のビット構成から、それに対応する負値のビット構成を求める手順は、単純です。

具体例として、正値 **5** のビット構成から、それに対応する負値 **-5** のビット構成を求める手順を **Fig.7C-1** に示しています

Ⓐ符号と絶対値

符号ビットを **0** から **1** に変更します。それ以外のビットは変化させません。

Ⓑ 1の補数

全ビットを反転します。

Ⓒ 2の補数

Ⓑで求めた1の補数に対して **1** を加算します。

符号と絶対値での −5	1 0 … 0 0 0 0 1 0 1
↑ Ⓐ符号ビットを反転	
5	0 0 … 0 0 0 0 1 0 1
↓ Ⓑ全ビットを反転	
1の補数での −5	1 1 … 1 1 1 1 0 1 0
↓ Ⓒ1を加算	
2の補数での −5	1 1 … 1 1 1 1 0 1 1

Fig.7C-1 負値のビット構成の求め方

符号付き整数の内部表現

符号付き整数の内部表現には、2の補数表現、1の補数表現、符号と絶対値表現の3種類があり、どれを採用するのかが処理系にゆだねられています。

3種類の表現法の共通点は、**Fig.7-13** に示すように、**最上位ビットで符号を表す**ことです。

その符号ビットは、数値が負であれば 1 として、非負であれば Ø とします。

符号ビット以外のビットの意味が、内部表現の種類によって異なります。

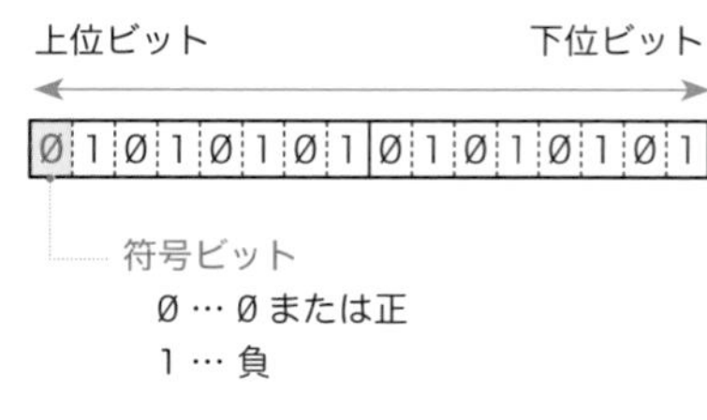

Fig.7-13 符号付き整数の符号ビット

右ページの **Fig.7-14** を見ながら理解していきましょう。全ビットが Ø のパターンから、全ビットが 1 のパターンまでが順に並べられています。

Ø と正の値を表現するのが ［ ］ で囲んだ部分です。この範囲の数値内部表現は、3種類の表現法で共通です（さらに、符号無し整数型とも共通です）。

負の値を表現するのが ［ ］ で囲んだ部分であり、この範囲が表現法によって異なります。

▪ 2の補数表現（2's complement representation）

右ページの **Table 7-7** に示すように、ビット数が n であれば、-2^{n-1} から $2^{n-1} - 1$ までの値を表せる表現法です。

`int` 型（すなわち `signed int` 型）が 16 ビットであれば、**-32768** ～ **32767** の 65,536 種類を表現できます。図**a**の ［ ］ 内の並びは、先頭から順に **-32768** から **-1** までに対応します。

▶ この内部表現での値は、次のようになります。

$$-B_{n-1} \times 2^{n-1} + B_{n-2} \times 2^{n-2} + \cdots + B_1 \times 2^1 + B_Ø \times 2^Ø$$

▪ 1の補数表現（1's complement representation）

右ページの **Table 7-8** に示すように、ビット数が n であれば、$-2^{n-1} + 1$ から $2^{n-1} - 1$ までの値を表せる表現法です（2の補数表現よりも1個少なくなります）。

そのため、`int` 型が 16 ビットであれば、**-32767** ～ **32767** の 65,535 種類の数を表現でき、図**b**の ［ ］ 内の並びは、先頭から順に **-32767** ～ **-Ø** に対応します。

▶ この内部表現での値は、次のようになります。

$$-B_{n-1} \times (2^{n-1}-1) + B_{n-2} \times 2^{n-2} + \cdots + B_1 \times 2^1 + B_Ø \times 2^Ø$$

▪ 符号と絶対値表現（sign and magnitude representation）

表せる数値の範囲は、1の補数表現と同じです（**Table 7-8**）。図**c**の ［ ］ 内の並びは、先頭から順に **-Ø** ～ **-32767** となります。

▶この内部表現での値は、次のようになります。

$$(1 - 2 \times B_{n-1}) \times (B_{n-2} \times 2^{n-2} + \cdots + B_1 \times 2^1 + B_Ø \times 2^Ø)$$

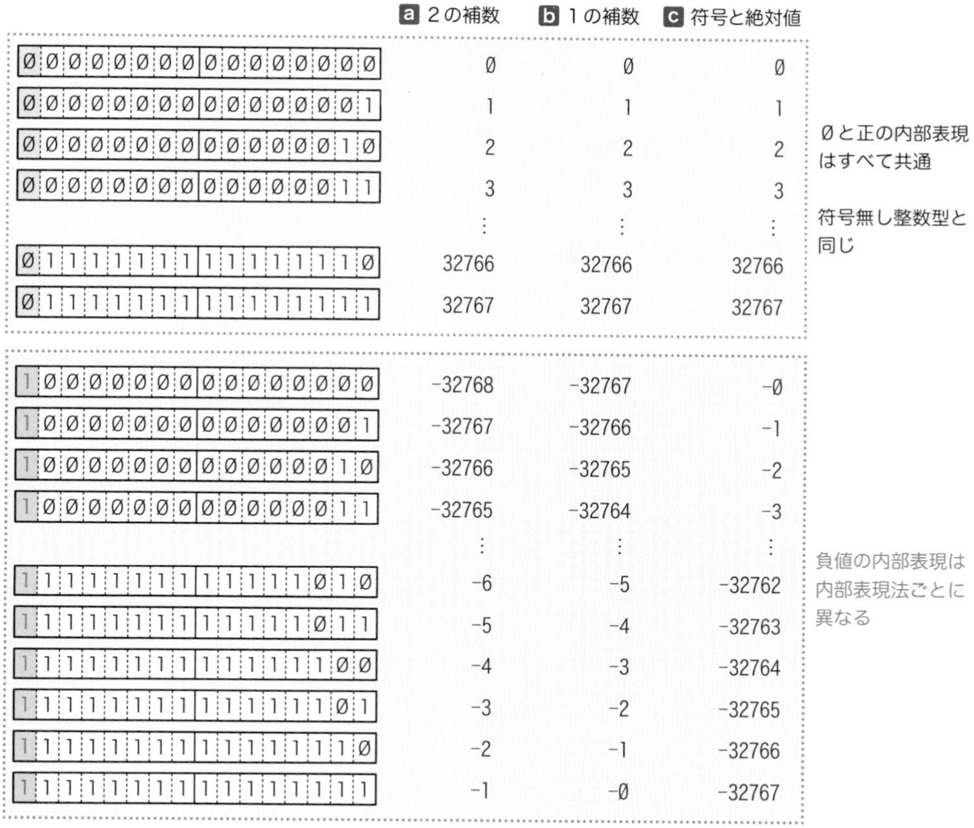

ビット	a 2の補数	b 1の補数	c 符号と絶対値
0000000000000000	0	0	0
0000000000000001	1	1	1
0000000000000010	2	2	2
0000000000000011	3	3	3
⋮	⋮	⋮	⋮
0111111111111110	32766	32766	32766
0111111111111111	32767	32767	32767
1000000000000000	-32768	-32767	-0
1000000000000001	-32767	-32766	-1
1000000000000010	-32766	-32765	-2
1000000000000011	-32765	-32764	-3
⋮	⋮	⋮	⋮
1111111111111010	-6	-5	-32762
1111111111111011	-5	-4	-32763
1111111111111100	-4	-3	-32764
1111111111111101	-3	-2	-32765
1111111111111110	-2	-1	-32766
1111111111111111	-1	-0	-32767

Fig.7-14 16ビットの符号付き整数の値と内部表現のビット

▶ 1の補数表現と符号と絶対値表現で"-0"としているビットパターンの扱いも、処理系によって異なります（数値の-0とみなさない処理系もあるため、このパターンを使うべきではありません）。

Table 7-7 符号付き整数型の表現範囲の一例（2の補数）

ビット数	最小値	最大値
8	-128	127
16	-32768	32767
32	-2147483648	2147483647
64	-9223372036854775808	9223372036854775807

Table 7-8 符号付き整数型の表現範囲の一例（1の補数／符号と絶対値）

ビット数	最小値	最大値
8	-127	127
16	-32767	32767
32	-2147483647	2147483647
64	-9223372036854775807	9223372036854775807

ビット単位の論理演算

第３章では、論理積と論理和という２種類の論理演算を学習しました。整数型の内部を構成する個々のビットに対して論理演算を行うのが、ここで学習するビット単位の論理演算です。

Table 7-9 に示すように、４種類の演算子が提供されます。

Table 7-9 ビット単位の論理演算子

ビット単位の AND 演算子	a & b	aとbのビット単位の論理積を求める。
ビット単位の OR 演算子	a | b	aとbのビット単位の論理和を求める。
ビット単位の排他 OR 演算子	a ^ b	aとbのビット単位の排他的論理和を求める。
~演算子	~a	aの1の補数（すべてのビットを反転した値）を求める。

▶ これらの演算子のオペランドは、整数型でなければなりません。浮動小数点型などのオペランドに適用するとエラーが発生します。

なお、~演算子には、補数演算子という通称があります。

これらの演算子で行われる論理演算をまとめたのが、**Fig.7-15** です。この図が示すように、**0** を偽、**1** を真とみなして論理演算が行われます（もし **int** 型が 16 ビットであれば、オペランドの 16 ビットすべてに対して、論理演算が適用されます）。

■ 論理積

x	y	x & y
0	0	0
0	1	0
1	0	0
1	1	1

両方とも１であれば１

■ 論理和

x	y	x | y
0	0	0
0	1	1
1	0	1
1	1	1

一方でも１であれば１

■ 排他的論理和

x	y	x ^ y
0	0	0
0	1	1
1	0	1
1	1	0

一方のみ１であれば１

■ １の補数

x	~x
0	1
1	0

0であれば1
1であれば0

Fig.7-15 ビット単位の論理演算

右ページの **List 7-6** に示すのは、二つの非負の整数を読み込んで、各種のビット単位の論理演算を行った結果を表示するプログラムです。

実行例で表示されるビットの**下位４ビット**を取り出したのが、**Fig.7-16**（右ページ）です。全ビットに対して、論理積や論理和などの論理演算が行われている様子が分かります。

なお、関数 ***print_bits*** は、整数 ***x*** の内部の全ビットを **0** と **1** で表示する関数であり、関数 ***int_bits*** と関数 ***count_bits*** は、その下請け・孫請けとして利用されている関数です。

これらの関数の中では、ビット単位の論理演算子以外にも、二つの演算子 **>>** と **>>=** が使われています。まずは、これらの演算子を理解していきましょう。

▶ 本プログラムは、**unsigned** 型のビット数を調べた上で表示を行います。実行例は、**unsigned** 型が 16 ビットの環境のものです（**unsigned** 型が 32 ビットの環境で実行すれば、32 桁で表示されます）。

List 7-6 chap07/list0706.c

```
// ビット単位の論理演算

#include <stdio.h>

//--- 整数x中のセットされたビット数を返す ---//
int count_bits(unsigned x)
{
    int bits = 0;
    while (x) {
        if (x & 1U) bits++;
        x >>= 1;
    }
    return bits;
}

//--- unsigned型のビット数を返す ---//
int int_bits(void)
{
    return count_bits(~0U);
}

//--- unsigned型のビット内容を表示 ---//
void print_bits(unsigned x)
{
    for (int i = int_bits() - 1; i >= 0; i--)
        putchar(((x >> i) & 1U) ? '1' : '0');
}

int main(void)
{
    unsigned a, b;

    printf("非負の整数を二つ入力せよ。\n");
    printf("a : ");   scanf("%u", &a);
    printf("b : ");   scanf("%u", &b);

    putchar('\n');
    printf("a     = ");  print_bits(a);      putchar('\n');
    printf("b     = ");  print_bits(b);      putchar('\n');
    printf("a & b = ");  print_bits(a & b);  putchar('\n');   // 論理積
    printf("a | b = ");  print_bits(a | b);  putchar('\n');   // 論理和
    printf("a ^ b = ");  print_bits(a ^ b);  putchar('\n');   // 排他的論理和
    printf("~a    = ");  print_bits(~a);     putchar('\n');   // aの1の補数
    printf("~b    = ");  print_bits(~b);     putchar('\n');   // bの1の補数

    return 0;
}
```

実行結果一例

```
非負の整数を二つ入力せよ。
a : 1971
b : 1237

a     = 0000011110110011
b     = 0000010011010101
a & b = 0000010010010001
a | b = 0000011111110111
a ^ b = 0000001101100110
~a    = 1111100001001100
~b    = 1111101100101010
```

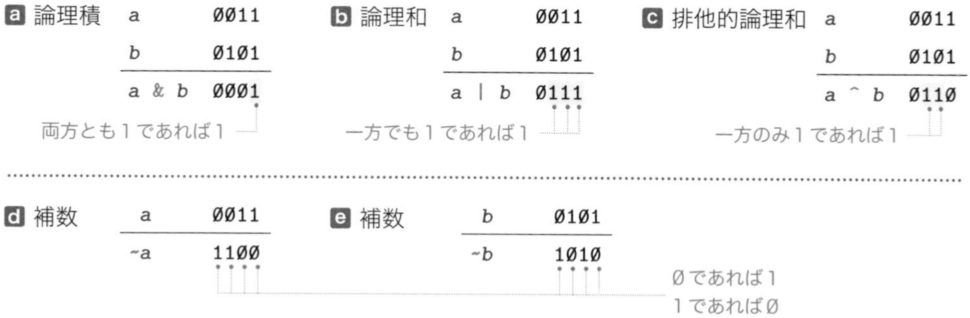

Fig.7-16 ビット単位の論理演算

シフト演算

<<演算子（<< operator）と>>演算子（>> operator）は、整数中の全ビットを左または右にシフトした（ずらした）値を生成する演算子です。なお、両者をまとめて、ビット単位のシフト演算子（bitwise shift operator）と呼びます（**Table 7-10**）。

Table 7-10 ビット単位のシフト演算子

<<演算子	`a << b`	`a`を`b`ビット左にシフトする。空いたビットには`0`を埋める。
>>演算子	`a >> b`	`a`を`b`ビット右にシフトする。

▶ これらの演算子のオペランドは、整数型でなければなりません。

シフト演算子の働きを、右ページの **List 7-7** を例に学習しましょう。符号無し整数値を読み込んで、そのビットを左右にシフトした結果を表示するプログラムです。

▶ 関数`count_bits`、関数`int_bits`、関数`print_bits`は、前ページの **List 7-6** と同じです。スペースの都合上、関数本体部を省略しています。

▪左シフト x << n

式`x << n`は、`x`の全ビットを`n`ビット左にシフトして、右側（下位側）の空いたビットに`0`を埋めます（**Fig.7-17 a**）。`n`が**符号無し整数型であれば**、シフト結果は$x \times 2^n$です。

▶ 2進数は、各桁が2のべき乗の重みをもっているため、**左に1ビットシフトすると、オーバフロー（p.213）しない限り、**値は2倍になります。これは、10進数を左に1桁シフトすると、値が10倍になる（たとえば、196を左に1桁シフトすると1960になる）のと同じ理屈です。

▪右シフト x >> n

式`x >> n`は、`x`の全ビットを`n`ビット右にシフトします。`x`が**符号無し整数型であるか、符号付き整数型の非負値であれば、**$x \div 2^n$の商の整数部がシフト結果です（図**b**）。

▶ **2進数を1ビット右にシフトすると、**値は1／2になります。これは、10進数を右に1桁シフトすると、値が1／10になる（たとえば、196を右に1桁シフトすると19になる）のと同じ理屈です。

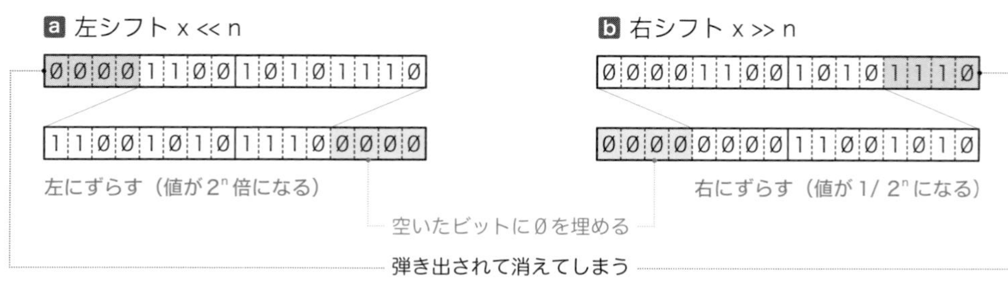

Fig.7-17 非負の整数に対するシフト演算

List 7-7 chap07/list0707.c

```
// unsigned型の値を左右にシフトした値を表示

#include <stdio.h>

int count_bits(unsigned x)   { /* List 7-6と同じ */ }
int int_bits(void)           { /* List 7-6と同じ */ }
void print_bits(unsigned x) { /* List 7-6と同じ */ }

int main(void)
{
    unsigned x, n;

    printf("非負の整数：");            scanf("%u", &x);
    printf("シフトするビット数：");    scanf("%u", &n);

    putchar('\n');
    printf("整数     = ");  print_bits(x);       putchar('\n');
    printf("左シフト = ");  print_bits(x << n);  putchar('\n');
    printf("右シフト = ");  print_bits(x >> n);  putchar('\n');

    return 0;
}
```

実行結果一例

```
非負の整数：3246
シフトするビット数：4

整数     = 0000110010101110
左シフト = 1100101011100000
右シフト = 0000000011001010
```

▶ シフトの対象が符号付き整数型で、値が負の場合の演算結果は、**処理系に依存します**（多くの処理系では、**Column 7-5** に示す論理シフトあるいは算術シフトのいずれかが行われます）。

プログラムの可搬性（かはんせい）が損なわれるため、**負数のシフトは行うべきではありません。**

Column 7-5 論理シフトと算術シフト

▪ 論理シフト（logical shift）

Fig.7C-2 **a**に示すように、符号ビットを特別に考慮することなく、まるごとシフトします。

負の整数値を右にシフトすると、符号ビットが **1** から **0** に変わるため、演算結果は、**0** または正の値になります。

▪ 算術シフト（arithmetic shift）

図**b**に示すように、最上位の符号ビット以外のビットをシフトして、シフト前の符号ビットで空いたビットを埋めつくします。シフト前後で符号が変わることはありません。

1ビット左にシフトすると値が2倍になって、1ビット右にシフトすると値が 1 / 2 になります。

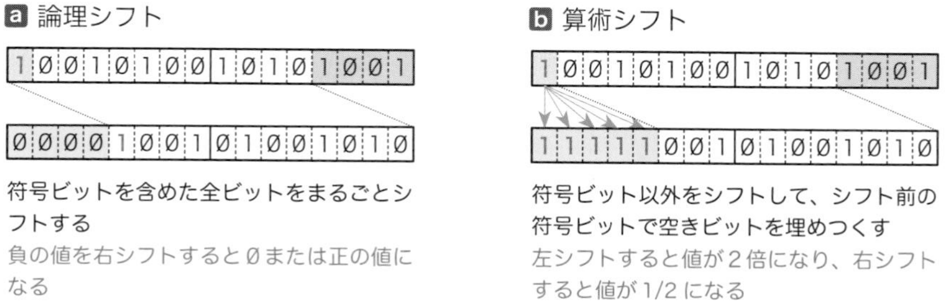

a 論理シフト

1	0	0	1	0	1	0	0	1	0	1	0	1	0	0	1
0	0	0	0	1	0	0	1	0	1	0	0	1	0	1	0

符号ビットを含めた全ビットをまるごとシフトする
負の値を右シフトすると 0 または正の値になる

b 算術シフト

1	0	0	1	0	1	0	0	1	0	1	0	1	0	0	1
1	1	1	1	1	0	0	1	0	1	0	0	1	0	1	0

符号ビット以外をシフトして、シフト前の符号ビットで空きビットを埋めつくす
左シフトすると値が2倍になり、右シフトすると値が 1/2 になる

Fig.7C-2 負の整数値の論理シフトと算術シフト

ビット単位の論理演算子とシフト演算子の学習がひととおり終わりました。それでは、**List 7-6**（p.203）の三つの関数を理解していきましょう。

■ int *count_bits*(unsigned *x*); … 整数 x 中のセットされたビット数を求める

仮引数 x に、セットされた（"1" である）ビットが何個あるのかをカウントする関数です。

カウントの手順を、**Fig.7-18** を見ながら理解していきましょう（この図は、x の値が 10 の場合を示したものです）。

```
int count_bits(unsigned x)
{
    int bits = 0;
    while (x) {
        if (x & 1U) bits++;  ―1
        x >>= 1;             ―2
    }
    return bits;
}
```


1 x と、1U（最下位ビットのみが 1 の符号無し整数）との論理積を求めることで、x の最下位ビットが 1 であるかどうかを判定します。判定の結果、最下位ビットが 1 であれば bits をインクリメントします。

▶ 1U の U は、整数定数を**符号無し整数型**にする記号です（p.211 で学習します）。x の最下位ビットが 1 であれば x & 1U は 1 となり、そうでなければ x & 1U は 0 となります。

2 調べ終わった最下位ビットを弾き出すために、全ビットを1ビット右にシフトします。

▶ >>= は複合代入演算子ですから、x = x >> 1; と同じ働きをします。

以上の作業を、x の値が 0 になる（x の全ビットが 0 になる）まで繰り返すと、セットされたビットの個数が変数 bits に入ります。

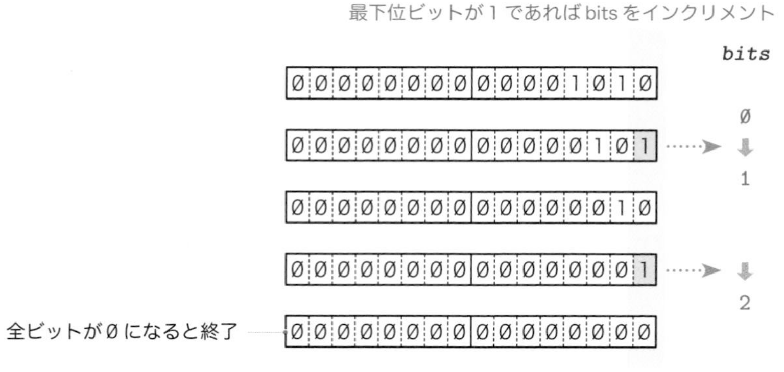

Fig.7-18 セットされたビットのカウント

■ int *int_bits*(void); … int 型／unsigned 型のビット数を調べる

関数 *int_bits* は、int 型と unsigned 型が何ビットで構成されるのかを調べる関数です。

赤色の ~0U は、全ビットが 1 である unsigned 型整数（全ビットが 0 である符号無し整数 0U の全ビットを反転したもの）です。

```
int int_bits(void)
{
    return count_bits(~0U);
}
```

▶ 全ビットが0の0Uに対して~演算子を適用した~0Uは、全ビットが1です（**Fig.7-19**）。

その~0Uは、UINT_MAXと同じです。符号無し整数型の最大値は、すべてのビットが1だからです。

0U | 0 | 0 | … | 0 | 0 | 0 | 0 | 0 | 0 | 0 |

全ビットを反転

~0U | 1 | 1 | … | 1 | 1 | 1 | 1 | 1 | 1 | 1 |

Fig.7-19 ~0Uを得る

全ビットが1である~0Uを関数*count_bits*に渡すことによって、unsigned型のビット数を求めていることが分かりました。

▶ なお、unsigned型とint型のビット数は同じです（p.193）。

■ void *print_bits*(unsigned *x*); … 整数*x*の全ビット構成を表示

関数*print_bits*は、unsigned型整数の最上位ビットから最下位ビットまでの全ビットを、1と0の並びとして表示する関数です。

```
void print_bits(unsigned x)
{
    for (int i = int_bits() - 1; i >= 0; i--)
        putchar(((x >> i) & 1U) ? '1' : '0');
}
```

for文のループ本体中の水色の式に着目します。これは、第*i*ビットすなわちB_iが1かどうかの判定です。その結果が1であれば'1'と表示し、0であれば'0'と表示します（**Fig.7-20**）。

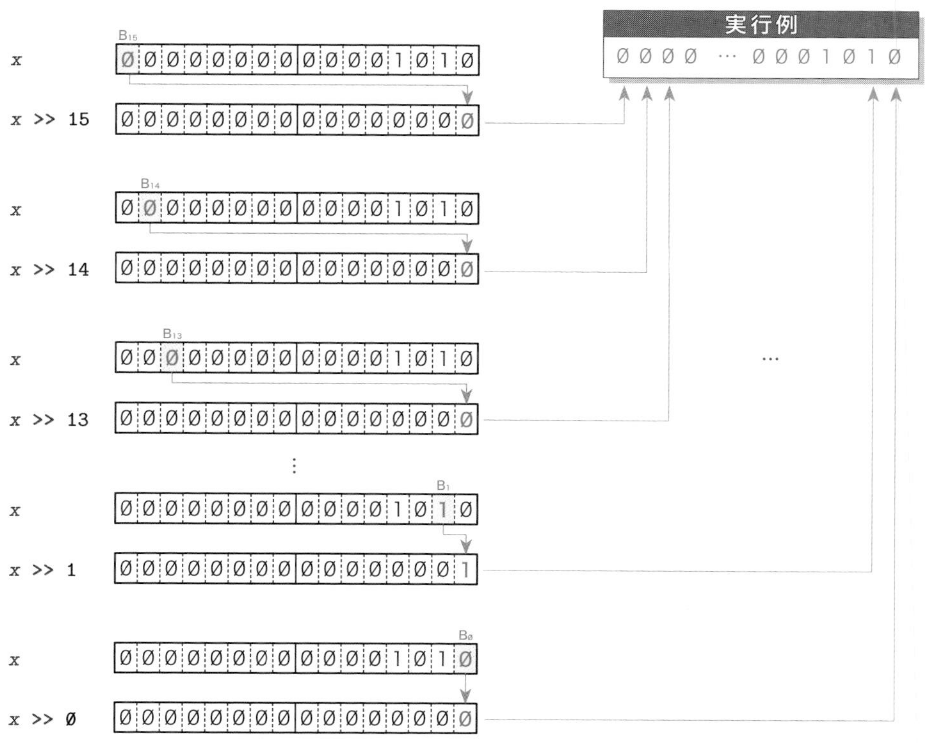

Fig.7-20 全ビットの表示

ビット単位の論理演算の応用

ビット単位の論理積、論理和、排他的論理和の各演算は、次の用途で利用できます。

- 論理和　　　：任意のビットをセット　　1にする
- 論理積　　　：任意のビットをリセット　0にする
- 排他的論理和：任意のビットを反転　　　0を1にして1を0にする

List 7-8 のプログラムで確認しましょう。整数値 *n* の**最下位ビット**を、セット／リセット／反転した値を表示するプログラムです。

List 7-8　chap07/list0708.c

```
// 最下位ビットのセット／リセット／反転

#include <stdio.h>

int count_bits(unsigned x)   { /* List 7-6と同じ */ }
int int_bits(void)           { /* List 7-6と同じ */ }
void print_bits(unsigned x)  { /* List 7-6と同じ */ }

int main(void)
{
    unsigned n;

    printf("非負の整数："); scanf("%u", &n);

    putchar('\n');
    printf("もとの値 = "); print_bits(n);        putchar('\n');
    printf("セット   = "); print_bits(n | 1U);   putchar('\n');
    printf("リセット = "); print_bits(n & ~1U);  putchar('\n');
    printf("反転     - "); print_bits(n ^ 1U);   putchar('\n');

    return 0;
}
```

実行例

```
① 非負の整数：7
  もとの値 = 0000000000000111
  セ ッ ト = 0000000000000111
  リセット = 0000000000000110
  反　　転 = 0000000000000110

② 非負の整数：6
  もとの値 = 0000000000000110
  セ ッ ト = 0000000000000111
  リセット = 0000000000000110
  反　　転 = 0000000000000111
```

実行例から分かるように、最下位ビットのみが、セット／リセット／反転されていて、それ以外のビットは、**もとの値**のまま維持されています。

そうなるのは、次のように演算を行っているからです。

	最下位ビット		それ以外のビット	
セ ッ ト	1との**論理和**	⇨ 1	0との**論理和**	⇨ **もとの値**
リセット	0との**論理積**	⇨ 0	1との**論理積**	⇨ **もとの値**
反　　転	1との**排他的論理和**	⇨ もとの値の反転	0との**排他的論理和**	⇨ **もとの値**

▶ 本プログラムでは、*n* に対して次の演算を行って、その結果を表示しています。
　セ ッ ト：最下位ビットのみが1で、それ以外が0のビットとの**論理和**をとる演算
　リセット：最下位ビットのみが0で、それ以外が1のビットとの**論理積**をとる演算
　反　　転：最下位ビットのみが1で、それ以外が0のビットとの**排他的論理和**をとる演算

演習 7-2

符号無し整数を左右にシフトした値が、上位ビットが弾き出されない限り、２のべき乗での乗算や除算の演算結果と一致することを確認するプログラムを作成せよ。

演習 7-3

符号無し整数 **x** の全ビットを右に **n** ビット回転した値を返す関数 ***rrotate*** と、左に **n** ビット回転した値を返す関数 ***lrotate*** を作成せよ。

```
unsigned rrotate(unsigned x, int n);
unsigned lrotate(unsigned x, int n);
```

※回転とは、最下位ビットと最上位ビットがつながっているとみなしてシフトすることである。

たとえば右に５ビット回転した場合は、シフトによって弾き出される下位５ビットを上位にもってくる。

演習 7-4

符号無し整数 **x** の第 ***pos*** ビットを、セットした値を返す関数 ***set***、リセットした値を返す関数 ***reset***、反転した値を返す関数 ***inverse*** を作成せよ。

```
unsigned set(     unsigned x, int pos);
unsigned reset(   unsigned x, int pos);
unsigned inverse(unsigned x, int pos);
```

演習 7-5

符号無し整数 **x** の第 ***pos*** ビットから第 ***pos* + *n* - 1** ビットまでの ***n*** 個のビットを、セットした値を返す関数 ***set_n***、リセットした値を返す関数 ***reset_n***、反転した値を返す関数 ***inverse_n*** を作成せよ。

```
unsigned set_n(     unsigned x, int pos, int n);
unsigned reset_n(   unsigned x, int pos, int n);
unsigned inverse_n(unsigned x, int pos, int n);
```


Column 7-6　論理演算子とビット単位の論理演算子

ビット単位の論理演算子 **&, |, ~** と、第３章で学習した論理演算子 **&&, ||, !** は、見かけと働きが中途半端に似ていますので、混同しないようにしましょう。

そもそも、論理演算とは、真（true）と偽（false）の2値に対する演算であり、論理積／論理和／排他的論理和／否定／否定論理積／否定論理和などの演算があります。

ビット単位の論理演算子 **&**、**|**、**^**、**~** は、オペランドの**すべてのビット**に対して、**1** を真、**0** を偽とみなして論理演算を行う演算子です。一方、論理演算子 **&&** と **||** は、**0** 以外の値を真、**0** を偽とみなして論理演算を行う演算子です。

式 **5 & 4** の評価（2進数）と、式 **5 && 4** の評価（真理値）を比べると、違いがはっきりします。

```
  5  &  4   →   4          5  &&  4   →  1
101 & 100   →  100        非0 && 非0  →  1
```

整数定数

整数定数は、3種類の基数で表せます。**Fig.7-21** に示すのが、その構文図です。

▪ 1Ø 進定数（decimal constant）

これまで使ってきた **1Ø** や **57** といった整数定数は、私たちが日常で使う 1Ø 進数で表されています。これが、1Ø 進定数です。

▪ 8進定数（octal constant）

8進定数は、1Ø 進定数との見分けが付くように、先頭に **Ø** を置いて表記します。そのため、右に示す二つの整数定数は、同じように見えても、まったく異なる値です。

```
 13 … 1Ø進定数（1Ø進数の13）
Ø13 … 8 進定数（1Ø進数の11）
```

▪ 16 進定数（hexadecimal constant）

16 進定数は、先頭に **Øx** または **ØX** を置いて表記します。1Ø 進数の **1Ø** ～ **15** に相当する **A** ～ **F** は、大文字でも小文字でも構いません。

右に示すのが一例です。

```
ØxB  … 16進定数（1Ø進数の11）
Øx12 … 16進定数（1Ø進数の18）
```

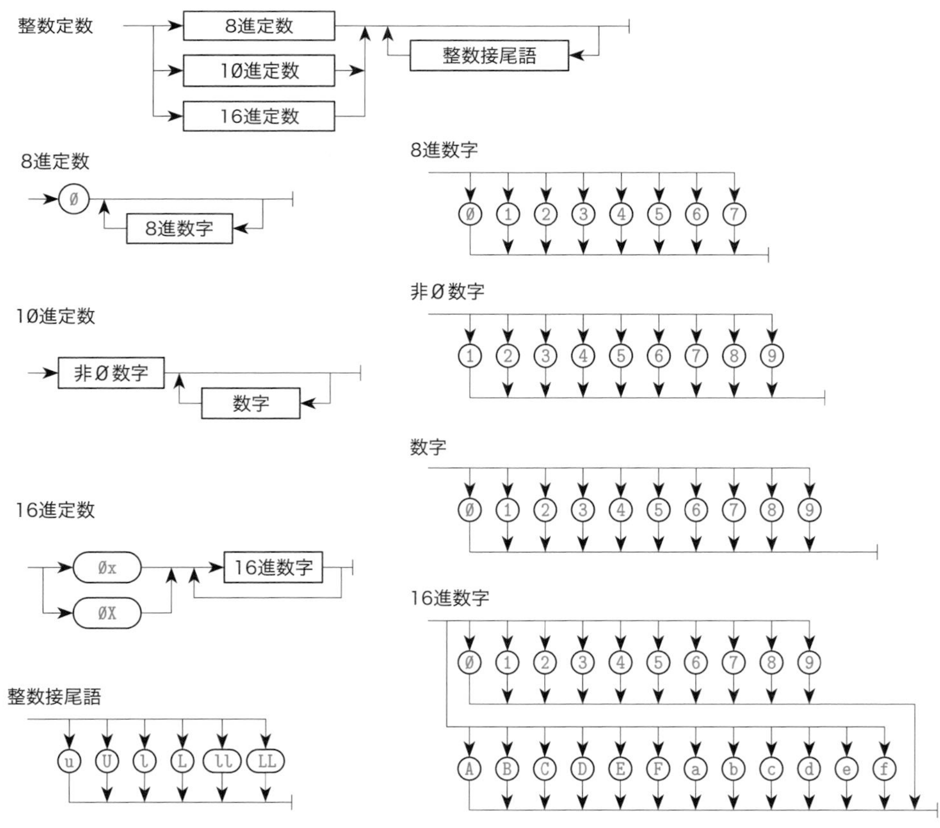

Fig.7-21 整数定数の構文図

整数定数の型

p.189 の `<limits.h>` の定義例では、一部の整数定数に整数接尾語（integer suffix）と呼ばれる `U` と `L` の記号が末尾に付いています。整数接尾語は、次の指示です。

- `u` および `U` … その整数定数が符号無しであることを明示する。
- `l` および `L` … 〃 `long` であることを明示する。
- `ll` および `LL` … 〃 `long long` であることを明示する。

たとえば、`3517U` は `unsigned` 型となり、`127569L` は `long` 型となります。

▶ 小文字の `l` は数字の `1` と見分けが付きにくいため、大文字の `L` を使うべきです。
　ちなみに、負の数 `-10` は、整数リテラルではありません。整数リテラル `10` に対して、単項 `-` 演算子が適用された式です。

整数定数が具体的にどの型となるかの決定には、右に示す三つの要因が関わります。

- その整数定数の値
- その整数定数に付けられた接尾語
- その処理系における各型の表現範囲

その規則をまとめたものが、**Table 7-11** と **Table 7-12** です。スタートは左端の型です。左端の型で表現できれば、その型と解釈され、表現できなければ、"⇒" をたどって、一つ右側の型へと進んでいき、表現できれば、その型となります。

Table 7-11　10 進定数の接尾語と型

a なし	`int`		⇒`long`		⇒`long long`	
b `L`			`long`		⇒`long long`	
c `LL`					`long long`	
d `U`		`unsigned`		⇒`unsigned long`		⇒`unsigned long long`
e `U` と `L`				`unsigned long`		⇒`unsigned long long`
f `U` と `LL`						`unsigned long long`

Table 7-12　8進定数／16 進定数の接尾語と型

a なし	`int`	⇒`unsigned`	⇒`long`	⇒`unsigned long`	⇒`long long`	⇒`unsigned long long`
b `L`			`long`	⇒`unsigned long`	⇒`long long`	⇒`unsigned long long`
c `LL`					`long long`	⇒`unsigned long long`
d `U`		`unsigned`		⇒`unsigned long`		⇒`unsigned long long`
e `U` と `L`				`unsigned long`		⇒`unsigned long long`
f `U` と `LL`						`unsigned long long`

▶ `12L` は `long` 型で、`123LL` は `long long` 型です。また、`0x13U` は `unsigned` 型です。
　`1234567` は、`int` 型で表現できるのであれば `int` 型となり、表現できなければ `long` 型となります（`int` 型でたとえ `1234567` を表現できない処理系でも、`long` であれば確実に表現できます）。

整数の表示

前章までは、*printf* 関数に与える変換指定として、"%d" を中心に使ってきました。d は、**符号付き整数型を 10 進数で表示する**ための変換指定子です。

符号無し整数型の値を8進数、10 進数、16 進数で表示するときは、それぞれ o と u と x あるいは X を使います。

▶ o は octal に由来し、u は unsigned に由来し、x は hexadecimal に由来します。x を使うと小文字 **a** 〜 **f** で表示され、X を使うと大文字 **A** 〜 **F** で表示されます。

なお、表示するのが **long**、あるいは **long long** である場合は、変換指定子の直前に、l あるいは ll の長さ修飾子を置きます。

▶ 一例を示します。

%d … **int** を 10 進　　%ld … **long** を 10 進　　%lld … **long long** を 10 進
%o … **unsignd** を8進　　%lu … **unsigned long** を 10 進　　%llx … **unsigned long long**を16進

List 7-9 は、**0** 〜 **65535** の整数を、10 進／2進／8進／16 進で表示するプログラムです。

List 7-9　　chap07/list0709.c

```
// 0〜65535を10進／2進／8進／16進で表示

#include <stdio.h>

int count_bits(unsigned x)   { /* List 7-6と同じ */ }
int int_bits(void)           { /* List 7-6と同じ */ }

//--- unsigned型整数xの下位nビットを表示 ---//
void print_nbits(unsigned x, unsigned n)
{
    int i = int_bits();
    i = (n < i) ? n - 1 : i - 1;
    for ( ; i >= 0; i--)
        putchar(((x >> i) & 1U) ? '1' : '0');
}

int main(void)
{
    for (unsigned i = 0; i <= 65535U; i++) {
        printf("%5u ", i);
        print_nbits(i, 16);
        printf(" %06o %04X\n", i, i);
    }

    return 0;
}
```

%06o ── 8進数
%04X ── 16 進数（A〜F は大文字）

実行結果

```
    0 0000000000000000 000000 0000
    1 0000000000000001 000001 0001
    2 0000000000000010 000002 0002
    3 0000000000000011 000003 0003
          … 中略 …
65532 1111111111111100 177774 FFFC
65533 1111111111111101 177775 FFFD
65534 1111111111111110 177776 FFFE
65535 1111111111111111 177777 FFFF
```

関数 *print_nbits* は、**unsigned** 型変数 **x** の下位 *n* ビットを表示する関数です。本プログラムでは、下位 16 ビットを表示しています。

▶ 関数 *print_nbits* は、**int** 型のビット数を超えた値が仮引数 *n* に指定された場合、**int** 型の全ビットを表示します。たとえば、**int** 型が 16 ビットである処理系で *n* に 32 が指定されたとしても、表示するビット数は 32 ではなく 16 です。

オーバフローと例外

整数型で表現できる値の範囲が有限であることは既に学習しました。演算結果がその範囲を超えてしまったら、どうなるでしょうか。

符号付き整数型：オーバフローによる例外発生

```
int x, y, z;
x = 30000;
y = 20000;
z = x + y;
```

int 型で表現できるのが -32768 ～ 32767 であるとして、右の演算を行ったらどうなるかを考えましょう。

x と y に代入されるのは、いずれも int 型で表現可能な値です。ところが、z に代入される x + y の演算結果 50000 は、int 型の表現範囲を超えます。

このように、演算の結果が、オーバフロー（overflow）すなわち桁あふれなどによって、表現可能な値の範囲を超える場合や、0 による除算などによって数学的に定義できない場合は、例外（exception）が発生します。

ただし、例外発生時のプログラムの挙動は、処理系に依存します。プログラムの実行が中断されて強制終了する環境が多いようです。

符号無し整数型：オーバフローしない

```
unsigned x, y, z;
x = 37000;
y = 30000;
z = x + y;
```

次は、符号無し整数型を考えます。unsigned 型で表現できるのが 0 から 65535 であるとして、右の演算を行います。

実行しても、例外が発生することなく、加算結果 67000 を 65536 で割った剰余である 1464 が z に代入されます。

符号無し整数の演算結果が表現可能な範囲を超えた場合、その型で表現できる最大値に 1 を加えた値で割った剰余が演算結果となるという規則があるからです。

▶ たとえば、次のようになります（unsigned で表現できる最大値が 65535 であるとします）。
- 数学的な演算結果が 65536 であれば、プログラムとしての演算結果は 0 となる。
- 数学的な演算結果が 65537 であれば、プログラムとしての演算結果は 1 となる。
- 数学的な演算結果が 65538 であれば、プログラムとしての演算結果は 2 となる。

符号無し整数型の演算では、最小値から最大値までの値が順繰りに使われるため、オーバフローによる例外が発生しないことが分かりました。

重要 符号無し整数型での最大値を超える演算結果は、数学的な演算結果 % （その符号無し整数型で表現できる最大値 + 1）となり、オーバフローは発生しない。

演習 7-6

符号無し整数に対する算術演算ではオーバフローが発生せず、上記の重要で示した結果となることを確認するプログラムを作成せよ。

7-3 浮動小数点型

前節で学習した整数型は、小数部をもつ実数値を表すことができません。本節では、実数値を表すのに適した型である浮動小数点型について学習します。

浮動小数点型

実数を表す浮動小数点型（floating point type）には、右に示す3種類があります。

▶ 型名の**float**は浮動小数点（floating-point）に由来し、**double**は2倍の精度（double precision）に由来します。

- float
- double
- long double

List 7-10 に示すのは、これらの三つの型の変数に数値を入れて表示するプログラムです。

▶ 実行によって表示される値は、処理系によって異なります。

List 7-10 chap07/list0710.c

```
// 浮動小数点型の変数の値を表示

#include <stdio.h>

int main(void)
{
    float a       = 123456789012345678901234567890.0;
    double b      = 123456789012345678901234567890.0;
    long double c = 123456789012345678901234567890.0;

    printf("a = %f\n",  a);
    printf("b = %f\n",  b);
    printf("c = %Lf\n", c);

    return 0;
}
```

long double 型のみ f ではなく Lf

実行結果一例

```
a = 123456789182729271864492818432.000000
b = 123456789012345677877719597056.000000
c = 123456789012345677877719597056.000000
```

実行結果から、変数に入れられた数値が正確に表現されていないことが分かります。そうなるのは、浮動小数点型で表す値が、大きさと精度の両方の制限を受けるからです。

このことを、"たとえ話"で説明すると、次のようになります。

大きさとしては12桁まで表すことができ、精度としては6桁が有効である。

数値 1234567890 を例に考えていきましょう。

この値は10桁ですから、**大きさ**としては12桁に収まっています。ところが、**精度**としては6桁に収まっていません。そこで、左から7桁目を四捨五入すると 1234570000 となります。

これを数学的な形式で表現したのが、**Fig.7-22** です。

1.23457 は仮数（かすう）と呼ばれ、9 は指数（しすう）と呼ばれます。仮数の桁数が「精度」に相当し、指数の値が「大きさ」に相当します。

仮数　指数

1.23457×10^9

Fig.7-22 指数と仮数

ここまでは、たとえ話として10進数で考えてきましたが、実際には、仮数部や指数部は2進数で表現されています。そのため、大きさと精度を"12桁"や"6桁"といった具合に、10進整数でピッタリ表現することはできません。

浮動小数点数の内部表現は、**Fig.7-23**のようになっています。

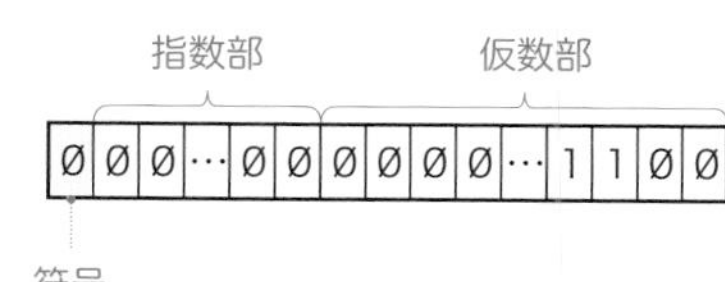

Fig.7-23 浮動小数点数の内部

指数部のビット数が多ければ大きな数値を表せますし、仮数部のビット数が多ければ精度の高い数値を表せます。

指数部と仮数部に対して、具体的に何ビットを割り当てるのかは、処理系と型に依存します。

＊

三つの型 **float**、**double**、**long double** は、この並びでの左側の型と同等、もしくは、より大きな"表現範囲"をもちます。

本書では、第2章から、**double**型を中心に使ってきました。浮動小数点型については、次の指針をとるのが一般的です。

- **基本的にはdouble型を使う。**
- **記憶域の節約の必要があればfloat型を使う。**
- **計算精度が要求されるときはlong double型を使う。**

Column 7-7　小数部をもつ2進数

既に学習したように、10進数の各桁は10のべき乗の重みをもっています。このことは、小数部でも成立します。たとえば、10進数の**13.25**という値を考えましょう。整数部の**1**は10^1、**3**は10^0で、小数部の**2**は10^{-1}、**5**は10^{-2}の重みをもちます。

2進数も同様です。2進数の各桁は2のべき乗の重みをもちます。そのため、2進数の小数点以下の桁を10進数と対応させると、**Table 7C-2**に示す関係となります。

Table 7C-2 2進数と10進数

2進数	10進数	
Ø.1	Ø.5	※2の-1乗
Ø.Ø1	Ø.25	※2の-2乗
Ø.ØØ1	Ø.125	※2の-3乗
Ø.ØØØ1	Ø.Ø625	※2の-4乗
⋮	⋮	

Ø.5, Ø.25, Ø.125, … の和とならない値は、有限桁の2進数では表現できません。

具体例で検証しましょう。

▪ 有限桁で表現できる例

10進数の**Ø.75** ＝ 2進数の**Ø.11**　※ **Ø.75** は**Ø.5** と**Ø.25** の和

▪ 有限桁で表現できない例

10進数の**Ø.1** ＝ 2進数の**Ø.ØØØ11ØØ1**…

浮動小数点定数

3.14 や 57.3 のような、実数を表す定数が浮動小数点定数（floating-point constant）です。**Fig.7-24** に示すのが、浮動小数点定数の構文図です（**Column 7-8**：p.219）。

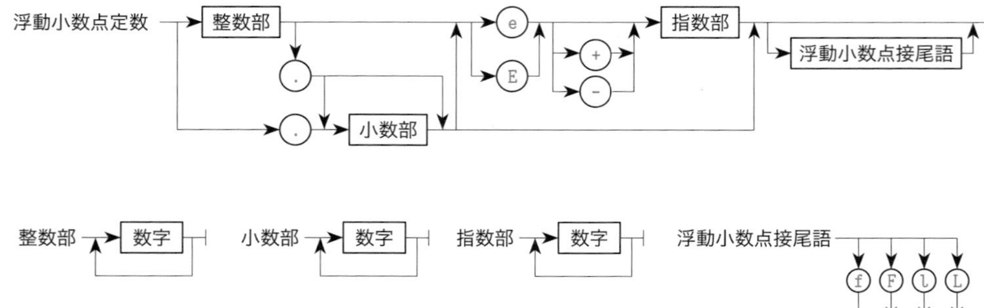

Fig.7-24 浮動小数点定数の構文図

整数定数の末尾に接尾語 U と L を置けるのと同様に、浮動小数点定数の末尾にも型指定のための浮動小数点接尾語（floating suffix）を置けます。

float 型を指定するのが f と F であり、long double 型を指定するのが l と L です。なお、接尾語を付けなければ double 型となります。例を示します。

```
57.3        // double型
57.3F       // float型
57.3L       // long double型
```

▶ 小文字の l は数字の 1 と見分けが付きにくいため、大文字の L を使うべきです（整数接尾語と同様です）。

構文図が示すように、指数を付けた数学的表記が可能です。例を示します。

```
1.23E4       // 1.23×10⁴
89.3E-5      // 89.3×10⁻⁵
```

また、整数部や小数部を省略することもできます。ただし、すべての部分が省略できるわけではありません。構文図をよく読んで理解しましょう。いくつかの例を示します。

```
.5          // double型の0.5
12.         // double型の12.0
.5F         // float型の0.5
1L          // long double型の1.0
```

▶ たとえば、小数点 . と小数部の両方を省略した場合は、整数部は省略できません。

演習 7-7

float 型の変数と double 型の変数と long double 型の変数にキーボードから数値を読み込んで、その値を表示するプログラムを作成せよ。いろいろな値を入力して、動作を検証すること。

<math.h> ヘッダ

技術計算などをサポートするために、各種の数学関数が用意されています。それらが宣言されているのは、<math.h> ヘッダです。平方根を求める *sqrt* 関数を使って、２点間の距離を求めるプログラムを **List 7-11** に示します。

List 7-11 chap07/list0711.c

```
// ２点間の距離を求める

#include <math.h>
#include <stdio.h>

//--- 点(x1,y1)と点(x2,y2)の距離を求める ---//
double dist(double x1, double y1, double x2, double y2)
{
    return sqrt((x2 - x1) * (x2 - x1) + (y2 - y1) * (y2 - y1));
}

int main(void)
{
    double x1, y1;      // 点1
    double x2, y2;      // 点2

    printf("２点間の距離を求めます。\n");
    printf("点１…Ｘ座標：");   scanf("%lf", &x1);
    printf("      Ｙ座標：");   scanf("%lf", &y1);
    printf("点２…Ｘ座標：");   scanf("%lf", &x2);
    printf("      Ｙ座標：");   scanf("%lf", &y2);

    printf("距離は%fです。\n", dist(x1, y1, x2, y2));

    return 0;
}
```

実行例

```
２点間の距離を求めます。
点１…Ｘ座標：1.5
      Ｙ座標：2.0
点２…Ｘ座標：3.7
      Ｙ座標：4.2
距離は3.111270です。
```

sqrt	
ヘッダ	#include <math.h>
形　式	double sqrt(double x);
解　説	x の平方根を計算する。
返却値	計算した平方根の値を返す。

▶ 平方根とは、平方すると、もとの値に等しくなる数のことです。換言すると、数 a に対して、b^2 が a と等しくなる b のことです。なお、float 型の引数を受け取って float 型を返却する *sqrtf* 関数、long double 型の引数を受け取って long double 型を返却する *sqrtl* 関数も提供されます。

演習 7-8

３種類の浮動小数点型の大きさを sizeof 演算子で求めて表示するプログラムを作成せよ。

演習 7-9

実数値の面積を読み込んで、その面積をもつ正方形の一辺の長さを求めるプログラムを作成せよ。

繰返しの制御

List 7-12 に示すプログラムを考えましょう。`float` 型の変数 `x` の値を、`0.0` から始めて、`1.0` になるまで `0.01` ずつ増やしながら表示するプログラムです。

▶ 演算結果が `float` 型の精度に依存するため、実行結果は処理系によって異なります。

List 7-12 chap07/list0712.c

```
// 0.0から1.0まで0.01単位で繰り返す

#include <stdio.h>

int main(void)
{
    for (float x = 0.0; x <= 1.0; x += 0.01)
        printf("x = %f\n", x);

    return 0;
}
```

実行結果一例

```
x = 0.000000
x = 0.010000
x = 0.020000
x = 0.030000
 … 中略 …
x = 0.989999
x = 0.999999
```

最後の `x` の値が、`1.0` ではなく `0.999999` となっています（**Fig.7-25** ⓐ）。これは、浮動小数点数が、すべての桁の情報を失うことなく表現できるとは限らない（**Column 7-7**：p.215）からです。100 回の加算が行われているため、`x` には 100 個分の誤差が累積しています。

制御式の関係演算子 `<=` を、等価演算子 `!=` に変更してみましょう（`"chp07/list0712a.c"`）。

```
for (float x = 0.0; x != 1.0; x += 0.01)        // List 7-12 [改]
```

そうすると、図ⓑに示すように、`1.0` を通り越して `for` 文は延々と繰返しを続けます。というのも、`x` の値がピッタリ `1.0` にならないからです。

＊

繰返しの制御を整数で行うように変更したプログラムを、右ページの **List 7-13** に示します。

ⓐ List 7-12

```
x = 0.000000
x = 0.010000
x = 0.020000
x = 0.030000
 … 中略 …
x = 0.979999
x = 0.989999
x = 0.999999
```

誤差が累積する

ⓑ List 7-12 [改]

```
x = 0.000000
x = 0.010000
x = 0.020000
x = 0.030000
 … 中略 …
x = 0.979999
x = 0.989999
x = 0.999999
x = 1.009999
x = 1.019999
x = 1.029999
x = 1.039999
 … 以下省略 …
```

x は 1.0 とはならず繰返しは終わらない

ⓒ List 7-13

```
x = 0.000000
x = 0.010000
x = 0.020000
x = 0.030000
 … 中略 …
x = 0.980000
x = 0.990000
x = 1.000000
```

誤差はあるが累積はしない

Fig.7-25 繰返しの過程で表示される値

List 7-13 chap07/list0713.c

```
// 0.0から1.0まで0.01単位で繰り返す（整数で制御）

#include <stdio.h>

int main(void)
{
    float x;

    for (int i = 0; i <= 100; i++) {
        x = i / 100.0;
        printf("x = %f\n", x);
    }

    return 0;
}
```

実行結果一例

```
x = 0.000000
x = 0.010000
x = 0.020000
x = 0.030000
 … 中略 …
x = 0.990000
x = 1.000000
```


本プログラムの**for**文は、変数*i*の値を**0**から始めて**100**までインクリメントしていきます。繰返しの過程では、毎回変数*i*を**100.0**で割る除算を行って、その結果を**x**とします。

もちろん、**x**が目的とする実数値をピッタリと表現できるわけではありません。しかし、毎回**x**の値を求め直すわけであり、**誤差が累積しない**という点で、**List 7-12**よりも正確です。

重要 可能な限り、繰返しの判定の基準とする変数は、浮動小数点型でなく整数型とする。

演習 7–10

List 7-12のように、**float**型の変数を**0.0**から**1.0**まで**0.01**ずつ増やしていく様子と、**List 7-13**のように、**int**型の変数を**0**から**100**までインクリメントした値を**100.0**で割った値を求める様子を、横に並べて表示するプログラムを作成せよ。

```
x = 0.000000  x = 0.000000
x = 0.010000  x = 0.010000
x = 0.020000  x = 0.020000
       … 中略 …
x = 0.979999  x = 0.980000
x = 0.989999  x = 0.990000
x = 0.999999  x = 1.000000
```

演習 7–11

List 7-12と**List 7-13**のそれぞれを書きかえて、**0.0**から**1.0**まで**0.01**ずつ増やした値すべての累計を求めるプログラムを作成せよ。両者の実行結果に対する考察を行うこと。

Column 7-8 16進浮動小数点定数と16進での出力

p.216で学習した浮動小数点定数は、10進表記の定数です。標準Cの第2版からは、浮動小数点定数は、16進表記も行えます。その形式は『**0x** 整数部 **.** 小数部 **P** 指数部　**浮動小数点接尾語**』です。整数部と小数部を16進数で表記して、P以降の指数部は2進数で与えます（10進表記とは異なり、指数部は省略できません）。たとえば、**0x1.23P1**や**0xA.FP1L**などです。

なお、*printf*関数に与える変換指定を"%a"あるいは"%A"とすると、浮動小数点数が16進数で出力されます（"**chap07/floathex.c**"）。

7-4 演算と演算子

本節では、演算子の優先順位と結合性について学習します。また、C言語が提供する全演算子の一覧と基本的な型変換の規則を示します。

演算子の優先順位と結合性

これまでに、たくさんの演算子を学習してきました。C言語のすべての演算子をまとめたのが、右ページの **Table 7-13** です。

優先順位

演算子の一覧表は、優先順位（precedence）が高いほうから順に並べています。

たとえば、乗除を行う * と / が、加減を行う + や - より優先順位が高いのは、私たちが日常生活で使用する数学の規則と同じです。そのため、

```
a + b * c
```

は、(a + b) * c ではなく、a + (b * c) と解釈されます。すなわち、+ のほうが先頭側にあるにもかかわらず、優先順位の高い * の演算が優先されます。

結合性

次に、結合性（associativity）について理解しましょう。

たとえば、二つのオペランドを要する2項演算子を○と表した場合、式 a ○ b ○ c が

```
(a ○ b) ○ c                 左結合
```

とみなされるのが左結合の演算子であり、

```
a ○ (b ○ c)                 右結合
```

とみなされるのが右結合の演算子です。このように、同じ優先度の演算子が並んでいるときに、左右どちらの演算が結び付けられるのかを示すのが結合性です。

たとえば、減算を行う2項 - 演算子は左結合ですから、

```
5 - 3 - 1    ⇨  (5 - 3) - 1     左結合
```

です。もしも、右結合だったら、5 - (3 - 1) と解釈され、答えも違うものとなってしまいます。
代入を行う単純代入演算子 = は右結合ですから、次のようになります。

```
a = b = 1    ⇨  a = (b = 1)     右結合
```

Table 7-13 演算子の一覧

優先順位	演算子	形式	名称（通称）	結合性
1	()	x(y)	関数呼出し演算子	左
	[]	x[y]	添字演算子	左
	.	x . y	. 演算子（ドット演算子）	左
	->	x -> y	-> 演算子（アロー演算子）	左
	++	x++	後置増分演算子	左
	--	y--	後置減分演算子	左
2	++	++x	前置増分演算子	右
	--	--y	前置減分演算子	右
	sizeof	sizeof x	sizeof 演算子	右
	&	&x	単項 & 演算子（アドレス演算子）	右
	*	*x	単項 * 演算子（間接演算子）	右
	+	+x	単項 + 演算子	右
	-	-x	単項 - 演算子	右
	~	~x	~ 演算子（補数演算子）	右
3	!	!x	論理否定演算子	右
	()	(x)y	キャスト演算子	右
4	*	x * y	2項 * 演算子	左
	/	x / y	/ 演算子	左
	%	x % y	% 演算子	左
5	+	x + y	2項 + 演算子（加算演算子）	左
	-	x - y	2項 - 演算子（減算演算子）	左
6	<<	x << y	<< 演算子	左
	>>	x >> y	>> 演算子	左
7	<	x < y	< 演算子	左
	<=	x <= y	<= 演算子	左
	>	x > y	> 演算子	左
	>=	x >= y	>= 演算子	左
8	==	x == y	== 演算子	左
	!=	x != y	!= 演算子	左
9	&	x & y	ビット単位の AND 演算子	左
10	^	x ^ y	ビット単位の排他 OR 演算子	左
11	|	x | y	ビット単位の OR 演算子	左
12	&&	x && y	論理 AND 演算子	左
13	||	x || y	論理 OR 演算子	左
14	? :	x ? y : z	条件演算子	右
15	=	x = y	単純代入演算子	右
	+= -= *= /= %= <<= >>= &= ^= |=		複合代入演算子★	右
16	,	x , y	コンマ演算子	左

★ 複合代入演算子の形式は、すべて x @= y となる。

型変換の規則

第２章では、型変換について簡単に学習しました。詳しい規則を示しますので、必要なときに参照しましょう（本書では学習しない用語なども使われています）。

整数拡張

int 型もしくは **unsigned int** 型を使用してもよい式の中では、『それらの型よりも低い整数型のオブジェクトあるいは式』、『**_Bool** 型、**int** 型、**signed int** 型、**unsigned int** 型のビットフィールド』を使用できる。

いずれの場合も、もとの型のすべての値を **int** 型で表現できるならば、値を **int** 型に変換し、それ以外は **unsigned int** 型に変換する。

▶ 整数拡張は、符号を含めてその値を変えない。

符号付き整数型と符号無し整数型

整数型の値を、**_Bool** 型以外の他の整数型に変換する場合、その値が変換後の型で表現可能ならば、値は変化しない。

変換後の型で表現できない場合、変換後の型が符号無し整数型であれば、変換後の型で表現できる最大の数に **1** 加えた数を加えることまたは減じることを、新しい型の範囲に入るまで繰り返すことによって得られる値に変換する。

そうでない場合、すなわち、変換後の型が符号付き整数型であって、値がその型で表現できない場合は、結果が処理系定義の値となるか、あるいは、処理系定義のシグナルを生成するかのいずれかとする。

浮動小数点型と整数型

浮動小数点型の値を、**_Bool** 型以外の整数型に型変換する場合、小数部は切り捨てる。整数部の値が整数型で表現できなければ、その動作は定義されない。

変換する値が変換後の型で正確に表現できれば、その値は変わらない。変換する値が表現しうる値の範囲内にあるが正確に表現できないならば、その値より大きく最も近い表現可能な値、あるいは、その値より小さく最も近い表現可能な値のいずれかを処理系定義の方法で選ぶ。変換する値が表現できる値の範囲外にある場合の動作は定義されない。

浮動小数点型

float 型を **double** 型もしくは **long double** 型に拡張する場合、または **double** 型を **long double** 型に拡張する場合、その値は変化しない。

double 型を **float** 型に変換する場合、または **long double** 型を **double** 型もしくは **float** 型に変換する場合、変換する値が変換後の型で正確に表現できれば、その値は変わらない。変換する値が表現しうる値の範囲内にあるが正確に表現できないならば、その値より大きく最も近い表現可能な値、あるいは、その値より小さく最も近い表現可能な値のいずれかを処理系定義の方法で選ぶ。変換する値が表現できる値の範囲外にある場合の動作は定義されない。

通常の算術型変換

算術型のオペランドをもつ多くの演算子は、同じ方法で、オペランドの型変換を行って結果の型を決める。型変換は、共通の実数型を決めるために行う。この型が結果の型にもなる。これを通常の算術型変換（usual arithmetic conversion）と呼ぶ。通常の算術変換の規則は、次のとおりとする。

ⓐ 一方のオペランドが `long double` 型であれば、他方のオペランドを `long double` 型に型変換する。

ⓑ そうでない場合、一方のオペランドが `double` 型であれば、他方のオペランドを `double` 型に型変換する。

ⓒ そうでない場合、一方のオペランドが `float` 型であれば、他方のオペランドを `float` 型に型変換する。

ⓓ そうでない場合、整数拡張を両オペランドに対して行い、拡張後のオペランドに次の規則を適用する。

1. 両方のオペランドが同じ型をもつ場合、それ以上の型変換は行わない。
2. そうでない場合、両方のオペランドが符号付き整数型をもつ、あるいは両方のオペランドが符号無し整数型をもつならば、整数変換順位の低い方の型を、高い方の型に変換する。
3. そうでない場合、符号無し整数型をもつオペランドが、他方のオペランドの整数変換順位より高いまたは等しい順位をもつならば、符号付き整数型をもつオペランドを、符号無し整数型をもつオペランドの型に変換する、
4. そうでない場合、符号付き整数型をもつオペランドの型が、符号無し整数型をもつオペランドの型のすべての値を表現できるならば、符号無し整数型をもつオペランドを、符号付き整数型をもつオペランドの型に変換する。
5. そうでない場合、両方のオペランドを、符号付き整数型をもつオペランドの型に対応する符号無し整数型に変換する。

浮動小数点型のオペランドの値および式の結果の値を、型が要求する精度や範囲を超えて表現してもよい。ただし、それによって型が変わることはない。

まとめ

- 主要な算術型には、次の型がある。
  - 整数型（文字型／int 系型／列挙型）
  - 浮動小数点型

  キーワードだけで型名を表せる**文字型**と **int 系型**と**浮動小数点型**は、基本型と呼ばれる。

- 整数型は、**有限範囲の連続した整数**を表現する型である。符号無し型と符号付き型とがあり、いずれにするのかは、signed あるいは unsigned の型指定子で指定する。
  なお、これらの型指定子を明示的に与えない場合は、次のようになる。
  - **int**系型：符号付き型とみなされる 。
  - 文 字 型 ：符号付き型となるか符号無し型となるかは処理系に依存する。

- **int** 系型には、低いほうから順に、short／int／long／long long の４種類がある。
  最もよく使われるのが int 型であり、プログラムの実行環境において、最も扱いやすくて高速な演算が可能である。

- 処理系依存の値は、<limits.h> ヘッダで、オブジェクト形式マクロとして定義される。
  - 各整数型で表現可能な値の**下限値**と**上限値**
  - **char** 型が記憶域上に占有するビット数 CHAR_BIT

- **char** 型が占有する大きさは **1** と定義される。各型の大きさは、sizeof 演算子を使うことで求められる。**sizeof** 演算子が生成するのは、<stddef.h> ヘッダで size_t 型として定義された、**符号無し整数型**の値である。

- typedef 宣言は、型の同義語を作る宣言である。『typedef *A* *B*;』は、既存の型 *A* に対して、別の名前 *B* を与える。*B* は typedef 名と呼ばれ、型名として振る舞うようになる。

- 整数型の値は、純２進記数法で表現される。

- 符号無し整数型の値は、値を２進数で表現したものを、そのままビットに対応させた形式で表現される。

- 符号付き整数型の値は、２の補数表現、１の補数表現、符号と絶対値表現のいずれかで表現される。ビット構成は、正値については符号無し整数と同一である。

- 二つの整数型オペランドのビット単位の論理積、論理和、排他的論理和（論理差）を求める２項演算子は、それぞれ &、|、^ であり、整数型オペランドの１の補数を求める単項演算子は ~ である。

- 整数型オペランドの内部を左右にずらすシフト演算子は、<< と >> である。負値のシフトは、原則として行うべきではない。論理シフトと算術シフトのいずれで行われるかが処理系に依存するからである。

- 整数定数は、10進定数／8進定数／16進定数の３種類の基数での表記が行える。また、整数定数の末尾には、次の整数接尾語を付加できる。
  - u および U … その整数定数が符号無しであることを明示する。
  - l および L … その整数定数が long であることを明示する。
  - ll および LL … その整数定数が long long であることを明示する。

  なお、整数定数が何型となるかの決定には、次の三つの要因が関わる。
    - その整数定数の値
    - その整数定数に付けられた接尾語
    - その処理系における各型の表現範囲

- 符号付き整数型の演算では、演算結果が表現範囲を超えると、オーバフローによる例外が発生する。
  符号無し整数型の演算では、最大値を超える演算結果は、**『数学的演算結果 % （その符号無し整数型で表現できる最大値 + 1）』**となり、オーバフローは発生しない。

- 浮動小数点型には、float／double／long double の３種類がある。

- 浮動小数点定数の末尾には、次の浮動小数点接尾語を付加できる。
  - f および F … その浮動小数点定数が **float** 型であることを明示する。
  - l および L … その浮動小数点定数が **long double** 型であることを明示する。

  これらの接尾語を置かなければ、その浮動小数点定数は **double** 型となる。

- 繰返しの判定の基準とする変数は、可能な限り、浮動小数点型でなく整数型にするとよい。誤差の累積を避けられるからである。

- 各演算子は優先順位が異なる。また、右結合のものと左結合のものとがある。

- 算術型のオペランドをもつ２項演算子による演算では、多くの場合、通常の算術型変換が行われる。

chap07/summary.c

```
// 第７章のまとめ

#include <stdio.h>

int main(void)
{
    int no;
    float value;        // 値
    float sum = 0.0f;   // 合計

    puts("浮動小数点数を何度も加算します。");
    printf("値：");      scanf("%f", &value);
    printf("回数：");    scanf("%d", &no);

    for (int i = 0; i < no; i++)
        sum += value;
    printf("加算結果は%fです。\n", sum);

    return 0;
}
```

実行結果一例

```
浮動小数点数を何度も加算します。
値：0.00001
回数：100000
加算結果は1.000990です。
```

第8章

いろいろなプログラムを作ってみよう

本章では、いくつかのプログラムを題材にして、主として、次のようなことがらを学習します。

- 関数形式マクロ
- コンマ演算子
- ソート
- 列挙体
- 再帰
- 入出力
- 文字
- 数字文字と数値
- 拡張表記

8-1 関数形式マクロ

関数と同じような感じで使えて、かつ、関数よりも融通が利くのが、本節で学習する関数形式マクロです。

関数形式マクロ

読み込んだ数値の２乗値を求めて表示するプログラムを作ります。数値といっても、表現する型は、バリエーションが豊富です。まずは、int 型用と double 型用の二つを作りましょう。

List 8-1 に示すのが、そのプログラムです。

List 8-1　chap08/list0801.c

```
// 整数の２乗と浮動小数点数の２乗（関数）

#include <stdio.h>

//--- int型整数の２乗値を求める ---//
int sqr_int(int x)                          ← 型ごとに作り分ける
{
    return x * x;
}

//--- double型浮動小数点数の２乗値を求める ---//
double sqr_double(double x)
{
    return x * x;
}

int main(void)
{
    int    n;
    double x;

    printf("整数を入力せよ：");
    scanf("%d", &n);
    printf("その数の２乗は%dです。\n", sqr_int(n));
                                            ← 型ごとに使い分ける
    printf("実数を入力せよ：");
    scanf("%lf", &x);
    printf("その数の２乗は%fです。\n", sqr_double(x));

    return 0;
}
```

実行例

```
整数を入力せよ：3
その数の２乗は9です。
実数を入力せよ：4.25
その数の２乗は18.062500です。
```

二つの型に対して、関数を作り分けているとともに使い分けていることが分かるでしょう。

それでは、long 型の値の２乗値を求めることを考えます。そうすると、たとえば、sqr_long といった名前の関数を作り、再び使い分けることになります。

このように、関数をどんどん作っていき、それぞれに別の名前を与えていくと、プログラムは、よく似た名前の、似て非なる関数であふれかえってしまいます。

このような問題を簡単に解決する**関数形式マクロ**（function-like macro）を使って作り直したのが、**List 8-2** のプログラムです。

List 8-2 chap08/list0802.c

```
// 整数の２乗と浮動小数点数の２乗（関数形式マクロ）

#include <stdio.h>

#define sqr(x)  ((x) * (x))      // xの２乗値を求める関数形式マクロ

int main(void)
{
    int    n;
    double x;

    printf("整数を入力せよ：");
    scanf("%d", &n);
    printf("その数の２乗は%dです。\n", sqr(n));

    printf("実数を入力せよ：");
    scanf("%lf", &x);
    printf("その数の２乗は%fです。\n", sqr(x));

    return 0;
}
```

1個だけ定義

マクロ名と(のあいだに空白を入れてはならない

同じ関数形式マクロを使う

実行例
```
整数を入力せよ：3
その数の２乗は9です。
実数を入力せよ：4.25
その数の２乗は18.062500です。
```

第５章で学習した**オブジェクト形式マクロ**は《置換》のイメージでした（p.124）が、今回の**関数形式マクロ**は《展開》のイメージです。

本プログラムの #define 指令は、コンパイラに対して次の指示を行っています。

これ以降に、sqr(☆)という形の式があれば、次のように展開せよ。
((☆) * (☆))

その結果、**Fig.8-1** のようにプログラムが展開された上で翻訳・実行されます。

重要 関数形式マクロを使えば、各型用に関数を作り分けて使い分ける必要性から解放される。

もちろん、関数形式マクロ sqr は、long 型や float 型などにも対応しています。

```
printf("その数の２乗は%dです。\n", sqr(n));
                    ⬇ 展開
printf("その数の２乗は%dです。\n", ((n) * (n)));
```

```
printf("その数の２乗は%fです。\n", sqr(x));
                    ⬇ 展開
printf("その数の２乗は%fです。\n", ((x) * (x)));
```

Fig.8-1 関数形式マクロの展開

関数と関数形式マクロ

見かけ上は、関数と同じように使える関数形式マクロですが、どのように違うのか、ポイントをおさえましょう。

- 関数は、仮引数の型や返却値の型を一意に決めた上で定義します。型ごとに別々の名前で定義する必要があるとともに、呼出し側でも使い分ける必要があります。
  関数形式マクロ *sqr* は、2項 * 演算子で乗算できる型でさえあれば、あらゆる型に適用できます。

- 関数では、次のような処理が、内部的に（私たちの意識しないところで）行われます。
  - 引数の受渡し（実引数の値が仮引数にコピーされる）。
  - 関数の呼出しや関数から戻る作業（プログラムの流れが行ったり来たりする）。
  - 返却値の受渡し。

  展開された式が埋め込まれる関数形式マクロでは、このような処理は行われません。

- 上記の特徴によって、関数形式マクロのほうが、プログラムの実行がわずかに速くなることが期待できる反面、コンパイルによって作られた実行プログラムが大きくなる可能性があります。展開後が複雑で大きな式であれば、関数形式マクロを利用するすべての箇所に、その複雑な式が展開されて埋め込まれるからです。

- 関数形式マクロのデメリットの一つが、コードの見た目では気付きにくい動作が起こる可能性があることです。たとえば、`sqr(a++)` は、`((a++) * (a++))` と展開されるため、a のインクリメントが2回行われます。
  このように、**展開後の式が複数回評価されることなどに起因して、意図しない結果となることは、マクロの副作用**（side effect）と呼ばれます。

重要 関数形式マクロの作成時や利用時は、副作用の可能性に注意が必要である。

▶ 関数版の `sqr_int` を `sqr_int(a++)` と呼び出した場合に、a のインクリメントが2回行われることはありません。マクロ版であれば、`sqr(a)` と `a++` を分離して記述する必要があります。

Column 8-1 関数形式マクロとオブジェクト形式マクロ

マクロ名 *sqr* と、続く (とのあいだに空白を入れて、

```
#define sqr  (x)   ((x)*(x))
```

と定義すると、*sqr* は関数形式マクロではなく、**オブジェクト形式マクロ**とみなされます。そのため、『*sqr* を (x) ((x)*(x)) に**置換**せよ』という指示となってしまうのです。

関数形式マクロを定義するときは、マクロ名と (とのあいだに空白を入れないようにします。

引数のない関数形式マクロ

関数形式マクロは、引数を受け取らない形式のものも定義できます。次に示す alert が、その一例です。

```
#define alert()   (putchar('\a'))        // 警報を発するマクロ
```

これは、**警報**を発するマクロです。

▶ 関数形式マクロ alert を呼び出すプログラム例は、本章の『まとめ』にあります （p.253）。

演習 8-1

二つの値 x と y の差を求める関数形式マクロを定義せよ。

```
diff(x, y)
```

演習 8-2

二つの値 x と y の大きいほうの値を求める関数形式マクロは次のように定義できる。

```
#define max(x, y)  (((x) > (y)) ? (x) : (y))
```

このマクロを利用して、四つの値 a、b、c、d の最大値を求める、次に示す各式がどのように展開されるかを示し、考察を加えよ。

```
max(max(a, b), max(c, d))
max(max(max(a, b), c), d)
```

演習 8-3

type 型の二つの値を交換する、関数形式マクロを次の形式で定義せよ。

```
swap(type, a, b)
```

たとえば、int 型の変数 x と y の値が 5 と 10 であるときに、swap(int, x, y) を呼び出した後は、x と y には 10 と 5 が格納されていなければならない。

Column 8-2　関数形式マクロの定義内の式は () で囲む

次に示すのは、二つの値の和を求める関数形式マクロです。

```
#define sum_of(x, y)  x + y
```

これを、次のように呼び出すことを考えましょう。

```
z = sum_of(a, b) * sum_of(c, d);
```

残念ながら、マクロ展開後の式は、期待とは異なるものになってしまいます。

```
z = a + b * c + d;
```

たとえ必要なくとも、個々の引数と、全体を () で囲んでおけば安心です。

```
#define sum_of(x, y)  ((x) + (y))
```

こうしておけば、先ほどの式は、次のように展開されます。

```
z = ((a) + (b)) * ((c) + (d));
```

関数形式マクロとコンマ演算子

次に考えるのは、警報を発した上で、文字列を表示する関数形式マクロです。**List 8-3** に示すのが、そのプログラムです。

List 8-3 chap08/list0803.c

```
// 警報を発した上で表示を行うマクロ（誤り）

#include <stdio.h>

#define puts_alert(str)  { putchar('\a'); puts(str); }

int main(void)
{
    int n;

    printf("整数を入力せよ：");
    scanf("%d", &n);

    if (n)
        puts_alert("その数はゼロではありません。");
    else
        puts_alert("その数はゼロです。");

    return 0;
}
```

実行例
翻訳時にエラーとなるため、
実行することはできません。

本プログラムは、翻訳時にエラーとなるため、実行できません。main 関数の if 文を展開した **Fig.8-2** を見ながら、エラーが発生する理由を探っていきましょう。

関数形式マクロ呼出しの展開結果は、次のようになっています。

```
{ putchar 関数の呼出し ;  puts 関数の呼出し ; }     //  { 式文  式文 } ➡ 複合文
```

これは、２個の**式文**が { } で囲まれている**複合文**です。そのため、展開後の if 文は、図の水色部分であって、最初の複合文の終端 } で完結します。続く赤い部分の ; は、単一の**空文**とみなされます。そうすると、コンパイラは、『if がないのに、どうして else が出てくるのだろう？』となってしまうのです。

▶ だからといって、マクロ定義の { } を取り去ることもできません。というのも、別のエラーが発生するからです（ご自身で確認してみましょう）。


```
if (n)
    { putchar('\a'); puts("その数はゼロではありません。"); }  ;
else
    { putchar('\a'); puts("その数はゼロです。"); } ;
```


Fig.8-2 誤った関数形式マクロの展開

この問題の解決に有効なのが、**Table 8-1** に示すコンマ演算子（comma operator）です。

Table 8-1 コンマ演算子

コンマ演算子	a, b	a と b を順番に評価し、式全体としては b の評価値を生成。

このコンマ演算子を使ってマクロ *puts_alert* を書き直したのが、**List 8-4** のプログラムです。

List 8-4 chap08/list0804.c

```
// 警報を発した上で表示を行うマクロ
#define puts_alert(str)  ( putchar('\a') , puts(str) )
```

実行例
```
整数を入力せよ：0
♪その数はゼロです。
```

本プログラムの if 文を展開した **Fig.8-3** を見ながら理解していきましょう。各呼出しの展開結果は、次のように、文ではなく式となります。

```
( putchar 関数の呼出し , puts 関数の呼出し )        // ( 式 , 式 ) ➡ ( 式 )
```

▶ 二つの式 a と b をコンマ演算子 , で結んだ式 a, b が、一つの**式**となるのは、式を + 演算子で結んだ a + b が、式となるのと同じ理屈です（p.29）。

さて、式の後ろにセミコロン ; を置いたものは、式文です（p.29）。そのため、図の水色の部分が、式文という**単一の文**とみなされます。

これで、if 文全体が正しく展開されることが分かりました。

重要 **複数の式に置換するマクロは、コンマ演算子 , で結び付けることで、展開結果のコードが単一の式となるように定義する。**

```
if (n)
    ( putchar('\a') , puts("その数はゼロではありません。") ) ;   ←― 式文
else
    ( putchar('\a') , puts("その数はゼロです。") ) ;            ←― 式文
```

Fig.8-3 関数形式マクロの展開

▶ コンマ演算子を利用したコンマ式 a, b では、式 a と b が順に評価されます。左側の式 a は評価だけが行われて、その値は切り捨てられます。そして、右側の式 b の評価によって得られる型と値が、コンマ式 a, b 全体の型と値になります。

たとえば、i の値が 3 で j の値が 5 のときに、

```
x = (++i, ++j);
```

を実行すると、i と j の両方がインクリメントされ、インクリメント後の j の値である 6 が x に代入されます（変数 i はインクリメントされますが、式 ++i の値は無視されます）。

8-2 ソート

何らかの基準を設けた上で、データの集まりを昇順（小さい順）や降順（大きい順）に並べかえることをソート（sort）といいます。

バブルソート

List 8-5 は、５人の学生の身長を**昇順**にソートするプログラムです。仮引数に受け取った配列をソートする *bsort* 関数の中身を理解していきましょう。

List 8-5 chap08/list0805.c

```
// 学生の身長を読み込んでソート

#include <stdio.h>

#define NUMBER  5          // 人数

//--- バブルソート ---//
void bsort(int a[], int n)
{
    for (int i = 0; i < n - 1; i++) {          ← 全部でn-1パス
        for (int j = n - 1; j > i; j--) {      ← 末尾側から先頭側へ走査
            if (a[j - 1] > a[j]) {
                int temp = a[j];
                a[j] = a[j - 1];               ← 着目した２要素の左側が大きければ交換
                a[j - 1] = temp;                  ※２値の交換は、p.123 で学習ずみ
            }
        }
    }
}

int main(void)
{
    int height[NUMBER];      // NUMBER人の学生の身長

    printf("%d人の身長を入力せよ。\n", NUMBER);
    for (int i = 0; i < NUMBER; i++) {
        printf("%2d番：", i + 1);
        scanf("%d", &height[i]);
    }

    bsort(height, NUMBER);       // ソート

    puts("昇順にソートしました。");
    for (int i = 0; i < NUMBER; i++)
        printf("%2d番：%d\n", i + 1, height[i]);

    return 0;
}
```

実行例

```
5人の身長を入力せよ。
 1番：179↵
 2番：163↵
 3番：175↵
 4番：178↵
 5番：173↵
昇順にソートしました。
 1番：163
 2番：173
 3番：175
 4番：178
 5番：179
```

実行例の場合、*bsort* 関数が受け取る要素数 *n* の配列 a には、次の値が入っています。

179　163　175　178　173

最初に、末尾二つの数値 [178, 173] に着目します。先頭側の値のほうが大きいのであれば、昇順に並んでいないということですから、これらの値を交換します。

179　163　175　173　178

次に、後ろから2番目と3番目 [175, 173] に着目し、同様に交換します。

179 163 173 175 178

後ろから3番目と4番目 [163 , 173] は妥当な順序ですので、交換の必要はありません。

179 163 173 175 178

続いて、後ろから4番目と5番目 [179, 163] に着目して、交換します。

163 179 173 175 178

ここまでの手順をまとめると、次のようになります。この一連の作業をパスと呼びます。

179 163 175 178 173
179 163 175 173 178
179 163 173 175 178 1パス目
179 163 173 175 178
163 179 173 175 178

最小の数値 163 が先頭に引っ張り出された結果、先頭の1要素がソートずみとなります。

同じ作業を、先頭から2番目の要素 173 まで行います。その2パス目の過程は、次のようになります（点線より右側が比較・交換の対象です）。

163 ⋮ 179 173 175 178
163 ⋮ 179 173 175 178
163 ⋮ 179 173 175 178 2パス目
163 ⋮ 173 179 175 178

2番目に小さい数値 173 が2番目に引っ張り出され、先頭の2要素がソートずみとなります。

引き続き、先頭から3番目の要素 175 までの3パス目を行います。

163 173 ⋮ 179 175 178
163 173 ⋮ 179 175 178 3パス目
163 173 ⋮ 175 179 178

これで、先頭の3要素がソートずみとなります。続いて4パス目です。

163 173 175 ⋮ 179 178
163 173 175 ⋮ 178 179 4パス目

これで、先頭の4要素がソートずみとなります。このとき、末尾の要素は最大値ですので、ソートが完了します（要素数 *n* の配列に対して必要なパスは *n* - 1 回です）。

ソートを行うアルゴリズム（一連の手順）には、数多くの手法が考案されています。本プログラムで用いたのは、バブルソート（bubble sort）と呼ばれるアルゴリズムです。

▶ パスを *n* - 1 回行うための繰返しが、外側の for 文です。
そのループ本体である内側の for 文がパスを担当し、2要素 a[*j* - 1] と a[*j*] を比較します。パスにおける走査は配列の末尾から先頭へと行いますので、*j* の開始値は、末尾要素の添字 *n* - 1 です。*j* の値をデクリメントしていき、先頭側へと走査します。各パスにおいて、先頭 *i* 個の要素はソートずみで、未ソート部は a[*i*] ～ a[*n*-1] ですから、*j* のデクリメントは、値が *i* + 1 になるまで行います。

8-3 列挙体

第 7 章では、有限範囲の連続した整数を表す整数型を学習しました。本節では、少数の限られた整数値の集合を表す列挙体について学習します。

列挙体

List 8-6 は、犬、猫、猿の選択肢を提示して、選ばれた動物の鳴き声を表示するプログラムです。このプログラムを理解していきましょう。

List 8-6 chap08/list0806.c

```
// 選ばれた動物の鳴き声を表示

#include <stdio.h>

enum animal { Dog, Cat, Monkey, Invalid };

//--- 犬が鳴く ---//
void dog(void)
{
    puts("ワンワン!!");
}

//--- 猫が鳴く ---//
void cat(void)
{
    puts("ニャ〜オ!!");
}

//--- 猿が鳴く ---//
void monkey(void)
{
    puts("キッキッ!!");
}

//--- 動物を選ぶ ---//
enum animal select(void)
{
    int tmp;

    do {
        printf("0…犬  1…猫  2…猿  3…終了：");
        scanf("%d", &tmp);
    } while (tmp < Dog || tmp > Invalid);
    return tmp;
}

int main(void)
{
    enum animal selected;

    do {
        switch (selected = select()) {
         case Dog    : dog();    break;
         case Cat    : cat();    break;
         case Monkey : monkey(); break;
        }
    } while (selected != Invalid);

    return 0;
}
```

実行例

```
0…犬  1…猫  2…猿  3…終了：0
ワンワン!!
0…犬  1…猫  2…猿  3…終了：2
キッキッ!!
0…犬  1…猫  2…猿  3…終了：3
```

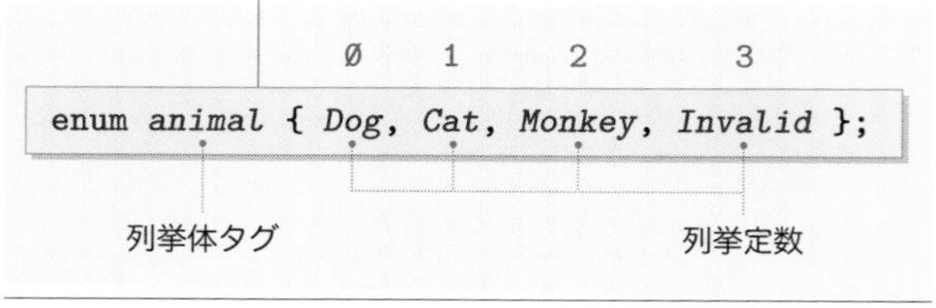

Fig.8-4 列挙体の宣言

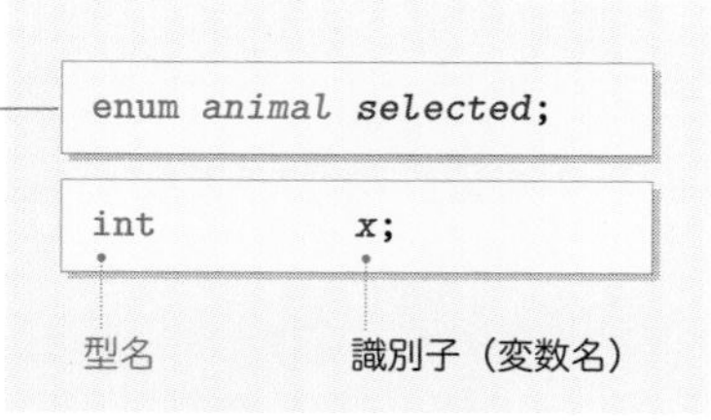

Fig.8-5 宣言の形式

プログラム冒頭の水色の部分は、**値の集合**を表す列挙体（enumeration）の宣言です。

Fig.8-4 に示すように、与えられた識別子＝名前 `animal` が列挙体タグ（enumeration tag）で、`{}` で囲まれた `Dog`、`Cat`、`Monkey`、`Invalid` が列挙定数（enumeration constant）です。

各列挙定数には、先頭から順に、0、1、2、3という整数値が与えられるため、列挙体 `animal` のイメージは **Fig.8-6** のようになります。ちょうど、複数個の選択肢から1個だけが選択可能な**ラジオボタン**のような感じです。

整数型が幅広い範囲の整数値を自由に表すのとは異なり、列挙体は、限られた値のみを表します。しかも、各値に対しては名前が与えられます。

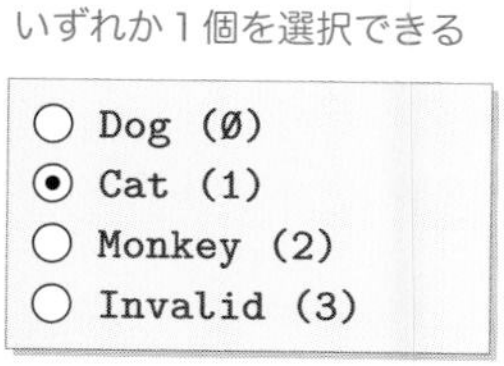

いずれか1個を選択できる

○ Dog (0)
◉ Cat (1)
○ Monkey (2)
○ Invalid (3)

Fig.8-6　列挙のイメージ

この宣言で作られる型は列挙型（enumerated type）と呼ばれる型であり、その名前は、『`enum animal` 型』です（列挙体タグ名 `animal` だけでは、型名となりません）。

＊

さて、`main` 関数内の赤い部分が、『`enum animal` 型』の変数 `selected` の宣言です。

▶ **Fig.8-5** のように対比させると、はっきりするように、`int` 型でも列挙型でも、変数の宣言の形式は、**『型名 識別子 ;』**です。

この宣言によって、`selected` は、0、1、2、3のいずれか1個の値をとり得る変数となります。

＊

次は、関数 `select` に着目します。動物の選択肢を表示して、選択された動物に対応する `enum animal` 型の値を返す関数です。

個々の列挙定数 `Dog`、`Cat`、`Monkey`、`Invalid` の型は、`int` 型です。そのため、返却値型が `enum animal` 型である関数 `select` が、`int` 型の `tmp` の値を返しているわけです。

曖昧さをなくしたいのであれば、次のようにキャストを行えばよいでしょう。

```
return (enum animal)tmp;
```

▶ 読み込む値を 0 ～ 2 に制限するための `do` 文の制御式に着目しましょう。

```
tmp < Dog || tmp > Invalid        1
```

動物とは無関係な列挙定数 `Invalid` が使われています（Invalid は、『無効な』という意味です）。

もし仮に、列挙定数 `Invalid` が存在せず、4番目の動物として《アザラシ》が追加されたとすると、列挙体の宣言と制御式は、次のように変更することになります。

```
enum animal { Dog, Cat, Monkey, Seal };
tmp < Dog || tmp > Seal
```

これだと、動物を追加や削除するたびに、条件判定のための制御式を変更しなければならなくなってしまいます。

最後の列挙定数を `Invalid` にするという方針をとっておけば、列挙体の宣言と制御式は、次のようになります（制御式 1 を変更することなく、そのまま使えます）。

```
enum animal { Dog, Cat, Monkey, Seal, Invalid };
tmp < Dog || tmp > Invalid
```

列挙定数

先ほどのプログラムでは、0から始まる連番が各列挙定数に与えられていました。列挙定数の識別子の後ろに、=と値を置くことで、各列挙定数に与える値を自由に設定できます。たとえば、

```
enum kyushu { Fukuoka, Saga = 5, Nagasaki };
```

では、*Fukuoka*は0、*Saga*は5、*Nagasaki*は6となります。

このように、=によって値が与えられた列挙定数は、その値となり、与えられていない列挙定数は、**一つ前の列挙定数の値に1を加えた値**となります。

○ Fukuoka (0)
◉ Saga (5)
○ Nagasaki (6)

Fig.8-7 列挙体 kyushu

複数の列挙定数を同じ値とすることも可能です。たとえば、

```
enum namae { Asuka, Nara = 0 };
```

と宣言すると、*Asuka*と*Nara*の両方が0になります。

◉ Asuka (0)
○ Nara (0)

Fig.8-8 列挙体 namae

なお、列挙体タグを省略して宣言することも可能です。例を示します。

```
enum { JANUARY = 1, FEBRUARY, /*…中略…*/ , DECEMBER };
```

この列挙型の変数は宣言できません（宣言したくても、名前がないからです）。

ただし、このような列挙定数も、右に示すように、**switch**文内のラベルなどで有効活用できます。

```
int month;
// …
switch (month) {
 case JANUARY  : // 1月の処理
 case FEBRUARY : // 2月の処理
 //--- 中略 ---//
}
```

演習 8-4

バブルソートの走査を末尾側からではなく、先頭側から行うように、**List 8-5**（p.234）を書きかえたプログラムを作成せよ（本問は、前節の内容に関する問題である）。

演習 8-5

性別や季節などを表す列挙体を自由に定義し、それを用いたプログラムを作成せよ。

Column 8-3 enumの読み方

enumのもとの単語であるenumerationの発音は、カタカナでの『イニュームレーション』に近い感じです。ところが、英語を母国語とする人でも、**enum**を『イニューム』とか『イーナム』などと適当に発音しているようです。コンピュータ用語に限らず、短縮された言葉の発音には絶対的な規則があるわけではありません。

列挙体には、いろいろな特徴があります。

- 前ページに示した、月を表す列挙体を、もしオブジェクト形式マクロで定義するのであれば、次のようになります。

```
#define JANUARY   1     // 1月
#define FEBRUARY  2     // 2月
//--- 中略 ---//
#define DECEMBER  12    // 12月
```

宣言が 12 行にもなる上に、一つ一つに値を与える必要があります。

列挙体を使えば、手短に宣言できますし、先頭の *JANUARY* の値さえ正しく指定しておけば、それ以降の値をミスすることもありません。

- 動物を表す **enum** *animal* は、0、1、2、3 の値を表す型です。たとえば、変数 **an** が、この型の変数であるときに、次の代入が行われたとします。

```
an = 5;           // 不正な値の代入
```

親切なコンパイラであれば、このような不正な値を使うコードに対して警告メッセージを発するため、プログラムのミスが発見しやすくなります。

もちろん、変数 **an** が **int** 型であれば、このようなチェックは不可能です。

- プログラムの動作確認や誤り修正（デバッグ）などを支援する、デバッガなどのツールには、列挙型の変数の値を、整数値ではなく**列挙定数の名前**で表示するものがあります。

その場合、**enum** *animal* 型の変数 *selected* の値は、0 や 1 ではなく、*Dog* や *Cat* と表示されますので、作業が容易になります。

重要 列挙体で表せそうな整数値の集合は、列挙体として定義しよう。

名前空間

列挙体タグと変数名は、異なる名前空間（name space）に属しているため、同じ綴り（つづ）の識別子があっても区別できます。これは、名字（みょうじ）の福岡と、地名の福岡は、性格が異なるため区別できるのと同じです。たとえば、『福岡君と福岡市に行く。』では、前者が名字で後者が地名であることが明白です。

そのため、**enum** *animal* 型の変数に *animal* という識別子を与えることもできます。次のように宣言します。

```
enum animal animal;      // enum animal型の変数animalの宣言
```

もちろん、前者の *animal* は列挙体タグ名で、後者の *animal* は変数名です。

▶ 名前空間については、第 12 章で詳しく学習します（p.341）。

8-4 再帰的な関数

関数の中では、自分自身と同じ関数を呼び出せるようになっています。そのような呼出しは再帰関数呼出しと呼ばれます。本節では、再帰の基本を学習します。

関数と型

ある事象は、自分自身を含んでいたり、自分自身を用いて定義されていたりすれば、再帰的（recursive）であるといわれます。

Fig.8-9 に示すのが、再帰的な図の一例です。ディスプレイ画面の中に、ディスプレイ画面が映っています。そのディスプレイ画面の中にも … 。

再帰の考えを利用すると、1 から始まって、2、3、… と無限に続く自然数は、次のように定義できます。

- 自然数の定義
  - ⓐ 1は自然数である。
  - ⓑ ある自然数の直後の整数も自然数である。

再帰的定義（recursive definition）によって、無限に存在する自然数を、わずか二つの文で表しました。

再帰を効果的に利用すれば、定義だけではなく、プログラムも簡潔かつ効率のよいものとなります。

Fig.8-9 再帰の例

階乗値

再帰の例として取り上げるのは、**非負の整数値の階乗値を求める**問題です。非負の整数 *n* の階乗を、再帰的に定義すると、次のようになります。

■ 階乗 n! の定義（n は非負の整数とする）

ａ 0! = 1

ｂ *n* > 0 ならば *n*! = *n* × (*n* - 1)!

たとえば、5 の階乗である 5! は、5 × 4! で求められます。また、その計算式で使われている式 4! の値は、4 × 3! によって求められます。

▶ もちろん、3! は 3 × 2! によって求められ、2! は 2 × 1! によって求められ、1! は 1 × 0! によって求められます。0! は、定義により 1 です。

ここに示した定義をプログラムとして実現したのが、**List 8-7** の関数 *factorial* です。

List 8-7 chap08/list0807.c

```
// 階乗を再帰的に求める

#include <stdio.h>

//--- 整数値nの階乗値を返却 ---//
int factorial(int n)
{
    if (n > 0)
        return n * factorial(n - 1);
    else
        return 1;
}

int main(void)
{
    int num;

    printf("整数を入力せよ：");
    scanf("%d", &num);

    printf("%dの階乗は%dです。\n", num, factorial(num));

    return 0;
}
```

実行例

```
整数を入力せよ：3
3の階乗は6です。
```

関数 *factorial* が返す値は、次のようになっています。

- 仮引数 *n* に受け取った値が 0 より大きければ ：*n* * *factorial*(*n* - 1)
- そうでなければ ：1

見かけは単純ですが、実行時の挙動は複雑です。詳しく理解していきましょう。

▶ 関数 *factorial* の本体は、条件演算子を使うと1行で実現できます（"chap08/list0807a.c"）。

```
return n > 0 ? n * factorial(n - 1) : 1;
```

再帰関数呼出し

関数 **factorial** がどのように階乗値を求めていくのかを、**Fig.8-10** に示す『3の階乗値を求める』例で理解しましょう。

a 関数呼出し式 **factorial(3)** の評価・実行によって関数 **factorial** が起動されます。この関数は、仮引数 **n** に 3 を受け取っており、次の値を返します。

`3 * factorial(2)`

もっとも、この乗算を行うには、**factorial(2)** の値が必要です。そこで、実引数として整数値 2 を渡して関数 **factorial** を呼び出します。

b 呼び出された関数 **factorial** は、仮引数 **n** に 2 を受け取っています。

`2 * factorial(1)`

の乗算を行うために、関数 **factorial(1)** を呼び出します。

c 呼び出された関数 **factorial** は、仮引数 **n** に 1 を受け取っています。

`1 * factorial(0)`

の乗算を行うために、関数 **factorial(0)** を呼び出します。

d 呼び出された関数 **factorial** は、仮引数 **n** に受け取った値が 0 ですから、1 を返します。

▶ この時点で、初めて **return** 文が実行されます。

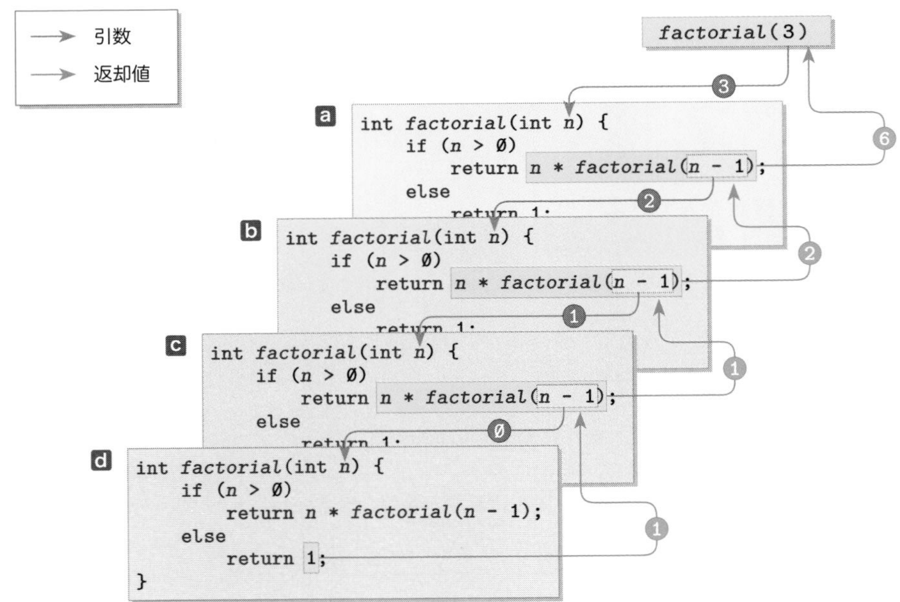

Fig.8-10 3 の階乗値を再帰的に求める手順

c 返却された値 1 を受け取った関数 *factorial* は、1 * *factorial*(0) すなわち 1 * 1 を返します。

b 返却された値 1 を受け取った関数 *factorial* は、2 * *factorial*(1) すなわち 2 * 1 を返します。

a 返却された値 2 を受け取った関数 *factorial* は、3 * *factorial*(2) すなわち 3 * 2 を返します。

これで 3 の階乗値 6 が得られます。

関数 *factorial* は、*n* - 1 の階乗値を求めるために、関数 *factorial* を呼び出します。このような関数呼出しが、**再帰関数呼出し**（recursive function call）です。

▶ 再帰関数呼出しは『"自分自身の関数" の呼出し』というよりも、『"自分と同じ関数" の呼出し』と理解したほうが自然です。もしも本当に自分自身を呼び出すのであれば、延々と自分を呼び出し続けることになってしまうからです。

再帰的アルゴリズムが適しているのは、解くべき問題や計算すべき関数、あるいは処理すべきデータ構造が再帰的に定義されている場合です。

したがって、再帰的手続きによって階乗値を求めるのは、再帰の原理を理解するための作為的な例であって、**現実的には適切ではありません。**

▶ 再帰的アルゴリズムは、木構造、グラフ、分割統治法を利用するプログラムなどで幅広く応用されます。姉妹書『新・明解C言語で学ぶアルゴリズムとデータ構造』で詳しく学習できます。

演習 8-6

再帰呼出しを用いずに、関数 *factorial* を実現せよ。

演習 8-7

異なる *n* 個の整数から *r* 個の整数を取り出す組合せの数 *n* C *r* を求める関数を作成せよ。

```
int combination(int n, int r);
```

なお、*n* C *r* は次のように定義される。

n C *r* = *n*-1 C *r*-1 + *n*-1 C *r*（ただし、*n* C 0 = *n* C *n* = 1、*n* C 1 = *n*）

演習 8-8

二つの整数値 *x* と *y* の最大公約数をユークリッドの互除法を用いて求める関数を作成せよ。

```
int gcd(int x, int y);
```

▪ **ユークリッドの互除法**とは：

二つの整数を長方形の辺の長さとする。短いほうの辺を一辺とする正方形で埋めつくす。残った長方形に対して同じ操作を繰り返す。正方形のみで埋めつくされたとき、その正方形の辺の長さが最大公約数である。

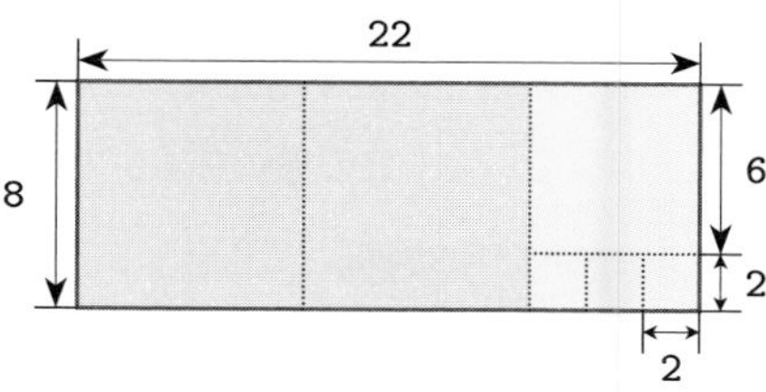

8-5 入出力と文字

多くのプログラムは、何らかの形で文字の入出力を行います。本節では、文字と入出力について学習します。

getchar 関数と EOF

第４章では、１個の文字を出力する *putchar* 関数を学習しました。これと対照的に、１個の文字の入力を行うのが *getchar* 関数です。これら二つの関数をうまく利用すると、入力から読み込んだ文字を、そのまま出力できます。**List 8-8** に示すのが、そのプログラムです。

List 8-8 chap08/list0808.c

```
// 標準入力からの入力を標準出力にコピーする

#include <stdio.h>

int main(void)
{
    int ch;

    while ((ch = getchar()) != EOF)
        putchar(ch);

    return 0;
}
```

実行例

```
Hello!⏎
Hello!
This is a pen.⏎
This is a pen.
Ctrl + Z ⏎
```

Ctrl キーを押しながら Z キーを押下する。
一部の環境でのみ最後の ⏎ が必要。
なお、UNIX や Linux などの環境では、
Ctrl キーを押しながら D キーを押下する。

▶ プログラム実行時の挙動については、**Column 8-4**（p.247）をご覧ください。

getchar 関数が行うのは、１個の文字を読み込んで、その文字を返すことです。

	getchar
ヘッダ	`#include <stdio.h>`
形　式	`int getchar(void)`
解　説	標準入力ストリームから、次の文字を（存在すれば）読み取る。
返却値	読み込んだ文字を返す。ファイルの終端を検出したか、エラーが発生した場合は、EOF を返す。

たとえば、'H' を読み込んだら、その 'H' をそのまま返却します。

ただし、入力からの文字がつきるか、あるいは、読込み時にエラーが発生した際は、読込みに失敗したことを表す EOF を返却します。その EOF は、<stdio.h> ヘッダ内でオブジェクト形式マクロとして、**負の値**となるように定義されています。次に示すのが、定義の一例です。

EOF

```
#define EOF  -1      // 定義の一例：値は処理系によって異なる
```

▶ EOF の名前は、End Of File に由来します。なお、<stdio.h> ヘッダをインクルードしなければ、その定義が得られなくなって、プログラムの翻訳・実行が行えなくなります。

入力から出力へのコピー

本プログラムは、実質的に while 文だけで構成されています。

継続条件を表す制御式 (*ch* = *getchar*()) != EOF は、構造が複雑です。**Fig.8-11** を見ながら理解していきましょう。

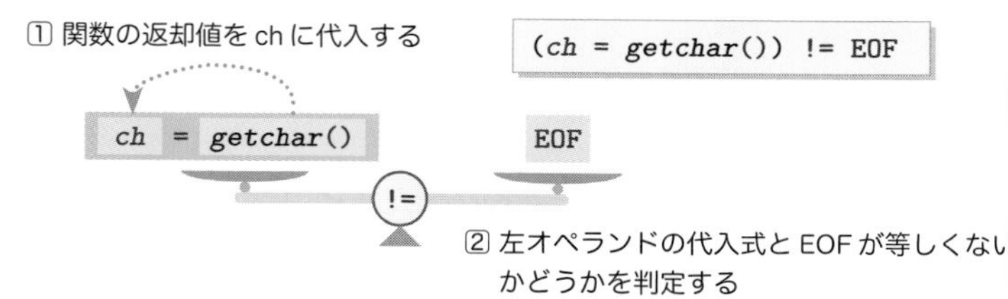

Fig.8-11 while 文の制御式の解釈

① 代入演算子 = による代入

代入式 *ch* = *gertchar*() では、読み込んだ文字が *ch* に代入されます（たとえば、読み込んだのが 'H' であれば、*getchar* 関数が返却した 'H' が *ch* に代入されます）。

ただし、入力からの文字がつきるか、何らかのエラーが発生した場合は、*ch* に代入されるのは EOF です。

② 等価演算子 != による判定

左オペランドの代入式 *ch* = *getchar*() の評価で得られるのは、『代入後の *ch*』です。その値が、右オペランドの EOF と等しくないかどうかが、等価演算子 != で判定されます。

▶ 代入式の評価によって、代入後の左辺の型と値が得られることは、p.126 で学習しました。

この判定が**真**となるのは、文字が正しく読み込まれているときです。そのため、文字が正しく読み込まれているあいだは、while 文が繰り返し実行されます。このようにして、**読み込んだ文字 *ch* を *putchar* 関数で表示する**、という処理を繰り返します。

入力からの文字がつきてしまうか、何らかのエラーが発生すると、判定が**偽**となるため、while 文は終了します。

▶ 代入 = と等価性の判定 != をつめ込まずに実現するのであれば、プログラムは、次のように実現することになります（"chap08/list0808a.c"）。

```
while (1) {                 // 無限ループ
    ch = getchar();         // 読み込んだ文字をchに代入
    if (ch == EOF)          // エラーが発生したら
        break;              // while文を強制的に抜け出す
    putchar(ch);            // 文字chを表示
}
```

数字文字のカウント

次の問題を考えましょう。

次々と文字を読み込んで、各数字文字 '0' ～ '9' の出現回数をカウントする。

List 8-9 に示すのが、そのプログラムです。

List 8-9 chap08/list0809.c

```
// 標準入力から読み込まれた数字文字をカウントする（第1版）

#include <stdio.h>

int main(void)
{
    int ch;
    int cnt[10] = {0};   // 数字文字の出現回数

    while ((ch = getchar()) != EOF) {
        switch (ch) {
         case '0' : cnt[0]++; break;
         case '1' : cnt[1]++; break;
         case '2' : cnt[2]++; break;
         case '3' : cnt[3]++; break;
         case '4' : cnt[4]++; break;
         case '5' : cnt[5]++; break;
         case '6' : cnt[6]++; break;
         case '7' : cnt[7]++; break;
         case '8' : cnt[8]++; break;
         case '9' : cnt[9]++; break;
        }
    }

    puts("数字文字の出現回数");
    for (int i = 0; i < 10; i++)
        printf("'%d' : %d\n", i, cnt[i]);

    return 0;
}
```

全要素を 0 で初期化する

List 8-8 と同じ !!

実行例

```
3.1415926535897932846⏎
Ctrl + Z ⏎
数字文字の出現回数
'0' : 0
'1' : 2
'2' : 2
'3' : 3
'4' : 2
'5' : 3
'6' : 2
'7' : 1
'8' : 2
'9' : 3
```

このプログラムは、入力がつきるまで文字を読み込みます。そのため、赤色の **while** 文の制御式は、前のプログラムと同じです。

▶ *getchar* 関数で文字が正しく読み込まれているあいだは、**while** 文が繰り返し実行され、次々と文字が読み込まれていきます。終了するのは、文字がつきるか、あるいはエラーが発生したときです。

＊

int[10] 型の配列 *cnt* が、文字の出現回数の格納先です。具体的には、文字 '0' ～ '9' の出現回数を、*cnt*[0] ～ *cnt*[9] に格納します（全要素が 0 で初期化されています）。

while 文のループ本体である、水色の **switch** 文を理解していきましょう。

getchar 関数が返した値が **EOF** でないときに実行される、この **switch** 文では、10 個の数字文字 '0' ～ '9' に対する **case** を用意して、それぞれの文字に対応する配列 *cnt* の要素をインクリメントしています。

▶ 読み込んだ文字 *ch* が '0' であれば *cnt*[0] の値をインクリメントしますし、*ch* が '1' であれば *cnt*[1] の値をインクリメントします。

そのため、たとえば、文字 '1' を初めて読み込んだときは、*cnt*[1] の値を 0 ⇨ 1 と更新することになり、文字 '1' を2回目に読み込んだときは、1 ⇨ 2 と更新することになります。

while 文が繰り返されることによって、数字文字 '0' ～ '9' のカウンタ *cnt*[0] ～ *cnt*[9] をカウントアップしていくことが分かりました。

みなさんは、まどろっこしく感じたのではないでしょうか。数字文字 '0' ～ '9' の出現回数を格納するための配列 *cnt* の添字が 0 ～ 9 なのですから、数字文字と添字をうまく対応させれば、もっと短いコードで実現できるはずです。

演習 8-9

標準入力に現れた行数をカウントするプログラムを作成せよ。

Column 8-4 バッファリングとリダイレクト

本節のプログラムで行っている入出力に関して、補足学習しましょう。

■ バッファリング

List 8-8（p.244）の実行例では、1文字を読み込むたびに、すぐにその文字が出力されるのではなくて、⏎ が押された後に、1行分がまとめて出力が行われています。

C言語の入出力では、読み込んだ文字や、書き出すべき文字を、いったんバッファにためておいて、次の条件を契機（けいき）（きっかけ）にして、実際の入力動作や出力動作が行われるのが一般的です。

A バッファが満杯になった

B 改行文字を読み込んだ

もちろん、バッファに文字をためずに、

C 即座に読み書きが行われる

という環境もあります。

これらの方式は、それぞれ、**A**完全バッファリング、**B**行バッファリング、**C**無バッファリングと呼ばれます。

⏎ が押された後に出力が行われる環境では、**B**方式が採用されているということになります。

■ リダイレクト

次に示すように、入力と出力のファイル名を与えて実行してみましょう（実行ファイルの名前が list0808 であるとします）。

▷ list0808 < 入力ファイル名 > 出力ファイル名 ⏎

そうすると、「入力ファイル」が、「出力ファイル」にコピーされます。これは、C言語ではなく、UNIX や MS-Windows などの OS がもつリダイレクトという機能によるものです。

これまで、*printf* 関数、*puts* 関数、*putchar* 関数は "**画面**" に表示し、*scanf* 関数は "**キーボード**" から読み込むと学習しましたが、その入出力先は、プログラム起動時に変更できるのです。

文字コードと数字文字

前章でも簡単に学習した**文字**について、少し詳しいところまで踏み込んでいきましょう。

C言語では、文字は非負の整数値として扱われることになっており、個々の文字には、非負の整数値の**文字コード**が与えられます。

重要 文字は、その文字に与えられた、**非負の整数値の**文字コードで表される。

日本で普及しているパソコンの多くは、**Table 8-2** に示す **JIS コード**に準じた文字コード体系が採用されていますので、これを例に理解していきましょう。

まずは、この表の読み方です。この表は16進数で表記されています。

たとえば、文字 `'h'` は、6列目の8行目であり、16進数の **68** となります。

同様に、文字 `'A'` は16進数での **41** です。

さて、数字文字 `'0'` ～ `'9'` の文字コードを、16進数と10進数で表すと、次のようになります。

文字	16進数	10進数
'0'	0x30	48
'1'	0x31	49
'2'	0x32	50
'3'	0x33	51
⋮	⋮	⋮
'9'	0x39	57

Table 8-2 JIS コード表

	0	1	2	3	4	5	6	7	8	9	A	B	C	D	E	F
0				0	@	P	‘	p				ー	タ	ミ		
1			!	1	A	Q	a	q			。	ア	チ	ム		
2			"	2	B	R	b	r			「	イ	ツ	メ		
3			#	3	C	S	c	s			」	ウ	テ	モ		
4			$	4	D	T	d	t			、	エ	ト	ヤ		
5			%	5	E	U	e	u			・	オ	ナ	ユ		
6			&	6	F	V	f	v			ヲ	カ	ニ	ヨ		
7	\a		’	7	G	W	g	w			ァ	キ	ヌ	ラ		
8	\b		(	8	H	X	h	x			ィ	ク	ネ	リ		
9	\t		)	9	I	Y	i	y			ゥ	ケ	ノ	ル		
A	\n		*	:	J	Z	j	z			ェ	コ	ハ	レ		
B	\v		+	;	K	[	k	{			ォ	サ	ヒ	ロ		
C	\f		,	<	L	¥	l	|			ャ	シ	フ	ワ		
D	\r		−	=	M	]	m	}			ュ	ス	ヘ	ン		
E			.	>	N	^	n	‾			ョ	セ	ホ	゛		
F			/	?	O	_	o				ッ	ソ	マ	゜		

これで、数字文字 `'0'` ～ `'9'` のコードが **48** ～ **57** であって、0 ～ 9 ではないことが分かりました。**文字の `'0'` と数値の `0` は、見かけは似ていても、まったく異なるものです。**

`EOF` の値と、各数字文字の値を確認しましょう。**List 8-10** に示すのが、そのプログラムです。

List 8-10 chap08/list0810.c

```
// EOFの値と数字文字の値を表示

#include <stdio.h>

int main(void)
{
    printf("EOF = %d\n", EOF);
    printf("'0' = %d\n", '0');
    printf("'1' = %d\n", '1');
    /*… 中略 …*/
    printf("'9' = %d\n", '9');

    return 0;
}
```

実行結果一例

```
EOF = -1
'0' = 48
'1' = 49
'2' = 50
'3' = 51
'4' = 52
'5' = 53
'6' = 54
'7' = 55
'8' = 56
'9' = 57
```

▶ 実行によって表示される値は、実行環境などによって異なります。

数字文字 '0' ～ '9' の値を使うと、数字文字カウントプログラムの switch 文は、Aのようになります。

このコードをよく読むと、規則性が見えてきます。

数字文字 *ch* の値から 48 を引いた *ch* - 48 が、添字にピッタリの 0 ～ 9 となります。

それを利用すると、この switch 文は、Bに示す簡潔な if 文に書きかえられます。10 行以上におよぶプログラムが、わずか2行に収まりました！

```
A switch (ch) {
    case 48: cnt[0]++; break;
    case 49: cnt[1]++; break;
    case 50: cnt[2]++; break;
    case 51: cnt[3]++; break;
    //--- 中略 ---//
    case 57: cnt[9]++; break;
  }
```

```
B if (ch >= 48 && ch <= 57)
      cnt[ch - 48]++;
```

ところが、AとBには、**可搬性が欠けるという致命的な欠陥があります。**文字のコードが、プログラムの実行環境で採用されている文字コード体系に依存するからです。

すなわち、文字 '0' の値が 48 ではない環境で、AやBを実行すると、48 ～ 57 という値をもつ別の文字の出現回数がカウントされてしまいます。

ところが、幸いなことに、C言語のプログラムが実行される環境では、

数字文字 '0'、'1'、…、'9' の値は一つずつ増えていく。

という規則が満たされることが、保証されているのです。すなわち、'0' の値は文字コード体系によって異なるものの、たとえば、'5' は '0' より 5 だけ大きくなり、'5' - '0' の値が 5 になることが、すべての環境で成立します。

どの数字文字から '0' を引いても、ここで必要とする添字の値となりますので、Bの if 文は、Cのように書きかえられます。

```
C if (ch >= '0' && ch <= '9')
      cnt[ch - '0']++;
```

この if 文を使って書きかえたのが、**List 8-11** のプログラムです。随分と簡潔になりました。

List 8-11 chap08/list0811.c

```
// 標準入力から読み込まれた数字文字をカウントする（第２版）

#include <stdio.h>

int main(void)
{
    int ch;
    int cnt[10] = {0};        // 数字文字の出現回数

    while ((ch = getchar()) != EOF)
        if (ch >= '0' && ch <= '9')
            cnt[ch - '0']++;

    puts("数字文字の出現回数");
    for (int i = 0; i < 10; i++)
        printf("'%d' : %d\n", i, cnt[i]);

    return 0;
}
```

実行例

```
3.1415926535897932846⏎
Ctrl + Z ⏎
数字文字の出現回数
'0' : 0
'1' : 2
'2' : 2
'3' : 3
'4' : 2
'5' : 3
'6' : 2
'7' : 1
'8' : 2
'9' : 3
```

▶ 数字文字 '0' ～ '9' が、'0'、'0' + 1、'0' + 2'、…、'0' + 9 で求められることを利用すると、左ページの **List 8-10** も、for 文を使って簡潔に記述できます（"chap08/list0810a.c"）。

拡張表記

p.248 の **Table 8-2** に示した JIS コード表では、**0x07** から **0x0D** の箇所が、**\a**、**\b**、**\t**、**\n**、**\v**、**\f**、**\r** となっています。

このうち、**'\n'** が**改行文字**を、**'\a'** が**警報**を表す拡張表記であることは、第 1 章で学習しました。**Table 8-3** に示すのが、拡張表記の一覧です。

ここでは、引用符と、8進拡張表記と 16 進拡張表記について学習します。

Table 8-3　拡張表記

▪ 単純拡張表記（simple escape sequence）		
\a	警報（alert）	聴覚的または視覚的な警報を発する。
\b	後退（backspace）	表示位置を直前の位置へ移動する。
\f	書式送り（form feed）	改ページして、次のページの先頭へ移動する。
\n	改行（new line）	改行して、次の行の先頭へ移動する。
\r	復帰（carriage return）	現在の行の先頭位置へ移動する。
\t	水平タブ（horizontal tab）	次の水平タブ位置へ移動する。
\v	垂直タブ（vertical tab）	次の垂直タブ位置へ移動する。
\\	逆斜線文字 \	
\?	疑問符 ?	
\'	単一引用符 '	
\"	二重引用符 "	
▪ 8進拡張表記（octal escape sequence）		
ooo	*ooo* は1～3桁の8進数	8進数で *ooo* の値をもつ文字。
▪ 16 進拡張表記（hexadecimal escape sequence）		
\x*hh*	*hh* は任意の桁数の 16 進数	16 進数で *hh* の値をもつ文字。

▪ \' と \" … 単一引用符と二重引用符

引用符記号 **'** と **"** を表す拡張表記が **\'** と **\"** です。文字列リテラル中で使う場合と、文字定数中で使う際に注意すべきことがあります。

▫ 文字列リテラル "…" の中での表記

・二重引用符

必ず拡張表記 **\"** で表します。たとえば、4文字の文字列 **XY"Z** を表す文字列リテラルは、**"XY\"Z"** です。そのままの **"XY"Z"** は NG です。

Fig.8-12 の例も考えます。3文字の **ABC** を表す文字列リテラルは **"ABC"** ですが、前後を **"** で囲んだ5文字の **"ABC"** を表す文字列リテラルは **"\"ABC\""** です。

Fig.8-12　文字列リテラルの例

・単一引用符

そのままの表記 ' と拡張表記 \' のいずれも OK です。

たとえば、４文字の文字列 **It's** を表す文字列リテラルは、**"It's"** と **"It\'s"** の両方の表記が可能です。

▫ 文字定数 '…' の中での表記

・二重引用符

そのままの表記 " と拡張表記 \" のいずれも OK です。

すなわち、文字 " を表す文字定数は **'"'** と **'\"'** の両方の表記が可能です。

・単一引用符

拡張表記 \' で表します。そのため、単一引用符を表す文字定数は **'\''** となります。

そのままの **'''** は NG です。

▪ 8進拡張表記と 16 進拡張表記

８進数または 16 進数のコードで文字を表すのが、\ で始まる**8進拡張表記**（octal escape sequence）と、**\x** で始まる **16 進拡張表記**（hexadecimal escape sequence）です。前者は文字コードを１～３桁の８進数で、後者は任意の桁数の 16 進数で表します。

たとえば JIS コード体系では、数字文字 **'1'** の文字コードは 10 進数の **49** であるため、８進拡張表記で **'\61'**、16 進拡張表記で **'\x31'** と表せます。

ただし、このような表記は、プログラムの可搬性を低下させますから、なるべく使わないようにします。

▶ JIS コード体系では、文字は8ビットで表せますが、9ビットの実行環境などもあります（過去に実在しました）。文字が8ビットであることを前提にするプログラムは、可搬性が失われます。
　また、C言語では、日本語文字などのように **char** 型では表せない文字セットをもつ環境を考慮して、ワイド文字などの概念が定められています。

演習 8-10

List 8-11（p.249）のプログラムをもとにして、数字文字の出現回数を、* を並べたグラフで表示するプログラムを作成せよ。**List 5-12**（p.128）や演習 **5-8**（p.129）と同じ表示を行うこと。

Column 8-5　アルファベットの文字コード

本文で学習したように、数字文字 **'0'** ～ **'9'** の文字コードは一つずつ増えていきます。その一方で、

- 英大文字 **'A'** ～ **'Z'** の値は一つずつ増えていく。

あるいは

- 英小文字 **'a'** ～ **'z'** の値は一つずつ増えていく。

という規則が成り立つという保証は**ありません**。

事実、大型計算機で広く使われている EBCDIC コードでは、上の規則は成立しません。

まとめ

- 単純な**置換**が行われる**オブジェクト形式マクロ**とは異なり、関数形式マクロは、**引数を含めた**展開が行われる（引数のない関数形式マクロも定義可能である）。

```
#define max2(a, b)   (((a) > (b)) ? (a) : (b))
```

- 関数が、特定の型ごとに作り分けて使い分ける必要があるのに対し、関数形式マクロは一つの定義で複数の型に対応できる。また、引数や返却値のやりとりなどが不要であるため、実行効率が高くなる傾向がある。

- 展開後の式が２回以上評価されることなどに起因して、意図しない結果となることを、マクロの副作用という。関数形式マクロの作成時や利用時は、副作用の可能性に十分に注意する必要がある。

- コンマ演算子 , を利用したコンマ式 a, b では、a と b が順に評価される。その評価によって得られるのは、右オペランド b を評価した値である（左オペランドの値は切り捨てられる）。

- 構文上１個の式が要求される箇所に複数の式を置く必要がある場合、それらの式をコンマ演算子で結ぶとよい。

- 一定の基準に基づいて、データの集まりを昇順や降順に並べ替えることをソートという。ソートのアルゴリズムには、バブルソートなどがある。

- 列挙体は、限られた整数値の集合を表す。列挙体に与える識別子が列挙体タグであり、個々の値に対する識別子が列挙定数である。

- 列挙型の型名は、『enum 列挙体タグ名』であり、列挙体タグ名のみでは型名とならない。

- 列挙体タグ名と変数名は、異なる名前空間に所属する。

chap08/summary1.c

```
#include <stdio.h>

enum RGB {Red, Green, Blue};

int main(void)
{
    int color;

    printf("0～2の値："); scanf("%d", &color);

    printf("あなたは");
    switch (color) {
     case Red   : printf("赤");  break;
     case Green : printf("緑");  break;
     case Blue  : printf("青");  break;
    }
    printf("を選びました。\n");

    return 0;
}
```

○ Red (0)
◉ Green (1)
○ Blue (2)

実行例

```
0～2の値：1
あなたは緑を選びました。
```

- ある事象は、それが自分自身を含んでいたり、自分自身を用いて定義されていたりするときに、再帰的であるといわれる。

- 再帰関数呼出しは、自分自身と同じ関数を呼び出すことである。

- *getchar* 関数は、キーボード（標準入力ストリーム）から単一の文字を読み取って、その文字を返却するライブラリ関数である。

- ファイルの終了を示すオブジェクト形式マクロ EOF が、**<stdio.h>** ヘッダ内で、負の値として定義されている。

- C言語での文字は、その文字に与えられた、非負の整数値の文字コードである。

- 数字文字 **'0'** ～ **'9'** の値は一つずつ増えていく。そのため、数字文字 **'*n*'** から **'0'** を引くと、整数値 *n* が得られるし、数字文字 **'0'** に *n* を加えると **'*n*'** が得られる。

- 単一引用符を表す拡張表記は \' で、二重引用符を表す拡張表記は \" である。
  文字列リテラルの中での二重引用符は、" ではなく \" を使って表記する。
  文字定数 の中での単一引用符は、' ではなく \' を使って表記する。

- 8進拡張表記あるいは 16 進拡張表記を使うと、文字コードで特定の文字を表せる。

8 まとめ

chap08/summary2.c

```
#include <stdio.h>

// 警報を発する
#define alert() (putchar('\a'))

// 文字cを表示して改行
#define putchar_ln(c) (putchar(c), putchar('\n'))

int main(void)
{
    int ch;
    int sum = 0;     // すべての数字の合計

    while ((ch = getchar()) != EOF) {
        if (ch >= '0' && ch <= '9')
            sum += ch - '0';

        if (ch == '\n') {
            alert();
            putchar('\n');
        } else {
            putchar_ln(ch);
        }
    }

    printf("数字文字の合計は%dです。\n", sum);

    return 0;
}
```

実行例

```
GT55↵
G
T
5
5
♪
3.14↵
3
.
1
4
♪
Ctrl + Z ↵
数字文字の合計は18です。
```

第9章

文字列の基本

前章の後半では、「文字」について学習しました。もっとも、私たちの身のまわりを見わたしても、単独の文字で表せるものは、あまり見当たりません。たとえば、名前や地名など、どれをとっても、多くは、複数の文字の並びです。

本章では、文字の並びである文字列の基本を学習します。

9-1 文字列とは

一連の文字の並びを表すのが、文字列です。本節では、文字列や文字列リテラルの基本を学習します。

文字列リテラル

まず、"ABC" のような、文字の並びを二重引用符 " で囲んだ文字列リテラル（string literal）について、詳しく学習していきましょう。

文字列リテラルの末尾には、見た目では分からない《オマケ》が付いています。そのオマケは、ナル文字（null character）という**値 0 の文字**です（8進拡張表記だと '\0' で、整数定数表記だと 0 です）。

そのため、" と " のあいだに置かれた**文字の並び**の後ろに、**ナル文字**がくっついた状態で記憶域に格納されます。**Fig.9-1** に示すのが具体例です。

- 図a … 見かけ上3文字の文字列リテラル "ABC" は、4文字分の記憶域を占有します。
- 図b … 見かけ上0文字のリテラル "" は、ナル文字のための1文字分の記憶域を占有します。

a "ABC" A|B|C|\0 ナル文字

b "" \0 ナル文字

Fig.9-1 文字列リテラルの内部表現

▶ 第7章では、char が1個の《箱》に相当することを学習しました。文字列リテラル "ABC" は4個の箱が並んでおり、"" は箱が1個だけの状態です。

文字列リテラルの大きさ

文字列リテラルの末尾にナル文字が付加されることを、プログラムで確認しましょう。**List 9-1** に示すのが、そのプログラムです。

List 9-1 chap09/list0901.c

```
// 文字列リテラルの大きさを表示する

#include <stdio.h>

int main(void)
{
    printf("sizeof(\"123\")       = %zu\n",  sizeof("123"));
    printf("sizeof(\"AB\\tC\")     = %zu\n", sizeof("AB\tC"));
    printf("sizeof(\"abc\\0def\") = %zu\n", sizeof("abc\0def"));

    return 0;
}
```

実行結果

```
sizeof("123")      = 4
sizeof("AB\tC")    = 5
sizeof("abc\0def") = 8
```

三つの文字列リテラルの**大きさ**を、sizeof 演算子で取得して表示しています。各文字列リテラルについて、右ページの **Fig.9-2** を見ながら、理解を深めていきましょう。

a 文字列リテラル "123"

4文字分の記憶域を占有します。

b 文字列リテラル "AB\tC"

途中の '\t' は、見かけは2文字ですが、タブ文字を表す1個の文字とみなされます。

c 文字列リテラル "abc\0def"

途中にナル文字 '\0' がありますが、これとは別に、末尾にもナル文字が付加されます。

いずれも、**文字列リテラルの大きさは、末尾のナル文字を含めた文字数と一致します。**

a "123"

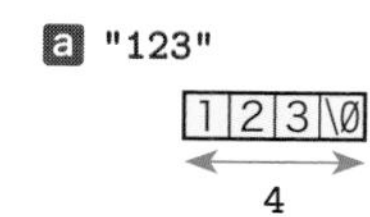

b "AB\tC"

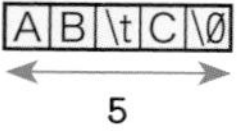

c "abc\0def"

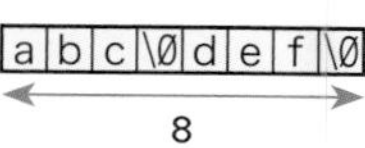

Fig.9-2 文字列リテラルの内部表現

重要 文字列リテラルの末尾には、(途中の文字とは無関係に) 値が 0 のナル文字が付加される。

Column 9-1 文字列リテラルの性質

ここでは、文字列リテラルの性質を2点補足学習します。

▪ 文字列リテラルには静的記憶域期間が与えられる

文字列リテラルには、永遠の寿命である**静的記憶域期間**が与えられます。

そのため、右に示す関数 *func* の実行開始時に "ABCD" が作られて、実行終了時に破棄される、といったことはありません。

```
void func(void)
{
    puts("ABCD");
    puts("ABCD");
}
```

▪ 同一文字列リテラルの扱いは処理系依存

関数 *func* の中の二つの "ABCD" は、同じ綴り(つづ)りです。このように、同じ綴りの文字列リテラルがプログラム中に複数個存在するときの記憶域への格納法は、処理系に依存します (**Fig.9C-1**)。

図a:同じ綴りの文字列リテラルを個別に格納

二つの文字列を別ものとみなして、記憶域上に個別に格納します。あわせて 10 文字分が必要です。

図b:同じ綴りの文字列リテラルをまとめて格納

二つの文字列リテラルを同一とみなして、記憶域上に1個だけを格納します。そのため、5文字分の記憶域を節約できます。

a 同じ綴りの文字列リテラルを個別に格納

| A | B | C | D | \0 | | | | A | B | C | D | \0 | | | | 同じものが複数存在する

b 同じ綴りの文字列リテラルをまとめて格納

| A | B | C | D | \0 | | | | | | | | | | | | 1個のものが共有される

Fig.9C-1 同一綴りの文字列リテラルの記憶域への格納

文字列

文字列リテラルは、整数定数の15や、浮動小数点定数の3.14のようなものです。算術型の値は、変数（オブジェクト）に入れることで、自由な演算ができるようになります。

文字の並びを表す文字列（string）も事情は同じです。オブジェクトに格納しなければ、自由に扱えません。

文字列の格納先として最適なのがcharの配列です。

たとえば、文字列"ABC"であれば、Fig.9-3に示すように、'A'と'B'と'C'と'\0'の4個の文字を、charの配列の先頭要素から順に格納します。

末尾のナル文字'\0'は、文字列終端を示す《目印》として働きます。

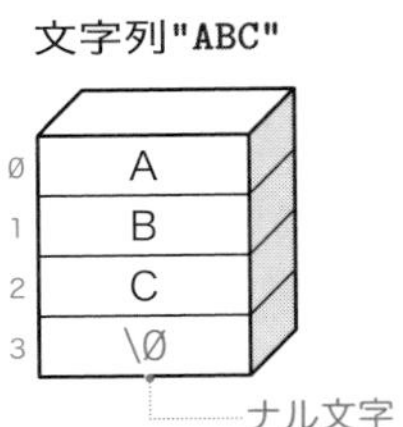

Fig.9-3 配列に格納された文字列

重要 文字列の格納先として最適なのがcharの配列である。文字列の末尾は、最初に出現するナル文字である。

▶ 文字列とみなされるのは、最初に出現するナル文字までです。その一方で、文字列リテラルは、途中にナル文字があっても構いません（前ページのFig.9-2 C）。
そのため、"123"は『文字列とみなせる文字列リテラル』で、"abc\0def"は『文字列とはみなせない文字列リテラル（文字列とみなせるのは最初の\0まで）』ということになります。

文字列"ABC"をcharの配列に格納・表示してみましょう。List 9-2が、そのプログラムです。

List 9-2 chap09/list0902.c

```
// 配列に文字列を格納して表示（その1：代入）

#include <stdio.h>

int main(void)
{
    char str[4];     // 文字列を格納する配列

    str[0] = 'A';    // 代入
    str[1] = 'B';    // 代入
    str[2] = 'C';    // 代入
    str[3] = '\0';   // 代入

    printf("文字列strは\"%s\"です。\n", str);    // 表示

    return 0;
}
```

実行結果

```
文字列strは"ABC"です。
```

char[4]型の配列strの各要素に文字を代入することで、文字列"ABC"を作っています。

なお、printf関数で文字列を表示する際の変換指定は%sであり、実引数としては、配列の名前（この場合はstr）を与えます。

▶ 変換指定のsは、文字列stringに由来します。

文字配列の初期化

文字列を作るたびに、各要素に１文字ずつ文字を代入するのは面倒です。次のように宣言すれば、配列の要素を確実に初期化できる上に、コードが簡潔になります。

```
char str[4] = {'A', 'B', 'C', '\0'};
```

これは、int 型や double 型などの配列を初期化する宣言と同じ形式です。なお、文字列の初期化に限り、次に示す形式でも宣言できるようになっています。

```
char str[4] = "ABC";     // char str[4] = {'A', 'B', 'C', '\0'}; と同じ
```

この形式を使うのが、基本です（簡潔に記述できます）。

重要 文字列を格納する文字配列の初期化は、次のいずれかの形式で行う。

ⓐ `char str[] = {'A', 'B', 'C', '\0'};`

ⓑ `char str[] = "ABC";`

▶ 要素数が省略可能なのは、初期化子の個数から配列の要素数が決定されるからです（p.120）。なお、ⓑの初期化子を { } で囲んで、{"ABC"} とすることもできます。

配列に対する初期化子の代入は不可能でした（p.121）。文字列でも同様です。

```
char s[4];
s = {'A', 'B', 'C', '\0'};       // エラー：初期化子の代入は不可
s = "ABC";                       // エラー：初期化子の代入は不可
```

前ページのプログラムを、配列の各要素に文字を代入するのではなく、初期化するように宣言を書きかえましょう。**List 9-3** に示すのが、そのプログラムです。

List 9-3 chap09/list0903.c

```
// 配列に文字列を格納して表示（その２：初期化）

#include <stdio.h>

int main(void)
{
    char str[] = "ABC";      // {'A', 'B', 'C', '\0'}による初期化

    printf("文字列strは\"%s\"です。\n", str);    // 表示

    return 0;
}
```

実行結果

```
文字列strは"ABC"です。
```

プログラムが読みやすく、簡潔になりました。

演習 9-1

List 9-3 の配列 str の宣言を次のように書きかえたプログラムを作成し、実行結果を考察せよ。

```
char str[] = "ABC\0DEF";
```

空文字列

文字列の文字数はØ個でもよいことになっていて、そのような文字列は、**空文字列**（null string）と呼ばれます。空文字列を格納する配列は、次のように宣言できます。

```
char ns[] = "";        // 空文字列の宣言（要素数は1）
```

Fig.9-4 に示すように、配列 **ns** の要素数は **Ø** ではなく **1** となり、終端を示すナル文字だけが格納されます。

▶ すなわち、次の宣言と同じです。

```
char ns[1] = {'\Ø'};
```

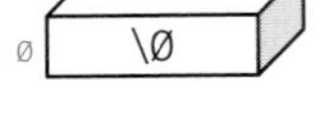

Fig.9-4 空文字列

文字列の読込み

次は、文字列をキーボードから読み込む方法を学習しましょう。**List 9-4** に示すのは、名前を読み込んで、挨拶するプログラムです。

List 9-4 chapØ9/listØ9Ø4.c

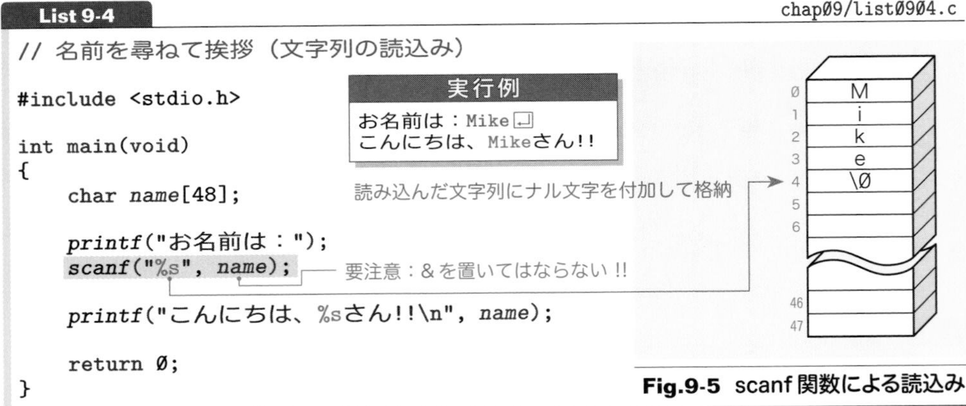

```
// 名前を尋ねて挨拶（文字列の読込み）

#include <stdio.h>

int main(void)
{
    char name[48];

    printf("お名前は：");
    scanf("%s", name);

    printf("こんにちは、%sさん!!\n", name);

    return Ø;
}
```


Fig.9-5 scanf 関数による読込み

何文字の名前が入力されるのかを事前に知ることはできませんので、**配列の要素数は多めに準備する必要があります**（本プログラムでは 48 としています）。

文字列の読込みの際に ***scanf*** 関数に与える変換指定は **%s** です。なお、読み込んだ文字列の格納先として与える実引数 **name** は配列であるため、**& 演算子を置いてはいけません。**

呼び出された ***scanf*** 関数は、**Fig.9-5** に示すように、キーボードから読み込んだ文字列を格納する際に、**末尾にナル文字を格納します。**

▶ そのため、キーボードから入力する文字数は、47 文字までに収める必要があります。

演習 9-2

次のように宣言された文字列 **s** を空文字列にするのには、どのような操作を行えばよいかを示せ。

```
char s[] = "ABC";
```

文字列を書式化して表示

整数や浮動小数点数を表示する際に*printf*関数に与える変換指定については、何回かにわたって学習してきました（p.38）。文字列表示のための変換指定も、ほぼ同様です。

List 9-5 のプログラムと、実行結果を対比して理解していきましょう。

List 9-5 chap09/list0905.c

```
// 文字列"12345"を書式化して表示

#include <stdio.h>

int main(void)
{
    char str[] = "12345";

    printf("%s\n",   str);      // そのまま
    printf("%3s\n",  str);      // 最低3桁
    printf("%.3s\n", str);      // 3桁まで
    printf("%8s\n",  str);      // 最低8桁で右よせ
    printf("%-8s\n", str);      // 最低8桁で左よせ

    return 0;
}
```

実行結果

```
12345
12345
123
   12345
12345
```


Fig.9-6 に示すのが、変換指定の構造です。

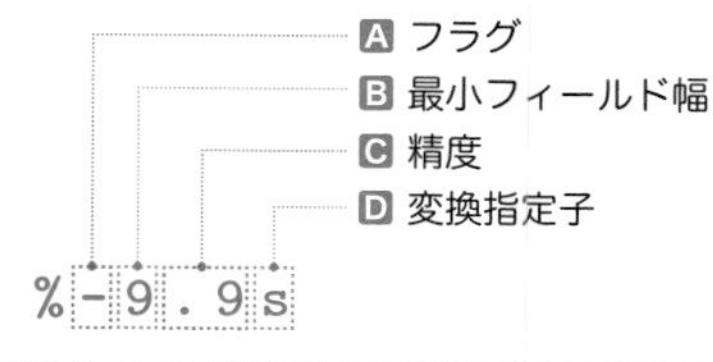

Fig.9-6 変換指定の構造

A フラグ

-フラグが指定されると左側によせて表示され、指定されない場合は右側によせて表示されます。

B 最小フィールド幅

少なくとも、この桁数だけの表示が行われます。

指定が省略された場合や、実際に表示する文字列の桁数が指定された値を超えるときは、表示に必要な桁数で表示されます。

C 精度

表示する桁数の上限を指定します。そのため、ここに指定された以上の文字が出力されることはありません。

D 変換指定子

sは文字列を表示することの指定です。配列内の文字は、終端ナル文字の直前まで出力されます。精度が指定されない場合や、精度が配列の大きさよりも大きい場合は、配列は必ずナル文字を含んでいなければなりません。

▶ 変換指定を含め、*printf*関数に関する詳細は、p.376で学習します。

9-2 文字列の配列

文字列を配列で表せるのですから、その文字列を集めたものは『配列の配列』で表せるということです。

文字列の配列

同じ型のデータの集合は、配列で実現できることを、第6章で学習しました。本節では、文字列の集合である、文字列の配列について考えていきます。

文字列そのものが配列で表せるのですから、文字列の配列は『配列の配列』で表せるということです。**List 9-6** に示すプログラムで学習していきます。

List 9-6 chap09/list0906.c

```
// 文字列の配列

#include <stdio.h>

int main(void)
{
    char s[][6] = {"Turbo", "NA", "DOHC"};

    for (int i = 0; i < 3; i++)
        printf("s[%d] = \"%s\"\n", i, s[i]);

    return 0;
}
```

3個の初期化子が与えられているため、要素数は3となる

実行結果

```
s[0] = "Turbo"
s[1] = "NA"
s[2] = "DOHC"
```

これは、3個の文字列 **"Turbo"**、**"NA"**、**"DOHC"** を、3行6列の2次元配列 *s* に格納して表示するプログラムです。**Fig.9-7** を見ながら理解していきましょう。

■ 配列 *s* の要素

配列 *s* は、要素型が **char[6]** 型で、要素数が **3** の配列です。要素は **s[0]**、**s[1]**、**s[2]** の3個であり、それぞれが初期化子 **"Turbo"**、**"NA"**、**"DOHC"** で初期化されます。

▶ **{}** の中に与えられている初期化子の個数から、要素数が自動的に **3** とみなされます。なお、列数が **6** ですから、各要素は（終端のナル文字を除いて）最大5文字の長さの文字列を表せます。

■ 配列 *s* の構成要素

2次元配列の各構成要素は二つの添字を用いた式でアクセスできます（p.133）。

たとえば、**s[0][0]** は **'T'** で、**s[2][3]** は **'C'** です。

▶ **{}** 内に初期化子が与えられていない要素が **0** で初期化される規則（p.121）が適用されるため、各文字列の末尾側は、ナル文字で初期化されます。

`char s[3][6];`

要素型は char[6] 型で要素数は 3

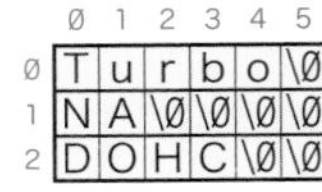

Fig.9-7 文字列の配列

文字列の配列への文字列の読込み

次は、文字列の配列の各要素を初期化するのではなく、キーボードから読み込むように変更しましょう。**List 9-7** に示すのが、そのプログラムです。

List 9-7 chap09/list0907.c

```
// 文字列の配列を読み込んで表示

#include <stdio.h>

int main(void)
{
    char s[3][128];          初期化子が与えられていないため、要素数は省略できない

    for (int i = 0; i < 3; i++) {
        printf("s[%d] : ", i);
        scanf("%s", s[i]);   要注意：& を置いてはならない !!
    }

    for (int i = 0; i < 3; i++)
        printf("s[%d] = \"%s\"\n", i, s[i]);

    return 0;
}
```

実行例

```
s[0] : Paul
s[1] : John
s[2] : George
s[0] = "Paul"
s[1] = "John"
s[2] = "George"
```


このプログラムは、3個の文字列を読み込んで表示します。

`main` 関数の冒頭で宣言されている配列 *s* は、3行 128 列の2次元配列、すなわち、要素型が `char[128]` 型で、要素数が 3 の配列です。

▶ 列数が 128 ですから、（終端のナル文字を除いて）最大 127 文字の長さの文字列が格納できます。キーボードからの入力時は、127 文字を超えないようにする必要があります。

`for` 文のループ本体内の、キーボードからの読込みに着目しましょう。

```
scanf("%s", s[i]);
```

読み込んだ文字列の格納先として *scanf* 関数に与える実引数 `s[i]` は配列ですから、`&` 演算子を置いてはいけません。

演習 9-3

List 9-7 を次のように書きかえたプログラムを作成せよ。

- 文字列の個数を 3 よりも大きな値とし、その値をオブジェクト形式マクロとして定義する。
- 最初の `for` 文では、`"$$$$$"` を読み込んだ時点で読込みを中断・終了する。
- ２番目の `for` 文では、`"$$$$$"` より前に入力された全文字列を表示する。

9-3 文字列の操作

ここまでは、文字列を作ったり読み込んだりするだけでした。文字列を自在に扱う方法を学習していきましょう。

文字列の長さ

まずは、次のように宣言された配列 **str** を考えます。

```
char str[6] = "ABC";
```

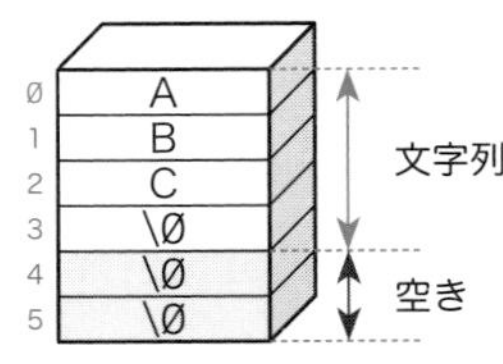

Fig.9-8 配列内の文字列

Fig.9-8 に示すように、要素数 6 の配列に対して、ナル文字を含めて4文字の文字列が格納されます。そのため、末尾側の **str[4]** と **str[5]** の領域は、未使用の状態です。

このように、『配列の要素数』と『文字列の長さ』は必ずしも一致しません。

文字列の長さが必要な場合は、配列の要素数を調べるのではなく、**先頭文字から '\0' の直前までに、何個の文字があるのかを調べる**必要があります。

この考えに基づいて、文字列の長さを求めましょう。それが、**List 9-8** のプログラムです。

List 9-8 chap09/list0908.c

```
// 文字列の長さを調べる

#include <stdio.h>

//--- 文字列strの長さを返す ---//
int str_length(const char s[])
{
    int len = 0;

    while (s[len])
        len++;
    return len;
}

int main(void)
{
    char str[128];   // ナル文字を含めて128文字まで格納できる

    printf("文字列を入力せよ：");
    scanf("%s", str);

    printf("文字列\"%s\"の長さは%dです。\n", str, str_length(str));

    return 0;
}
```

配列を受け取る仮引数（要素数は不要）

受け取る配列の要素の値を変更しないことを宣言する

実引数は配列の名前のみ

実行例

```
文字列を入力せよ：GT6⏎
文字列"GT6"の長さは3です。
```

関数 **str_length** は、引数 **s** に受け取った文字列の長さ（ナル文字の直前までの文字数）を求めて返却する関数です。

その関数 **str_length** では、変数 **len** をうまく使うことで、配列の要素の走査を行うとともに、文字列の長さを求めています。

走査を行うのが、プログラム水色の **while** 文です。事前に **0** で初期化された変数 **len** は、ループカウンタとして働きます（**Fig.9-9**）。

繰返しの継続条件は、着目要素 s[len] が、0 すなわちナル文字ではないことです。

図に示すように、**0** で初期化された **len** は、繰返しのたびにインクリメントされていきます。

そして、**len** が 3 になったときに、着目要素 **s[len]** が **0** すなわちナル文字になるため、**while** 文の繰返しが終了します。

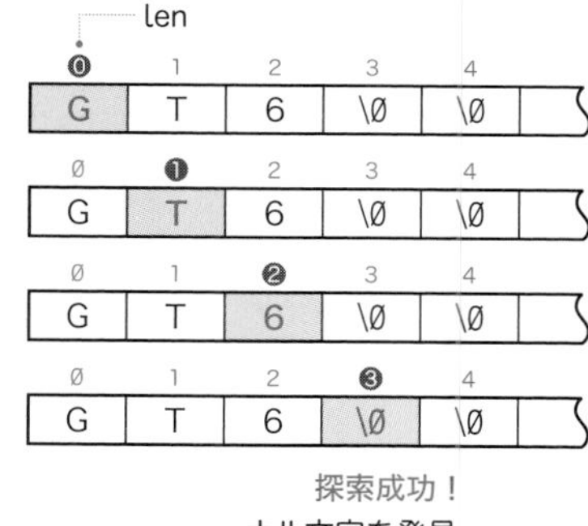

Fig.9-9　文字列の長さを求める

このときの len の値 3 が、文字列の長さ（ナル文字の直前までの文字数）です。

なお、この関数 **str_length** は、次のようにも説明できます。

配列 s の要素のうち、最も先頭側に位置するナル文字の添字を返す関数

これは、第 6 章で学習した線形探索（p.164）そのものです。

なお、**関数間での文字列の受渡し**の要領も、第 6 章で学習した**配列の受渡し**と同じです。

重要　関数間の引数としての**文字列の受渡し**の要領は、**配列と同じ**である。呼出し側は、実引数として配列の名前のみを与え、呼び出される側は配列として受け取る。

▶　念のために、配列の受渡しについて復習しましょう（すべて第 6 章で学習した内容です）。

呼び出す側 … 配列を渡す側の実引数は、[ ] を付けずに名前だけとします。関数 **str_length** を呼び出すプログラムの関数呼出し式では、実引数として **str** を渡しています。

呼び出される側 … 呼び出された側の仮引数の配列は、実質的に、呼出し側の実引数の配列そのものです（受け取る配列の要素の値を更新しない場合は、仮引数の宣言に **const** を置きます）。

ただし、『要素数』を別の引数で受け取る必要がない点が、**配列の受渡し**と違います。

重要　通常の配列とは異なり、文字列を受け取る際に**要素数**を別の引数として受け取る必要はない。末尾のナル文字までを処理対象とすればよいからである。

演習 9-4

文字列 **s** を空文字列にする関数を作成せよ。

```
void null_string(char s[]);
```

演習 9-5

文字列 **s** の中に、文字 **c** が含まれていれば、その添字（文字列中に文字 **c** が複数ある場合は、最も先頭側の添字とする）を返し、含まれていなければ **-1** を返す関数を作成せよ。

```
int str_char(const char s[], int c);
```

文字列の表示

次は、***printf*** 関数や ***puts*** 関数に頼らず、***putchar*** 関数で文字列を表示することを考えます。もちろん、文字列を先頭から1文字ずつ走査することで実現します。

List 9-9 に示すのが、そのプログラムです。

List 9-9 chap09/list0909.c

```
// 文字列を走査して表示する

#include <stdio.h>

//--- 文字列sを表示（改行はしない）---//
void put_string(const char s[])
{
    int i = 0;
    while (s[i])
        putchar(s[i++]);
}

int main(void)
{
    char str[128];

    printf("文字列を入力せよ：");
    scanf("%s", str);

    printf("あなたは");
    put_string(str);
    printf("と入力しました。\n");

    return 0;
}
```

実行例

```
文字列を入力せよ：G12
あなたはG12と入力しました。
```


Fig.9-10 文字列を走査して表示

関数 ***put_string*** が、受け取った文字列を１文字ずつ順に表示する関数です。

文字列内のすべての文字を先頭から末尾へと走査する手順は、前のプログラムの関数 ***str_length*** と同じです。**Fig.9-10** に示すように、ナル文字までを走査して表示します。

▶ 表示するのは、ナル文字の直前の文字までです。ナル文字は表示しません。

演習 9-6

文字列 ***s*** の中に、文字 ***c*** が含まれている個数（含まれていなければ **0** とする）を返す関数を作成せよ。

```
int str_chnum(const char s[], int c);
```

演習 9-7

文字列 ***s*** を ***n*** 回だけ連続して表示する関数を作成せよ。

```
void put_stringn(const char s[], int n);
```

たとえば、***s*** と ***n*** に **"ABC"** と **3** を受け取った場合、「**ABCABCABC**」と表示すること。

数字文字の出現回数

次は、文字列の中身を調べることにします。**List 9-10** は、文字列に含まれる`'0'`～`'9'`の**数字文字**の個数をカウントするプログラムです。

List 9-10 chap09/list0910.c

```
// 文字列内の数字文字をカウントする

#include <stdio.h>

//--- 文字列s内に含まれる数字文字の出現回数を配列cntに格納 ---//
void str_dcount(const char s[], int cnt[])
{
    int i = 0;
    while (s[i]) {
        if (s[i] >= '0' && s[i] <= '9')
            cnt[s[i] - '0']++;
        i++;
    }
}

int main(void)
{
    int  dcnt[10] = {0};    // 分布
    char str[128];          // 文字列

    printf("文字列を入力せよ：");
    scanf("%s", str);

    str_dcount(str, dcnt);

    puts("数字文字の出現回数");
    for (int i = 0; i < 10; i++)
        printf("'%d'：%d\n", i, dcnt[i]);

    return 0;
}
```

実行例

```
文字列を入力せよ：3.1415926535897932846
数字文字の出現回数
'0'：0
'1'：2
'2'：2
'3'：3
'4'：2
'5'：3
'6'：2
'7'：1
'8'：2
'9'：3
```

関数`str_dcount`は、受け取った文字列`s`内に含まれる各数字文字の個数を、配列`cnt`に格納します。数字文字のカウント法は、**List 8-9**（p.246）と**List 8-11**（p.249）で学習した方法と同じです。

演習 9-8

文字列を後ろから逆に表示する関数を作成せよ。

```
void put_stringr(const char s[]);
```

たとえば、`s`に`"SEC"`を受け取ったら「`CES`」と表示すること。

演習 9-9

文字列`s`の文字の並びを反転する関数を作成せよ。

```
void rev_string(char s[]);
```

たとえば、`s`に`"SEC"`を受け取ったら、その配列を`"CES"`に更新すること。

大文字・小文字の変換

文字列内の英字（アルファベット文字）を、大文字に変換する関数と、小文字に変換する関数を作りましょう。**List 9-11** に示すのが、そのプログラムです。

List 9-11 chap09/list0911.c

```
// 文字列内の英字を大文字／小文字に変換

#include <ctype.h>
#include <stdio.h>

//--- 文字列内の英字を大文字に変換 ---//
void str_toupper(char s[])
{
    int i = 0;
    while (s[i]) {
        s[i] = toupper(s[i]);
        i++;
    }
}

//--- 文字列内の英字を小文字に変換 ---//
void str_tolower(char s[])
{
    int i = 0;
    while (s[i]) {
        s[i] = tolower(s[i]);
        i++;
    }
}

int main(void)
{
    char str[128];

    printf("文字列を入力せよ：");
    scanf("%s", str);

    str_toupper(str);
    printf("大文字：%s\n", str);

    str_tolower(str);
    printf("小文字：%s\n", str);

    return 0;
}
```

実行例

```
文字列を入力せよ：FukuOka79⏎
大文字：FUKUOKA79
小文字：fukuoka79
```


本プログラムで定義している二つの関数の働きは、次のとおりです。

- 関数 *str_toupper* … *s* に受け取った文字列内の英字を大文字に変換する。
- 関数 *str_tolower* … *s* に受け取った文字列内の英字を小文字に変換する。

これらは、基本的に同じ構造の関数です。文字列 *s* を先頭から順に走査して、着目文字を大文字あるいは小文字に変換します。

変換のために利用しているのが、<ctype.h> ヘッダで提供される *toupper* 関数と *tolower* 関数です。

toupper	
ヘッダ	`#include <ctype.h>`
形　式	`int toupper(int c);`
解　説	英小文字を対応する英大文字に変換する。
返却値	*c* が英小文字であれば、英大文字に変換した値を返す。そうでなければ、*c* をそのまま返す。

tolower	
ヘッダ	`#include <ctype.h>`
形　式	`int tolower(int c);`
解　説	英大文字を対応する英小文字に変換する。
返却値	*c* が英大文字であれば、英小文字に変換した値を返す。そうでなければ、*c* をそのまま返す。

Fig.9-11 に示すのが、二つの関数の働きです。

関数 ***str_toupper*** と関数 ***str_tolower*** で文字列を走査する過程では、走査における着目文字 ***s*[*i*]** に対して、これらの関数の返却値を代入しています。

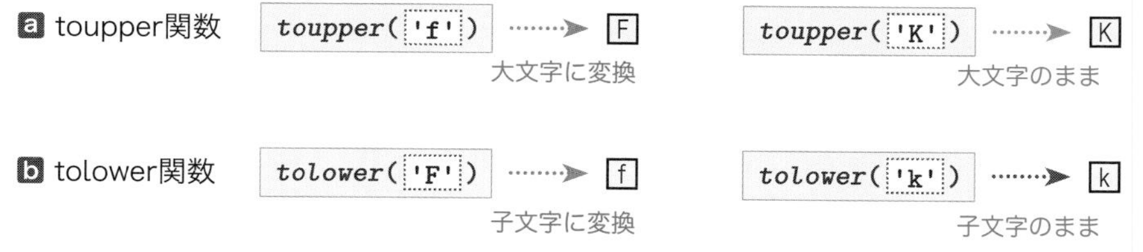

Fig.9-11　toupper 関数と tolower 関数

▶ *toupper* 関数と *tolower* 関数は、仮引数 *c* に受け取った文字が英字以外の文字であれば、その文字 *c* をそのまま返却します。そのため、関数 ***str_toupper*** と関数 ***str_tolower*** が、英字以外の文字を誤って変換することはありません。

ただし、これらの関数が変換対象とするのは、いわゆる半角文字です。漢字などの全角文字などには対応していませんので注意しましょう。

演習 9-10

文字列 ***s*** 内のすべての数字文字を除去する関数を作成せよ。

```
void del_digit(char s[]);
```

たとえば、**"AB1C9"** を受け取ったら、**"ABC"** に更新する。

文字列の配列の受渡し

次は、2次元配列で実現された《文字列の配列》を関数間でやりとりする方法を学習します。まずは、**List 9-12** のプログラムを例に理解していきます。

List 9-12 chap09/list0912.c

```
// 文字列の配列を表示（関数版）

#include <stdio.h>

//--- 文字列の配列を表示 ---//
void put_strary(const char s[][6], int n)
{
    for (int i = 0; i < n; i++)
        printf("s[%d] = \"%s\"\n", i, s[i]);
}

int main(void)
{
    char cs[][6] = {"Turbo", "NA", "DOHC"};

    put_strary(cs, 3);

    return 0;
}
```

実行結果

```
s[0] = "Turbo"
s[1] = "NA"
s[2] = "DOHC"
```

このプログラムは、**List 9-6**（p.262）をベースにして、文字列の配列を表示する箇所を関数 *put_strary* として独立させたものです。

文字列の配列を受け取るのが、仮引数 *s* であり、その要素数を受け取るのが、**int** 型の仮引数 *n* です。関数本体では、その2次元配列の *n* 個の要素を **for** 文で表示しています。

▶ 多次元配列を受け取る仮引数の宣言で省略できる要素数は、先頭の次元のみです（**Column 6-2**：p.171）。そのため、関数 *put_strary* は、要素数が 6 でない文字列の配列（要素型が **char[6]** 型でない配列）を受け取れません。もちろん、次のような宣言は不可能です。

```
void put_strary(const char s[][], int n);
```


Column 9-2 文字列ではない文字の配列

次の宣言を考えましょう。

```
char str[4] = "ABCD";
```

ナル文字を含めると、5文字分の領域が必要ですが、配列の領域が4文字分しかありません。

このように、末尾のナル文字だけが格納できないような初期化子を与えたときは、**末尾のナル文字が格納されない**ことになっています。すなわち、上記の宣言は、

```
char str[4] = {'A', 'B', 'C', 'D'};
```

とみなされるのです。

このような配列は、**《文字列》**ではなく、**《文字が4個集まった配列》**として使います。

それでは、文字列をそのまま表示するのではなく、各文字を1文字ずつ走査して表示するように書きかえましょう。**List 9-13** に示すのが、そのプログラムです。

List 9-13 chap09/list0913.c

```
// 文字列の配列を表示（関数版：1文字ずつ走査）

#include <stdio.h>

//--- 文字列の配列を表示（1文字ずつ表示）---//
void put_strary2(const char s[][6], int n)
{
	for (int i = 0; i < n; i++) {
		int j = 0;
		printf("s[%d] = \"", i);

		while (s[i][j])
			putchar(s[i][j++]);

		puts("\"");
	}
}

int main(void)
{
	char cs[][6] = {"Turbo", "NA", "DOHC"};

	put_strary2(cs, 3);

	return 0;
}
```

実行結果

```
s[0] = "Turbo"
s[1] = "NA"
s[2] = "DOHC"
```

a List 9-9の走査

```
while (s[i])
	putchar(s[i++]);
```

b 本プログラムの走査

```
while (s[i][j])
	putchar(s[i][j++]);
```

… 走査対象の文字列
… 着目文字の添字

Fig.9-12 文字列内の文字の走査

本プログラムの走査部では、添字演算子 [ ] が2重に適用されています。複雑に見えますが、学習ずみのことを組み合わせているだけです。

Fig.9-12 に示すように、文字列を走査・表示する **List 9-9**（p.266）の走査部と同じ構造です。

- 赤色の部分 … 走査・表示の対象文字列
- 水色の部分 … 走査において、現在着目している要素の添字

演習 9-11

List 9-12 を、次のように書きかえたプログラムを作成せよ。

- 文字列の個数を 3 よりも大きな値とし、その値をオブジェクト形式マクロとして定義する。
- 文字列の文字数を 6 ではなく 128 とし、その値もオブジェクト形式マクロとして定義する。
- 文字列の配列を読み込む関数を作成する。演習 **9-3**（p.263）と同様に、**"$$$$$"** を読み込んだ時点で読込みを中断・終了する。
- **"$$$$$"** より前に入力された全文字列を表示する。

演習 9-12

受け取った文字列の配列に格納されている *n* 個の文字列の文字の並びを反転する関数を作成せよ。

```
void rev_strings(char s[][128], int n);
```

たとえば、*s* に {"SEC", "ABC"} を受け取ったら、その配列を {"CES", "CBA"} に更新すること。

9-3 文字列の操作

まとめ

- ナル文字は、値が 0 の文字である。8進拡張表記で表記すると '\0' で、整数定数で表記すると 0 である。

- 文字列リテラルの末尾にはナル文字が付加される。そのため、文字列リテラル **"ABC"** は記憶域上に4バイトを占有し、文字列リテラル **""** は1バイトを占有する。

- 文字列リテラル **"..."** の大きさは、末尾のナル文字を含めた文字数と一致する。この値は、**sizeof("...")** で求められる。

- 文字列リテラルは、**静的記憶域期間**が与えられるため、プログラム開始から終了まで記憶域を占有する。

- 同じ綴りの文字列リテラルが複数ある場合、1個のものとみなして記憶域を節約するのか、別個のものとみなすのかは処理系によって異なる。

- 文字列の格納先として最適なのが、char の配列である。文字列の末尾は、最初に出現するナル文字である。

- 文字列を格納する文字配列の初期化は、次のいずれの形式でも行える。

```
char str[] = {'A', 'B', 'C', '\0'};
char str[] = "ABC";
```

  後者の形式の初期化子は、{ } で囲んでもよい。

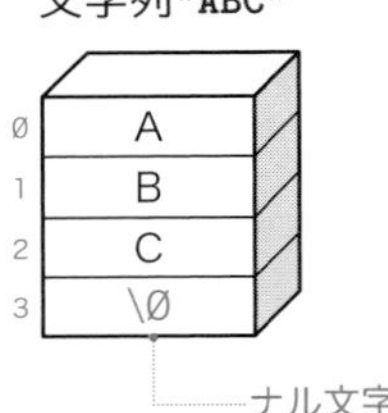

- 文字が1個もない、ナル文字だけの文字列は、空文字列と呼ばれる。

- 文字列中の全文字の走査は、先頭文字から始めてナル文字に出会うまで順に着目することで実現できる。

- 文字列を走査して、先頭文字からナル文字の直前の文字までの文字数をカウントすれば、文字列の長さ（ナル文字を含まない文字数）が得られる。

- 画面に文字列を表示するために ***printf*** 関数に与える変換指定は %s である。表示の桁数や、表示の右よせ／左よせなどは、**最小フィールド幅**や**精度**などで指定できる。

- キーボードから文字列を読み込むために ***scanf*** 関数に与える変換指定は %s である。格納先として与える実引数の配列に & 演算子を適用してはならない。

- 関数が受け取る文字列は、呼び出した側が与えた文字列そのものである。なお、ナル文字までを処理の対象と判断できるため、要素数を別の引数としてやりとりする必要がない。

- **文字列の配列**は、配列の配列、すなわち**2次元配列**で表せる。たとえば、ナル文字を含めて最大12文字まで格納できる文字列（すなわち char[12] 型の配列）を5個集めた配列は、次のように、5行12列の2次元配列として実現できる。

```
char ss[5][12];     // 要素型がchar[12]で要素数が5の配列
```

  ss は2次元配列であるため、その構成要素は、添字演算子 [ ] を2重に適用した式 ss[i][j] でアクセスできる。

- アルファベット文字の小文字を大文字に変換するのが toupper 関数で、大文字を小文字に変換するのが tolower 関数である（これらの関数の変換の対象は、アルファベットのみである）。いずれも <ctype.h> ヘッダで提供されるライブラリ関数である。

chap09/summary.c

```
// 文字列を走査して表示する

#include <stdio.h>

#define STR_LENGTH  128      // 文字列の最大長（ナル文字を含む）

//--- 文字列sと構成文字を表示---//
void put_string_rep(const char s[])
{
    int i = 0;

    while (s[i])
        putchar(s[i++]);

    printf("   { ");

    i = 0;
    while (s[i]) {
        putchar('\'');
        putchar(s[i++]);
        printf("', ");
    }

    printf("'\\0' }\n");
}

int main(void)
{
    char s[STR_LENGTH];
    char ss[5][STR_LENGTH];

    printf("文字列s：");
    scanf("%s", s);

    printf("文字列を5個入力せよ。\n");
    for (int i = 0; i < 5; i++) {
        printf("ss[%d]：", i);
        scanf("%s", ss[i]);
    }

    printf("文字列s：");
    put_string_rep(s);

    printf("文字列の配列ss\n");
    for (int i = 0; i < 5; i++) {
        printf("ss[%d]：", i);
        put_string_rep(ss[i]);
    }

    return 0;
}
```

実行例

```
文字列s：DTS⏎
文字列を5個入力せよ。
ss[0]：Mac⏎
ss[1]：PC⏎
ss[2]：Linux⏎
ss[3]：UNIX⏎
ss[4]：C⏎
文字列s：DTS   { 'D', 'T', 'S', '\0' }
文字列の配列ss
ss[0]：Mac   { 'M', 'a', 'c', '\0' }
ss[1]：PC   { 'P', 'C', '\0' }
ss[2]：Linux   { 'L', 'i', 'n', 'u', 'x', '\0' }
ss[3]：UNIX   { 'U', 'N', 'I', 'X', '\0' }
ss[4]：C   { 'C' '\0' }
```

第10章

ポインタ

　プログラミングに限ることではありませんが、学習を進めていく過程において、対象となる事物を見る目は刻々と変化していきます。
　数値などを格納するための箱と考えてきた変数（オブジェクト）も、本章では、記憶域の一部を占有するオブジェクトとして捉え直します。
　そして、いよいよＣ言語習得上の難関の一つといわれるポインタの学習へと進みます。

10-1 ポインタ

C言語プログラミングを学ぶ上で避けて通れないのが、『オブジェクトを指す』という特殊な働きをするポインタの学習です。

関数の引数

本章の最初に考えるのは、二つの整数の和と差を求める **List 10-1** のプログラムです。

List 10-1 chap10/list1001.c

```
// 二つの整数の和と差を求める（誤り）

#include <stdio.h>

//--- n1とn2の和と差をsumとdiffに格納（誤り）---//
void sum_diff(int n1, int n2, int sum, int diff)
{
    sum  = n1 + n2;                                 // 和
    diff = n1 > n2 ? n1 - n2 : n2 - n1;             // 差
}

int main(void)
{
    int a, b;
    int wa = 0, sa = 0;

    puts("二つの整数を入力せよ。");
    printf("整数A：");   scanf("%d", &a);
    printf("整数B：");   scanf("%d", &b);

    sum_diff(a, b, wa, sa);

    printf("和は%dで差は%dです。\n", wa, sa);

    return 0;
}
```

実行例

```
二つの整数を入力せよ。
整数A：57
整数B：21
和は0で差は0です。
```

ゼロのまま!!

関数 **sum_diff** を呼び出して、和と差を求めているはずですが、いずれも **0** となっています。**関数の中で仮引数 sum や diff の値を変更しても、オリジナルの wa と sa の値に影響は及びません。値渡しによる引数の受渡しが一方通行だからです（p.150）。**

▶ main 関数から関数 sum_diff を呼び出す際に渡されるのが、実引数 a と b と wa と sa の値であって、仮引数はコピーにすぎないことを思い出しましょう。

和と差の2値を関数 sum_diff に返却させればよいのでは、という考えもNGです。関数が呼出し元に戻す返却値は、たかだか1個だからです（p.146）。

＊

この問題の解決には、C言語の難関の一つであるポインタ（pointer）の習得が必要です。本章では、ポインタの基本を学習していきます。

10 ポインタ

オブジェクトとアドレス

ポインタの学習に入る前に、第 2 章で簡単に学習した、オブジェクト（object）そのものについて、もう少し理解を深めます。

これまでは、数値などを格納するための**変数＝オブジェクト**は、**Fig.10-1** ⓐのようにバラバラの**箱**と考えてきました。

ところが、実際は、図ⓑに示すように**記憶域（メモリ空間）の一部**なのです。

ⓐ バラバラな箱としてのオブジェクト　　ⓑ 記憶域の一部としてのオブジェクト

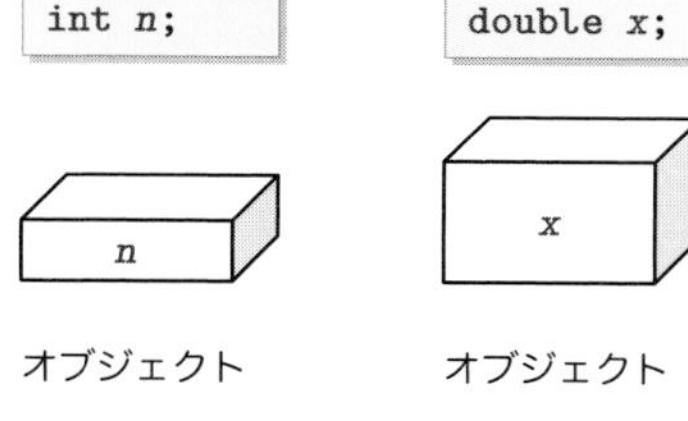

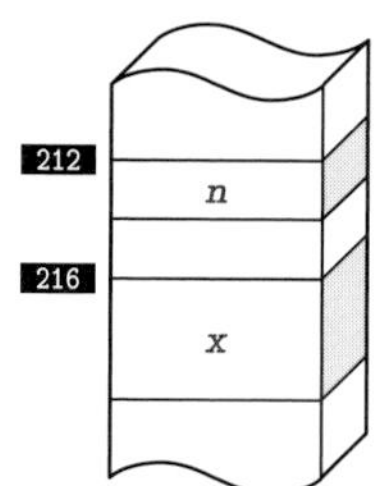

Fig.10-1 オブジェクト

▶ オブジェクトには、数多くの性質や属性があることを思い出しましょう。

たとえば、その一つが**大きさ**です。この図では `int` 型の *n* と `double` 型の *x* は、異なる大きさで表現されています。それぞれは、`sizeof(n)` と `sizeof(x)` で求められるのでした（処理系によっては、たまたま `sizeof(int)` と `sizeof(double)` が等しいこともあるでしょうが、第 7 章で学習したように、それを構成するビットの意味が異なります）。

なお、表現できる数値の範囲などを含めた**型**も性質の一つです。

さらに、記憶域上に存在する生存期間を表す**記憶域期間**（第 6 章）も重要な性質です。

＊

広大な空間に数多くのオブジェクトが雑居しているのですから、それぞれの《**場所**》を何らかの方法で表す必要があります。私たちの住まいと同様、場所を表すのが番地です。その番地は、アドレス（address）と呼ばれます。

重要 オブジェクトのアドレスは、記憶域上のどこに格納されているのかを表す番地のことである。

図ⓑでは、`int` 型オブジェクト *n* のアドレスが 212 で、`double` 型オブジェクト *x* のアドレスが 216 です。

▶ address には、『演説』『住所』『番地』など、多くの意味があります。

10-1 ポインタ

アドレス演算子 &

それでは、オブジェクトのアドレスを調べてみましょう。**List 10-2** に示すのが、そのプログラムです。

List 10-2 chap10/list1002.c

```
// オブジェクトのアドレスを表示する

#include <stdio.h>

int main(void)
{
    int    n;
    double x;
    int    a[3];

    printf("n   のアドレス：%p\n", &n);
    printf("x   のアドレス：%p\n", &x);
    printf("a[0]のアドレス：%p\n", &a[0]);
    printf("a[1]のアドレス：%p\n", &a[1]);
    printf("a[2]のアドレス：%p\n", &a[2]);

    return 0;
}
```

実行結果一例

```
n   のアドレス：212
x   のアドレス：216
a[0]のアドレス：222
a[1]のアドレス：224
a[2]のアドレス：226
```


▶ 表示されるアドレスの基数や桁数などは、処理系や実行環境によって異なります（多くの環境では、4～8桁程度の16進数です）。また、実行例や図に示すアドレスの値は、あくまでも一例にすぎません（今後も、ことわらずに適当な値を示していきます）。

オペランドのアドレス取得のために使っているのが、**アドレス演算子**（address operator）と呼ばれる**単項 & 演算子**（unary & operator）です（**Table 10-1**）。

Table 10-1 単項 & 演算子（アドレス演算子）

単項 & 演算子	&a	a のアドレス（a へのポインタを生成する）。

▶ 2項 & 演算子＝ビット単位の AND 演算子（p.202）と混同しないようにしましょう。

さて、オブジェクト *n* の大きさが 2 であって、212 番地から 213 番地にまたがって格納されていれば、&*n* の評価で得られるのは、先頭アドレスの 212 番地です。

なお、register 記憶域クラス指定子（p.175）付きで宣言されたオブジェクトに対して、アドレス演算子 & を適用することはできません。

そのため、次に示すプログラムは、翻訳時にエラーとなります（"chap10/register.c"）。

```
register int x;
printf("&x：%p\n", &x);        // エラー
```

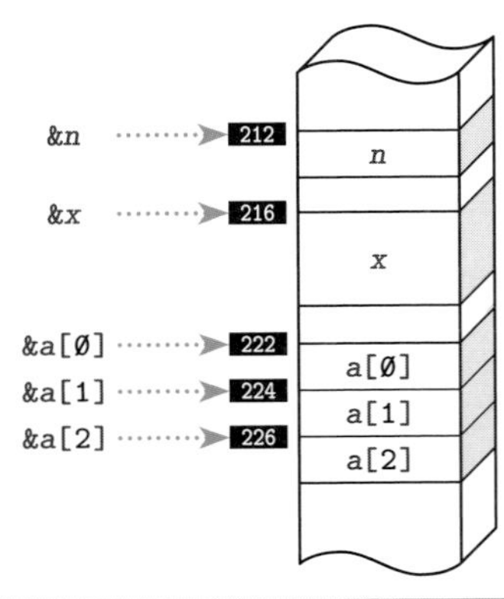

Fig.10-2 アドレスの取得

本プログラムでは、変数 `n` と `x` と、配列 `a` の全要素のアドレスを表示しています。

重要 オブジェクトのアドレスは、アドレス演算子 `&` で取り出せる。

なお、この演算子で取得したアドレスを表示する際の変換指定は `%p` です。

▶ 変換指定 `%p` の `p` は、pointer に由来します。

Column 10-1 バイト順序

第７章では、`char` 型が１バイトであることや、それ以外の型のオブジェクトが複数のバイトで構成されることを学習しました。実は、記憶域上にバイトを並べる順序は、処理系に依存します。

それを表したのが、**Fig.10C-1** です（この図は、`int` 型が２バイト 16 ビットであるとしています）。

▪ 図ａ…リトルエンディアン

下位バイトが先頭側（低アドレス）に配置されます。リトルエンディアン（little endian）と呼ばれる方法です。Intel 社のパソコン用の CPU で採用されています。

▪ 図ｂ…ビッグエンディアン

下位バイトが末尾側（高アドレス）に配置されます。ビッグエンディアン（big endian）と呼ばれる方法です。

ちなみに、**エンディアン**という用語は、Jonathan Swift の 1726 年の小説『ガリバー旅行記』で、小人国では "卵は太いほうから割るべきだ。" とするビックエンディアンと "卵は細いほうから割るべきだ。" とするリトルエンディアンとが対立する話に由来します。1981 年に、Danny Cohen の "On holy wars and a plea for peace" によって、この言葉がコンピュータの世界に導入されました。

ポインタは、オブジェクトの先頭番地を指します。そのため、リトルエンディアンであればポインタは下位バイトを指し、ビッグエンディアンでは上位バイトを指すことになります。

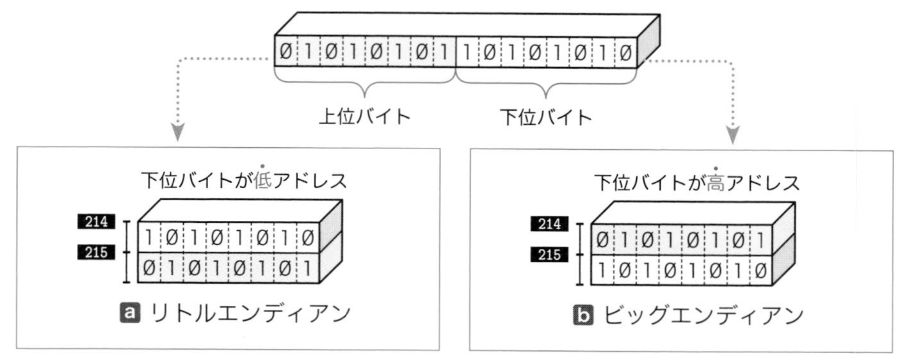

Fig.10C-1 バイト順序とエンディアン

ポインタ

オブジェクトのアドレスを表示するだけでは、何の役にも立ちません。本章のメインテーマであるポインタを使うと、アドレスを有効活用できます。**List 10-3** で学習しましょう。

List 10-3 chap10/list1003.c

```
// ポインタ（アドレス演算子&と間接演算子*）

#include <stdio.h>

int main(void)
{
    int n = 57;
    printf("n  = %d\n", n);
    printf("&n = %p\n", &n);

    int *p = &n;                    ―1
    printf("p  = %p\n", p);         ―2
    printf("*p = %d\n", *p);        ―3

    return 0;
}
```

実行結果

```
n  = 57
&n = 216
p  = 216
*p = 57
```


1の宣言では、型名と変数名のあいだに * が置かれています。この宣言によって、変数 p の型は、『int 型オブジェクトへのポインタ型』となります。なお、型名があまりにも長いため、『int へのポインタ型』あるいは『int * 型』と省略して呼ぶのが一般的です。

さて、与えられている初期化子が &n ですので、p は変数 n のアドレスで初期化されます。このときの p と n の関係は、次のように表現されます。

重要 ポインタ p の値が n のアドレスであるとき、『p は n を指す』という。

ポインタがオブジェクトを指すイメージを表したのが、**Fig.10-3** aです。

- 矢印の始点 … ポインタ
- 矢印の終点 … そのポインタによって指されているオブジェクト

さて、変数 p の型が『int * 型』ですから、初期化子の &n も、同じ型のはずです。

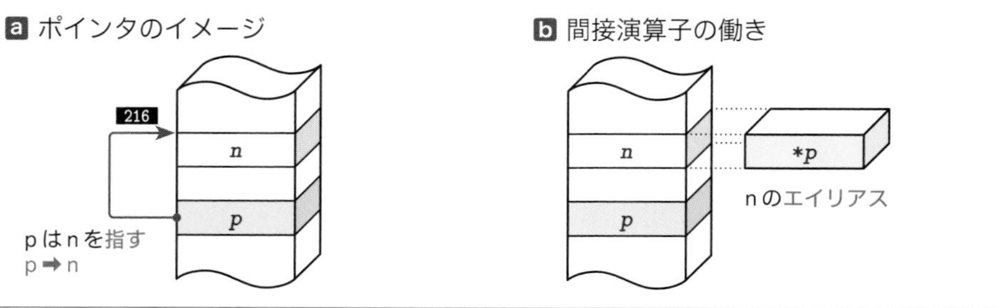

Fig.10-3 オブジェクトとポインタ

ここまで、& 演算子は『**アドレスを取得する演算子**』と考えてきましたが、より正確には、『ポインタを生成する演算子』です（**Table 10-1**：p.278）。

式 &n は、n を指すポインタであり、その評価で得られるのが n のアドレス、というわけです。

重要 Type 型のオブジェクト n に対してアドレス演算子 & を適用したアドレス式 &n は、Type * 型のポインタであり、その値は n のアドレスである。

ポインタの値は、指しているオブジェクトのアドレスですから、2で表示される p の値は、p が指している n のアドレスとなります。

▶ ポインタの宣言時に注意すべき点があります。次のように宣言すると、変数 p2 は、ポインタでなく、ただの int 型になってしまうことです。

```
int *p1, p2;          // p1はint *型ポインタで、p2はint型整数
```

p2 もポインタとして宣言するのであれば、p2 の前にも * を置く必要があります。

間接演算子 *

次は、3に進みます。ここで使っているのが、間接演算子（indirect operator）と呼ばれる単項 * 演算子（unary * operator）です。**Table 10-2** に示すように、ポインタに間接演算子 * を適用した間接式は、そのポインタが指すオブジェクトそのものを表す式となります。

Table 10-2 単項 * 演算子（間接演算子）

単項 * 演算子	*a	a が指すオブジェクト（そのもの）。

間接式 *p が、n そのものを表すことをイメージしたのが、左ページの **Fig.10-3** bです。

このように、『式 *p が、n そのものを表す』ことを、『*p は n のエイリアス（alias）である』と表現します。エイリアスは、『別名（べつめい）』『あだ名』という意味です。

変数 n に対して、*p という『あだ名』が与えられたと考えましょう。

重要 Type * 型ポインタ p が Type 型オブジェクト n を指すとき、間接演算子 * を適用した間接式 *p は、n のエイリアス（別名／あだ名）となる。

▶ **Fig.10-3** のaとbが表すのは、同じ状態です。「ポインタがオブジェクトを指す」イメージが図aで、「ポインタに間接演算子を適用した間接式が、指す先のエイリアスとなる」イメージが図bです。

ポインタに間接演算子を適用することで、ポインタが指すオブジェクトを間接的にアクセスすることは、参照外し（はずし）と呼ばれます。

▶ ポインタが何も指していない状態で参照外しを行うと、思いもよらぬ結果につながります。ポインタに対しては、初期化あるいは代入によって、オブジェクトへのポインタ（アドレス）を入れた上で、参照外しを行う必要があります。

アドレス演算子 & と間接演算子 * について、**List 10-4** で理解を深めましょう。

List 10-4 chap10/list1004.c

```
// ポインタの指す先を実行時に決定

#include <stdio.h>

int main(void)
{
    int x = 123;
    int y = 456;
    int sw;

    printf("x = %d\n", x);
    printf("y = %d\n", y);

    printf("変更するのは [0…x / 1…y] = ");
    scanf("%d", &sw);

    int *p;
    if (sw == 0)
        p = &x;          // pはxを指す
    else
        p = &y;          // pはyを指す

    *p = 999;

    printf("x = %d\n", x);
    printf("y = %d\n", y);

    return 0;
}
```

実行例

```
x = 123
y = 456
```

```
① 変更するのは[0…x / 1…y] = 0
x = 999
y = 456
```

```
② 変更するのは[0…x / 1…y] = 1
x = 123
y = 999
```


x と y の値を表示した後に、どちらの値を変更するのかの選択が促されます。

1では、選択結果に応じて、&x と &y のいずれかをポインタ p に代入し、続く2では、ポインタ p が指すオブジェクト *p に 999 を代入しています。

二つの実行例と、右ページの **Fig.10-4** とを見比べながら、理解していきましょう。

実行例①＝図a：ポインタ p に &x が代入されるため、p は x を指します。その状態で *p に 999 を代入します。*p は x のエイリアスであり、999 の代入先は x です。

実行例②＝図b：ポインタ p に &y が代入されるため、p は y を指します。その状態で *p に 999 を代入します。*p は y のエイリアスであり、999 の代入先は y です。

プログラム上で直接的には値が代入されていない、変数 x あるいは y の値が更新されるのは、ちょっと不思議な感じがします。

しかも、2の『*p = 999』というコードからは、999 の代入先は特定できません。**アクセス先（読み書き先）の決定が、プログラムのコンパイル時に静的（スタティック）に行われるのではなく、プログラムの実行時に動的（ダイナミック）に行われるからです。**

重要 ポインタをうまく活用すれば、**アクセス先の決定を、プログラム実行時に動的に行うコード**が実現できる。

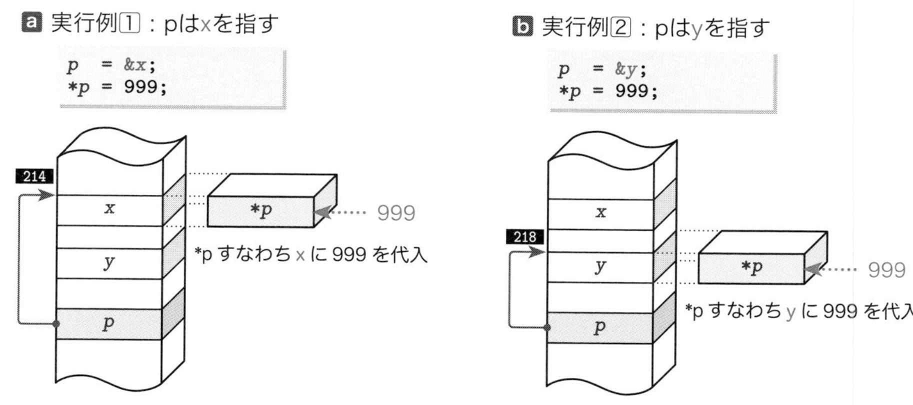

Fig.10-4 配列の要素を指すポインタと要素のエイリアス

▶ “**静的な**（static）”は、時間が経過しても変化しないことを、“**動的な**（dynamic）”は、時間の経過とともに変化することを意味します。

なお、ポインタの宣言と**1**をまとめると、簡潔になります（**"chap10/list1004a.c"**）。

```
int *p = sw == 0 ? &x : &y;
```

それでは、アドレス演算子 **&** を適用したアドレス式と、間接演算子 ***** を適用した間接式について、評価がどのようになるのかを **Fig.10-5** を見て確認しましょう。

▶ この図は、実行例1のように、*p* が *x* を指しているときに、***p** に **999** が代入された後の状態です。
図**a** … 式 *x* の評価で得られるのは、**int** 型の整数値 **999** です。
アドレス式 **&x** の評価で得られるのは、**int *** 型のポインタ（*x* のアドレス **214**）です。
図**b** … 式 *p* の評価で得られるのは、*p* が指しているオブジェクトのアドレス **214** です。
間接式 ***p** の評価で得られるのは、**int** 型の整数値（*p* が指している *x* の値 **999**）です。

Fig.10-5 アドレス式と間接式の評価

10-2 ポインタと関数

C言語のプログラムで、ポインタの利用を避けられない局面の一つが、関数の引数としてのポインタです。本節では、関数の引数としてのポインタについて学習します。

関数の引数としてのポインタ

先ほどのプログラムは、目的とする変数に999を代入するものでした。その働きを関数として実現することを考えましょう。

もちろん、右に示す関数はNGです。本章の冒頭で復習したように、コピーにすぎない仮引数の値を変更しても、呼出し側の実引数に反映されないからです。

```
void set999(int p)
{
    p = 999;
}
```

呼び出す側が、**『この番地に入っている変数の値を変更してください』**と依頼すればよさそうです。そのように作ったのが、**List 10-5** に示すプログラムです。

List 10-5 chap10/list1005.c

```
// ポインタによって値の変更を依頼

#include <stdio.h>

//--- pが指す変数に999を代入 ---//
void set999(int *p)
{
    *p = 999;
}

int main(void)
{
    int x = 123;
    int y = 456;
    int sw;

    printf("x = %d\n", x);
    printf("y = %d\n", y);

    printf("変更するのは [0…x / 1…y] = ");
    scanf("%d", &sw);

    if (sw == 0)
        set999(&x);          // xの変更を依頼 ←1
    else
        set999(&y);          // yの変更を依頼 ←2

    printf("x = %d\n", x);
    printf("y = %d\n", y);

    return 0;
}
```

実行例

```
x = 123
y = 456

1 変更するのは[0…x / 1…y] = 0
x = 999
y = 456

2 変更するのは[0…x / 1…y] = 1
x = 123
y = 999
```

実行例①で、❶の関数呼出し式 **set999(&x)** によって関数 **set999** を呼び出したときの挙動を、右ページの **Fig.10-6** を見ながら理解していきましょう。

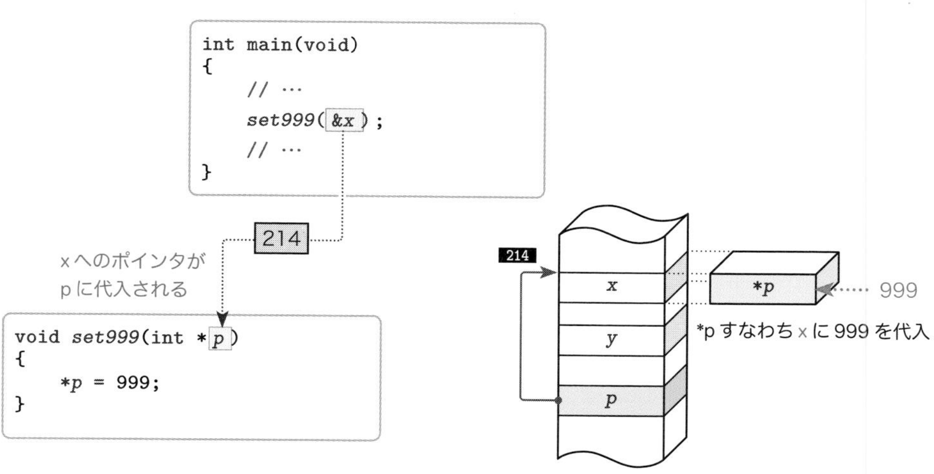

Fig.10-6 関数呼出しにおけるポインタの受渡し

まずは、関数 ***set999*** の仮引数 ***p*** の宣言に着目します。『**int *p**』となっており、仮引数 ***p*** が『**int** へのポインタ型』であることが分かります。

そのポインタ ***p*** に対して、呼出し側が与えた**実引数 &x の値**（*x* の格納番地）がコピーされるのですから、次の状態となります。

> ***p* は *x* を指す。**

関数本体で行う『***p = 999**』の代入は、前のプログラムと同じです。式 ***p** は ***x*** のエイリアス（別名）であって、***p** への代入は、***x*** への代入を意味します。

そのため、関数 ***set999*** から **main** 関数に戻った後も、***x*** にはちゃんと **999** が入っています。

＊

関数に対して、変数の値の変更を頼みたいときは、その変数へのポインタを実引数として与えて、次のように依頼すればよいことが分かりました。

> **ポインタを渡しますので、そのポインタが指すオブジェクトに対して処理を行って、値を書きかえてください !!**

呼び出された側の関数では、仮引数に受け取ったポインタに間接演算子 ***** を適用することによって、そのポインタの指すオブジェクトが**間接的**に扱えます。

このことからも、単項 ***** 演算子が、**間接演算子**と呼ばれる理由がよく分かるでしょう。

演習 10-1

n の指す値が **0** より小さければ **0** に更新し、**100** より大きければ **100** に更新する（値が **0** ～ **100** であれば更新しない）関数 **adjust_point** を作成せよ。

```
void adjust_point(int *n);
```

和と差を求める関数

本章の冒頭では、二つの整数の和と差を求める（誤った）プログラムの問題点を考えていました。その問題を解決するように書きかえたのが、**List 10-6** のプログラムです。

List 10-6 chap10/list1006.c

```
// 二つの整数の和と差を求める

#include <stdio.h>

//--- n1とn2の和と差を*sumと*diffに格納 ---//
void sum_diff(int n1, int n2, int *sum, int *diff)
{
    *sum  = n1 + n2;
    *diff = n1 > n2 ? n1 - n2 : n2 - n1;
}

int main(void)
{
    int a, b;
    int wa = 0, sa = 0;

    puts("二つの整数を入力せよ。");
    printf("整数Ａ："); scanf("%d", &a);
    printf("整数Ｂ："); scanf("%d", &b);

    sum_diff(a, b, &wa, &sa);

    printf("和は%dで差は%dです。\n", wa, sa);

    return 0;
}
```

実行例

```
二つの整数を入力せよ。
整数Ａ：57
整数Ｂ：21
和は78で差は36です。
```

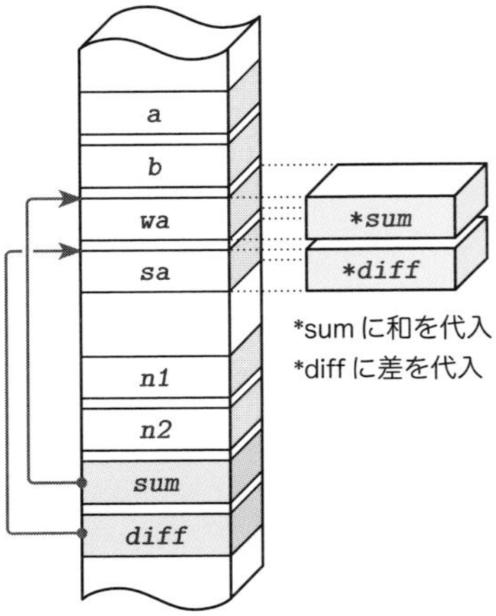

Fig.10-7 引数とポインタ

関数 **sum_diff** の仮引数の宣言に着目します。**n1** と **n2** は **int** 型のままですが、**sum** と **diff** が **int *** 型のポインタに変更されています。

呼出し側では、**sum** と **diff** に対して、実引数として **&wa** と **&sa** を与えています。**Fig.10-7** に示すように、**wa** と **sa** のアドレスがコピーされるため、***sum** は **wa** のエイリアスとなり、***diff** は **sa** のエイリアスとなります。

関数本体では、求めた和を ***sum** に代入して、差を ***diff** に代入します。これらの代入は、**wa** と **sa** への代入を意味しますので、**main** 関数に戻った後も、ちゃんと、**wa** には和が格納され、**sa** には差が格納されている状態となります。

重要 オブジェクトへのポインタを仮引数に受け取れば、そのポインタに間接演算子 * を適用することによって、そのオブジェクトそのものにアクセスできる。これを利用すると、呼出し元が用意したオブジェクトの値を呼び出された側で変更できる。

これで、一件落着（いっけんらくちゃく）です。

2値の交換

次は、二つの値を交換する関数を作りましょう。もちろん、関数が受け取る仮引数はポインタでなければなりません。**List 10-7** に示すのが、そのプログラムです。

List 10-7 chap10/list1007.c

```
// 二つの整数値を交換する

#include <stdio.h>

//--- ２値の交換（xとyが指すオブジェクトの値の交換）---//
void swap(int *x, int *y)
{
    int temp = *x;
    *x = *y;
    *y = temp;
}

int main(void)
{
    int a, b;

    puts("二つの整数を入力せよ。");
    printf("整数Ａ：");   scanf("%d", &a);
    printf("整数Ｂ：");   scanf("%d", &b);

    swap(&a, &b);

    puts("これらの値を交換しました。");
    printf("整数Ａは%dです。\n", a);
    printf("整数Ｂは%dです。\n", b);

    return 0;
}
```

実行例

```
二つの整数を入力せよ。
整数Ａ：57
整数Ｂ：21
これらの値を交換しました。
整数Ａは21です。
整数Ｂは57です。
```

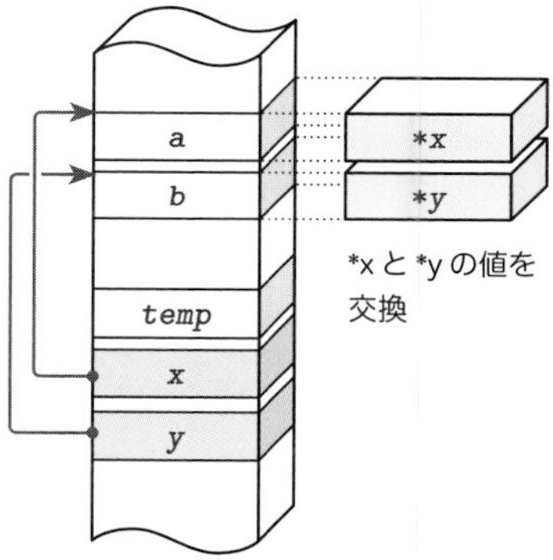

Fig.10-8 引数とポインタ

関数 swap の挙動を、**Fig.10-8** を見ながら理解していきましょう。引数のやりとりの結果、仮引数であるポインタ x が a を指して、ポインタ y が b を指すことは、分かるでしょう。

関数本体で行っているのは、*x の値と *y の値の交換です。この交換は、実質的に、main 関数の a と b の値の交換です。

▶ 2値の交換の手順は、第5章で学習しました（p.123）。今回は、交換の対象が、x と y ではなく、*x と *y となっています（temp は int 型整数ですから、*temp などとしてはなりません）。

演習 10-2

西暦 *y 年 *m 月 *d 日の日付を、“前の日” あるいは “次の日” の日付に更新する関数を作成せよ。

```
void decrement_date(int *y, int *m, int *d);
void increment_date(int *y, int *m, int *d);
```

閏（うるう）年を考慮して計算を行うこと。

2値のソート

前ページで作成した *swap* を応用すると、二つの整数値をソートするプログラムが作れます。**List 10-8** に示すのが、そのプログラムです。

List 10-8 chap10/list1008.c

```
// 二つの整数を昇順に並べる

#include <stdio.h>

//--- xとyが指すオブジェクトの値を交換 ---//
void swap(int *x, int *y)
{
    int temp = *x;
    *x = *y;
    *y = temp;
}

//--- *n1≦*n2となるようにソート ---//
void sort2(int *n1, int *n2)
{
    if (*n1 > *n2)
        swap(n1, n2);  ❶
}                                    アドレス演算子&は不要！

int main(void)
{
    int a, b;

    puts("二つの整数を入力せよ。");
    printf("整数A："); scanf("%d", &a);
    printf("整数B："); scanf("%d", &b);

    sort2(&a, &b);  ❷                アドレス演算子&は必要！

    puts("昇順にソートしました。");
    printf("整数Aは%dです。\n", a);
    printf("整数Bは%dです。\n", b);

    return 0;
}
```

実行例

```
二つの整数を入力せよ。
整数A：57⏎
整数B：21⏎
昇順にソートしました。
整数Aは21です。
整数Bは57です。
```

▶ 2値のソートを行うのが関数 *sort2* であり、その中で関数 *swap* が呼び出される構造です。

右ページの **Fig.10-9** を見ながら理解していきましょう。

main 関数から関数 *sort2* を呼び出す❷の『*sort2*(&a, &b)』では、実引数として &a と &b を与えることで、二つの変数 a と b の値の変更を依頼しています。

呼び出された関数 *sort2* は、a へのポインタと b へのポインタを、仮引数 *n1* と *n2* に受け取ります。この関数が行うことは、*n1* が指す変数の値 **n1* と、*n2* が指す変数の値 **n2* を昇順にソートすることです。

ただし、**n1* が **n2* の値以下であれば、2値は**ソートずみ**ということですから、何も行う必要がありません。

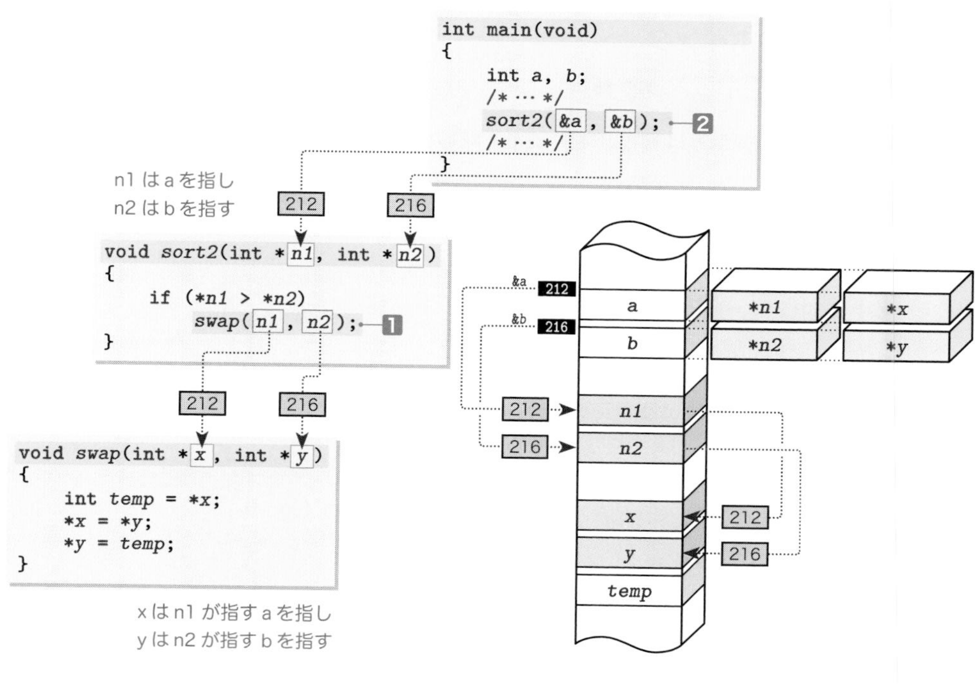

Fig.10-9　2値のソート

そうでないとき、すなわち、***n1** の値が ***n2** の値より大きいときは、2値の交換が必要です。そこで、関数 **swap** を呼び出すことで、2値の交換を依頼します。

そのために行っているのが、**1**の関数呼出し『**swap(n1, n2)**』です。**関数 swap に与えている実引数 n1 と n2 には、（値の変更を依頼するにもかかわらず）アドレス演算子 & が適用されていません。**

その理由を考えていきましょう。

関数 **sort2** の仮引数 **n1** と **n2** には、**a** と **b** へのポインタがコピーされています。そのため、**n1** の値は **a** のアドレス、**n2** の値は **b** のアドレスとなっています。そのアドレスをそのまま関数 **swap** に渡して、次のように依頼しているのです。

212 番地に入っている整数と、216 番地に入っている整数の値を交換してください！

▶　関数 **sort2** は、受け取ったポインタを、そのまま関数 **swap** に『たらい回し』しているわけです。
　なお、変数 **n1** と **n2** にアドレス演算子 **&** を適用して **swap(&n1, &n2)** とすると、関数 **swap** に渡されるのが、変数 **a** と **b** のアドレスではなく、変数 **n1** と **n2** のアドレスとなってしまいます。

演習 10-3

ポインタ **n1**、**n2**、**n3** が指す三つの **int** 型整数を昇順にソートする関数を作成せよ。

```
void sort3(int *n1, int *n2, int *n3);
```

scanf 関数とポインタ

第 1 章で *scanf* 関数を初めて使ったときのことを思い出しましょう（p.16）。

printf **関数による表示とは異なって、*scanf* 関数による読込みでは、実引数として与える変数名の前に & を付ける必要がある**ことを学習しました。

scanf 関数は、呼出し側の関数が用意したオブジェクトに値を格納しなければならないため、変数の《値》をもらっても仕方ありません。ポインタを受け取ることで、そのポインタが指すオブジェクトに対して、キーボードから読み込んだ値を格納するのです。

そのため、*scanf* 関数を呼び出す側では、

このアドレスに格納されているオブジェクトに読み込んだ値を入れてください !!

と依頼するために、アドレス演算子 & を変数に適用した上で渡す必要があります。

念のために、*printf* 関数への依頼と、*scanf* 関数への依頼を **Fig.10-10** で対比しましょう。

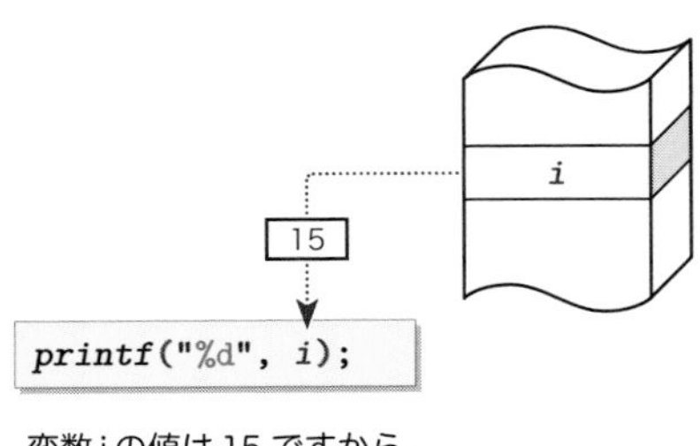

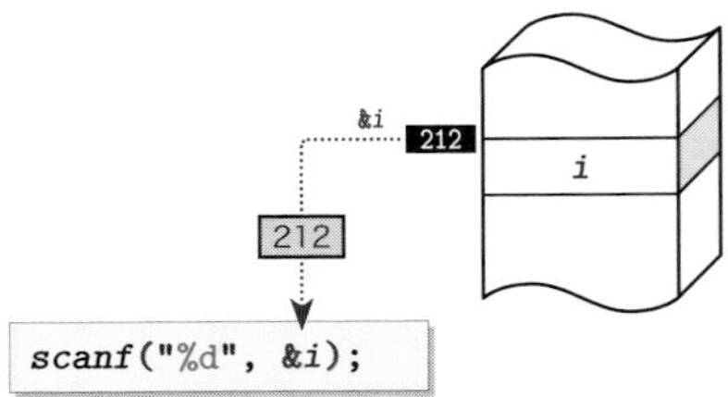

Fig.10-10 printf 関数の呼出しと scanf 関数の呼出し

空ポインタ

オブジェクトを指すポインタと明確に区別可能な、**何も指さない**ことが保証されている、空ポインタ（null pointer）と呼ばれる特別なポインタがあります。

空ポインタを表すオブジェクト形式マクロが、空ポインタ定数（null pointer constant）という名称の NULL です。

重要 何も指さない特別なポインタが空ポインタであり、それを表すオブジェクト形式マクロ NULL は空ポインタ定数である。

空ポインタ定数 **NULL** は <stddef.h> ヘッダで定義されていますが、**<stdio.h>**、**<stdlib.h>**、**<string.h>**、**<time.h>** のどれをインクルードしても取り込めるようになっています。

次に示すのが、空ポインタ定数 NULL の定義の一例です。

NULL
```
#define NULL  0      // 定義の一例：値は処理系によって異なる
```

▶ 空ポインタを実際に利用するプログラムや演習は、この後の章で学習します。

スカラ型

番地を表すポインタは、一種の数量とみなせます。第7章で学習した算術型と、本章で学習したポインタ型をあわせて**スカラ型**（scalar type）と呼びます。

▶ scalarとは、『数』、あるいは、『数と同等な性質をもつ量』のことです。スカラに大きさはありますが、方向はありません（方向をもつのは vector です）。

Column 10-2 ポインタの型

次のように scanf 関数を呼び出したらどうなるかを検討しましょう。

```
int x;                 // xはint型
scanf("%lf", &x);      // "%lf"はdouble用の指定
```

なお、ここでは double 型が8バイトで、int 型が2バイトであるとして考えていきます。

double 型の値を読み込むように指示された scanf 関数は、受け取ったアドレスを先頭にした8バイトの領域に対して、キーボードから読み込んだ値を書き込もうとします（右図）。

しかし、変数 x は2バイト分の領域しかありませんので、変数用の領域を超えて書込みが行われることになります。

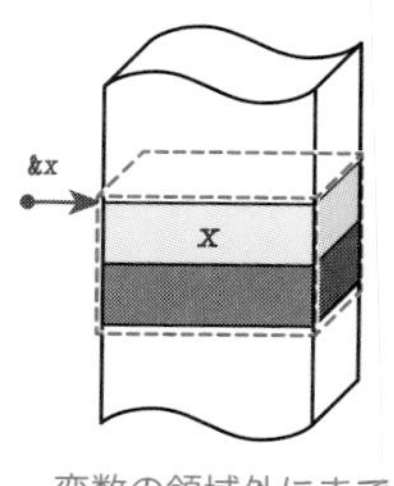

Fig.10C-2 scanf 関数

次は、**List 10-8**（p.288）のプログラムの関数 swap を、次のように呼び出すことを考えましょう。

```
char c1, c2;
swap(&c1, &c2);          // 関数swapの引数は両方ともint *型
```

交換すべき領域は1バイトのはずですが、sizeof(int) バイトの交換が行われるため、先ほどと同じような問題が発生します。
※多くの処理系では、コンパイル時に警告メッセージが出力されます。

Type へのポインタ、すなわち、Type * 型ポインタは、ただ単に、**『"○○番地" を指す』**のではなく、**『"○○番地を先頭に格納された Type 型のオブジェクト" を指す』のです。**

特殊なテクニックを利用するケースを除き、Type * 型ポインタが、Type 以外の型のオブジェクトを指すようなことは避けなければなりません。

本書は入門書ですので、オブジェクトを指すポインタのみを学習しました。C言語のポインタには、関数を指すポインタもあります。

10-3 ポインタと配列

配列とポインタは、異なるものであると同時に、切っても切れぬ縁にあります。密接な関係にある配列とポインタについて、共通点や相違点などを学習していきましょう。

ポインタと配列

配列に関して、必ず理解すべき規則が数多くあります。まずは、次の規則です。

重要 配列名は、その配列の先頭要素へのポインタと解釈される。

すなわち、aが配列であれば、式aの評価で得られるのは、&a[0]であるということです。もちろん、配列aの要素型がTypeであれば、得られる&a[0]の型は、配列の要素数とは無関係にType *型です。

▶ 配列名aが先頭要素へのポインタとみなされない文脈もあります（**Column 10-3**：右ページ）。

配列名がポインタとみなされることが、配列とポインタとのあいだに密接な関係を生み出しています。**Fig.10-11** を見ながら学習していきましょう。

配列aとポインタ*p*が宣言されています。ポインタ*p*に与えられた初期化子aは&a[0]のことですから、ポインタ*p*は、配列aの先頭要素a[0]を指すように初期化されます。

▶ ポインタpの指す先は、"**先頭要素**"であって、"**配列全体**"ではありません。

さて、配列中の要素を指すポインタに対しては、次に示す規則が成立します。

重要 ポインタ*p*が配列中の要素eを指すとき、
p + *i*は、要素eの*i*個だけ後方の要素を指すポインタとなり、
p - *i*は、要素eの*i*個だけ前方の要素を指すポインタとなる。

たとえば、*p* + 2はa[0]の2個後方の要素a[2]を指すポインタとなり、*p* + 3はa[0]の3個後方の要素a[3]を指すポインタとなります。

すなわち、次のようにいえるわけです。

要素へのポインタ*p* + *i*は、&a[*i*]のことである。

もちろん、式&a[*i*]は、要素a[*i*]へのポインタであり、その値はa[*i*]のアドレスです。

▶ あたり前のことですが、図に示すpは、*p* + 0としても同じです。

以上のことを、実際にプログラムを作って確認しましょう。右ページの **List 10-9** に示すのが、そのプログラムです。

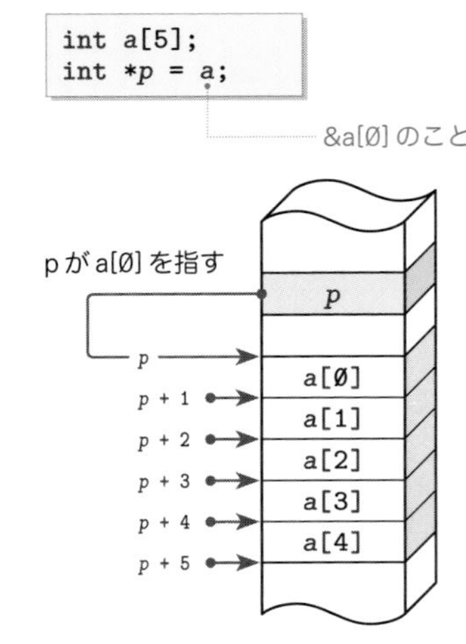

Fig.10-11 配列とポインタ①

List 10-9 chap10/list1009.c

```
// 配列の要素のアドレス（要素へのポインタ）を表示

#include <stdio.h>

int main(void)
{
    int a[5] = {1, 2, 3, 4, 5};
    int *p = a;              // pはa[0]を指す

    for (int i = 0; i < 5; i++)
        printf("&a[%d] = %p   p + %d = %p\n", i, &a[i], i, p + i);

    return 0;
}
```

実行結果一例

```
&a[0] = 310   p + 0 = 310
&a[1] = 312   p + 1 = 312
&a[2] = 314   p + 2 = 314
&a[3] = 316   p + 3 = 316
&a[4] = 318   p + 4 = 318
```

配列 a とポインタ p の関係は、先ほどの図と同じです。for 文では、各要素へのポインタである、式 &a[i] の値と、式 p + i の値を表示しています。実行結果から、これら二つの値が同じであることが確認できます。

＊

さて、『p + i が a[i] を指す』のは、p の指す先が a[0] であるときに限られます。

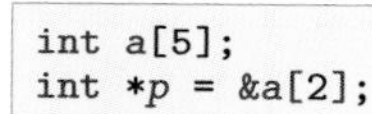

```
int a[5];
int *p = &a[2];
```

たとえば、Fig.10-12 に示すように、ポインタ p が a[2] を指しているとします。

そうすると、ポインタ p - 1 は a[1] を指して、ポインタ p + 1 は a[3] を指すことになります。

実際にプログラムで確認しましょう。次のように変更します（"chap10/list1009a.c"）。

```
int *p = &a[2];       // pはa[2]を指す

for (int i = -2; i < 3; i++)
    printf("&a[%d] = %p   p %c %d = %p\n",
           i, &a[i], i < 0 ? '-' : '+',
           i < 0 ? -i : i, p + i);
```

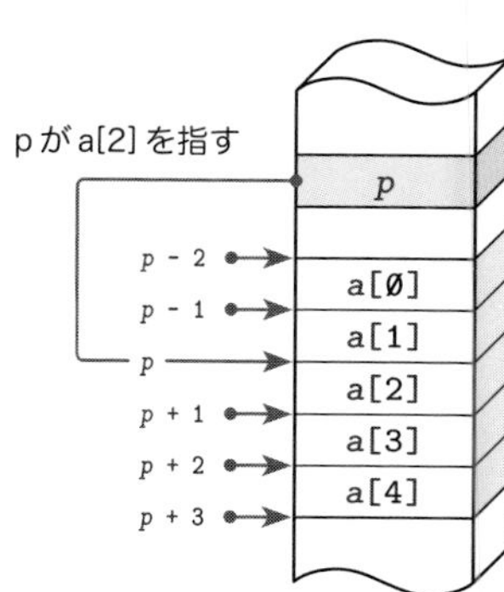

Fig.10-12 配列とポインタ②

Column 10-3 配列名が先頭要素へのポインタとみなされない文脈

配列名は《先頭要素へのポインタ》と解釈されるのが原則ですが、そうならない、例外的な文脈が二つあります。

1 sizeof 演算子のオペランドとして現れたとき

sizeof(配列名) は、先頭要素へのポインタの大きさではなく、**配列全体の大きさ**を生成します。

2 アドレス演算子 & のオペランドとして現れたとき

& 配列名は、先頭要素へのポインタへのポインタとはならず、**配列全体へのポインタ**となります。

間接演算子と添字演算子

次は、配列内の要素を指すポインタ *p* + *i* に間接演算子 * を適用すると、どうなるのかを考えましょう。

式 *p* + *i* は、*p* が指す要素の *i* 個後方の要素への**ポインタ**ですから、それに間接演算子を適用した間接式 *(*p* + *i*) は、その要素をアクセスする式（その要素の別名）です。

すなわち、*p* が a[0] を指していれば、式 *(*p* + *i*) は、ある意味で a[*i*] そのものです。

ここで、次に示す規則も必ず理解しましょう。

重要 ポインタ *p* が配列中の要素 e を指すとき、
要素 e の *i* 個だけ後方の要素を表す *(*p* + *i*) は、*p*[*i*] と表記でき、
要素 e の *i* 個だけ前方の要素を表す *(*p* - *i*) は、*p*[-*i*] と表記できる。

この規則を反映させて、p.292 の **Fig.10-11** を詳細化したのが、**Fig.10-13** です。ここでは、3番目の要素 a[2] に着目して理解していきます。

- *p* + 2 が a[2] を指すため、*(*p* + 2) は a[2] のエイリアスです（図C）。
- その *(*p* + 2) は *p*[2] と表記できるため、*p*[2] も a[2] のエイリアスです（図B）。
- 配列名 a は、先頭要素 a[0] を指すポインタです。したがって、そのポインタに 2 を加えた a + 2 は、3番目の要素 a[2] を指すポインタです（図左側の矢印）。
- ポインタ a + 2 が要素 a[2] を指しているのですから、そのポインタ a + 2 に間接演算子を適用した間接式 *(a + 2) は、a[2] のエイリアスです（図A）。

図中のA～Cの式 *(a + 2)、*p*[2]、*(*p* + 2) のすべてが、配列の要素 a[2] のエイリアスであることが分かりました。

ここまでは、a[2] を例に考えてきました。一般化してまとめましょう。

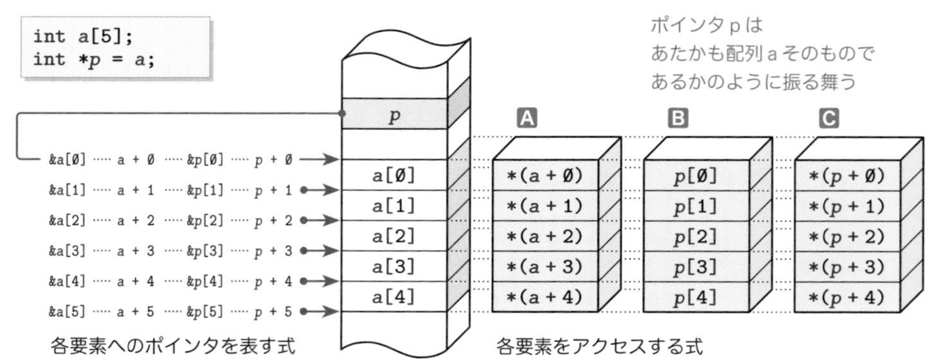

Fig.10-13 配列の要素を指すポインタと要素のエイリアス

次に示す4個の式は、いずれも各要素をアクセスする式です。

1 a[i]　*(a + i)　p[i]　*(p + i)　先頭から i 個後ろの要素

そして、次に示す4個の式は、各要素を指すポインタです。

2 &a[i]　a + i　&p[i]　p + i　先頭から i 個後ろの要素へのポインタ

▶ なお、先頭要素を指すポインタ a + 0 と p + 0 は、単なる a と p でも表せます。また、それらのエイリアスである *(a + 0) と *(p + 0) は、それぞれ *a と *p とも表せます。

以上のことを、実際にプログラムを作って確認しましょう。**List 10-10** に示すのが、そのプログラムです。

List 10-10　chap10/list1010.c

```
// 配列の要素の値とアドレスを表示

#include <stdio.h>

int main(void)
{
    int a[5] = {1, 2, 3, 4, 5};
    int *p = a;                // pはa[0]を指す

    for (int i = 0; i < 5; i++)
        printf("a[%d] = %d  *(a+%d) = %d  p[%d] = %d  *(p+%d) = %d\n",
                               i, a[i], i, *(a + i), i, p[i], i, *(p + i));

    for (int i = 0; i < 5; i++)
        printf("&a[%d] = %p  a+%d = %p  &p[%d] = %p  p+%d = %p\n",
                               i, &a[i], i, (a + i), i, &p[i], i, (p + i));

    return 0;
}
```

実行結果一例

```
a[0] = 1  *(a+0) = 1  p[0] = 1  *(p+0) = 1
a[1] = 2  *(a+1) = 2  p[1] = 2  *(p+1) = 2
a[2] = 3  *(a+2) = 3  p[2] = 3  *(p+2) = 3
a[3] = 4  *(a+3) = 4  p[3] = 4  *(p+3) = 4
a[4] = 5  *(a+4) = 5  p[4] = 5  *(p+4) = 5
&a[0] = 310  a+0 = 310  &p[0] = 310  p+0 = 310
&a[1] = 312  a+1 = 312  &p[1] = 312  p+1 = 312
&a[2] = 314  a+2 = 314  &p[2] = 314  p+2 = 314
&a[3] = 316  a+3 = 316  &p[3] = 316  p+3 = 316
&a[4] = 318  a+4 = 318  &p[4] = 318  p+4 = 318
```

このプログラムは、int[5] 型配列 a の全要素の値と、要素へのポインタを表示します。

1の4個の式と、2の4個の式は、それぞれ同じ値として表示されます。

▶ 配列 a の要素数が n であれば、その要素は、a[0] から a[n - 1] までの n 個です。
　ところが、要素へのポインタとしては、『&a[0] から &a[n] までの n + 1 個が有効』という規則があります。
　たとえば、配列 a は、a[0] から a[4] までの5個の要素で構成されますが、各要素を指すポインタ &a[0] から &a[4] に加えて、&a[5] も正しいポインタとして有効となります（全部で6個です）。
　このようになっているのは、配列要素の走査における終了条件（末尾に到達したかどうか）の判定の際に、末尾要素の1個後方の要素へのポインタが番兵（p.166）として利用できるからです。
　なお、&a[6]、&a[7]、… が、a[4] の2個、3個、… 後方の要素に相当する領域を正しく指せる、という保証はありません。

さて、ここまでの学習から、次のことが分かります。

重要 Type 型配列 a の先頭要素 a[0] を、Type * 型ポインタ p が指すとき、ポインタ p はあたかも配列 a そのものであるかのように振る舞う。

この規則を、ポインタと配列の表記上の可換性（かかんせい）と呼ぶことにします。

＊

さて、式 a[i] や p + i の "i" は、ポインタ a や p が指す要素から "**何要素分だけ後方に位置しているのか**" を表す値です（そのため、先頭要素の添字は、必然的に 0 となります）。

他のプログラミング言語のように、添字が 1 から始まる、あるいは、上限や下限を自由に指定できる、といったことは、C言語では、原理的にあり得ません。

重要 配列の添字は、先頭要素から何要素分だけ後方に位置するのかというオフセットを表す値であり、必ず 0 から始まる。

さて、ここまで、ポインタと整数の加算を考えてきましたが、**ポインタどうしを加算することはできません。**

▶ ちなみに、ポインタどうしの減算は OK です。

配列とポインタの相違点

配列とポインタの類似点を学習しました。次は、相違点を学習していきましょう。

まずは、右に示す❶を考えます。int へのポインタ p に代入されているのは、a すなわち &a[0] です。

この代入の結果、ポインタ p が a[0] を指すようになるのは、ここまでに学習したとおりです。

次は❷です。代入 x = a の右オペランドは、先ほどと同じ a ですが、今回の左オペランドは、配列 x です。

この代入は、エラーとなります。

```
❶ int *p;
   int a[5];
   p = a;    // OK!
```

```
❷ int x[5];
   int a[5];
   x = a;    // エラー
```

配列名 a が配列の先頭要素へのポインタと解釈されるとはいえ、その値は**書きかえ不可能**です。

というのも、このような代入が、仮に許されるのであれば、配列のアドレスが変更されて別のアドレスに移動できることになってしまうからです。

重要 代入演算子の左オペランドを配列とすることはできない。

▶ 第 5 章では、『代入演算子では配列の全要素をコピーできない』と学習しました（p.130）。
　しかし、『代入演算子によって、配列の先頭要素へのポインタを変更することはできない』と説明したほうが正確であることが分かりました。

Column 10-4 添字演算子のオペランド

ここでは、添字演算子 [ ] について、学習を深めていきます。

まずは、ポインタ p と整数 i を加算したものに間接演算子 * を適用した間接式 *(p + i) について、考えましょう。

( ) 内の p + i は、p と i の加算です。算術型の値どうしを加算する a + b が、b + a と等しいのと同じ理屈で、p + i と i + p は等価です。

ということは、*(p + i) と *(i + p) は同じ、ということになります。

ここまでくると、配列要素をアクセスする式 p[i] も、i[p] と書けるような気がしてきます。実は、これも OK なのです。

添字演算子 [ ] は、二つのオペランドをもつ2項演算子です。オペランドの一方の型は、

- Type 型のオブジェクトへのポインタ

であり、他方の型は、

- 整数型

です。生成する値の型は、次のとおりです。

- Type 型

添字演算子 [ ] の**オペランドの順序は任意です**。すなわち、a + b と b + a が同じであるように、a[3] と 3[a] は同じです。

*

ポインタ p が配列 a の先頭要素 a[0] を指しているとき、

a[i]　*(a + i)　p[i]　*(p + i)

の4個の式が同じ要素を表すことを学習しましたが、実は、

a[i]　i[a]　*(a + i)　*(i + a)　p[i]　i[p]　*(p + i)　*(i + p)

の8個の式が同じ要素を表すことが分かりました。

*

List 10C-1 のプログラムを見ると、ほとんどの人は驚くのではないでしょうか。

List 10C-1 chap10/listC1001.c

```c
// 添字演算子と間接演算子

#include <stdio.h>

int main(void)
{
    int a[4];

    0[a] = a[1] = *(a + 2) = *(3 + a) = 7;

    for (int i = 0; i < 4; i++)
        printf("a[%d] = %d\n", i, a[i]);

    return 0;
}
```

実行結果

```
a[0] = 7
a[1] = 7
a[2] = 7
a[3] = 7
```

配列 a の4個の要素すべてに 7 を代入・表示しています。

もっとも、i[a] などの紛らわしい表記は、使うべきではありません。

配列の受渡し

ポインタと配列の表記上の可換性は、配列を受け取る関数で利用されています。そのことを、**List 10-11** のプログラムで考えていきましょう。

▶ 関数 `ary_set` は、受け取った配列 `v` の先頭 `n` 個の要素に `val` を代入する関数です。

List 10-11 chap10/list1011.c

```
// 配列の受渡し

#include <stdio.h>

//--- 配列vの先頭n個の要素にvalを代入 ---//
void ary_set(int v[], int n, int val)
{
    for (int i = 0; i < n; i++)
        v[i] = val;
}

int main(void)
{
    int a[] = {1, 2, 3, 4, 5};

    ary_set(a, 5, 99);

    for (int i = 0; i < 5; i++)
        printf("a[%d] = %d\n", i, a[i]);

    return 0;
}
```

実行結果

```
a[0] = 99
a[1] = 99
a[2] = 99
a[3] = 99
a[4] = 99
```

a
```
void ary_set(int v[],  …  )
{
    // ...
}
```

b
```
void ary_set(int v[5],  …  )
{
    // ...
}
```

c
```
void ary_set(int *v,  …  )
{
    // ...
}
```

Fig.10-14 配列を受け取る仮引数の宣言

まずは、関数 `ary_set` の宣言の形式に着目します。**Fig.10-14** aのようになっています。

実は、C言語の規則によって、図bのように要素数を与えることもできます。それればかりか、図aと図bの宣言の両方が、最終的には図cとして解釈される、という規則があります。すなわち、次のようになっているのです。

仮引数 v は、配列ではなくて、単なるポインタである。
たとえ図bのように要素数を指定しても無視される。

▶ そのため、図bのように要素数付きで宣言された関数に対して、異なる要素数の配列を渡すことができます。たとえば、要素数 12 の配列 `d` を、図bのように宣言された関数に渡す関数呼出し式 `ary_set(d, 12, 99)` がエラーになることはありません。

＊

関数 `ary_set` を呼び出す赤色部に着目しましょう。単独で現れた配列名は、その配列の先頭要素へのポインタですから、第1引数 `a` は、`&a[0]` のことです。

右ページの **Fig.10-15** に示すように、関数 `ary_set` が呼び出される際に、`int *` 型の仮引数 `v` は、実引数 `a` すなわち `&a[0]`（この図では、216 番地）で初期化されます。

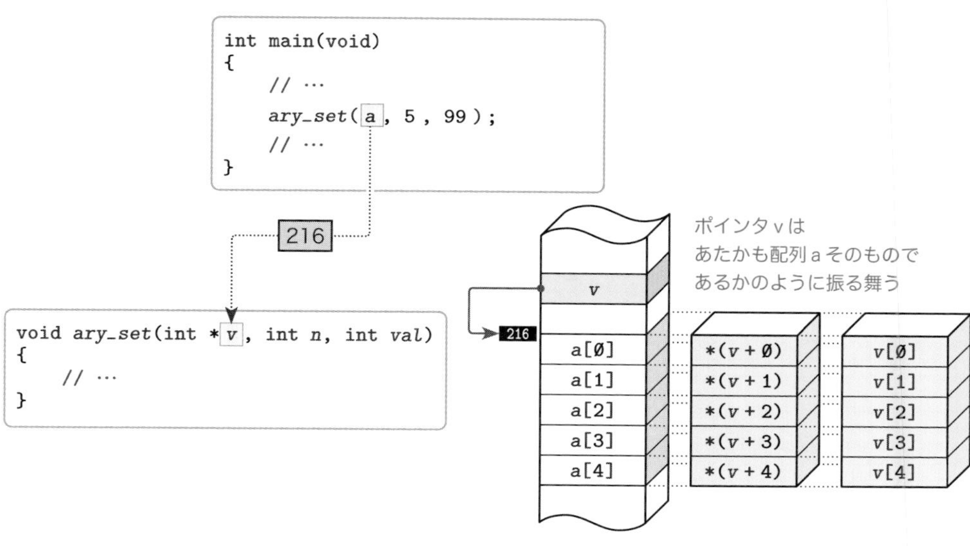

Fig.10-15 関数呼出しにおけるポインタの受渡し

ポインタ v が配列 a の先頭要素 a[0] を指すのですから、**ポインタと配列の表記上の可換性によって、ポインタ v は、あたかも配列 a そのものであるかのように振る舞います。**

当然、ポインタ v を通じて配列の要素の値を書きかえると、呼出し側の配列 a の要素の値にそのまま反映されます。

重要 関数間での配列の受渡しは、先頭要素へのポインタとして行う。
呼び出された関数では、受け取ったポインタが、呼出し側が渡した配列そのものであるかのように振る舞う。
やりとりするのが、配列そのものではなく、単なるポインタであるため、要素数は別の引数として受渡しする必要がある。

これで、第6章で簡単に学習していた、関数間の配列の受渡し（p.160）のカラクリが、ようやく理解できました。

演習 10-4

要素型が int 型で要素数が n の配列を受け取って、全要素に添字と同じ値を代入する関数 set_idx を作成せよ。

```
void set_idx(int *v, int n);
```

演習 10-5

List 10-11 の関数 ary_set を、ary_set(&a[2], 2, 99) と呼び出すとどうなるか。実行するとともに、その結果を検討せよ。

まとめ

- アドレスは、記憶域上におけるオブジェクトの場所を示す番地である。

- Type 型オブジェクト x にアドレス演算子 & を適用したアドレス式 &x は、オブジェクト x へのポインタを生成する。
生成されるポインタの型は Type * 型であり、値は x のアドレスである。

&x
212
x
*p
x のエイリアス
p
p は x を指す

- Type * 型ポインタ p の値が、Type 型オブジェクト x のアドレスであるとき『**p は x を指す**』と表現する。

- Type * 型ポインタ p に、Type 型ではない型のオブジェクトを指させるようなことは、原則として避けるべきである。

- Type * 型ポインタ p に間接演算子 * を適用した間接式 *p は、ポインタ p が指す Type 型オブジェクトを表す。すなわち、p が x を指すとき、*p は x のエイリアス（別名）である。

- ポインタに間接演算子 * を適用してオブジェクトを間接的にアクセスすることを“参照外し（はず）”という。

- 関数の引数としてポインタを受け取れば、そのポインタに間接演算子 * を適用して参照外しを行うことによって、呼出し側のオブジェクトに間接的にアクセスできる。

- 一部の例外的な文脈を除き、配列名は、その配列の**先頭要素へのポインタ**と解釈される。すなわち、a が配列であるとき、配列名 a は、&a[0] のことである。

- 配列内の要素を指すポインタ p に対して整数 i を加算／減算した式 p + i および p - i は、p が指す要素の i 個後方／前方の要素を指すポインタである。

- 配列内の要素を指すポインタ p に対して整数 i を加算／減算した式に間接演算子 * を適用した式 *(p + i) および *(p - i) は、p[i] および p[-i] と等価である。

- 要素型が Type である配列 a の先頭要素 a[0] を Type * 型のポインタ p が指すとき、p はあたかも配列 a そのものであるかのように振る舞う（ポインタと配列の表記上の可換性）。

- 配列名を代入演算子 = の左オペランドにすることはできない。

- 関数間での配列の受渡しは、先頭要素へのポインタとして行う。呼び出された側の関数では、受け取ったポインタが、呼出し側の配列そのものであるかのように振る舞う。やりとりするのが配列ではなくポインタであるため、要素数は別の引数として受渡しする必要がある。

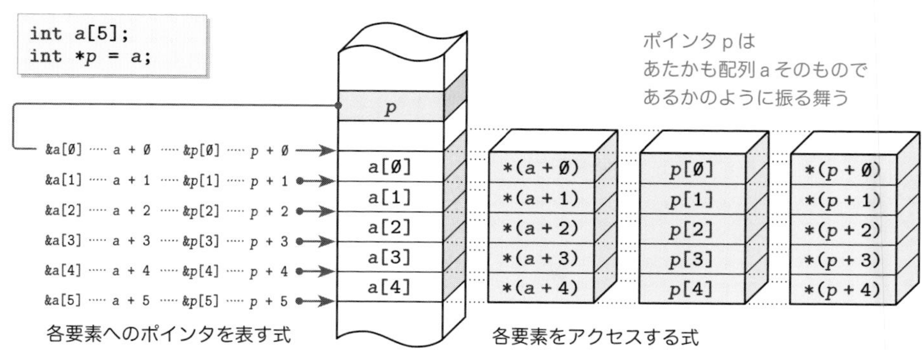

- いかなるオブジェクトも関数も指さないポインタが、空ポインタである。空ポインタを表す空ポインタ定数は、<stddef.h> ヘッダでオブジェクト形式マクロ NULL として定義されている。

- 算術型とポインタ型の総称がスカラ型である。

chap10/summary.c

```
#include <stdio.h>

#define NUMBER  5          // 人数

//--- xとyが指すオブジェクトの値を交換 ---//
void swap(int *x, int *y)
{
    int temp = *x;
    *x = *y;
    *y = temp;
}

//--- バブルソート ---//
void bsort(int a[], int n)
{
    for (int i = 0; i < n - 1; i++)
        for (int j = n - 1; j > i; j--)
            if (a[j - 1] > a[j])
                swap(&a[j], &a[j - 1]);
}

int main(void)
{
    int point[NUMBER];              // NUMBER人の学生の点数

    printf("%d人の点数を入力せよ。\n", NUMBER);
    for (int i = 0; i < NUMBER; i++) {
        printf("%2d番：", i + 1);
        scanf("%d", &point[i]);
    }

    bsort(point, NUMBER);           // ソート

    puts("昇順にソートしました。");
    for (int i = 0; i < NUMBER; i++)
        printf("%2d番：%d\n", i + 1, point[i]);

    return 0;
}
```

実行例

```
5人の点数を入力せよ。
 1番：79
 2番：63
 3番：75
 4番：91
 5番：54
昇順にソートしました。
 1番：54
 2番：63
 3番：75
 4番：79
 5番：91
```

第 11 章

文字列とポインタ

第 9 章では文字列を学習し、第 10 章ではポインタを学習しました。これら両者のあいだには、極めて密接な“関係”があります。文字列を自由自在に扱うには、その関係をきちんと理解する必要があります。

本章では、文字列とポインタの関係を学習し、文字列に対する理解を深めます。

11-1 文字列とポインタ

文字列とポインタには、密接な関係があります。本節では、文字列とポインタの類似点や相違点などを学習します。

配列による文字列とポインタによる文字列

本章の最初に考える **List 11-1** は、2個の文字列を表示するプログラムです。

List 11-1 chap11/list1101.c

```
// 配列による文字列とポインタによる文字列

#include <stdio.h>

int main(void)
{
    char str[] = "ABC";      // 配列による文字列
    char *ptr  = "123";      // ポインタによる文字列

    printf("str = \"%s\"\n", str);      // strは先頭文字へのポインタ
    printf("ptr = \"%s\"\n", ptr);      // ptrは先頭文字へのポインタ

    return 0;
}
```

実行結果

```
str = "ABC"
ptr = "123"
```

二つの文字列が、異なる形式で宣言されているものの、表示は同じように行われています。

str の宣言は、第９章で学習した形式ですが、*ptr* の宣言形式は初めてです。本書では、前者を**配列による文字列**と呼び、後者を**ポインタによる文字列**と呼びます。

これらについて、それぞれの図を見ながら類似点や相違点を理解していきましょう。

▶ 二つの用語は、C言語の正式な用語ではありません（便宜的な分類です）。

▪ 配列による文字列 str

str は、char[4] 型の配列です（**Fig.11-1**）。

各要素が先頭から順に 'A'、'B'、'C'、'\0' で初期化されますので、次の宣言と同じです。

```
char str[4] = {'A', 'B', 'C', '\0'};
```

文字列内の各文字のアクセスは、添字演算子 [ ] を使った添字式 *str*[0]、*str*[1]、*str*[2]、*str*[3] で行えます。

なお、占有する記憶域は、配列の要素数と一致します。この場合は４バイトであり、その値は式 sizeof(*str*) で求められます（p.196）。

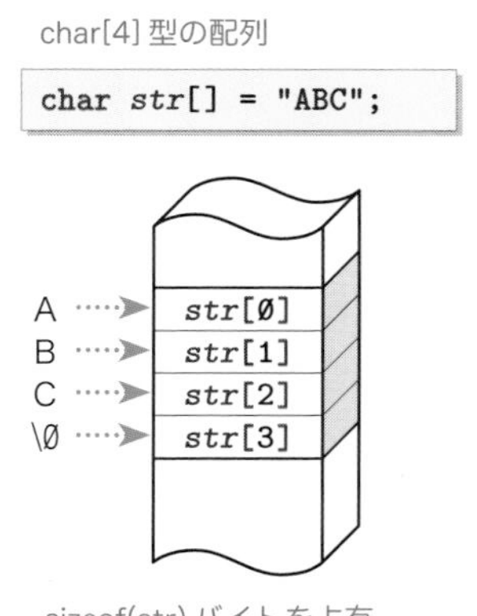

Fig.11-1 配列による文字列

11 文字列とポインタ

■ ポインタによる文字列 ptr

ptr は、char ＊型のポインタです（Fig.11-2）。

文字列リテラルを評価すると、その文字列リテラルの先頭文字へのポインタが得られます。

そのため、ポインタ *ptr* は、文字列リテラル "123" の先頭文字 '1' を指すように初期化されます。

▶ 図の場合、文字列リテラル "123" が格納された記憶域の先頭文字 '1' のアドレス（216 番地）で、ポインタ *ptr* が初期化されます。

char * 型のポインタ

```
char *ptr = "123";
```


Fig.11-2 ポインタによる文字列

この状態を、次のように表現します。

ポインタ *ptr* は "123" を指す。

『char ＊型のポインタ *ptr* が "123" を指す』ように初期化されていることが分かりました。

▶ ポインタの指す先は、文字列リテラルではなく、**文字列リテラルの先頭文字**ですから、この表現は正確さに欠けます。ただし、一般的に使われる表現ですので、知っておく必要があります。

なお、ポインタ *ptr* を、次のように宣言することはできません。

```
char *ptr = {'1', '2', '3', '\0'};        // エラー
```

配列用の { } 形式の初期化子は、**単一の変数**には適用できないからです（p.121）。

さて、図からも明らかなように、ポインタ *ptr* と、文字列リテラル "123" の両方が記憶域を占有しています。それぞれの大きさは、次のとおりです。

- ポインタ *ptr* … sizeof(*ptr*) バイト、すなわち sizeof(char *) バイト。
  ※具体的な値は処理系に依存します。
- 文字列リテラル "123" … sizeof("123") バイト（ナル文字を含めた文字数である 4）。

ポインタによる文字列は、配列による文字列よりも、多くの記憶域を必要とすることに注意しましょう。

重要 ポインタによる文字列は、次の形式で宣言・初期化する。

```
char *p = "String";
```

ポインタ p と文字列リテラル "String" の両方が記憶域を占有する。

ポインタ *ptr* は、文字列の先頭文字を指すポインタですから、**ポインタと配列の表記上の可換性**（p.296）によって、ポインタ *ptr* は、あたかも配列のように振る舞います。そのため、文字列リテラル "123" 中の各文字は、添字演算子 [ ] を適用した添字式でアクセスできます。

▶ たとえば、'1' は *ptr*[0] で、'2' は *ptr*[1] です。値の取得は確実に行えますが、値の書込みが行えるかどうかは処理系に依存します（Column 11-1：p.315）。

配列による文字列とポインタによる文字列の違い

配列による文字列と**ポインタによる文字列**の概要を理解しました。さらに学習を進めていきましょう。まずは、次に示す二つのプログラムです。

List 11-2 chap11/list1102.c

```
// 配列による文字列の書きかえ

#include <stdio.h>

int main(void)
{
    char s[] = "ABC";

    printf("s = \"%s\"\n", s);

    s = "DEF";         // エラー

    printf("s = \"%s\"\n", s);

    return 0;
}
```

実行結果

エラーのため
実行は不可能

List 11-3 chap11/list1103.c

```
// ポインタによる文字列の書きかえ

#include <stdio.h>

int main(void)
{
    char *p = "123";

    printf("p = \"%s\"\n", p);

    p = "456";         // OK!

    printf("p = \"%s\"\n", p);

    return 0;
}
```

実行結果

```
p = "123"
p = "456"
```

▪ List 11-2 … 配列による文字列

このプログラムは、**"ABC"** で初期化された配列 *s* に **"DEF"** を代入して、代入前後の文字列を表示しようという意図で作られたものです。

水色の部分が翻訳時にエラーとなるため、プログラムは実行できません。配列への代入は行えない（代入演算子の左オペランドを配列にできない）ことは、第 5 章と第 10 章で学習しました。

▶ もし代入ができるのであれば、配列のアドレスが変更されてしまう（配列が記憶域上で移動してしまう）ことになるのでした。

▪ List 11-3 … ポインタによる文字列

同じ意図で作られたものであり、代入前後の文字列を表示するプログラムです。

こちらは、エラーが発生することなく、ちゃんと実行できます。その理由を、右ページの **Fig.11-3** を見ながら理解していきましょう。

図a　代入前の状態です。ポインタ *p* は、文字列リテラル **"123"** の先頭文字 **'1'** を指すように初期化されます。

図b　プログラムの赤い部分で *p* に **"456"** が代入された後の状態です。代入の結果、ポインタ *p* は、文字列リテラル **"456"** の先頭文字 **'4'** を指すように更新されます。

文字列をコピーしているのではないことが分かるでしょう。あくまでも、ポインタ *p* の指す先を、別の文字列リテラル（の先頭文字）に変更しているだけです。

a 代入前

```
char *p = "123";
```

pは"123"の先頭文字'1'を指す

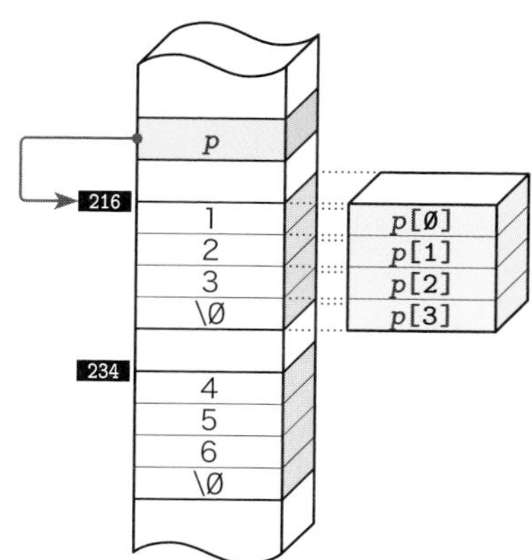

b 代入後

```
p = "456";
```

pは"456"の先頭文字'4'を指す

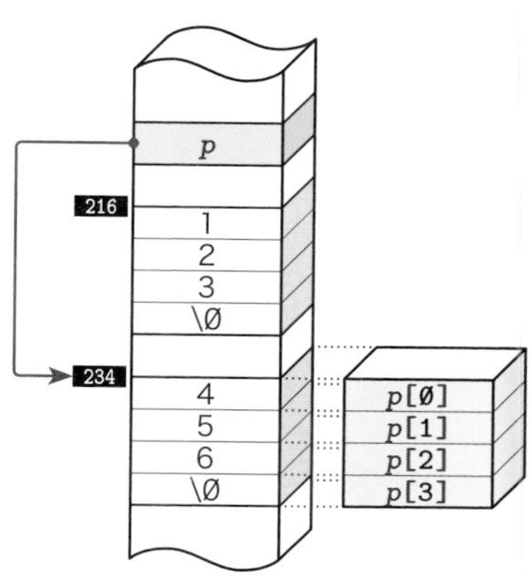

Fig.11-3 ポインタに対する文字列リテラルの代入

まとめると、次のようになります。

重要 文字列リテラル（内の文字）を指すポインタには、別の文字列リテラル（内の文字）へのポインタを代入できる。代入後のポインタは、新しく代入された文字列リテラル（内の文字）を指すことになる。

代入の結果、文字列リテラル **"123"** は、どこからも指されなくなっています。プログラムからアクセスできなくなりますので、**掃除できないゴミ**と化したわけです。

▶ 図**a**と図**b**の両方に、二つの文字列リテラル **"123"** と **"456"** が描かれている（記憶域を占有している）のは、文字列リテラルが静的記憶域期間をもつからです（p.257）。不要になったら、記憶域から自動的に破棄される、といったことはありません。

演習 11-1

List 11-3 における p に対する代入を、次のように変更してみよう。

```
p = "456" + 1;
```

プログラムを作成して実行結果を確認するとともに、実行結果に対する考察を行うこと。

文字列の配列

文字列の表現法に2種類があるのですから、文字列の集まりは、それぞれの表現法による文字列の配列で実現できます。**List 11-4** のプログラムで学習していきましょう。

List 11-4 chap11/list1104.c

```
// 文字列の配列

#include <stdio.h>

int main(void)
{
    char a[][5] = {"LISP", "C", "Ada"};     // 配列による文字列の配列
    char *p[]   = {"PAUL", "X", "MAC"};     // ポインタによる文字列の配列

    for (int i = 0; i < 3; i++)
        printf("a[%d] = \"%s\"\n", i, a[i]);

    for (int i = 0; i < 3; i++)
        printf("p[%d] = \"%s\"\n", i, p[i]);

    return 0;
}
```

実行結果

```
a[0] = "LISP"
a[1] = "C"
a[2] = "Ada"
p[0] = "PAUL"
p[1] = "X"
p[2] = "MAC"
```


配列 a と *p* の構造と特徴をまとめた右ページの **Fig.11-4** を見ながら、理解していきましょう。

a 配列による文字列の配列 … 配列の配列（2次元配列）

a は、**char[5] 型の配列を3個集めた配列**、すなわち、**3行5列の2次元配列**です。

占有する記憶域の大きさは、（行数×列数）すなわち 15 バイトです。

文字列の長さがバラバラなため、未使用の構成要素があります。たとえば、2番目の文字列 **"C"** を格納する a[1] は、3 文字分の領域 a[1][2] ～ a[1][4] が未使用です。

▶ 極端に長い文字列と短い文字列が混在する場合は、未使用部分の存在が、領域効率を低下させます。なお、この形式の文字列の配列は、第 9 章で学習ずみです。

b ポインタによる文字列の配列 … ポインタの配列

p は、**char * 型のポインタを3個集めた配列**です。

配列の要素 *p*[0]、*p*[1]、*p*[2] は、各文字列リテラルの先頭文字 **'P'**、**'X'**、**'M'** へのポインタで初期化されています。そのため、配列 p 用の **sizeof(char *)** 3個分の領域に加えて、文字列リテラル3個分の記憶域を占有します。

文字列リテラル **"PAUL"** 内の文字は、先頭から順に *p*[0][0]、*p*[0][1]、… でアクセスできます。2個の添字演算子 **[ ]** を適用することで、ポインタの配列 *p* を、2次元配列と同じように扱えます（*p*[1] と *p*[2] も同様です）。

▶ 一般に、ポインタ *ptr* が、配列の先頭要素を指すとき、配列内の各要素は、先頭から順に *ptr*[0]、*ptr*[1]、… でアクセスできるのでした。その *ptr* を、*p*[0] と置きかえるわけです。

a 配列による文字列の配列（2次元配列）

```
char a[][5] = {"LISP", "C", "Ada"};
```

すべての要素は連続して配置される

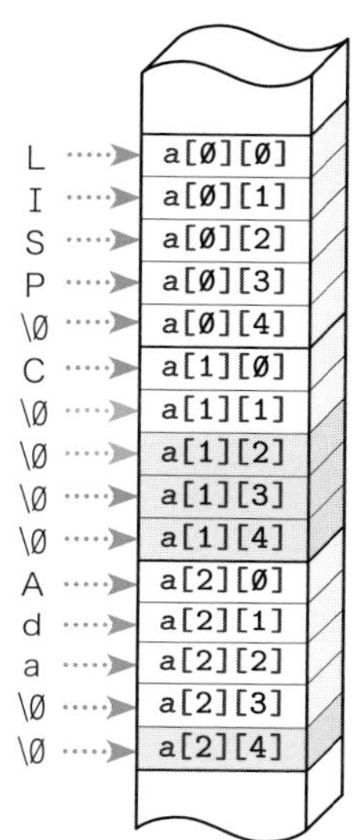

各要素は、初期化子として与えられた各文字列リテラル中の文字とナル文字で初期化される

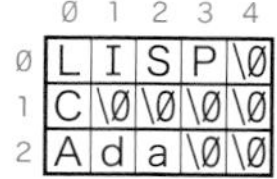

sizeof(a) バイトを占有

b ポインタによる文字列の配列（ポインタの配列）

```
char *p[] = {"PAUL", "X", "MAC"};
```

文字列の配置の順序や連続性は保証されない

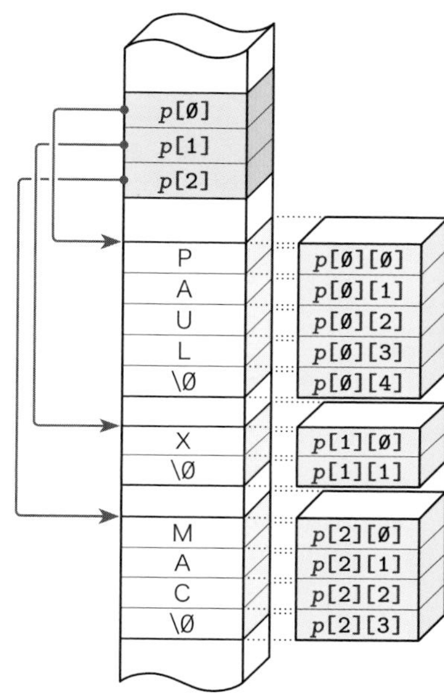

各要素は、初期化子として与えられた各文字列リテラルの先頭文字を指すように初期化される

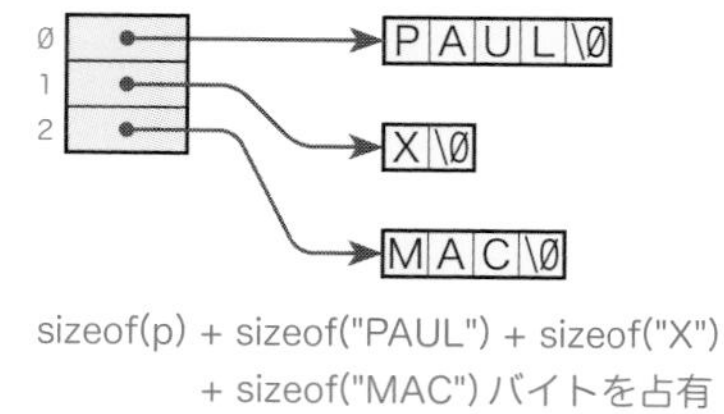

sizeof(p) + sizeof("PAUL") + sizeof("X") + sizeof("MAC") バイトを占有

Fig.11-4 文字列の配列の二つの実現

さて、図**b**では、各文字列リテラルのあいだが離れています。

初期化子の3個の文字列リテラルが連続して配置される保証がないからです。もちろん、**"PAUL"** の直後に **"X"** が配置される、あるいは、**"X"** の直後に **"MAC"** が配置される、といったことを前提にしたプログラムは作成できません。

演習 11-2

List 11-4 では、各配列の文字列の個数が定数3としてプログラム中（**for** 文の制御式）に埋め込まれている。計算によって求めるように書きかえたプログラムを作成せよ。

11-2 ポインタによる文字列の操作

C言語の熟練者は、ポインタをフル活用して文字列を操作するコードを記述します。その方法を習得しましょう。

文字列の長さを調べる

文字列の長さを求める関数を **List 9-8**（p.264）で作りました。**List 11-5** に示すのは、その関数の動作を変えることなく、実現法を変更したプログラムです。

▶ 変更したのは、関数 ***str_length*** のみであり、**main** 関数はオリジナルと同じです。

List 11-5 chap11/list1105.c

```
// 文字列の長さを調べる（ポインタによる走査）

#include <stdio.h>

//--- 文字列sの長さを返す ---//
int str_length(const char *s)
{
    int len = 0;

    while (*s++)
        len++;
    return len;
}

int main(void)
{
    char str[128];  // ナル文字を含めて128文字まで格納できる

    printf("文字列を入力せよ：");
    scanf("%s", str);

    printf("文字列\"%s\"の長さは%dです。\n", str, str_length(str));

    return 0;
}
```

実行例

```
文字列を入力せよ：five↵
文字列"five"の長さは4です。
```

関数 ***str_length*** の仮引数 ***s*** の宣言が、**[ ]** 形式から ***** 形式に変更されています。この変更は、表記上のものであって、本質的な違いではありません（p.298）。

＊

プログラムの本質的な変更点は、関数本体です。文字列 **"five"** の長さを求める過程を示した、右ページの **Fig.11-5** を見ながら、この部分を理解していきましょう。

図**a**に示すように、関数実行開始時のポインタ ***s*** は、受け取った文字列 ***str*** の先頭文字すなわち **"five"** の先頭文字 **'f'** を指しています。

それでは、文字列を走査する **while** 文の制御式 ***s++** に着目しましょう。後置増分演算子 **++** が適用されていますので、評価は、次のように行われることが分かります。

while文による繰返しの継続条件として、着目文字*sが0でないかどうかが判定される。その判定が終わった直後にs++によるインクリメントが行われる。

ここで、ポインタのインクリメントとデクリメントについて、次のことを必ず覚えておきます。

重要 配列の要素を指すポインタは、
インクリメントされると**1個後方の要素を指す**ように更新され、
デクリメントされると**1個前方の要素を指す**ように更新される。

といっても、増分演算子++と減分演算子--が、ポインタに対して特別な働きをしているのではありません。そもそも、pがポインタであるかどうかに限らず、次の規則があります。

重要 p++はp = p + 1のことであり、
p--はp = p - 1のことである。

ポインタpが配列内のある要素を指すとき、それに1を加えたポインタp + 1は、1個後方に位置する要素を指します（p.292）。そのため、p++を実行すると、1個後方の要素を指すようにpが更新されるのです。

▶ デクリメントも同様です。ポインタから1を減じたポインタp - 1は、その1個前方に位置する要素を指します。
そのため、p--を実行すると、1個前方の要素を指すようにpが更新されます。

さて、最初に'f'を指していたsですが、図bに示すように、インクリメント後は'i'を指します。

このように、sが指す文字は、走査のたびに1個ずつ後方にずれていきます。なお、ループ本体では、文字列の長さを格納する変数lenがインクリメントされます。

図eに示すように、着目文字*sが0すなわちナル文字になると、while文の継続条件が成立しなくなって、繰返しが終了します。

while文終了時のlenの値は、ループ本体を繰り返した回数であり、文字列の長さとなります。

＊

今回の関数str_lengthは、ポインタに対して添字演算子[]を適用せず、間接演算子*と増分演算子++を適用したものでした。

このテクニックは、C言語のプログラムで多用されますので、きちんと理解しておく必要があります。

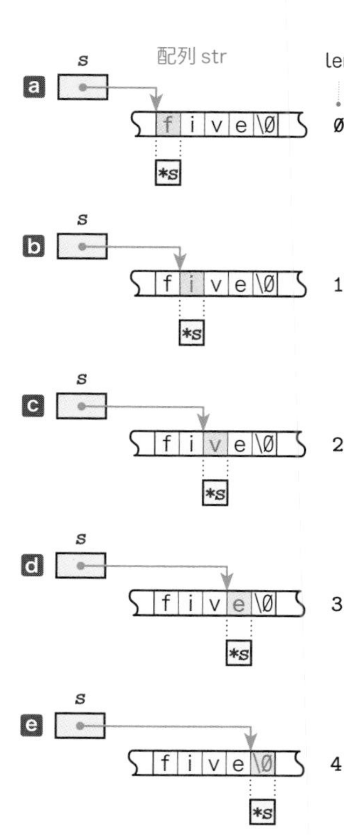

Fig.11-5 文字列の長さを求める

文字列のコピー

次は、文字列をコピーする関数を作りましょう。**List 11-6** に示すのが、そのプログラムです。

List 11-6 chap11/list1106.c

```
// 文字列をコピーする

#include <stdio.h>

//--- 文字列sをdにコピーする ---//
char *str_copy(char *d, const char *s)
{
    char *t = d;

    while (*d++ = *s++)
        ;
    return t;
}

int main(void)
{
    char str[128] = "ABC";
    char tmp[128];

    printf("str = \"%s\"\n", str);

    printf("コピーするのは：");
    scanf("%s", tmp);

    str_copy(str, tmp);

    printf("str = \"%s\"\n", str);

    return 0;
}
```

実行例

```
str = "ABC"
コピーするのは：WXYZ↵
str = "WXYZ"
```

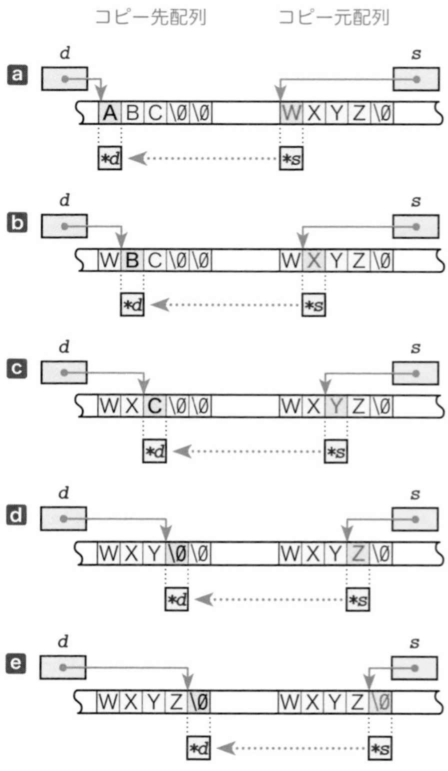

Fig.11-6 文字列のコピー

文字列のコピーを行う関数 `str_copy` 内の `while` 文の制御式 `*d++ = *s++` は複雑です。

次に示すように、2段階で評価・実行されます。

1 *d = *s の代入

最初に行われるのが、代入式 `*d = *s` の評価・実行です。

ポインタ s の指す文字が、ポインタ d の指す文字へと代入されます。

2 ポインタ d と s のインクリメント（d++ と s++）

代入が完了した直後に、後置増分演算子 ++ の働きによって、d と s の両方がインクリメントされます。

その結果、ポインタ d と s は、いずれも1個後方の文字を指すように更新されます。

さて、関数実行開始時は、左ページ **Fig.11-6** **a**に示すように、ポインタ *s* は、コピー元文字列の先頭文字を指して、ポインタ *d* はコピー先文字列の先頭文字を指しています。

`while` 文の継続条件の判定は、①の代入式 `*d = *s` の評価に基づいて行われます（代入式の評価で得られるのは、代入後の左オペランドの型と値です）。そのため、`*d` に代入された文字が、`0` すなわちナル文字でないあいだ、上記の①と②が繰り返されます。

これで、走査・代入が、次のように行われることが分かりました。

_s_ の指す文字がナル文字になるまで、『_s_ の指す文字を _d_ の指す文字に代入し、その直後に _d_ と _s_ をインクリメントして次の文字に着目する』処理を繰り返す。

`while` 文の繰返しが終了するのは、図**e**に示すように、代入された文字がナル文字となったときです。

▶ 図**e**では、代入式 `*d = *s` を評価すると、代入後の `*d` であるナル文字が得られます。この値は `0` ですから、`while` 文が終了します。

ちなみに、ポインタ *d* と *s* に添字演算子 `[ ]` を適用して実現すると、関数 *str_copy* の `while` 文は、右のようになります（*i* は `0` で初期化された整数型の変数とします）。

chap11/list1106a.c

```
//--- 別解 ---//
while (d[i] = s[i])
    i++;
```

この別解と比べると、オリジナルのプログラムには、次のメリットがあります。

Ⓐ **添字用の変数 *i* が不要であるため、わずかではあるが記憶域を節約できる。**

Ⓑ **実行効率が高くなることが期待できる。**

Ⓐは明らかですので、Ⓑについて考えましょう。

■ 別解のコード

`d[i]` と `s[i]` は、それぞれ `*(d + i)` と `*(s + i)` のことであって、ポインタ *d* と *s* が指す要素の *i* 個後ろの要素をアクセスする式です。ポインタが指す要素の *i* 個後ろの文字をアクセスするために、加算演算子 `+` による**加算**と、間接演算子 `*` による**参照外し**（p.281）の二つの演算が、ポインタ *d* と *s* のそれぞれに対して行われます。

■ オリジナルのコード

繰返しのたびに、ポインタ *d* と *s* を**インクリメント**する演算が行われます。しかし、式 `*d` と式 `*s` の評価では、間接演算子 `*` による**参照外し**の演算が行われるものの、加算演算子 `+` による**加算は行われません**。そのため、実行プログラムが小さくなって、さらに実行スピードが上がることが期待できる、というわけです。

＊

関数 *str_copy* の引数名 *d* と *s* は、それぞれ destination（目的先）と source（出所（でどころ））の頭文字です。熟練者の書いたプログラムでは、このような極端に短い名前が使われていることが多いため、読解には英語的なセンスが要求されることがあります。

▶ 本関数の返却値については、次ページで学習します。

ポインタを返す関数

さて、関数 *str_copy* の返却値型は『**char *型**』のポインタであり、仮引数として受け取った *d* のコピーであるポインタ *t* の値を、関数の最後で返却しています。すなわち、返却しているのは、コピー先の文字列の先頭文字へのポインタです。

▶ 仮引数 *d* に受け取っているのは、コピー先文字列の先頭文字へのポインタです。そのポインタ *d* は、関数本体でのインクリメントによって値を更新します。そのため、関数の冒頭で *d* のコピーを *t* に保存しておいて、その *t* の値を返却しています。

この返却値をうまく利用すると、プログラム **main** 関数内の

```
str_copy(str, tmp);                      // tmpをstrにコピー
printf("str = \"%s\"\n", str);           // コピー後のstrを表示
```

は、次のように、手短(てみじか)に記述できます（**"chap11/list1106b.c"**）。

```
printf("str = \"%s\"\n", str_copy(str, tmp));    // コピーした上で表示
```

まず、文字列 *tmp* が文字列 *str* にコピーされて、そのコピーされた *str* が表示されます。

▶ *printf* 関数に渡されるのは、コピー後の文字列 *str* の先頭文字へのポインタです。

文字列の連続コピー

もう一つ応用を考えます。**main** 関数を差しかえて作ったのが、**List 11-7** のプログラムです。

List 11-7 chap11/list1107.c

```
// 文字列を連続コピーする

// main関数以外は提示を省略（List 11-6と同じ）

int main(void)
{
    char tmp[128];
    char s1[128], s2[128];

    printf("文字列：");
    scanf("%s", tmp);

    str_copy(s1, str_copy(s2, tmp));

    printf("s1 = \"%s\"\n", s1);
    printf("s2 = \"%s\"\n", s2);

    return 0;
}
```

実行例

```
文字列：Japan⏎
s1 = "Japan"
s2 = "Japan"
```


Fig.11-7　文字列の連続コピー

水色の部分では、*s1* と *s2* の両方に文字列 *tmp* をコピーしています（**Fig.11-7**）。

まず、Aによって、文字列 *tmp* を配列 *s2* にコピーします。そして、その返却値（コピー先である *s2*）をBの第２引数とすることで、同じ文字列を *s1* にもコピーしています。

▶ ちょうど、二つの変数に同一値 **0** を代入する **a = b = 0** と同じような感じです（p.127）。

Column 11-1 文字列の不正なコピー

List 11-6（p.312）の main 関数を、次のコードに置きかえる（"chap11/list1106x.c"）と、正しく実行できなくなります（変更は水色の部分です）。

```
char *ptr = "1234";
char tmp[128];

printf("ptr = \"%s\"\n", ptr);

printf("コピーするのは：");
scanf("%s", tmp);

str_copy(ptr, tmp);                    // tmpをptrにコピー

printf("ptr = \"%s\"\n", ptr);         // コピー後のptrを表示
```

正しく実行できなくなるのは、このプログラムが**2重の誤ち**をおかしているからです。

▪ 文字列リテラルを書きかえている

本プログラムは、ポインタ ptr が指す文字列リテラルの領域に、読み込んだ文字列 tmp をコピーしています。ところが、文字列リテラルの文字を書きかえてよいかどうか（文字列リテラルが書きかえ可能な領域に格納されているかどうか）は、処理系に依存します。

文字列リテラルの領域を書きかえることのできない処理系では、このプログラムの正しい動作は保証されません。

▪ 空き領域でない記憶域への書込みを行う可能性がある

ポインタ ptr が指すのは、ナル文字を含めて5バイトの大きさの文字列リテラル "1234" の先頭文字です。その領域に対して、"ABCDEFGH" という、ナル文字を含めて9文字分のコピーを行うとどうなるのかを、Fig.11C-1 で考えましょう。

もし文字列リテラル "1234" の領域が書きかえ可能であれば、最初の5文字分のコピーはうまくいくでしょう。しかし、その後ろの4文字分の領域が空いている保証はありません。他の変数が格納されていたり、システム上の重要な情報が格納されているかもしれません。

そのため、**このようなコピーを行うと、他の変数の値が破壊されたり、動作が不安定になる可能性があります。**

＊

（直接的にせよ間接的にせよ）文字列リテラルを書きかえたり、その領域を越えて書き込んだりするプログラムを作ってはいけません。

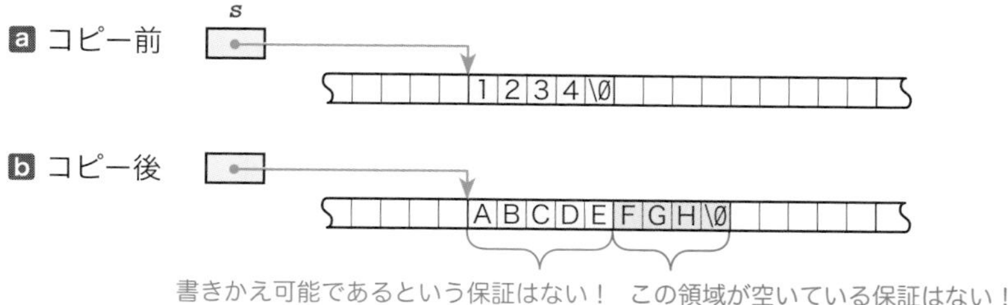

Fig.11C-1 文字列の不正なコピー

11-3 文字列を扱うライブラリ関数

文字列処理のためのライブラリが、主に <string.h> ヘッダで数多く提供されます。本節では、代表的な関数の仕様と利用例を示します。

文字列関連の標準ライブラリ

C言語は、文字列関連のライブラリを数多く提供します。その多くは、`<string.h>` ヘッダで提供されます。本節では、代表的な関数を学習します。

▶ 前節では、文字列の長さを求める関数と、文字列をコピーする関数を作成することで、文字列そのものに対する理解や、文字列を扱うプログラミング技術を学習しました。
　実際のプログラム開発では、そのような関数は自作するのではなく、ここで紹介するライブラリを利用するのが原則です。主な理由は、次のとおりです。
- 関数を自作するコストが不要である。
- C言語によって提供されるライブラリは、各種の最適化などによって高速に動作する。

strlen 関数：文字列の長さを求める

文字列の長さを求めるのは、*strlen* 関数です。ナル文字を含まない長さを返します。

	strlen
ヘッダ	`#include <string.h>`
形　式	`size_t strlen(const char *s);`
解　説	*s* が指す文字列の長さ（ナル文字は含まない）を求める。
返却値	*s* が指す文字列の長さを返す。

関数の返却値型が、**int** 型ではなくて、非負の整数を表す **size_t** 型であることに注意しましょう。**List 11-8** に示すのが、この関数を利用するプログラム例です。

List 11-8　chap11/list1108.c

```
// strlen関数の利用例

#include <stdio.h>
#include <string.h>

int main(void)
{
    char str[128];

    printf("文字列：");
    scanf("%s", str);

    printf("文字列\"%s\"の長さは%zuです。\n", str, strlen(str));

    return 0;
}
```

実行例

```
文字列：Seven⏎
文字列"Seven"の長さは5です。
```

演習 11-3

strlen 関数と同じ仕様の関数を作成せよ。

Column 11-2 文字列関連の標準ライブラリ

Table 11C-1 に示すのは、**<string.h>** ヘッダで提供される、代表的な文字列関連の標準ライブラリ関数の一覧です。

Table 11C-1　代表的な文字列関連の標準ライブラリ関数

関数名	概略
strlen	文字列の長さを求める。
strcpy	文字列をコピーする。
strncpy	文字列をコピーする（コピーする文字数に制限を設ける)。
strcat	文字列を連結する。
strncat	文字列を連結する（連結する文字数に制限を設ける)。
strcmp	文字列を比較する。
strncmp	文字の配列を比較する（比較する文字数に制限を設ける)。
strcoll	ロケールにしたがって文字列を比較する。
strxfrm	ロケール依存の文字列を比較可能な文字列に変換する。
strchr	文字列から文字を探索する（先頭位置を見つける)。
strrchr	文字列から文字を探索する（末尾位置を見つける)。
strpbrk	他の文字列に含まれる文字を探索する。
strstr	文字列に含まれる文字列を探索する。
strspn	文字列の構成（ある文字列に含まれる文字だけで構成される文字数）を調べる。
strcspn	文字列の構成（ある文字列に含まれない文字だけで構成される文字数）を調べる。
strtok	文字列を分解する。
memset	連続したメモリに値を代入する。
memcpy	連続したメモリをコピーする。
memmove	連続したメモリをコピーする（コピー元とコピー先の重なりに対応)。
memchr	配列から文字を探索する。
memcmp	配列領域を文字単位で比較する。

関数の引数の一部は、restrict 型修飾子付きで宣言されています。本書『入門編』の学習の段階では、詳細を理解する必要はありません（**Column 13-2**：p.383)。

なお、これらの関数の仕様は、次のサイトで解説しています。

柴田望洋後援会オフィシャルホームページ
https://www.bohyoh.com/

strcpy 関数／strncpy 関数：文字列をコピーする

文字列をコピーするのが、*strcpy* 関数と *strncpy* 関数です。コピーする文字数に制限を設けたいときは、後者を利用します。

	strcpy
ヘッダ	`#include <string.h>`
形　式	`char *strcpy(char * restrict s1, const char * restrict s2);`
解　説	*s2* が指す文字列を、*s1* が指す配列にコピーする。コピー元とコピー先が重なる場合の動作は定義されない。
返却値	*s1* の値を返す。

	strncpy
ヘッダ	`#include <string.h>`
形　式	`char *strncpy(char * restrict s1, const char * restrict s2, size_t n);`
解　説	*s2* が指す文字列を、*s1* が指す配列にコピーする。*s2* の長さが *n* 以上の場合は *n* 文字までをコピーし、*n* より短い場合は残りをナル文字で埋めつくす。コピー元とコピー先が重なる場合の動作は定義されない。
返却値	*s1* の値を返す。

いずれの関数も返却値型が `char *` 型であり、返却するのはコピー先文字列（の先頭文字）へのポインタです（第1引数に渡した値が、そのまま返ってきます）。

List 11-9 に示すのが、*strcpy* 関数の利用例です。

List 11-9　chap11/list1109.c

```
// 文字列をコピーして表示

#include <stdio.h>
#include <string.h>

int main(void)
{
    char st[128];
    char s1[128], s2[128];

    printf("文字列：");
    scanf("%s", st);

    printf("s2 = \"%s\"\n", strcpy(s2, st));     // stをs2にコピーして表示
    printf("s1 = \"%s\"\n", strcpy(s1, s2));     // s2をs1にコピーして表示

    return 0;
}
```

実行例

```
文字列：Japan⏎
s2 = "Japan"
s1 = "Japan"
```


Fig.11-8 strcpy 関数の動作

▶ *st* に読み込んだ文字列を *s2* にコピーして表示して、さらに、その文字列 *s2* を *s1* にコピーして表示しています。

次は、*strncpy* 関数の働きを、**List 11-10** で理解していきましょう。

List 11-10 chap11/list1110.c

```
// strncpy関数の利用例

#include <stdio.h>
#include <string.h>

int main(void)
{
    char s1[10];
    char *x = "XXXXXXXXX";  // 9個の'X'とナル文字

    strcpy(s1, x);  strncpy(s1, "12345", 3);  printf("s1 = %s\n", s1);  ―❶
    strcpy(s1, x);  strncpy(s1, "12345", 5);  printf("s1 = %s\n", s1);  ―❷
    strcpy(s1, x);  strncpy(s1, "12345", 7);  printf("s1 = %s\n", s1);  ―❸

    return 0;
}
```

実行結果

```
s1 = 123XXXXXX
s1 = 12345XXXX
s1 = 12345
```

本プログラムは、*strncpy* 関数の動作を、❶〜❸のパターンで検証しています。

どのパターンでも、まず最初に、*strcpy* 関数を使って配列 *s1* の内容を **"XXXXXXXXX"** としておき、その後、*strncpy* 関数を使って **"12345"** をコピーしています。

Fig.11-9 に示すのが、それぞれの挙動です。

❶と❷のように、コピー元文字列の長さが *n* 以上であれば、**ナル文字はコピーされません。**

また、❸のように、コピー元文字列の長さが *n* 未満であれば、**不足部分にナル文字が埋められます。**

▶ コピー元文字列 *s2* の長さが *n* 以上であればナル文字をコピーしない、という *strncpy* 関数の仕様が、バグにつながりかねないことを知っておきましょう。

たとえば、次の例です（**"chap11/strncpy_test.c"**）。

```
char s1[5] = {'X', 'X', 'X', 'X', 'X'};
strncpy(s1, "12345", 2);
```

配列 *s1* は、要素数が 5 であって、全要素が **'X'** で初期化されます。ナル文字が格納されないため、*s1* は文字列ではありません（**Column 9-2**：p.270）。

呼び出された *strncpy* 関数が行うのは、*s1*[0] に **'1'** を、*s1*[1] に **'2''** をコピーすることです。ナル文字のコピーは行いませんので、配列 *s1* の要素は **'1'**、**'2'**、**'X'**、**'X'**、**'X'** となります。すなわち、*s1* は、ナル文字がないままの状態であって、**文字列にはならない**のです。

❶ 3
s2 1 2 3 4 5 \0
s1 X X X X X X X X X \0
1 2 3 X X X X X X \0

❷ 5
s2 1 2 3 4 5 \0
s1 X X X X X X X X X \0
1 2 3 4 5 X X X X \0

文字列 s2 の長さが n 以上であれば
ナル文字はコピーされない

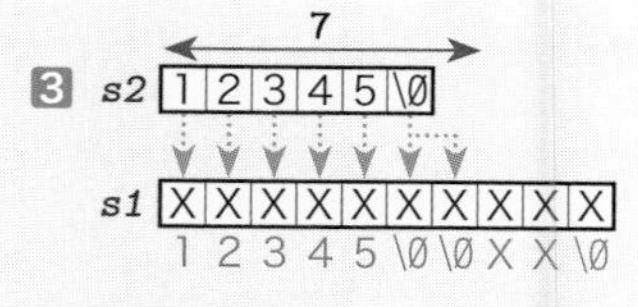

文字列 s2 の長さが n 未満であれば
末尾にナル文字が埋められる

Fig.11-9 strncpy 関数の動作

演習 11-4

strcpy 関数および *strncpy* 関数と同じ仕様の関数を作成せよ。

strcat関数／strncat関数：文字列を連結する

文字列の後ろに別の文字列を連結するのが、*strcat* 関数と *strncat* 関数です。連結する文字数に制限を設けたいときは、後者を利用します。

▶ 名前の cat は、『連結する』『つなぐ』という意味の concatenate に由来します。

strcat	
ヘッダ	`#include <string.h>`
形　式	`char *strcat(char * restrict s1, const char * restrict s2);`
解　説	*s2* が指す文字列を、*s1* が指す文字列の末尾に連結する。コピー元とコピー先が重なる場合の動作は定義されない。
返却値	*s1* の値を返す。

strncat	
ヘッダ	`#include <string.h>`
形　式	`char *strncat(char * restrict s1, const char * restrict s2, size_t n);`
解　説	*s2* が指す文字列を、*s1* が指す文字列の末尾に連結する。*s2* の長さが *n* より長い場合は、切り捨てる。コピー元とコピー先が重なる場合の動作は定義されない。
返却値	*s1* の値を返す。

List 11-11 のプログラムで、これらの関数の挙動を理解していきましょう。

List 11-11 chap11/list1111.c

```
// strcat関数とstrncat関数の利用例

#include <stdio.h>
#include <string.h>

int main(void)
{
    char s1[10];
    char *x = "ABC";
    strcpy(s1, x);  strcat(s1, "DEFG");         printf("s1 = %s\n", s1);
    strcpy(s1, x);  strncat(s1, "12345", 3);    printf("s1 = %s\n", s1);  ―1
    strcpy(s1, x);  strncat(s1, "12345", 5);    printf("s1 = %s\n", s1);  ―2
    strcpy(s1, x);  strncat(s1, "12345", 7);    printf("s1 = %s\n", s1);  ―3

    return 0;
}
```

実行結果

```
s1 = ABCDEFG
s1 = ABC123
s1 = ABC12345
s1 = ABC12345
```

赤色の部分の *strcat* 関数の挙動を **Fig.11-10** に示しています。"ABC" が格納されている文字列 *s1* の後ろに "DEFG" を連結した結果、*s1* が "ABCDEFG" に更新されます。

文字列s2をs1の末尾に連結する

Fig.11-10 strcat関数の動作

strncat 関数の動作は、三つのパターンで検証しています。それぞれの挙動を、**Fig.11-11** を見ながら理解していきましょう。

❶のように、文字列 ***s2*** の長さが ***n*** より長い場合は、先頭の ***n*** 文字のみが連結されます。この場合は、**"12345"** の先頭側3文字 **"123"** が連結されます。

末尾のナル文字もコピーされますので、コピーされるのは実質的に4文字です。

❷や❸のように、文字列 ***s2*** の長さが ***n*** 以下であれば、末尾のナル文字を含め、文字列 ***s2*** のすべてを連結します。

この場合は、**"12345"** の5文字すべてが連結されます。

末尾のナル文字もコピーされますので、コピーされるのは実質的に6文字です。

関数の仕様と、実行結果から、次のことが分かります。

> **重要** ***strncat(s1, s2, n)*** による文字列連結後の文字列 ***s1*** の文字数は、末尾のナルを含めて ***strlen(*** 連結前の ***s1) + n + 1*** 以下となる。

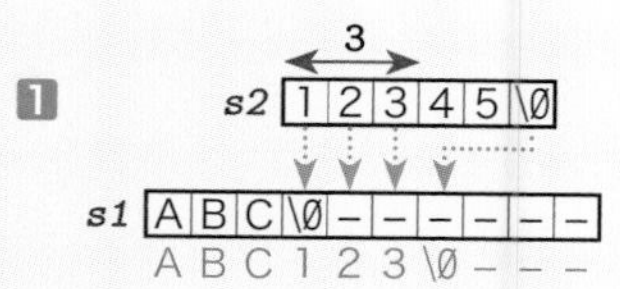

文字列s2の長さがnより大きければ
s2の先頭n文字を連結する

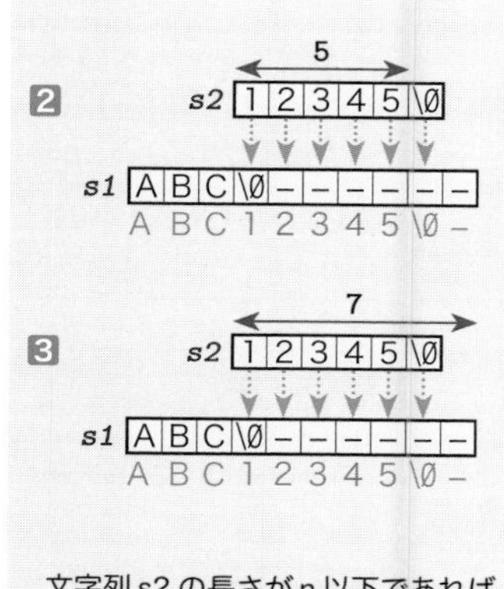

文字列s2の長さがn以下であれば
ナル文字までのすべてを連結する

Fig.11-11　strncat 関数の動作

誤った使い方

右に示すのは、誤った使い方の一例です。

```
char *s = "Soft";
strcat(s, "Bank");    // 駄目！
```

このコードは、文字列リテラル **"Soft"** の後ろに **"Bank"** を連結する意図で作られたものです。

しかし、連結によって書きかえられる領域（すなわち、文字列リテラル **"Soft"** のナル文字以降の領域）が空いている保証はありません。

▶ すなわち、**Column 11-1**（p.315）で検討した内容と同じ誤ちをおかしている、ということです。
　連結によって書きかえられる領域に他の変数やシステムの重要な情報が格納されていれば、変数の値を書きかえたり、プログラムを壊したりする可能性があります。最悪の場合、プログラムがクラッシュします。
　また、すでに学習したとおり、文字列リテラルの領域に対する書込みができない処理系が存在します。そのような環境では、文字列リテラル **"Soft"** の末尾のナル文字 **'\0'** の領域に対する **'B'** の書込みが成功する保証はありません。

演習 11-5

strcat 関数および ***strncat*** 関数と同じ仕様の関数を作成せよ。

strcmp関数／strncmp関数：文字列の大小関係を求める

二つの文字列（文字の配列）の大小関係を判定するのが、*strcmp*関数と*strncmp*関数です。判定対象の文字数に制限を設けたいときは、後者を利用します。

	strcmp
ヘッダ	#include <string.h>
形　式	int *strcmp*(const char **s1*, const char **s2*);
解　説	*s1*が指す文字列と*s2*が指す文字列の大小関係（先頭から順に1文字ずつunsigned char型の値として比較していき、異なる文字が出現したときに、それらの文字の対に成立する大小関係とする）の比較を行う。
返却値	等しければ0、*s1*が*s2*より大きければ正の整数値、*s1*が*s2*より小さければ負の整数値を返す。

	strncmp
ヘッダ	#include <string.h>
形　式	int *strncmp*(const char **s1*, const char **s2*, size_t *n*);
解　説	*s1*が指す文字の配列と*s2*が指す文字の配列の先頭*n*文字までの大小関係の比較を行う。ナル文字以降の文字は比較しない。
返却値	等しければ0、*s1*が*s2*より大きければ正の整数値、*s1*が*s2*より小さければ負の整数値を返す。

List 11-12に示すのが、これらの関数を利用するプログラム例です。

▶ 等しいと判定されたときに表示される0以外の値は、処理系や実行環境によって異なります。

List 11-12 chap11/list1112.c

```
// strcmp関数とstrncmp関数の利用例

#include <stdio.h>
#include <string.h>

int main(void)
{
    char s2[128];

    puts("\"ABCDE\"との比較を行います。");
    puts("\"XXXXX\"で終了します。");

    while (1) {
        printf("\n文字列s2：");
        scanf("%s", s2);

        if (strcmp(s2, "XXXXX") == 0)
            break;
        printf("strcmp( \"ABCDE\", s2)     = %d\n", strcmp( "ABCDE", s2));
        printf("strncmp(\"ABCDE\", s2, 3) = %d\n", strncmp("ABCDE", s2, 3));
    }

    return 0;
}
```

実行結果一例

```
"ABCDE"との比較を行います。
"XXXXX"で終了します。

文字列s2：ABC⏎
strcmp( "ABCDE", s2)     = 68
strncmp("ABCDE", s2, 3) = 0

文字列s2：ABCDE⏎
strcmp( "ABCDE", s2)     = 0
strncmp("ABCDE", s2, 3) = 0

文字列s2：AXCDE⏎
strcmp( "ABCDE", s2)     = -1
strncmp("ABCDE", s2, 3) = -22

文字列s2：XXXXX⏎
```

文字列の大小関係

これらの関数は、引数に受け取った二つの文字列を先頭文字から順に比較していき、判定対象の全文字が等しければ `0` を返します。ただし、第1引数の指す文字列が第2引数の指す文字列より大きければ正の値を、小さければ負の値を返すという仕様です。

さて、文字列が大きい／小さいという判定の基準は何なのでしょう。

常識的に考えて、**"AAA"** は、**"ABC"** や **"XYZ"** より小さいといえます。このように、辞書順に並べたときに、前側に位置する文字列が“小さい”と判定され、後ろ側に位置する文字列が“大きい”と判定されるのが基本です。

ただし、判定の対象となる文字列は、大文字だけ、小文字だけ、数字だけと、同種類の文字であるとは限りません。そのため、*strcmp* 関数と *strncmp* 関数の判定は、**文字コード**に基づいて行われます。

文字コード体系は環境によって異なるため、たとえば、**"abc"** が、**"ABC"** や **"123"** よりも大きいのか、あるいは小さいのか、といった判定結果も、環境に依存します。すなわち、*strcmp*("abc", "123") が、正の値を返す処理系もあれば、負の値を返す処理系もある、ということです。

残念ながら、*strcmp* 関数と *strncmp* 関数で、可搬性のある（実行環境で採用されている文字コードなどに依存しない）文字列の比較は行えません。

▶ **Fig.11-12** に示すのが、二つの関数での判定の様子です。この図には、判定の対象のみを示していて、返却値は示していません（示しようがないからです）。
　さて、*strncmp* 関数の解説では、**文字列**ではなくて、**文字の配列**という用語が使われています。これは、*s1* や *s2* が指す文字を先頭とする *n* バイトの領域内にナル文字がなくてもよい（文字列でなくてもよい）からです。

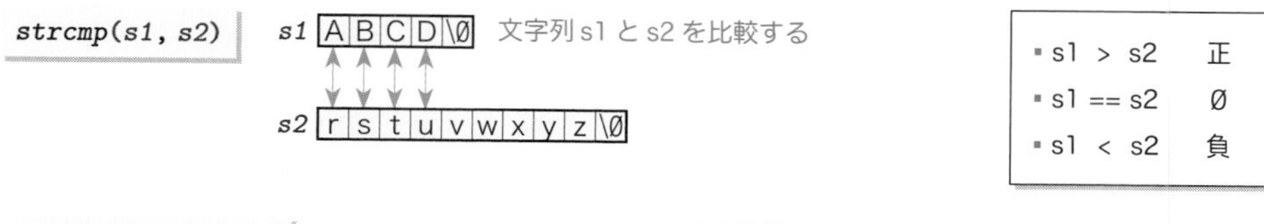

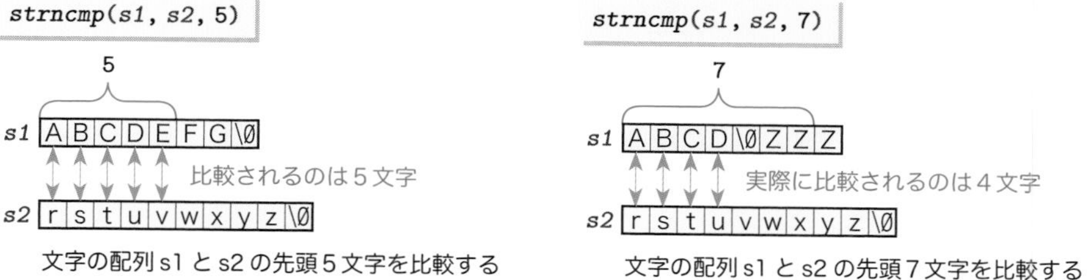

Fig.11-12 strcmp 関数と strncmp 関数の動作

演習 11-6

strcmp 関数および *strncmp* 関数と同じ仕様の関数を作成せよ。

atoi 関数／atol 関数／atoll 関数／atof 関数：文字列を数値に変換 —

"123" や "51.7" のような数値とみなせる文字列を、整数値 123 や浮動小数点数値 51.7 へと変換する文字列変換関数が提供されます。<stdlib.h> ヘッダ内で宣言されている *atoi* 関数、*atol* 関数、*atoll* 関数、*atof* 関数です。

atoi	
ヘッダ	#include <stdlib.h>
形　式	int *atoi*(const char **nptr*);
解　説	*nptr* が指す文字列を、int 型の表現に変換する。
返却値	変換された値を返す。結果の値が int 型で表現できないときの動作は定義されない。

atol	
ヘッダ	#include <stdlib.h>
形　式	long *atol*(const char **nptr*);
解　説	*nptr* が指す文字列を、long 型の表現に変換する。
返却値	変換された値を返す。結果の値が long 型で表現できないときの動作は定義されない。

atoll	
ヘッダ	#include <stdlib.h>
形　式	long long *atoll*(const char **nptr*);
解　説	*nptr* が指す文字列を、long long 型の表現に変換する。
返却値	変換された値を返す。結果の値が long long 型で表現できないときの動作は定義されない。

atof	
ヘッダ	#include <stdlib.h>
形　式	double *atof*(const char **nptr*);
解　説	*nptr* が指す文字列を、double 型の表現に変換する。
返却値	変換された値を返す。結果の値が double 型で表現できないときの動作は定義されない。

atoi 関数の動作を確認するプログラムを、右ページの **List 11-13** に示します。

＊

これらの関数の関数原型宣言を提供するヘッダ <stdlib.h> の名称は、standard library に由来します。

▶ 文字列の <string.h> や入出力の <stdio.h> などの他のヘッダとは異なって、ポリシーを感じさせない名称のヘッダです。というのも、いろいろな関数やマクロなどを各ヘッダに分類した後に、どこにも属しなかったライブラリのよせ集め的なものだからです。

List 11-13 chap11/list1113.c

```
// atoi関数の利用例

#include <stdio.h>
#include <stdlib.h>

int main(void)
{
    char str[128];

    printf("文字列を入力せよ：");
    scanf("%s", str);

    printf("整数に変換すると%dです。\n", atoi(str));

    return 0;
}
```

実行例

```
文字列を入力せよ：123
整数に変換すると123です。
```

演習 11-7

文字列 *s* を表示する関数を作成せよ。添字演算子 [ ] を使わずに実現すること。

```
void put_string(const char *s);
```

演習 11-8

文字列 *s* の中に文字 *c* が含まれている個数（含まれていなければ 0 とする）を返す関数を作成せよ。添字演算子 [ ] を使わずに実現すること。

```
int str_chnum(const char *s, int c);
```

演習 11-9

文字列 *s* の中に、文字 *c* が含まれていれば、その文字（複数含まれる場合は、最も先頭側の文字）へのポインタを返し、含まれていなければ空ポインタ (p.290) を返す関数を作成せよ。添字演算子 [ ] を使わずに実現すること。

```
char *str_chr(const char *s, int c);
```

演習 11-10

List 9-11（p.268）の関数 *str_toupper* および *str_tolower* を、添字演算子 [ ] を使わずに実現せよ。

演習 11-11

文字列 *str* 内のすべての数字文字を除去する関数を作成せよ。

```
void del_digit(char *str);
```

たとえば "AB1C9" を受け取ったら、"ABC" に更新する。添字演算子 [ ] を使わずに実現すること。

演習 11-12

atoi 関数、*atol* 関数、*atoll* 関数、*atof* 関数と同じ仕様の関数を作成せよ。

まとめ

● 文字列を表す手段の一つが、第９章で学習した配列による文字列である。

```
char a[] = "CIA";          // 配列による文字列
```

● 文字列を表すもう一つの手段が、ポインタによる文字列である。

```
char *p = "FBI";           // ポインタによる文字列
```

文字列リテラルは、先頭文字へのポインタと解釈されるため、ポインタ *p* は、文字列リテラル **"FBI"** の先頭文字 **'F'** を指すように初期化される。文字列リテラルと、それを指すポインタの両方が記憶域を占有する。

● ポインタ *p* に文字列リテラル（の先頭文字を指すポインタ）を代入すると、代入された文字列リテラル（の先頭文字）を指すように更新される。

● 文字列の配列を表す手段の一つが、配列による文字列**の配列**である。

```
char a2[][5] = {"LISP", "C", "Ada"};     // 配列による文字列の配列
```

すべての文字（２次元配列の構成要素）は、連続した領域に格納される。
配列 *a2* の記憶域を占有するバイト数は、**sizeof(a2)** で求められる。これは、２次元配列の（行数×列数）と一致する。

● 文字列の配列を表すもう一つの手段が、ポインタによる文字列**の配列**である。

```
char *p2[] = {"PAUL", "X", "MAC"};       // ポインタによる文字列の配列
```

各文字列が連続した領域に格納される保証はない。
配列 *p2* の記憶域を占有するバイト数 **sizeof(p2)** は、（**sizeof(char *)** ×要素数）である。
配列の本体とは別に、各文字列リテラルが記憶域を占有する。

● 配列の要素を指すポインタは、インクリメントされると１個後方の要素を指すように更新されて、デクリメントされると１個前方の要素を指すように更新される。

● 文字列リテラルが書きかえ可能な領域に格納されている保証はない。この領域やその前後の領域への書込みを行うべきではない。

● 文字へのポインタを返す関数の返却値は、使い回しがきく。

● 文字列処理のライブラリは、**<string.h>** ヘッダで数多く提供される。

● ***strlen*** 関数は、ナル文字を含まない文字列の長さを取得する。

● ***strcpy*** 関数は、文字列を丸ごとコピーする。***strncpy*** 関数は、文字数に制限を設けた上で文字列をコピーする。

● ***strcat*** 関数は、文字列の後ろに別の文字列を連結する。***strncat*** 関数は、文字数に制限を設けた上で文字列を連結する。

- *strcmp* 関数は、文字列の大小関係を判定する。*strncmp* 関数は、文字数に制限を設けた上で文字の配列の大小関係の判定を行う。文字列／文字の配列の大小関係は、文字コードに依存する。

- <stdlib.h> ヘッダで提供される *atoi* 関数、*atol* 関数、*atoll* 関数、*atof* 関数は、文字列を数値に変換する関数である。

chap11/summary.c

```
// 文字列と文字列の配列

#include <ctype.h>
#include <stdio.h>

//--- 文字列sを""で囲んで表示して改行 ---//
#define put_str_ln(s)  (put_str(s), putchar('\n'))

//--- 文字列sを""で囲んで表示 ---//
void put_str(const char *s)
{
    putchar('\"');
    while (*s)
        putchar(*s++);
    putchar('\"');
}

//--- 文字列を大文字に変換してコピー ---//
char *str_cpy_toupper(char *d, const char *s)
{
    char *tmp = d;

    while (*d++ = toupper(*s++))
        ;

    return tmp;
}

int main(void)
{
    char s[128], t[128];     // 配列による文字列
    char a[] = "CIA";        // 配列による文字列
    char *p  = "FBI";        // ポインタによる文字列
    char a2[][5] = {"LISP", "C", "Ada"};    // 配列による文字列の配列
    char *p2[]   = {"PAUL", "X", "MAC"};    // ポインタによる文字列の配列

    printf("文字列s = ");   scanf("%s", s);
    printf("大文字に変換して配列tにコピーしました。\n");
    printf("文字列t = %s\n", str_cpy_toupper(t, s));

    printf("a = ");   put_str_ln(a);
    printf("p = ");   put_str_ln(p);

    for (int i = 0; i < sizeof(a2) / sizeof(a2[0]); i++) {
        printf("a2[%d] = ", i);   put_str_ln(a2[i]);
    }

    for (int i = 0; i < sizeof(p2) / sizeof(p2[0]); i++) {
        printf("p2[%d] = ", i);   put_str_ln(p2[i]);
    }
}
```

実行例

```
文字列s = Five⏎
大文字に変換して配列tに
コピーしました。
文字列t = FIVE
a = "CIA"
p = "FBI"
a2[0] = "LISP"
a2[1] = "C"
a2[2] = "Ada"
p2[0] = "PAUL"
p2[1] = "X"
p2[2] = "MAC"
```

第12章

構造体

これまで三つの章にわたって、ポインタや文字列に関連したことがらを学習してきました。

本章で学習するのは、ポインタとともに、C言語習得上の難関といわれる構造体です。そもそも構造体がなぜ必要なのかといったことを含め、その本質を理解することが重要です。

きちんとマスターしましょう。

12-1 構造体

同一型のデータの集まりである配列とは異なり、いろいろな型のデータを集めて作られるのが構造体です。本節では、構造体の基礎を学習します。

データの関連性

本章の最初に検討するプログラムは、右ページに示す **List 12-1** です。学生の身長の配列 *height* と、名前の配列 *name* の両方を、**身長の昇順にソートする**プログラムです。

ソートを行う関数 *sort* は、それぞれの配列を仮引数 *num* と *str* に受け取って、配列 *num* の昇順に並ぶように**バブルソートソート**（p.234）を適用します。

赤色の部分が、『隣り合う2要素の大小関係を判定して、必要ならば交換する』箇所です。ここでは、次のことを行っています。

- **大小関係の判定**　：配列 *num* の要素の値に基づいて大小関係を判定します。
- **判定後に行う交換**：配列 *num* の要素の交換を関数 *swap_int* に依頼して、配列 *str* の要素の交換を関数 *swap_str* に依頼します。

その結果、**Fig.12-1** に示すように、ソート前の同じ添字の要素（たとえば、添字 1 の身長 175 と名前 "Sanaka"）が、ソート後も同じ添字（添字 2）の要素として格納されます。

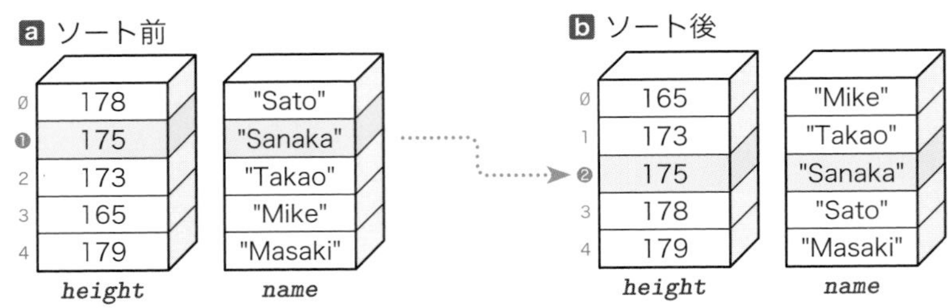

Fig.12-1 二つの配列のソート前後の状態

さて、学生のデータに double 型の体重を追加することを考えます。たとえば、*weight* といった名前の double[5] 型配列を用意することになり、さらに、*swap_double* といった名前の double 型の2値を交換する関数も必要となります。

もちろん、身長と名前の交換だけでなく、体重の交換も同時に行う必要があります。どれか1個でも交換を忘れると、整合性が失われます。

それでは、8人分の会社員のデータや、12 か月分の売上高のデータが加わるとどうなるでしょう。2～3種類の配列であれば、『*height*[1] と *name*[1]（と *weight*[1]）が同一学生のデータである』という関連性は何とか理解できるでしょう。しかし、数多くの配列を取り扱うようになると、配列や添字の関連性は、容易に理解できなくなります。

List 12-1

chap12/list1201.c

```
// 5人の学生の《名前と身長》を身長の昇順にソート

#include <stdio.h>
#include <string.h>

#define NUMBER      5       // 学生の人数
#define NAME_LEN    64      // 名前の文字数

//--- xとyが指す整数値を交換 ---//
void swap_int(int *x, int *y)
{
    int temp = *x;
    *x = *y;
    *y = temp;
}

//--- sxとsyが指す文字列を交換 ---//
void swap_str(char *sx, char *sy)
{
    char temp[NAME_LEN];

    strcpy(temp, sx);
    strcpy(sx, sy);
    strcpy(sy, temp);
}

//--- 配列numと配列strの先頭n個の要素をnumに基づいて昇順にソート ---//
void sort(int num[], char str[][NAME_LEN], int n)
{
    for (int i = 0; i < n - 1; i++) {
        for (int j = n - 1; j > i; j--) {
            if (num[j - 1] > num[j]) {              ← numに基づいて大小関係を判定
                swap_int(&num[j - 1], &num[j]);
                swap_str( str[j - 1],  str[j]);     ← numだけでなくstrも交換
            }
        }
    }
}

int main(void)
{
    int  height[] =          {178,    175,      173,     165,     179};
    char name[][NAME_LEN] = {"Sato", "Sanaka", "Takao", "Mike", "Masaki"};

    for (int i = 0; i < NUMBER; i++)
        printf("%2d : %-8s%4d\n", i + 1, name[i], height[i]);

    sort(height, name, NUMBER);      // 身長の昇順に身長と名前をソート

    puts("\n身長順にソートしました。");
    for (int i = 0; i < NUMBER; i++)
        printf("%2d : %-8s%4d\n", i + 1, name[i], height[i]);

    return 0;
}
```

実行結果

```
 1 : Sato     178
 2 : Sanaka   175
 3 : Takao    173
 4 : Mike     165
 5 : Masaki   179

身長順にソートしました。
 1 : Mike     165
 2 : Takao    173
 3 : Sanaka   175
 4 : Sato     178
 5 : Masaki   179
```

データの関連性を考慮せずに、各データごとに配列を作っていく手法には限界があります。データ間の関連性をプログラムに埋め込む必要があるようです。

構造体

学校で行われる身体検査の集計を考えます。名前の表、身長の表、体重の表といった具合に、項目ごとの表を用意することはないでしょう。

Fig.12-2 に示すように、まずは、学生ごとに１枚の**カード**を用意して、そこに名前や身長などを記入します。

そして、クラスが 50 人であれば、そのカードを 50 枚用意します。

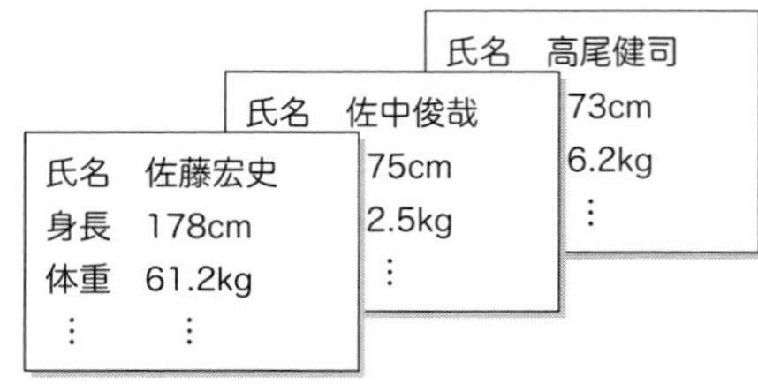

Fig.12-2 カードの集まり

＊

このような、複数のデータで構成されるカード形式のデータを表すのに最適なのが、本章で学習する構造体（structure）です。

次の３個のデータをひとまとめにする構造体の宣言を、**Fig.12-3** に示しています。

- 名前　*name*　char[64] 型
- 身長　*height*　int 型
- 体重　*weight*　double 型

```
//--- 学生を表す構造体 ---//
struct student {
    char   name[64]; // 名前
    int    height;   // 身長
    double weight;   // 体重
};
```

構造体タグ

メンバ

Fig.12-3 構造体の宣言

構造体の宣言は、**struct** で始まります。

その後ろに置かれた ***student*** が、構造体に与える名前であり、構造体タグ（structure tag）と呼ばれます。

また、**{ }** の中で宣言される ***name*** や ***height*** などは、構造体のメンバ（member）です。

ここに示す宣言は、おおまかには次のようなニュアンスです。

> **{ } の中で宣言している３個のメンバを集めて struct *student* という型を作ります。**

▶　『***student***』は単なるタグ名であり、２個の単語で構成される『**struct *student***』が型名です。これは、列挙体で『**enum** タグ名』が型名になるのと同じです（8-3 節）。
なお、宣言の末尾にセミコロン **;** が必要なのも、列挙体と同じです。

この宣言は、**Fig.12-4** に示すカードのフォーマットを作っているようなものです。

実際に書き込めるカードは、別に作る必要があります。実体であるオブジェクト（変数）の宣言・定義は、次のように行います。

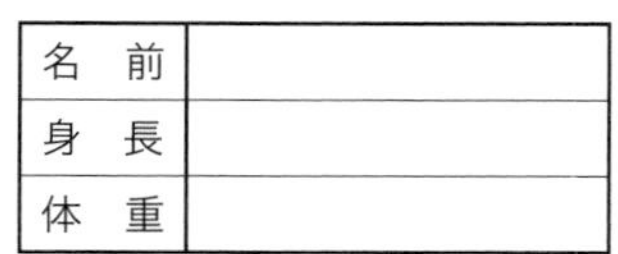

Fig.12-4 構造体の枠組み

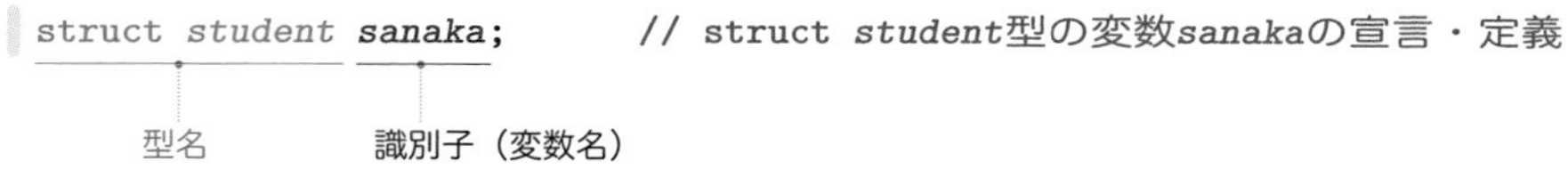

それでは、**Fig.12-5** を見ながら、構造体に対する理解を深めていきましょう。

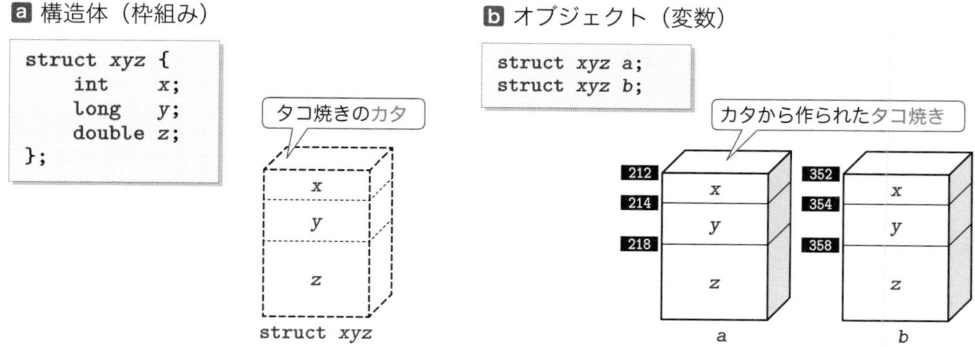

Fig.12-5 構造体の宣言とオブジェクトの定義

図a…構造体 struct xyz 型の宣言

3個のメンバ（int 型の x、long 型の y、double 型の z）で構成される構造体の宣言です。タグ名として xyz が与えられていますので、『struct xyz 型』が作られます。

これは、カードのフォーマット、あるいは、タコ焼きでいうところの**カタ**に相当します。

図b…構造体 struct xyz 型オブジェクトの定義

書き込めるカード、あるいは、本当に食べられるタコ焼きは、変数（オブジェクト）として作らなければなりません。

ここでは、『struct xyz 型』のオブジェクト a と b を宣言・定義しています。

型は点線で、オブジェクトは実線で描かれていますが、いずれも、各メンバが宣言順に並んでいます。すなわち、3個のメンバ x、y、z のアドレスは、先頭側のメンバが小さくなって、末尾側が大きくなります。

■ 型とオブジェクトを一度に定義する

構造体の宣言の際に、その型のオブジェクトを同時に定義することもできます。**Fig.12-5** の図aと図bをまとめた宣言・定義は、右のようになります。

```
struct xyz {
    int    x;
    long   y;
    double z;
} a, b;
```

▶ 列挙体と同様、タグ名を省略して宣言することもできます。

```
struct {
    // 中略
} a, b;
```

これで、構造体の型が宣言されるとともに、その型をもつオブジェクト a と b が定義されます。

構造体自体には名前が与えられていないため、プログラムの別の箇所で、この型の構造体のオブジェクトの定義ができなくなります。

構造体のメンバと . 演算子

学生を表す構造体を使うプログラムを作りましょう。**List 12-2** が、そのプログラムです。

List 12-2 chap12/list1202.c

```
// 学生を表す構造体（メンバに値を代入／コピー）

#include <stdio.h>
#include <string.h>

#define NAME_LEN    64      // 名前の文字数

//=== 学生を表す構造体 ===//
struct student {
    char   name[NAME_LEN];  // 名前
    int    height;          // 身長
    double weight;          // 体重
};

int main(void)
{
    struct student sanaka;

    strcpy(sanaka.name, "Sanaka");  // 名前
    sanaka.height = 175;            // 身長
    sanaka.weight = 62.5;           // 体重

    printf("氏名＝%s\n",   sanaka.name);
    printf("身長＝%d\n",   sanaka.height);
    printf("体重＝%.1f\n", sanaka.weight);

    return 0;
}
```

実行結果

```
氏名＝Sanaka
身長＝175
体重＝62.5
```


Fig.12-6 メンバのアクセス

struct ***student*** 型のオブジェクト **sanaka** のイメージを、**Fig.12-6** に示しています。

構造体オブジェクト内の個々のメンバのアクセスに利用するのが . 演算子（. operator）です。なお、この演算子は、一般にドット演算子と呼ばれます（**Table 12-1**）。

Table 12-1 . 演算子（ドット演算子）

. 演算子	a . b	構造体 a のメンバ b を表す。

次の式が、オブジェクト **sanaka** のメンバ ***height*** をアクセスする式です。

```
sanaka.height                // オブジェクト名.メンバ名
```

この式が表すメンバ **sanaka.*height*** は、**int** 型のオブジェクトです。そのため、普通の **int** 型の変数と同じように、値を代入したり取り出したりできます。

本プログラムでは、**sanaka** 内の3個のメンバに対して、値の代入と表示を行っています。

▶ 名前用のメンバ **sanaka.*name*** に対しては、代入ではなく、***strcpy*** 関数を使った文字列 **"Sanaka"** のコピーを行っています。

メンバの初期化

メンバへの値の設定を、変数を作る際の初期化で行うように変更しましょう。**List 12-3** に示すのが、そのプログラムです。

List 12-3 chap12/list1203.c

```
// 学生を表す構造体（メンバを初期化）

#include <stdio.h>

#define NAME_LEN    64      // 名前の文字数

//=== 学生を表す構造体 ===//
struct student {
    char   name[NAME_LEN];  // 名前
    int    height;          // 身長
    double weight;          // 体重
};

int main(void)
{
    struct student takao = {"Takao", 173};

    printf("氏名＝%s\n",   takao.name);
    printf("身長＝%d\n",   takao.height);
    printf("体重＝%.1f\n", takao.weight);

    return 0;
}
```

実行結果

```
氏名＝Takao
身長＝173
体重＝0.0
```


Fig.12-7 メンバの初期化

構造体型の変数に与える初期化子の形式は、配列と同じです。**Fig.12-7** に示すように、各メンバに与える初期化子をコンマ **,** で区切って順に並べたものを **{}** で囲みます。

▶ 最後の初期化子の後ろに **,** を置くことができるのも、配列の初期化子と同じです。

また、**{}** 内に初期化子の与えられていない要素が **0** で初期化されることも、配列と同じです。このプログラムでは、体重に対する初期化子が与えられていませんので、**takao.weight** が自動的に **0.0** で初期化されています。

重要 構造体オブジェクト *obj* 内のメンバ *mem* は、ドット演算子 **.** を使った *obj*.*mem* でアクセスする。
構造体オブジェクトの宣言時に与える初期化子は、各メンバに対する初期化子をコンマ **,** で区切ったものを並べ、それを **{}** で囲んだ形式である。**{}** 内に初期化子が不足するメンバは **0** で初期化される。

演習 12-1

List 12-3 をもとに、オブジェクト **takao** の各メンバのアドレスを表示するプログラムを作成せよ。

構造体のメンバと -> 演算子

前のプログラムでは、学生の体重がゼロになっていました。体重の値が不正（0 以下）であれば、計算によって標準体重（p.39）を求めて設定するようにしましょう。

List 12-4 に示すのが、そのプログラムです。体重を計算して値を設定するのが、関数 **set_stdweight** です。

List 12-4 chap12/list1204.c

```
// 学生の体重が不正であれば自動的に計算

#include <stdio.h>

#define NAME_LEN    64      // 名前の文字数

//=== 学生を表す構造体 ===//
struct student {
    char   name[NAME_LEN];  // 名前
    int    height;          // 身長
    double weight;          // 体重
};

//--- sが指す学生の体重が0以下であれば標準体重を代入 ---//
void set_stdweight(struct student *s)
{
    if ((*s).weight <= 0)
        (*s).weight = ((*s).height - 100) * 0.9;
}

int main(void)
{
    struct student takao = {"Takao", 173};

    set_stdweight(&takao);  // 標準体重を代入

    printf("氏名＝%s\n",   takao.name);
    printf("身長＝%d\n",   takao.height);
    printf("体重＝%.1f\n", takao.weight);

    return 0;
}
```

実行結果

```
氏名＝Takao
身長＝173
体重＝65.7
```

関数 **set_stdweight** は、学生の体重を更新する必要がありますので、仮引数が『**struct student** 型』ではなく、『**struct student *** 型』のポインタとなっています。

さて、関数内では、身長と体重のメンバを、次の式でアクセスしています。

```
(*s).height     // sが指す学生の身長
(*s).weight     // sが指す学生の体重
```

これらの式について、右ページの **Fig.12-8** を見ながら理解していきましょう。

関数 **set_stdweight** が仮引数 **s** に受け取るのは、高尾君のデータを格納した構造体オブジェクト **takao** を指すポインタ（図では **214** 番地）です。

12 構造体

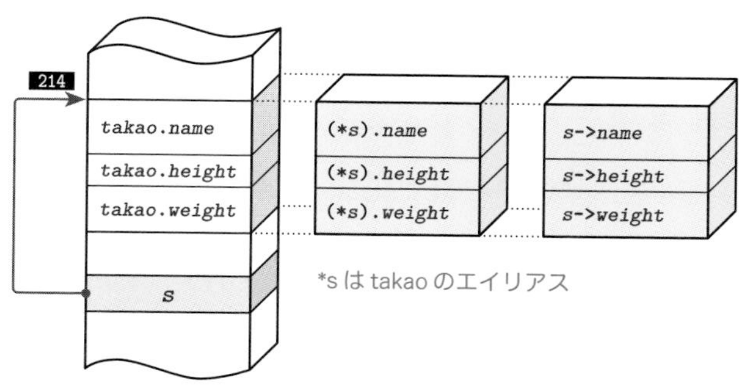

Fig.12-8 ポインタが指す構造体オブジェクトメンバのアクセス

ポインタに間接演算子 `*` を適用すれば、そのポインタが指すオブジェクトそのものを表しますから、`*s` は `takao` のエイリアスです。そのため、ポインタ `s` が指すオブジェクト `*s` の身長と体重は、`(*s).height` と `(*s).weight` でアクセスできる、というわけです。

▶ `*s` の身長メンバを `*s.height` と表記することはできません。というのも、`.` 演算子の優先順位が間接演算子 `*` よりも高く、`*(s.height)` と解釈されてしまうからです。

さて、`(*s).height` や `(*s).weight` という表記では、`()` の書き忘れなどを起こしがちです。しかし、簡潔さが売りもののC言語ですから、その点はぬかりがありません。

Table 12-2 に示す -> 演算子（-> operator）を使うことで、ポインタが指すオブジェクトのメンバをアクセスする式を簡潔に表せるようになっています。

Table 12-2 -> 演算子（アロー演算子）

-> 演算子	`a -> b`	`a` が指す構造体のメンバ `b` を表す。

この演算子は、矢印の形をしていることから、アロー演算子と呼ばれます。アロー演算子を使うと、`s` が指す構造体オブジェクトのメンバをアクセスする式は、次のようになります。

```
s->height        // sが指す学生の身長：(*s).heightのこと
s->weight        // sが指す学生の体重：(*s).weightのこと
```

この式を使うと、標準体重を求めるコードは次のようになります（"chap12/list1204a.c"）。

```
if (s->weight <= 0)
    s->weight = (s->weight - 100) * 0.9;
```

ずいぶんとスッキリしました。

重要 ポインタ `p` が指す構造体メンバ `mem` をアクセスする `(*p).mem` は、アロー演算子 `->` を使って `p->mem` と表す。

なお、`.` 演算子と `->` 演算子は、構造体のメンバをアクセスする演算子ですから、その総称はメンバアクセス演算子（member-access operator）です。

構造体と typedef

既存の型に対して、型名として振る舞う typedef 名を与える typedef 宣言について、第７章で学習しました（p.194）。その typedef 宣言をうまく利用すると、２個の単語で構成される『struct student』という型名を、１個の単語で表せるようになります。

そのように実現したプログラムを **List 12-5** に示しています。

List 12-5 chap12/list1205.c

```
// 構造体にtypedef名を与えメンバの値をキーボードから読み込む

#include <stdio.h>

#define NAME_LEN    64      // 名前の文字数

//=== 学生を表す構造体 ===//
typedef struct student {
    char   name[NAME_LEN];  // 名前
    int    height;          // 身長
    double weight;          // 体重
} Student;

int main(void)
{
    Student takao;

    printf("氏名：");  scanf("%s",  takao.name);
    printf("身長：");  scanf("%d",  &takao.height);
    printf("体重：");  scanf("%lf", &takao.weight);

    printf("氏名＝%s\n",   takao.name);
    printf("身長＝%d\n",   takao.height);
    printf("体重＝%.1f\n", takao.weight);

    return 0;
}
```

実行例

```
氏名：Takao⏎
身長：173⏎
体重：65.7⏎
氏名＝Takao
身長＝173
体重＝65.7
```


Fig.12-9 タグ名と型名

これまで同様、構造体タグ名が student で、『struct student』が型名です（**Fig.12-9**）。

その型名に、『Student』という typedef 名が同義語として定義されています。そのため、単独の『Student』も、型名として振る舞えるようになります。

重要 構造体に対して typedef 名を与えれば、１個の単語の型名で呼べるようになる。

なお、『struct student』という型名はプログラム中で使っていないため、構造体の宣言のタグ名 student は省略できます（"chap12/list1205a.c"）。

▶ 省略した場合、『struct student』は使えなくなって、『Student』だけが使えるようになります。なお、本プログラムでは、タグ名と typedef 名の違いが、先頭文字の大文字・小文字の別だけです。このような紛らわしい命名法は、おすすめできません。

さて、本プログラムでは、メンバの値を、scanf 関数を使ってキーボードから読み込んでいます。メンバ name の読込みに & 演算子が不要なのは、name が配列だからです。

構造体とプログラム

プログラム上で人間の身長を表す際は、**int** 型や **double** 型といった型のオブジェクトを使います。このとき、**Fig.12-10** に示すように、人間の身長という現実世界のオブジェクト（物）を、プログラムの世界での表現であるオブジェクト（変数）へと投影した上で、それに ***height*** といった名前を与えます。

Fig.12-10 整数型のオブジェクト

プログラムで「体重」も必要ならば、同様な投影を行って、たとえば ***weight*** といったオブジェクトを生み出すことになるでしょう。

いうまでもなく、現実の世界とプログラムの世界は、まったく異なります。人間の「身長という側面」や「体重という側面」に着目したものを、プログラムで実現したのが、***height*** や ***weight*** などの変数です。

人間の一つの側面のみに着目するのでなく、**複数の側面に着目したものが、構造体です。** すなわち、**Fig.12-11** に示すように、身長、体重などをバラバラなものとして扱うのではなく、「身長のオブジェクト」、「体重のオブジェクト」などを、ひとまとめにしたオブジェクトとして表現します（**Fig.12-11**）。

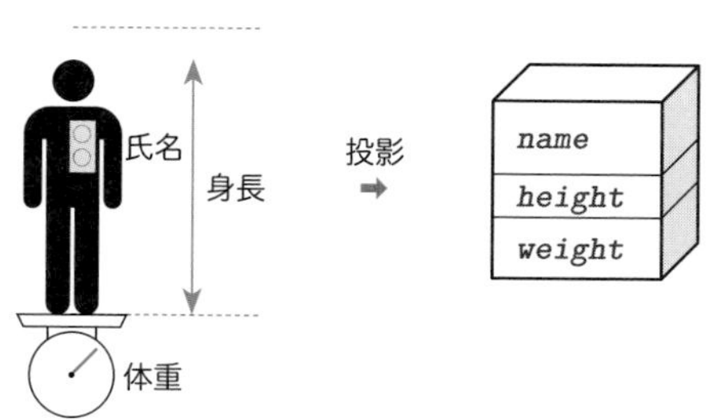

Fig.12-11 構造体型のオブジェクト

扱う問題の性格などにもよりますが、現実の世界からプログラムの世界への投影は、**『まとめるべきものはまとめる』**、あるいは、**『もともとまとまっているものは、そのままにする』** といった方針にのっとったほうが、より自然で素直なものとなります。

構造体は、プログラムを素直かつ簡潔にするものです。

集成体型

複数のオブジェクトの集まりを扱うという性質上、配列と構造体には、数多くの共通点があります。そのため、これら二つは、集成体型（aggregate type）と総称されます。

ただし、次のように、異なる点もあります。

■ 要素型

配列は『同じ型』のデータの集合を効率よく表すデータ構造です。

一方の**構造体**は、一般には『異なる型』のデータの集合を表すためのデータ構造です（もちろん、すべてのメンバがたまたま同じ型ということもあります）。

■ 代入の可否

配列は、たとえ要素数が同じであっても、代入を行えないことは、第 5 章と第 10 章で学習しました。

一方、同じ型の構造体は代入可能です。右の例であれば、*y* の全メンバの値が、*x* のメンバに代入されます。

```
int a[6], b[6];
a = b;        // エラー
```

```
struct student x, y;
x = y;        // ＯＫ！
```


構造体の値を返却する関数

構造体が代入可能であるため、関数が返却する値の型を構造体にできます。右ページの **List 12-6** のプログラムで確認しましょう。

▶ 配列は、代入不可能ですから、配列を返却する関数を定義することはできません。

関数 *xyz_of* は、仮引数 *x*、*y*、*z* に受け取った値を、**struct** *xyz* 型の *temp* の各メンバに代入し、その構造体の値をそっくり返す関数です。

赤い部分では、**Fig.12-12** に示すように、関数 *xyz_of* が返す構造体の値が、そのまま変数 *s* に代入されています。

▶ 関数呼出し式を評価すると、関数の返却値が得られることは、第 6 章で学習しました。
関数呼出し式 *xyz_of*(12, 7654321, 35.689) の評価で得られるのは、**型**は『**struct** *xyz* 型』であって、**値**は三つのメンバをセットにした {12, 7654321, 35.689} です。

演習 12-2

int 型と **long** 型と **double** 型の値をキーボードから読み込んで、その値をメンバとしてもつ *xyz* 構造体の値を返却する関数を作成せよ。

```
struct xyz scan_xyz();
```

演習 12-3

名前と身長と体重を読み込んで、その値をメンバとしてもつ *Student* 型の値を返却する関数を作成せよ。

```
Student scan_Student();
```

List 12-6 chap12/list12Ø6.c

```
// 構造体を返却する関数

#include <stdio.h>

//=== xyz構造体 ===//
struct xyz {
    int    x;
    long   y;
    double z;
};

//--- {x,y,z}の値をもつxyz構造体を返却する ---//
struct xyz xyz_of(int x, long y, double z)
{
    struct xyz temp;

    temp.x = x;
    temp.y = y;
    temp.z = z;
    return temp;        ←構造体を丸ごと返却
}

int main(void)
{
    struct xyz s;

    s = xyz_of(12, 7654321, 35.689);

    printf("xyz.x = %d\n",  s.x);
    printf("xyz.y = %ld\n", s.y);
    printf("xyz.z = %f\n",  s.z);

    return Ø;
}
```

実行結果

```
xyz.x = 12
xyz.y = 7654321
xyz.z = 35.689ØØØ
```

関数 xyz_of が返却する temp の全メンバが
s の全メンバに代入される

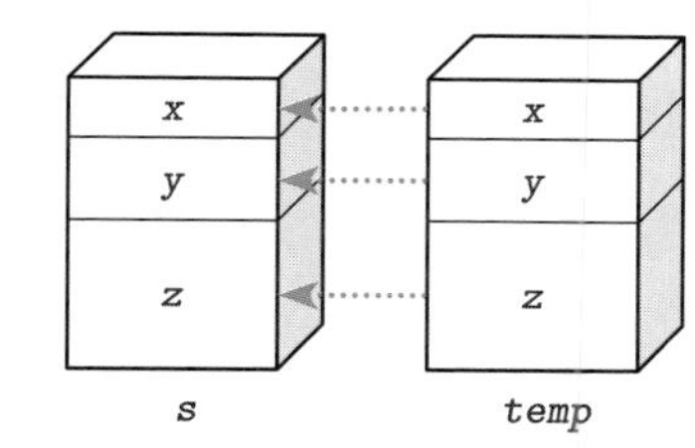

Fig.12-12 構造体の代入

名前空間

第 8 章では、名前空間（name space）が異なれば、同じ綴り（つづ）りの識別子（名前）を使えることを簡単に学習しました（p.239）。

名前空間は、次の4種類があります。

1. ラベル名
2. タグ名
3. メンバ名
4. 一般的な識別子

```
int main(void)
{
    struct x {      // タグ名
        int x;      // メンバ名
        int y;
    } x;            // 変数名

x:                  // ラベル名
    x.x = 1;        // 変数名.メンバ名
    x.y = 5;        // 変数名.メンバ名

    return Ø;
}
```

右に示すプログラムでは、同一名の **x** をタグ名、メンバ名、オブジェクト（変数）名、ラベル名として使用しています。

このように、異なる名前空間に属するのであれば、同一有効範囲内において同じ名前を与えても、エラーになることはありません。

構造体の配列

本章冒頭の問題を解決しましょう。ここまでの学習で、次のように実現すればよいことが分かったはずです。

- 名前と身長と体重のデータをひとまとめにした構造体で学生を表す。
- 5人の学生のデータは、構造体を要素型とする配列に格納する。
- その構造体の配列を身長順にソートする。

右ページの **List 12-7** に示すのが、そのプログラムです。

関数 ***swap_Student*** は、二つのポインタ ***x*** と ***y*** が指す ***Student*** 型構造体オブジェクトの値を交換する関数です。

名前用の文字列を交換する関数、身長用の **int** 型の２値を交換する関数、体重用の **double** 型の２値を交換する関数を個別に作成する必要性から解放されています。また、配列や添字間の関連性が不明になる、という問題が生じることもありません。

派生型

構造体は、いろいろな型のオブジェクトを組み合わせて作るものです。ここでは、その構造体が集まった**配列**を作り出しました。このように、C言語では、いろいろな派生の方法を組み合わせて、無限ともいえる型を作り出せるようになっています。

作り出された型は、派生型（derived type）と呼ばれます。派生では、次の型を作ることができます（組合せも自由です）。

- 配列型（array type）

ある要素型のオブジェクトをもつ集合を連続して記憶域に割り当てます（第５章）。

- 構造体型（structure type）

メンバを宣言順に記憶域に割り当てます。各メンバの型は異なっていても構いません（本章）。

- 共用体型（union type）

メンバが重なり合って割り付けられます。

- 関数型（function type）

一つの返却値型と、0 個以上の仮引数（の個数と型）から作り出されます（第６章）。

- ポインタ型（pointer type）

オブジェクトあるいは関数を指す型として作り出されます（第 10 章）。

▶ 共用体と、関数を指すポインタについては、本書『入門編』の学習の対象外です。

List 12-7 chap12/list1207.c

```
// ５人の学生を身長の昇順にソート

#include <stdio.h>
#include <string.h>

#define NUMBER      5       // 学生の人数
#define NAME_LEN    64      // 名前の文字数

//=== 学生を表す構造体 ===//
typedef struct {
    char   name[NAME_LEN];  // 名前
    int    height;          // 身長
    double weight;          // 体重
} Student;

//--- xおよびyが指す学生を交換 ---//
void swap_Student(Student *x, Student *y)
{
    Student temp = *x;
    *x = *y;
    *y = temp;
}

//--- 学生の配列aの先頭n個の要素を身長の昇順にソート ---//
void sort_by_height(Student a[], int n)
{
    for (int i = 0; i < n - 1; i++) {
        for (int j = n - 1; j > i; j--)
            if (a[j - 1].height > a[j].height)      ← heightに基づいて大小関係を判定
                swap_Student(&a[j - 1], &a[j]);     ← 構造体ごと交換
    }
}

int main(void)
{
    Student std[] = {
        {"Sato",   178, 61.2},      // 佐藤君
        {"Sanaka", 175, 62.5},      // 佐中君
        {"Takao",  173, 86.2},      // 高尾君
        {"Mike",   165, 72.3},      // Mike君
        {"Masaki", 179, 77.5},      // 真崎君
    };

    for (int i = 0; i < NUMBER; i++)
        printf("%-8s %6d%6.1f\n", std[i].name, std[i].height, std[i].weight);

    sort_by_height(std, NUMBER);    // 身長の昇順にソート

    puts("\n身長順にソートしました。");
    for (int i = 0; i < NUMBER; i++)
        printf("%-8s %6d%6.1f\n", std[i].name, std[i].height, std[i].weight);

    return 0;
}
```

実行結果

```
Sato        178  61.2
Sanaka      175  62.5
Takao       173  86.2
Mike        165  72.3
Masaki      179  77.5

身長順にソートしました。
Mike        165  72.3
Takao       173  86.2
Sanaka      175  62.5
Sato        178  61.2
Masaki      179  77.5
```

演習 12-4

List 12-7 を次のように書きかえたプログラムを作成せよ。

- 名前や身長などのデータは、初期化子として与えるのではなく、キーボードから読み込む。
- 身長の昇順にソートするのか、名前の昇順でソートするのかを選べるようにする。

12-2 メンバとしての構造体

構造体のメンバは、int 型や double 型などの基本型ではなく、配列や構造体であっても構いません。本節では、メンバが構造体となっている構造体を学習します。

座標を表す構造体

座標を構造体で表すことを考えます。**List 12-8** に示すのは、XとYの二つの座標で表される構造体 *Point* を定義するとともに、2点間の距離を求めるプログラムです。

List 12-8 chap12/list1208.c

```
// 2点間の距離を求める

#include <math.h>
#include <stdio.h>

#define sqr(n)  ((n) * (n))      // 2乗値を求める

//=== 点の座標を表す構造体 ===//
typedef struct  {
    double x;   // X座標
    double y;   // Y座標
} Point;

//--- 点p1と点p2の距離を返す---//
double distance_of(Point p1, Point p2)
{
    return sqrt(sqr(p1.x - p2.x) + sqr(p1.y - p2.y));
}

int main(void)
{
    Point crnt, dest;

    printf("現在地のX座標：");   scanf("%lf", &crnt.x);
    printf("          Y座標：");   scanf("%lf", &crnt.y);
    printf("目的地のX座標：");   scanf("%lf", &dest.x);
    printf("          Y座標：");   scanf("%lf", &dest.y);

    printf("目的地までの距離は%.2fです。\n", distance_of(crnt, dest));

    return 0;
}
```

実行例

```
現在地のX座標：0.0⏎
      Y座標：0.0⏎
目的地のX座標：12.0⏎
      Y座標：6.0⏎
目的地までの距離は13.42です。
```

点の座標を表す構造体には、タグ名は与えられず、*Point* という **typedef** 名のみが与えられています。右ページの **Fig.12-13** a に示すように、この構造体は、**double** 型のメンバ *x* と *y* で構成されます。

関数 *distance_of* は、引数に受け取った点 *p1* と *p2* のあいだの距離を求める関数です。

▶ 2点間の距離を求める方法は、**List 7-11**（p.217）で学習しました。

main 関数では、現在地 *crnt* と目的地 *dest* の値を読み込んで、その距離を表示します。

構造体のメンバをもつ構造体

次に考えるのは、自動車を表す構造体です。メンバは、現在地の座標と、残り燃料の二つとします。座標を `Point` で表すと、図**b**のように宣言できます。

▶ 本構造体にも、タグ名は与えられずに `typedef` 名のみが与えられています。

a 点の座標を表す構造体

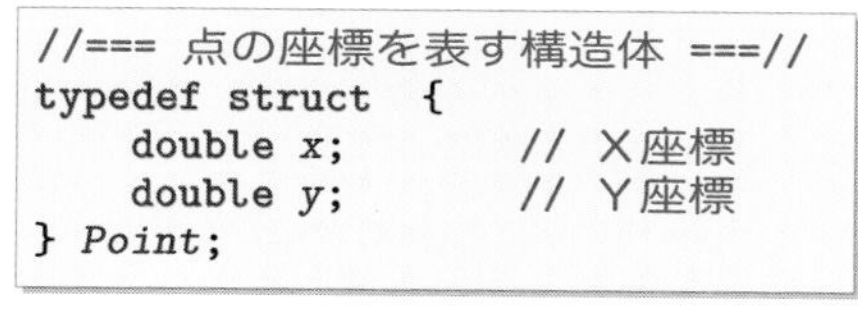

```
//=== 点の座標を表す構造体 ===//
typedef struct  {
    double x;          // X座標
    double y;          // Y座標
} Point;
```

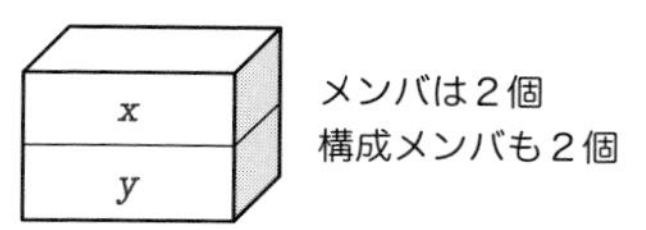

b 自動車を表す構造体

```
//=== 自動車を表す構造体 ===//
typedef struct  {
    Point  pt;         // 現在位置
    double fuel;       // 残り燃料
} Car;
```

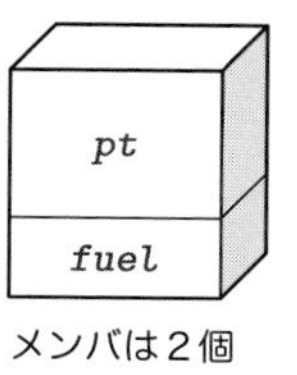

メンバは２個

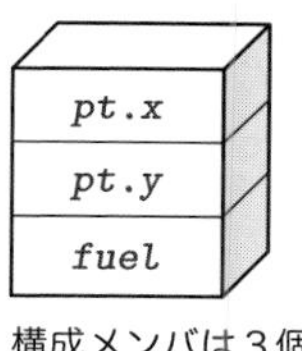

構成メンバは３個

Fig.12-13 構造体オブジェクトのメンバと構成メンバ

Car のメンバは2個ですが、座標用のメンバ `pt` 自体が、２個のメンバをもつ `Point` 型の構造体です。そのため、メンバは全部で3個であるともいえます。

本書では、これ以上分解できないメンバを**構成メンバ**と呼ぶことにします。そうすると、`Car` のメンバは次のようになります

- **メンバ**　：*pt* と *fuel* の２個。
- **構成メンバ**：*pt.x* と *pt.y* と *fuel* の３個。

さて、この `Car` 型のオブジェクトは、次のように宣言・定義できます。

```
Car c;        // Car型のオブジェクトc
```

オブジェクト `c` のメンバをアクセスする式は、`c.pt` と `c.fuel` であり、`c.pt` 中の構成メンバをアクセスする式は、ドット演算子を２重に適用した式 `c.pt.x` と `c.pt.y` です。

▶ ドット演算子は左結合ですから、`c.pt.x` は、`(c.pt).x` のことです（結合が左から行われるため、`c.pt` を囲む `()` は省略可能です：`(a + b) + c` と `a + b + c` が同じであるのと同じ理屈です）。

＊

自動車 `Car` を利用するプログラムを、次ページの **List 12-9** に示します。このプログラムは、対話的に自動車を移動するプログラムです。なお、燃費を 1 としていますので、距離を 1 だけ走行すると、燃料も 1 だけ減ります。

12-2 メンバとしての構造体

List 12-9 chap12/list1209.c

```
// 自動車の移動

#include <math.h>
#include <stdio.h>

#define sqr(n)  ((n) * (n))

//=== 点の座標を表す構造体 ===//
typedef struct  {
    double x;    // X座標
    double y;    // Y座標
} Point;

//=== 自動車を表す構造体 ===//
typedef struct  {
    Point  pt;        // 現在位置
    double fuel;      // 残り燃料
} Car;

//--- 点p1と点p2の距離を返す---//
double distance_of(Point p1, Point p2)
{
    return sqrt(sqr(p1.x - p2.x) + sqr(p1.y - p2.y));
}

//--- 自動車の現在位置と残り燃料を表示 ---//
void put_info(Car c)
{
    printf("現在位置：(%.2f, %.2f)\n", c.pt.x, c.pt.y);
    printf("残り燃料：%.2fリットル\n", c.fuel);
}

//--- cの指す車を目的座標destに移動 ---//
int move(Car *c, Point dest)
{
    double d = distance_of(c->pt, dest);     // 移動距離             ―1
    if (d > c->fuel)                         // 移動距離が燃料を超過  ―2
        return 0;                            // 移動不可
    c->pt = dest;           // 現在位置を更新（destに移動）           ―3
    c->fuel -= d;           // 燃料を更新（移動距離dの分だけ減る）    ―4
    return 1;                                // 移動成功
}

int main(void)
{
    Car mycar = {{0.0, 0.0}, 90.0};
    while (1) {
        int select;
        Point dest;             // 目的地の座標
        put_info(mycar);        // 現在位置と残り燃料を表示
        printf("移動しますか【Yes…1／No…0】：");
        scanf("%d", &select);
        if (select != 1) break;
        printf("目的地のX座標：");  scanf("%lf", &dest.x);
        printf("        Y座標：");  scanf("%lf", &dest.y);
        if (!move(&mycar, dest))
            puts("\a燃料不足で移動できません。");
    }
    return 0;
}
```

Point 型メンバ pt に対する初期化子

double 型メンバ fuel に対する初期化子

実行例

```
現在位置：(0.00, 0.00)
残り燃料：90.00リットル
移動しますか【Yes…1／No…0】：1⏎
目的地のX座標：15.0⏎
        Y座標：20.0⏎
現在位置：(15.00, 20.00)
残り燃料：65.00リットル
移動しますか【Yes…1／No…0】：1⏎
目的地のX座標：55.5⏎
        Y座標：33.3⏎
現在位置：(55.50, 33.30)
残り燃料：22.37リットル
移動しますか【Yes…1／No…0】：1⏎
目的地のX座標：100⏎
        Y座標：100⏎
♪燃料不足で移動できません。
現在位置：(55.50, 33.30)
残り燃料：22.37リットル
移動しますか【Yes…1／No…0】：0⏎
```

▶ 関数形式マクロ sqr ／構造体 Point ／関数 distace_of は、前のプログラムと同じです。

自動車を移動する関数 **move** は、２個の引数を受け取ります。第１引数 **c** は **Car** 型の自動車オブジェクトへのポインタで、第２引数 **dest** は目的地を表す **Point** 型の座標です。

移動の処理は、次のように行っています。

1 移動先までの距離を求める

関数 **distance_of** を呼び出して、現在位置 **c->pt** と目的地 **dest** のあいだの距離を求め、その距離で変数 **d** を初期化します。

▶ **Fig.12-14** に示すように、**c->pt** は、**main** 関数で定義された **mycar.pt** のエイリアスです。

2 残り燃料をチェックする

移動距離 **d** が、残り燃料より大きければ移動は不可能です。処理を中断して **0** を返却します。

3 現在位置を更新する

自動車の現在位置を更新します。具体的には、**c->pt** を、**dest** と同じ値に更新します。

4 燃料を更新する

移動に伴って、距離と同じだけの燃料が減ります。**c->fuel** から **d** を減じます。

main 関数では、現在位置と残り燃料の表示を行った後に、移動先座標を読み込んで、自動車の移動を行う、という処理を対話的に繰り返します。

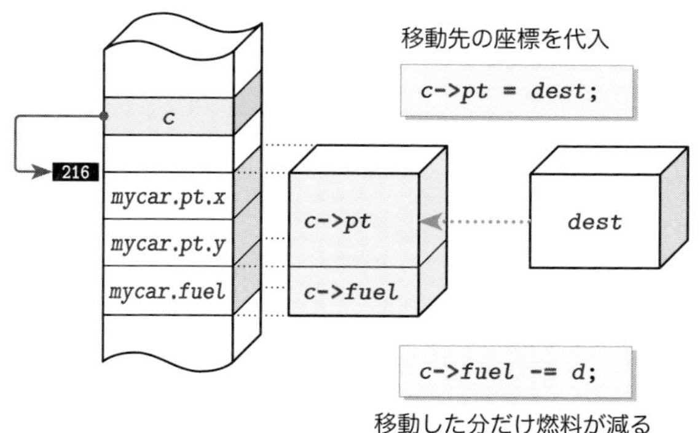

Fig.12-14 関数 move による自動車のメンバの値の更新

演習 12-5

List 12-9 を書きかえて、移動目的地の座標を入力させる方法と、X 方向と Y 方向の移動距離を入力させる方法の両方から選択できるように変更したプログラムを作成せよ。

例：現在地が **{5.0, 3.0}** で、**{7.5, 8.9}** に移動したいとする。座標入力時には **7.5** と **8.9** を入力させて、移動距離入力時には **2.5** と **5.9** を入力させる。

まとめ

- 基本型を組み合わせて作られる派生型には、次の５種類がある。
  - 配列型　　Type *a1*[*n*];
  - 構造体型　　struct { Type *m1*; Type *m2*; /* … */ } *a2*;
  - 共用体型　　union { Type *m1*; Type *m2*; /* … */ } *a3*;
  - 関数型　　Type *a4*(Type *p1*, Type *p2*, /* … */) { /* … */ }
  - ポインタ型　　Type **a5*;

- 複数のデータの集まりをプログラムに投影する際は、まとまった状態のまま投影するとよい。そのような構造の実現に最適なのが、任意の型のデータの集まりを表す構造体である。

- 構造体を構成する要素が、メンバである。メンバは構造体であってもよく、それ以上分解できないメンバが、構成メンバである。

- 構造体メンバは、宣言の順序と同じ並びで記憶域上に配置される。

- 構造体にタグ名を与えると、２個の単語で構成される『**struct タグ名**』が型名となる。タグ名を与えない場合、構造体の宣言とは別の場所において、その構造体型のオブジェクトを定義できなくなる。

- 構造体に **typedef** 名を与えると、１個の単語である **typedef** 名が型名として振る舞うようになる。

- 構造体オブジェクトの宣言時に与える初期化子は、各メンバに対する初期化子の後ろにコンマ **,** を置いて並べたものを **{}** で囲んだ形式である（最後のコンマは省略できる）。**{}** 内に初期化子が省略されたメンバは **0** で初期化される。

- 構造体オブジェクト ***obj*** 内のメンバ ***mem*** をアクセスする式は ***obj*.*mem*** である。メンバアクセス演算子 **.** は、ドット演算子と呼ばれる。

- ポインタ ***p*** が指す構造体オブジェクト内のメンバ ***mem*** をアクセスする式は **(**p*).*mem*** あるいは ***p*->*mem*** である。メンバアクセス演算子 **->** はアロー演算子と呼ばれる。

- 複数のオブジェクトの集まりを扱うという性質上、**配列**と**構造体**には、数多くの共通点があり、それらの総称が、集成体型である。

- 配列が、たとえ要素数が同じであっても代入を行えないのに対し、構造体は同じ型であれば代入が可能である。構造体オブジェクトの代入を行うと、代入元オブジェクトの全メンバが代入先の全メンバにコピーされる。

- 関数は、配列の返却は不可能であるが、構造体の返却は可能である。

- 名前空間は、次の４種類に分類される。
  - ラベル名
  - タグ名
  - メンバ名
  - 一般的な識別子

chap12/summary.c

```
// 日付を表す構造体と人間を表す構造体

#include <stdio.h>

#define NAME_LEN    128     // 氏名の文字数

//=== 日付 ===//
struct Date {
    int y;      // 年
    int m;      // 月
    int d;      // 日
};

//=== 人間 ===//
typedef struct {
    char name[NAME_LEN];    // 氏名
    struct Date birthday;   // 誕生日
} Human;

//--- ポインタhが指す人間の氏名と誕生日を表示 ---//
void print_Human(const Human *h)
{
    printf("%s (%04d年%02d月%02d日生まれ) \n",
                h->name, h->birthday.y, h->birthday.m, h->birthday.d);
}

int main(void)
{
    struct Date today;      // 今日の日付

    Human member[] = {
        {"古賀政男", {1904, 11, 18}},
        {"柴田望洋", {1963, 11, 18}},
        {"岡田准一", {1980, 11, 18}},
    };

    printf("今日の日付を入力せよ。\n");
    printf("年 : ");    scanf("%d", &today.y);
    printf("月 : ");    scanf("%d", &today.m);
    printf("日 : ");    scanf("%d", &today.d);

    printf("今日は%d年%d月%d日ですね。\n", today.y, today.m, today.d);

    printf("--- 会員一覧表 ---\n");
    for (int i = 0; i < sizeof(member) / sizeof(member[0]); i++)
        print_Human(&member[i]);

    return 0;
}
```

実行例

```
今日の日付を入力せよ。
年 : 2025↵
月 : 9↵
日 : 11↵
今日は2025年9月11日ですね。
--- 会員一覧表 ---
古賀政男 (1904年11月18日生まれ)
柴田望洋 (1963年11月18日生まれ)
岡田准一 (1980年11月18日生まれ)
```

第13章

ファイル処理

プログラム上で、計算や文字列の処理などを行っても、実行終了とともに、その結果が消え去ってしまうのでは、はかないですね。
本章では、データを長期的に保存するために必要なファイル処理に関する基本を学習します。

13-1 ファイルとストリーム

画面、キーボード、ファイルなどに対する入出力を行う際は、文字が流れる川ともいえるストリームを利用します。本節では、ファイルとストリームについて学習します。

ファイルとストリーム

プログラム上で行った処理や計算によって得られた結果は、実行終了とともに消えてしまいます。終了後にも保存の必要がある数値や文字列などは、ファイル（file）に書き込んでおく必要があることは、ご存知でしょう。

ファイルを含めて、キーボード、ディスプレイ、プリンタなどに対するデータの読み書きに使われているのが、ストリーム（stream）です。ストリームとは、**文字が流れる川**のようなものと考えるとよいでしょう。

前章までのプログラムで利用してきた ***printf*** 関数や ***scanf*** 関数などの関数は、ストリームに対して入出力を行います。

そのイメージを表したのが、**Fig.13-1** です。***printf*** 関数は、**'A'**、**'B'**、**'C'** という3個の文字を、ディスプレイに接続されたストリームに対して流し込みます。

また、キーボードから入力された文字もストリーム上を流れてきます。***scanf*** 関数は、それらを取り出して、その値を（文字の並びを整数値に変換した上で）変数 **x** に格納します。

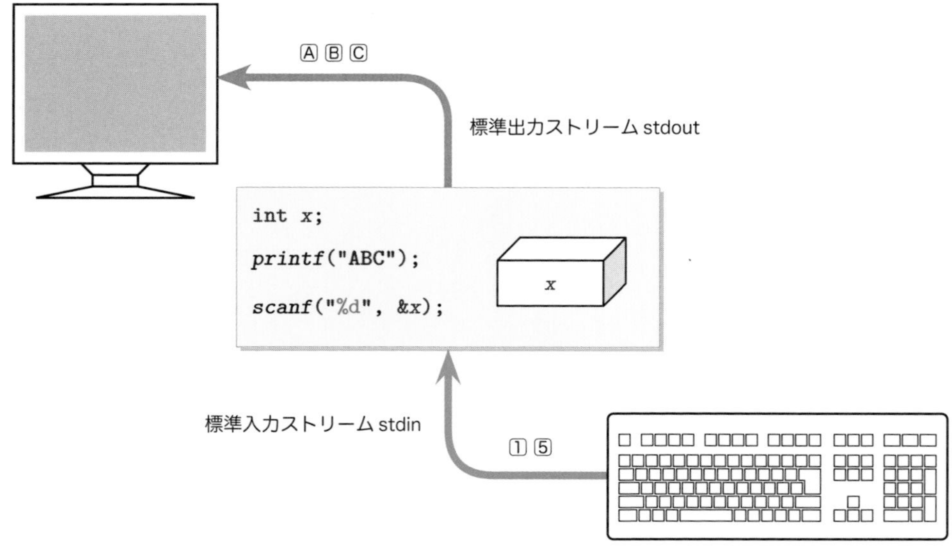

Fig.13-1 ストリームと入出力

標準ストリーム

このような入出力が行えるのは、標準ストリーム（standard stream）と呼ばれるストリームが、C言語プログラムの実行開始時に準備されるからです。

標準ストリームには、次の3種類のストリームがあります。

▪ stdin … 標準入力ストリーム（standard input stream）

通常の入力を読み取るためのストリームです。ほとんどの環境では、**キーボード**に割り当てられています。***scanf*** 関数や ***getchar*** 関数などの関数は、このストリームから文字を読み取ります。

▪ stdout … 標準出力ストリーム（standard output stream）

通常の出力を書き込むためのストリームです。ほとんどの環境では、**ディスプレイ画面**に割り当てられています。***printf*** 関数や ***puts*** 関数や ***putchar*** 関数などの関数は、このストリームに文字を書き込みます。

▪ stderr … 標準エラーストリーム（standard error stream）

エラーを書き出すためのストリームです。ほとんどの環境では、標準出力ストリームと同様に、**ディスプレイ画面**に割り当てられています。

FILE 型

標準ストリームを表す **stdin**、**stdout**、**stderr** の型は、FILE 型オブジェクトへのポインタ型、すなわち『FILE ＊型』です。

FILE 型は、**<stdio.h>** ヘッダで定義されています。ストリームの制御に必要な情報を保存するための型であり、次のデータを含んでいます。

▪ ファイル位置表示子（file position indicator）

現在アクセスしているアドレスを記録します。

▪ エラー表示子（error indicator）

読取りエラーまたは書込みエラーが起こったかどうかを記録します。

▪ ファイル終了表示子（end-of-file indicator）

ファイルの終わりに達したかどうかを記録します。

ストリームを通じた入出力では、これらの情報をもとに処理を行います。もちろん、処理の結果に応じて、その情報が更新されます。**FILE** 型の具体的な実現法は、処理系によって異なりますが、通常は**構造体**で実現されます。

ファイルのオープン

私たちがノートを使うときは、まず最初に開きます。それからページをめくって読んだり、適当な場所に書き込んだりします。プログラムでも同様であり、まず最初に開きます。

ファイルを開く操作がオープン（open）であり、右ページに仕様を示す fopen 関数を使って行います。

重要 ファイルを使うときは、まず fopen 関数でオープンする。

fopen 関数の呼出し時は、次の引数を与えます。

- 第1引数 … オープンするファイル名。
- 第2引数 … ファイルの種類やモード。

Fig.13-2 に示すのは、ファイル "abc.txt" を読取りモード "r" でオープンする例です。

▶ ファイルの種類として、**テキストファイル**と**バイナリファイル**とがあります。本節では前者を学習し、次節で後者を学習します。

呼び出された fopen 関数は、オープンするファイル用のストリームを準備して、そのストリームの制御のための情報を格納する FILE 型オブジェクトへのポインタを返します。

いったんファイルをオープンした後は、その FILE * 型のポインタを通じて、ストリームに対する指示を行います。

▶ FILE 型のオブジェクトは fopen 関数が用意しますが、それを指すための FILE * 型のポインタ変数は、プログラム側で準備する必要があります。

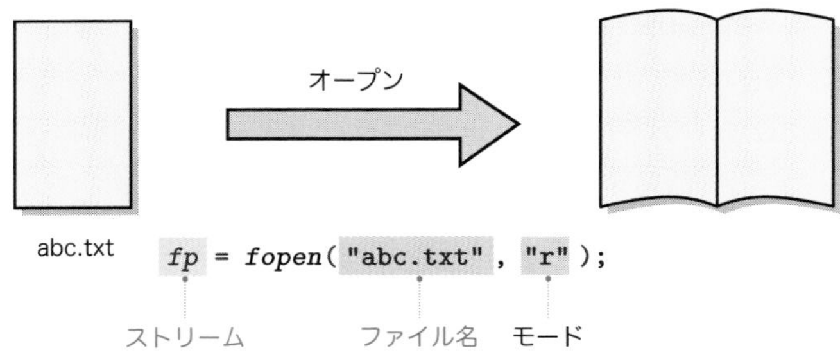

Fig.13-2 ファイルのオープン

FILE * 型ポインタの変数名は任意ですので、ここでは fp としています。なお、その fp はストリームの実体を指すポインタですから、厳密には『ポインタ fp が指すストリーム』と呼ぶべきでしょうが、これ以降は、単に『ストリーム fp』と呼びます。

＊

なお、オープンに失敗したときは、fopen 関数は、空ポインタを返却します。

▶ 空ポインタが、いかなるオブジェクトも指さないポインタであること、空ポインタ定数が NULL であることは、p.290 で学習しました。

fopen

ヘッダ `#include <stdio.h>`

形　式 `FILE *fopen(const char * restrict filename, const char * restrict mode);`

解　説

filename が指す文字列を名前とするファイルをオープンし、そのファイルにストリームを結び付ける。

実引数 *mode* が指す文字列は、次の文字の並びのいずれかで始まる。

- **r**　テキストファイルを読取りモードでオープンする。
- **w**　テキストファイルを書込みモードで生成するか、または長さ 0 に切り捨てる。
- **a**　追加、すなわちテキストファイルをファイルの終わりの位置からの書込みモードでオープンまたは生成する。
- **rb**　バイナリファイルを読取りモードでオープンする。
- **wb**　バイナリファイルを書込みモードで生成するか、または長さ 0 に切り捨てる。
- **ab**　追加、すなわちバイナリファイルをファイルの終わりの位置から書込みモードでオープンまたは生成する。
- **r+**　テキストファイルを更新（読取りと書込み）モードでオープンする。
- **w+**　テキストファイルを更新モードで生成するか、または長さ 0 に切り捨てる。
- **a+**　追加、すなわちテキストファイルをファイルの終わりの位置から書込みをする更新モードでオープンまたは生成する。
- **r+b** または **rb+**　バイナリファイルを更新（読取りと書込み）モードでオープンする。
- **w+b** または **wb+**　バイナリファイルを更新モードで生成するか、または長さ 0 に切り捨てる。
- **a+b** または **ab+**　追加、すなわちバイナリファイルをファイルの終わりの位置から書込みをする更新モードでオープンまたは生成する。

存在しないファイルまたは読取り操作が許されていないファイルに対する読取りモードでのオープン（*mode* の最初の文字が **'r'** の場合）は失敗する。

追加モードでオープン（*mode* の先頭文字が **'a'** の場合）されたファイルへのオープン後の書込み操作は、すべてファイルの終わりに対して行われる。その間に **fseek** 関数を呼び出しても無視される。バイナリファイルにナル文字のつめ物をする処理系では、バイナリの追加モードでのオープン時（*mode* の先頭文字が **'a'** で、**'b'** が２番目または３番目の文字の場合）には、そのストリームに対するファイル位置表示子を、ファイルに書かれているデータの最後を越えた位置にセットすることもある。

更新モードでオープン（**'+'** が *mode* の２番目または３番目の文字である場合）されたファイルに結び付けられたストリームに対しては、入力操作と出力操作を許す。ただし、出力操作の後に入力操作を行う場合、この二つの操作の間にファイル位置付け関数（**fseek**、**fsetpos** もしくは **rewind**）を呼び出さなければならない。さらに入力操作がファイルの終わりを検出した場合を除いて、入力操作の後で出力操作を行うときは、その二つの操作の間にファイル位置付け関数を呼び出さなければならない。処理系によっては、更新モードでのテキストファイルのオープン（または生成）を、同じモードでのバイナリストリームのオープン（または生成）に代えても構わない。

オープンしたストリームが対話装置に結び付けられていないことが認識できる場合、そしてその場合に限り、そのストリームを完全バッファリングする。オープン時に、ストリームに対するエラー表示子とファイル終了表示子をクリアする。

返却値　オープンしたストリームを制御するオブジェクトへのポインタを返す。オープン操作が失敗したとき、空ポインタを返す。

ファイルをオープンする際に指定する、4種類のモードの概略は、次のとおりです。

- 読取りモード … ファイルからの入力だけを行う。
- 書込みモード … ファイルへの出力だけを行う。
- 更新モード … ファイルに対する入出力を行う。
- 追加モード … ファイルの末尾位置以降への出力を行う。

これらのモードについては、少しずつ学習していきます。

ファイルのクローズ

ノートへの読み書きが終わったら閉じるのと同様に、ファイルを使い終わったら、ファイルとストリームの結び付きを切り離してストリームを破棄します。

この作業が、ファイルの**クローズ**（close）であり、下に仕様を示す ***fclose*** 関数を使って行います。

	fclose
ヘッダ	`#include <stdio.h>`
形　式	`int fclose(FILE *stream);`
解　説	*stream* が指すストリームをフラッシュし、そのストリームに結び付けられたファイルをクローズする。そのストリームに対してバッファリングされただけでまだ書き込まれていないデータは、ホスト環境に引き渡し、ホスト環境がそのデータをファイルに書き込む。バッファリングされただけでまだ読み取られていないデータは切り捨てる。そしてそのストリームをファイルから切り離す。そのストリームに結び付けられたバッファが自動的に割り付けられたものであれば、そのバッファを解放する。
返却値	ストリームのクローズに成功すれば `0` を、何らかのエラーを検出すれば `EOF` を返す。

ファイルをクローズする様子を **Fig.13-3** に示しています。ファイルをオープンしたときに ***fopen*** 関数が返したポインタを ***fclose*** 関数に渡すだけで OK です。

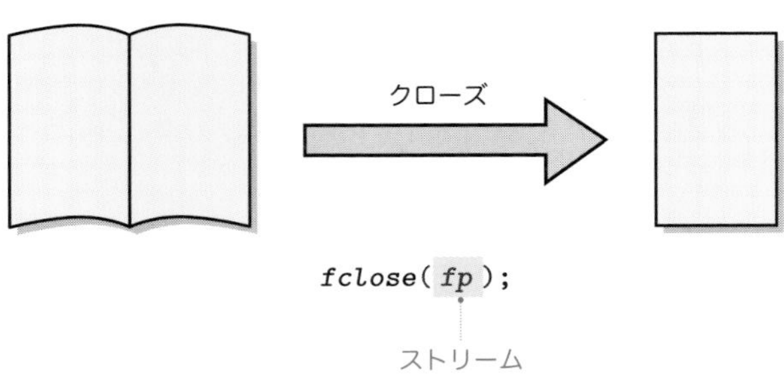

Fig.13-3 ファイルのクローズ

オープンとクローズの例

fopen 関数と *fclose* 関数を呼び出して、ファイルのオープンとクローズを行うプログラムを作りましょう。**List 13-1** に示すのが、そのプログラムです。

List 13-1 chap13/list1301.c

```
// ファイルのオープンとクローズ

#include <stdio.h>

int main(void)
{
    FILE *fp;

    fp = fopen("abc", "r");                          // ファイルのオープン  ←1

    if (fp == NULL)
        printf("\aファイル\"abc\"をオープンできませんでした。\n");
    else {
        printf("ファイル\"abc\"をオープンしました。\n");
        fclose(fp);                                  // ファイルのクローズ  ←2
    }

    return 0;
}
```

実行例

```
ファイル"abc"をオープンしました。
```

これは、**"abc"** という名前のファイルを読取りモード **"r"** でオープンして、クローズするだけのプログラムです。ファイルのオープンは、1で行っています。

▪ オープンに失敗した場合

fopen 関数が NULL を返した場合は、オープンに失敗しています。『ファイル **"abc"** をオープンできませんでした。』と表示します。

▪ オープンに成功した場合

ファイルは正しくオープンできていますので、『ファイル **"abc"** をオープンしました。』と表示して、さらに、2でファイルをクローズします。

▶ このプログラムは、ファイル **"abc"** が存在するかどうかをチェックするプログラムともなっています。

演習 13-1

List 13-1 のプログラムは、オープンするファイルが **"abc"** に限られている。キーボードからファイル名を読み込んで、その名前のファイルが存在すれば『そのファイルは存在します。』と表示し、そうでなければ『そのファイルは存在しません。』と表示するプログラムを作成せよ。

演習 13-2

キーボードからファイル名を読み込んで、その名前のファイルの中身を消去するプログラムを作成せよ（ヒント：ファイルを書込みモードでオープンするとよい）。

ファイルデータの集計

List 13-2 は、ファイルに保存されている名前、身長、体重の個人データを１件ずつ読み込んで画面に表示し、最後に平均身長と平均体重を表示するプログラムです。

このプログラムを理解していきましょう。

List 13-2 chap13/list1302.c

```
// 名前と身長と体重を読み込んで平均値を求めて表示する

#include <stdio.h>

int main(void)
{
    FILE *fp;

    if ((fp = fopen("hw.txt", "r")) == NULL)
        printf("\aファイルをオープンできません。\n");
    else {
        int    ninzu = 0;              // 人数
        char   name[100];              // 名前
        double height, weight;         // 身長・体重
        double hsum = 0.0;             // 身長の合計
        double wsum = 0.0;             // 体重の合計

        while (fscanf(fp, "%s%lf%lf", name, &height, &weight) == 3) {
            printf("%-10s %5.1f %5.1f\n", name, height, weight);
            ninzu++;
            hsum += height;
            wsum += weight;
        }
        printf("----------------------\n");
        printf("平均       %5.1f %5.1f\n", hsum / ninzu, wsum / ninzu);
        fclose(fp);                                          // クローズ
    }

    return 0;
}
```

実行結果

```
Aiba        160.0  59.3
Kurata      162.0  51.6
Masaki      182.0  76.5
Tanaka      170.0  60.7
Tsuji       175.0  83.9
Washio      175.0  72.5
----------------------
平均        170.7  67.4
```

本プログラムは、**Fig.13-4** の個人データが、**"hw.txt"** という名前のテキストファイルに保存されているものとします。

▶ 図の内容を打ち込んだファイルを、実行プログラムと同じディレクトリに **"hw.txt"** という名前で準備しておきます（ダウンロードファイルには、このファイルも含まれています）。

```
Aiba 160 59.3
Kurata 162 51.6
Masaki 182 76.5
Tanaka 170 60.7
Tsuji 175 83.9
Washio 175 72.5
```

Fig.13-4 ファイル "hw.txt"

変数 ***ninzu*** は、ファイルから読み込んだ人数を格納する変数であり、変数 ***hsum*** と ***wsum*** は、身長と体重の合計を格納する変数です。三つとも **0** あるいは **0.0** で初期化されています。

FILE * 型ポインタ ***fp*** の宣言を含め、ファイルのオープンやクローズといった、プログラム全体の構造は、前ページのプログラムとほぼ同じです。

▶ ファイルをオープンするための関数呼出しと、オープンに失敗したかどうかの判定が、一つの式にまとめられています。これは、p.168 と p.245 で学習したテクニックの応用です。

13 ファイル処理

本プログラムで、ファイルからのデータの読取りに利用しているのが ***fscanf*** 関数です。この関数は、***scanf*** 関数と同等な入力を、任意のストリームに対して行う関数です。

	fscanf
ヘッダ	`#include <stdio.h>`
形　式	`int fscanf(FILE * restrict stream, const char * restrict format, ...);`
解　説	標準入力ストリームではなく、*stream* が指すストリームから読み取る点を除いて、***scanf*** 関数と等価である。
返却値	変換が一つも行われないまま入力誤りが発生すると、マクロ **EOF** の値を返す。それ以外の場合、代入された入力項目の個数を返す。この個数は、入力中に照合誤りが発生すると、変換指定の指定の数よりも小さくなることもあり、**0** になることもある。

使い方は単純であり、***scanf*** 関数に対して、入力元のストリームを第１引数に追加するだけです。たとえば、ストリーム ***fp*** から 10 進整数値を読み取って、変数 ***x*** に格納するのであれば、次のように呼び出します。

```
fscanf(fp, "%d", &x);         // scanf関数に引数fpが追加されただけ
```

さて、本プログラムの水色の部分では、次のように個人データを読み取っています。

```
fscanf(fp, "%s%lf%lf", name, &height, &weight);
```

ストリーム ***fp*** から、１個の文字列と２個の **double** 型の数値を読み取って、それらを ***name***、***height***、***weight*** に格納するように、依頼しているわけです。

なお、次のことを必ず知っておかなければなりません。

重要 ***scanf*** 関数と ***fscanf*** 関数は、**読取りに成功した項目の個数**を返却する。

本プログラムの **while** 文は、***fscanf*** 関数の返却値が 3 である（名前、身長、体重の3項目を正常に読み取った）あいだ、繰返しを続けます。換言すると、データが読み取れなくなる（読み取った項目数が 3 でなくなる）と、繰返しが終了する、ということです。

その **while** 文のループ本体では、読み取った個人データを表示した後に、変数 ***ninzu*** のインクリメントと、読み取った身長と体重 ***hsum*** と ***wsum*** の加算を行います。

３項目が読み取れなくなったら、**while** 文による繰返しが終了しますので、身長と体重の平均値を表示し、ファイルをクローズします。

演習 13-3

List 13-2 を書きかえて、ファイルから読み込んだ個人データを身長順にソートした上で表示するプログラムを作成せよ。

日付と時刻の書込み

ファイルからの読取りを行いました。次は、ファイルへの書込みを行います。

標準出力ストリームへの出力を行う ***printf*** 関数と同様な処理を、任意のストリームに対して行うのが、次の仕様の ***fprintf*** 関数です。

	fprintf
ヘッダ	`#include <stdio.h>`
形　式	`int fprintf(FILE * restrict stream, const char * restrict format, ...);`
解　説	標準入力ストリームではなく、*stream* が指すストリームに書き込む点を除いて、***printf*** 関数と等価である。
返却値	転送された文字数を返す。出力エラーが発生したときは、負の値を返す。

fprintf 関数の使い方も単純です。***printf*** 関数に対して、出力先のストリームを第1引数に追加するだけです。

たとえば、整数値 ***x*** の値を 10 進数でストリーム ***fp*** に書き込むのであれば、

```
fprintf(fp, "%d", x);        // printf関数に引数fpが追加されただけ
```

と呼び出します。

それでは、現在（プログラム実行時）の日付と時刻をファイルに書き込んでみましょう。**List 13-3** に示すのが、そのプログラムです。

List 13-3 chap13/list1303.c

```
// プログラムを実行した日付・時刻をファイルに書き出す

#include <time.h>
#include <stdio.h>

int main(void)
{
    FILE *fp;

    if ((fp = fopen("dt_dat", "w")) == NULL)              // オープン
        printf("\aファイルをオープンできません。\n");
    else {
        time_t current = time(NULL);                 // 現在の暦時刻
        struct tm *timer = localtime(&current);      // 要素別の時刻（地方時）

        printf("現在の日付・時刻を書き出しました。\n");
        fprintf(fp, "%d %d %d %d %d %d\n",
            timer->tm_year + 1900, timer->tm_mon + 1, timer->tm_mday,
            timer->tm_hour,        timer->tm_min,     timer->tm_sec  );
        fclose(fp);                                       // クローズ
    }

    return 0;
}
```

実行結果

```
現在の日付・時刻を書き出しました。
```

▶ 現在の日付と時刻の取得は、標準ライブラリ関数の呼出しで実現しています。具体的な方法は、次ページの **Column 13-1** にまとめています。

FILE *型ポインタ *fp* の宣言、ファイルのオープンやクローズなどは、これまでのプログラムと同じです。ただし、ファイルを書込みモード "w" でオープンしている点が異なります。

▶ 書込みモードでは、オープンするファイルが存在する場合、その中身が切り捨てられます。そのため、ファイル "dt_dat" には、本プログラムで書き込む内容のみが保存されることになります。

日付と時刻をファイルに書き込む水色の部分に着目します。

西暦年、月、日、時、分、秒の6個の整数値を、スペースで区切った上で10進数で書き込んでいます。そのため、プログラム実行後のファイル "dt_dat" の中身は、**Fig.13-5** のようになります。

▶ ここに示す値は一例です。プログラム実行時の日付・時刻が書き込まれます。

西暦年／月／日／時／分／秒を空白で区切った形式

```
2022 12 13 13 21 7
```

Fig.13-5 ファイル "dt_dat"

p.353 では、標準入力ストリーム stdin と標準出力ストリーム stdout が、FILE へのポインタ型の変数であることを学習しました。そのため、これらの変数は、*fscanf* 関数や *fprintf* 関数の第1引数に、そのまま渡せます。

すなわち、次の二つは同じ働きをします。いずれも、**標準入力ストリーム**から、整数値を読み取って変数 *x* に格納します。

```
scanf(         "%d", &x);
fscanf(stdin, "%d", &x);          // scanf("%d", &x);と同じ
```

同様に、次の二つも同じです。いずれも、**標準出力ストリーム**に対して、整数値 *x* の値を10進数で書き込みます。

```
printf(          "%d", x);
fprintf(stdout, "%d", x);         // printf("%d", x); と同じ
```

すなわち、次のようにまとめられます。

- *scanf* 関数は、入力元が標準入力ストリーム stdin に限定された *fscanf* 関数である。
- *printf* 関数は、出力先が標準出力ストリーム stdout に限定された *fprintf* 関数である。

演習 13-4

キーボードから、複数人の名前、身長、体重を読み込んで、それをファイルに書き込むプログラムを作成せよ。ファイルへの書込みは、**List 13-2** と同じ形式とする。

Column 13-1 現在の日付と時刻の取得

現在（プログラム実行時）の日付・時刻の取得は、標準ライブラリを呼び出すことで実現できます。その方法を、**List 13C-1** に示すプログラムで学習していきましょう。

List 13C-1 chap13/listC1301.c

```
// 現在の日付・時刻を表示

#include <time.h>
#include <stdio.h>

int main(void)
{
    time_t current = time(NULL);                    // 現在の暦時刻          ―1
    struct tm *timer = localtime(&current);         // 要素別の時刻（地方時） ―2
    char *wday_name[] = {"日", "月", "火", "水", "木", "金", "土"};

    printf("現在の日付・時刻は%d年%d月%d日（%s）%d時%d分%d秒です。\n",
            timer->tm_year + 1900,          // 年（1900を加えて求める）
            timer->tm_mon + 1,              // 月（1を加えて求める）
            timer->tm_mday,                 // 日
            wday_name[timer->tm_wday],      // 曜日（0～6）              ―3
            timer->tm_hour,                 // 時
            timer->tm_min,                  // 分
            timer->tm_sec                   // 秒
          );
    return 0;
}
```

実行結果一例

```
現在の日付・時刻は2021年11月18日（木）21時17分32秒です。
```

■ time_t 型：暦時刻

暦時刻（calendar time）と呼ばれる `time_t` 型は、`long` 型や `double` 型などの加減乗除が可能な**算術型**です。具体的に、どの型となるのかは、`<time.h>` ヘッダで定義される仕組みがとられており、次に示すのが、定義の一例です。

```
typedef unsigned long time_t;      // 定義の一例：処理系によって異なる
```

なお、暦時刻は、型だけでなく、その具体的な値も処理系に依存します。

`time_t` 型を `unsigned int` 型または `unsigned long` 型の同義語とし、1970年1月1日0時0分0秒からの経過秒数を値とする処理系が多いようです。

■ time 関数：現在の時刻を暦時刻で取得

現在の時刻を暦時刻として取得するのが *time* 関数です。求めた暦時刻を返却値として返すだけでなく、引数が指すオブジェクトにも格納します。

そのため、右に示すどの呼出しでも、変数 *current* に現在の時刻が格納されます。本プログラムで使っているのはBです。

```
A time(&current);
B current = time(NULL);
C current = time(&current);
```

■ tm 構造体：要素別の時刻

暦時刻 `time_t` 型は、コンピュータにとって計算しやすい算術型の数値であって、私たち人間が直感的に理解できるものではありません。そこで、人間にとって理解しやすい要素別の時刻（broken-down time）と呼ばれる `tm` 構造体型が、もう一つの時刻の表現法として提供されます。

右ページに示すのが、その `tm` 構造体の定義の一例です。年・月・日・曜日などの日付や時刻に関する要素をメンバとしてもちます（各メンバが表す値は、注釈として記入しています）。

tm 構造体

```
struct tm {              // 定義の一例：処理系によって異なる
    int tm_sec;             // 秒（0〜60）
    int tm_min;             // 分（0〜59）
    int tm_hour;            // 時（0〜23）
    int tm_mday;            // 日（1〜31）
    int tm_mon;             // 1月からの月数（0〜11）
    int tm_year;            // 1900年からの年数
    int tm_wday;            // 曜日：日曜〜土曜（0〜6）
    int tm_yday;            // 1月1日からの日数（0〜365）
    int tm_isdst;           // 夏時間フラグ
};
```

※ この定義は一例であり、メンバの宣言順序などの細かい点は処理系に依存します。

- メンバ `tm_sec` の値の範囲が 0 〜 59 ではなく 0 〜 60 となっています。これは、閏(うるう)秒が考慮されているためです。
- メンバ `tm_isdst` の値は、夏時間が採用されていれば正、採用されていなければ 0、その情報が得られなければ負です（夏時間とは、夏期に 1 時間ほど時刻をずらすことであり、現在の日本では採用されていません）。

■ localtime 関数：暦時刻から地方時要素別の時刻への変換

暦時刻の値を、地方時要素別の時刻に変換するのが *localtime* 関数です。

この関数の動作イメージを、Fig.13C-1 に示しています。単一の算術型の暦時刻の値をもとにして、構造体の各メンバの値を計算して設定します。

なお、*localtime* という名前が示すとおり、変換によって得られるのは地方時（日本国内用に設定されている環境では日本の時刻）です。

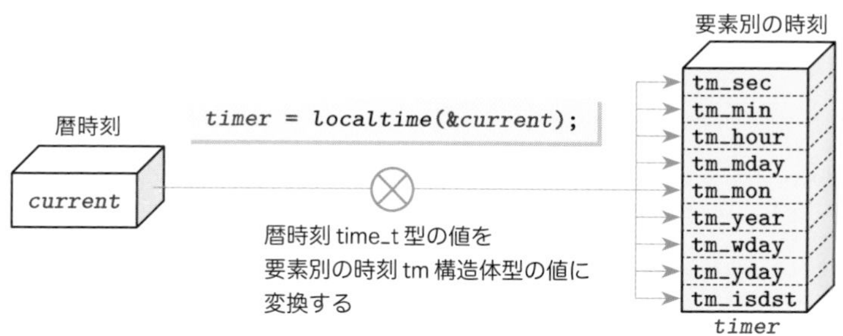

Fig.13C-1 localtime 関数による暦時刻から要素別の時刻への変換

それでは、プログラム全体を理解していきましょう。

1. 現在の時刻を *time* 関数を用いて `time_t` 型の暦時刻として取得します。
2. その値を要素別の時刻である `tm` 構造体に変換します。
3. 要素別の暦時刻を西暦で表示します。その際、`tm_year` には 1900 を、`tm_mon` には 1 を加えます。曜日を表す `tm_wday` は、日曜日から土曜日が 0 から 6 に対応しているため、配列 *wday_name* を利用して文字列 "日"、"月"、… 、"土" に変換します。

13-1 ファイルとストリーム

前回実行時の情報を取得

List 13-4 に示すのは、先ほどのプログラム（実行時の日付と時刻をファイルに書き込むプログラム）を改良して、より実用的にしたものです。

まずは、このプログラムを、１回ではなく、複数回実行しましょう。

List 13-4 chap13/list1304.c

```
// 前回のプログラム実行時の日付と時刻を表示する

#include <time.h>
#include <stdio.h>

char data_file[] = "datetime.dat";                  // ファイル名

//--- 前回の日付・時刻を取得・表示 ---//
void get_data(void)
{
    FILE *fp;

    if ((fp = fopen(data_file, "r")) == NULL)             // オープン
        printf("本プログラムを実行するのは初めてですね。\n");
    else {
        int year, month, day, h, m, s;

        fscanf(fp, "%d%d%d%d%d%d", &year, &month, &day, &h, &m, &s);
        printf("前回は%d年%d月%d日%d時%d分%d秒でした。\n",
                                        year, month, day, h, m, s);
        fclose(fp);                                       // クローズ
    }
}

//--- 今回の日付・時刻を書き込む ---//
void put_data(void)
{
    FILE *fp;

    if ((fp = fopen(data_file, "w")) == NULL)             // オープン
        printf("\aファイルをオープンできません。\n");
    else {
        time_t current = time(NULL);                 // 現在の暦時刻
        struct tm *timer = localtime(&current);      // 要素別の時刻（地方時）

        fprintf(fp, "%d %d %d %d %d %d\n",
                timer->tm_year + 1900, timer->tm_mon + 1, timer->tm_mday,
                timer->tm_hour,        timer->tm_min,     timer->tm_sec);
        fclose(fp);                                       // クローズ
    }
}

int main(void)
{
    get_data();             // 前回の日付・時刻を取得・表示

    put_data();             // 今回の日付・時刻を書き込む

    return 0;
}
```

そうすると、**Fig.13-6** のような結果が得られます。プログラムの実行が初めてであれば、その旨のメッセージが表示され、実行が2回目以降であれば、1回前（前回）に実行したときの日付と時刻が表示されます。

a プログラムを初めて実行したときの実行結果

```
実行結果
本プログラムを実行するのは初めてですね。
```

b プログラムを２回目以降に実行したときの実行結果の一例

```
実行結果一例
前回は2022年12月24日13時25分37秒でした。
```

Fig.13-6 List 13-4 の実行例

本プログラムで定義している関数 ***get_data*** と ***put_data*** の働きは、次のとおりです。

■ 関数 get_data

プログラムの最初に呼び出されます。ファイル **"datetime.dat"** のオープンに成功したか失敗したかどうかで、次のように処理を行います。

□ オープンに失敗した場合

プログラムが実行されたのが初めてと判断して、『本プログラムを実行するのは初めてですね。』と表示します。

□ オープンに成功した場合

前回プログラムを実行した際に書き込んだ日付と時刻を、ファイルから読み込んで表示します。

■ 関数 put_data

プログラムの最後に呼び出されます。前のプログラムと同じ要領で、実行時の日付と時刻をファイル **"datetime.dat"** に書き込みます。

演習 13-5

List 13-4 のプログラムに、現在の“気分”を表す文字列を追加したプログラムを作成せよ。すなわち、前回の時刻（と前回の気分）を表示した後に、『現在の気分は：』と入力を促してキーボードから文字列を読み込んで、ファイルに書き込む。たとえば、**"最高!!"** と入力した場合、次回に実行したときは、『前回は *9999* 年 *99* 月 *99* 日 *99* 時 *99* 分 *99* 秒で、気分は最高 !! でした。』と表示すること。

ファイルの中身の表示

第８章では、キーボードから入力された文字を、そのまま画面に出力するプログラムを作りました（**List 8-8**：p.244）。

右に示すのが、その本体部です。

標準入力ストリームではなく、任意のファイルから読み取れば、ファイルの中身を画面に表示する実用的なプログラムとなります。

List 13-5 に示すのが、そのプログラムです。

```
// List 8-8のmain関数
int main(void)
{
    int ch;

    while ((ch = getchar()) != EOF)
        putchar(ch);

    return 0;
}
```

List 13-5 chap13/list1305.c

```
// ファイルの中身を表示する

#include <stdio.h>

int main(void)
{
    FILE *fp;
    char fname[FILENAME_MAX];    // ファイル名

    printf("ファイル名：");
    scanf("%s", fname);

    if ((fp = fopen(fname, "r")) == NULL)                  // オープン
        printf("\aファイルをオープンできません。\n");
    else {
        int ch;
        while ((ch = fgetc(fp)) != EOF)
            putchar(ch);
        fclose(fp);                                        // クローズ
    }

    return 0;
}
```

実行例

```
ファイル名：list1305.c⏎
// ファイルの中身を表示する

#include <stdio.h>

int main(void)
{
    FILE *fp;
… 以下省略 …
```

水色の部分に着目しましょう。**List 8-8** の関数呼出し **getchar()** が、**fgetc(fp)** に置きかわっています。その *fgetc* 関数の仕様は、次のとおりです。

	fgetc
ヘッダ	`#include <stdio.h>`
形　式	`int fgetc(FILE *stream);`
解　説	*stream* が指す入力ストリームから（もし存在すれば）次の文字を **unsigned char** 型の値として読み取り、**int** 型に変換する。そして、（もし定義されていれば）そのストリームに結び付けられているファイル位置表示子を進める。
返却値	*stream* が指す入力ストリームの次の文字を返す。ストリームでファイルの終わりを検出すると、そのストリームに対するファイル終了表示子をセットし **EOF** を返す。読取りエラーが発生すると、そのストリームに対するエラー表示子をセットし **EOF** を返す。

この関数は、文字の読取りを指定されたストリームから行います。すなわち、**getchar** 関数に対して、入力元のストリームが引数として追加されていると考えればよいでしょう。

本プログラムでは、**fgetc** 関数がファイルから正常に文字を読み取るあいだ、**while** 文が繰り返し実行されます。ループ本体では、読み取った文字 *ch* を **putchar** 関数によって画面に表示します。

ファイルの終わりに到達して文字がなくなってしまうか、何らかのエラーが発生すると、**while** 文による繰返しが終了します。

最後にファイルをクローズして、プログラムの実行を終了します。

*

さて、ファイル名を格納する配列 **fname** の要素数 FILENAME_MAX は、<stdio.h> ヘッダで定義されるオブジェクト形式マクロであり、次の値を表します。

その処理系でオープン可能であることが保証されるファイル名の最大長を保持するのに必要な配列の要素数。

次に示すのが、定義の一例です。

FILENAME_MAX

```
#define FILENAME_MAX  1024       // 定義の一例：値は処理系によって異なる
```

次のことが分かりました。

重要 （キーボードから読み込むなどの手段によって実行時に名前が決定する）ファイル名を格納する配列は、次のように要素数を FILENAME_MAX として宣言するとよい。

```
char fname[FILENAME_MAX];
```

演習 13-6

キーボードからファイル名を読み込んで、そのファイル中の行数（改行文字の個数）をカウントして画面に表示するプログラムを作成せよ。

演習 13-7

キーボードからファイル名を読み込んで、そのファイル中の各数字文字の個数をカウントして画面に表示するプログラムを作成せよ。

ファイルのコピー

ファイルから読み取った文字を、標準出力ストリームでなく、任意のファイルに出力すれば、ファイルをコピーする実用的なプログラムとなります。**List 13-6** に示すのが、そのプログラムです。

▶ 実行結果の提示は省略しています。

List 13-6 chap13/list1306.c

```
// ファイルをコピーする

#include <stdio.h>

int main(void)
{
    FILE *sfp;                          // コピー元ファイル
    FILE *dfp;                          // コピー先ファイル
    char sname[FILENAME_MAX];           // コピー元のファイル名
    char dname[FILENAME_MAX];           // コピー先のファイル名

    printf("コピー元ファイル名："); scanf("%s", sname);
    printf("コピー先ファイル名："); scanf("%s", dname);

    if ((sfp = fopen(sname, "r")) == NULL)          // コピー元をオープン
        printf("\aコピー元ファイルをオープンできません。\n");
    else {
        if ((dfp = fopen(dname, "w")) == NULL)      // コピー先をオープン
            printf("\aコピー先ファイルをオープンできません。\n");
        else {
            int ch;
            while ((ch = fgetc(sfp)) != EOF)
                fputc(ch, dfp);
            fclose(dfp);                            // コピー先をクローズ
        }
        fclose(sfp);                                // コピー元をクローズ
    }

    return 0;
}
```

本プログラムは、二つのファイルを取り扱うため、構造が複雑です。

まず最初に、『コピー元ファイル』と『コピー先ファイル』のファイル名の入力を促して、配列 **sname** と **dname** に読み込みます。

▶ いずれの配列も、要素数は FILENAME_MAX です（前ページで学習しました）。なお、**s** は source の頭文字で、**d** は destination の頭文字です（p.313）。

その後、二つのファイルをオープンして、それらのストリームを **sfp** と **dfp** に入れます。

▶ まず最初に、コピー元ファイルを読取りモード **"r"** でオープンし、そのファイルと結び付けられたストリームへのポインタを **sfp** に代入します。
　オープンに成功すると、コピー先ファイルを書込みモード **"w"** でオープンし、そのファイルと結び付けられたストリームへのポインタを **dfp** に代入します。

両方のファイルのオープンに成功すると、水色の部分の **while** 文を実行します。

前のプログラムと似ていますが、関数呼出し式 ***putchar(ch)*** が ***fputc(ch, dfp)*** に変更されています。その ***fputc*** 関数は、次の仕様の関数です。

	fputc
ヘッダ	#include <stdio.h>
形　式	int *fputc*(int *c*, FILE **stream*);
解　説	*stream* が指す入力ストリームに *c* で指定された文字を unsigned char 型に変換して書き込む。このとき、ストリームに結び付けられるファイル位置表示子が定義されていれば、それが指示する位置に文字を書き込み、ファイル位置表示子を適切に進める。ファイルが位置付けに関する要求をサポートできない場合、またはストリームが追加モードでオープンされていた場合、文字出力は常に出力ストリームの最後への文字追加となる。
返却値	書き込んだ文字を返す。書込みエラーが発生すると、そのストリームに対するエラー表示子をセットし EOF を返す。

putchar 関数に対して、出力先のストリームが、第2引数として追加されただけです。

＊

なお、**while** 文の構造自体は、これまでと同様です。

ファイルから文字が読み込めるあいだ **while** 文が繰り返し実行されます。ループ本体では、読み込んだ文字 ***ch*** を、***fputc(ch, dfp)*** によってストリーム ***dfp*** に出力します。

そして、ファイルの終わりに到達して文字がなくなってしまうか、何らかのエラーが発生すると、**while** 文による繰返しが終了します。

最後に、ファイルをクローズして、プログラムの実行を終了します。これで、ファイルのコピーが完了します。

演習 13-8

List 13-6 のプログラムをもとに、ファイルの内容を画面に表示しながら、ファイルへのコピーを行う（すなわち、コピー先ファイルと画面の両方への出力を行う）プログラムを作成せよ。

演習 13-9

List 13-6 のプログラムをもとに、すべての英小文字を英大文字に変換してコピーするプログラムを作成せよ。

演習 13-10

List 13-6 のプログラムをもとに、すべての英大文字を英小文字に変換してコピーするプログラムを作成せよ。

13-2 テキストとバイナリ

これまでのプログラムは、いわゆる**テキストファイル**の読み書きを行うものでした。本節では、**バイナリファイル**の読み書きを行います。

テキストファイルへの実数値の保存

List 13-7 は、円周率 3.14159265358979323846 で初期化された変数 *pi* の値を "PI.txt" というファイルに書き出し、それを再び読み取って表示するプログラムです。

List 13-7 chap13/list1307.c

```
// 円周率の値をテキストファイルに書き込んで読み取る

#include <stdio.h>

int main(void)
{
    FILE *fp;
    double pi = 3.14159265358979323846;

    printf("変数 pi から取り出した円周率は%23.21fです。\n", pi);

    // ファイルへの書込み
    if ((fp = fopen("PI.txt", "w")) == NULL)              // オープン
        printf("\aファイルをオープンできません。\n");
    else {
        fprintf(fp, "%f", pi);                            // piを書き込む
        fclose(fp);                                       // クローズ
    }

    // ファイルからの読取り
    if ((fp = fopen("PI.txt", "r")) == NULL)              // オープン
        printf("\aファイルをオープンできません。\n");
    else {
        fscanf(fp, "%lf", &pi);                           // piに読み取る
        printf("ファイルから読み取った円周率は%23.21fです。\n", pi);
        fclose(fp);                                       // クローズ
    }

    return 0;
}
```

実行結果一例

```
変数 pi から取り出した円周率は3.141592653589793115998です。
ファイルから読み取った円周率は3.141592999999999857863です。
```

実行結果をよく見ましょう。浮動小数点数の精度は有限なため、変数 *pi* が、初期化子どおりに初期化されていないことが分かります。しかも、ファイルに書き出して読み取った *pi* の値は、さらに精度が落ちています。

本プログラムが作成したファイル "PI.txt" は、**Fig.13-7** に示すように、3.141593 となっています。精度が指定されずに呼び出された *fprintf* 関数が、小数点以下を6桁の精度で浮動小数点数を出力するからです。

```
3.141593
```

Fig.13-7 "PI.txt" の中身

いったん失われた部分の復元は不可能です。

▶ *fscanf* 関数は、ファイルから 3.141593 を読み取って変数 *pi* に格納します。誤差を含まずに実数値の全桁を double 型で表現できるわけではありませんから、*printf* 関数で小数部を 21 桁と指定して表示しても、ピッタリ 3.141593000000000000000 になるとは限りません。

精度を維持するには、すべての桁を書き込まなければなりません。そうすると、ファイルへの書込み時には精度（桁数）に留意する必要があり、書き出す文字数（桁数）は、数値によって増減することになります。

テキストファイルとバイナリファイル

この問題を、バイナリファイルを用いて解決しましょう。まずは、テキストファイルとバイナリファイルの違いを明確にします。

▪ テキストファイル

テキストファイルでは、データを文字の並びで表現します。たとえば、整数値 357 は、3個の文字 '3'、'5'、'7' の並びです。*printf* 関数や *fprintf* 関数などで、この値を画面やファイルに書き込むと、3バイトになります。

また、数値が 2057 であれば、書き出されるのは '2'、'0'、'5'、'7' の4文字です。

ASCII コード体系であれば、これらの2個の数値データは、Fig.13-8 a に示すビットで構成されます。

文字数が数値の桁数に依存することが分かります。

▪ バイナリファイル

バイナリファイルでは、データをビットの並びで表現します。具体的なビット数は処理系によって異なりますが、int 型の整数値の大きさは、必ず sizeof(int) になります。

int 型整数を2バイト 16 ビットで表現する環境であれば、整数値 357 と 2057 は、図 b に示すビットで構成されます。

文字数（バイト数）が数値の桁数には依存しないことが分かります。

a テキスト　桁数と同じ大きさ（文字数）が必要

	'3'	'5'	'7'	
整数値 357	00110011	00110101	00110111	
	'2'	'0'	'5'	'7'
整数値 2057	00110010	00110000	00110101	00110111

b バイナリ　大きさは常に sizeof(int)

整数値 357	00000001	01100101
整数値 2057	00001000	00001001

整数型の内部表現については
第７章で学習しました

Fig.13-8 テキストとバイナリ

バイナリファイルへの実数値の保存

円周率の値の読み書きを、テキストファイルではなくバイナリファイルに対して行うように変更しましょう。右ページの **List 13-8** が、そのプログラムです。

データの書込みには *fwrite* 関数を、読取りには *fread* 関数を利用しています。これらの関数の仕様は、次のとおりです。

	fwrite
ヘッダ	`#include <stdio.h>`
形　式	`size_t fwrite(const void * restrict ptr, size_t size, size_t nmemb, FILE * restrict stream);`
解　説	*ptr* が指す配列から、最大 *nmemb* 個の大きさ *size* の要素を、*stream* が指すストリームに書き込む。（定義されていれば）そのストリームに対応するファイル位置表示子は、書込みに成功した文字数分進む。エラーが発生したとき、そのストリームに対応するファイル位置表示子の値は不定とする。
返却値	書込みに成功した要素の個数を返す。その個数は、書込みエラーが起きたときに限り、*nmemb* より小さくなる。

	fread
ヘッダ	`#include <stdio.h>`
形　式	`size_t fread(void * restrict ptr, size_t size, size_t nmemb, FILE * restrict stream);`
解　説	*stream* が指すストリームから、最大 *nmemb* 個の大きさ *size* の要素を、*ptr* が指す配列に読み取る。（定義されていれば）そのストリームに対応するファイル位置表示子は、読取りに成功した文字数分だけ進む。エラーが発生したとき、そのストリームに対応するファイル位置表示子の値は不定とする。一つの要素の一部だけが読み取られたとき、その値は不定とする。
返却値	読取りに成功した要素の個数を返す。その個数は、読取りエラーまたはファイルの終わりになったとき、*nmemb* より小さいことがある。*size* または *nmemb* が 0 のときは 0 を返す。このとき、配列の内容とストリームの状態は変化しない。

二つの関数の引数の並びは共通です。先頭から順に、①読み書きするデータの先頭番地へのポインタ、②データの大きさ、③データの個数、④読み書き対象のストリームへのポインタを受け取ります。

本プログラムでは、ファイルへの書込みと読取りを次のように行っています。

```
fwrite(&pi, sizeof(double), 1, fp);        // piを書き込む
fread( &pi, sizeof(double), 1, fp);        // piに読み取る
```

ここで、第2引数 `sizeof(double)` は、`double` 型の大きさであり、第3引数 **1** は、読み書きする変数が1個であることの指定です。

▶ `sizeof(型名)` は、その型の大きさを生成する演算子でした（**Table 7-5**：p.192）。

List 13-8 chap13/list1308.c

```
// 円周率の値をバイナリファイルに書き込んで読み取る

#include <stdio.h>

int main(void)
{
    FILE *fp;
    double pi = 3.14159265358979323846;

    printf("変数 pi から取り出した円周率は%23.21fです。\n", pi);

    // 書込み
    if ((fp = fopen("PI.bin", "wb")) == NULL)         // オープン
        printf("\aファイルをオープンできません。\n");
    else {
        fwrite(&pi, sizeof(double), 1, fp);           // piを書き込む
        fclose(fp);
    }                                                 // クローズ

    // 読取り
    if ((fp = fopen("PI.bin", "rb")) == NULL)         // オープン
        printf("\aファイルをオープンできません。\n");
    else {
        fread(&pi, sizeof(double), 1, fp);            // piに読み取る
        printf("ファイルから読み取った円周率は%23.21fです。\n", pi);
        fclose(fp);                                   // クローズ
    }

    return 0;
}
```

実行結果一例

```
変数 pi から取り出した円周率は3.141592653589793115998です。
ファイルから読み取った円周率は3.141592653589793115998です。
```

二つの関数は、配列の要素の読み書きが行えるように設計されています。単独の変数と配列の読み書きを行うコード例を対比したのが、**Table 13-1** です。

Table 13-1　fwrite 関数と fread 関数の典型的な利用例

	int 型 x の読み書き	int[n] 型配列 a の読み書き
書込み	`fwrite(&x, sizeof(int), 1, fp);`	`fwrite(a, sizeof(int), n, fp);`
読取り	`fread( &x, sizeof(int), 1, fp);`	`fread( a, sizeof(int), n, fp);`

さて、本プログラムは、記憶域に格納されている double 型変数の全ビットをそのまま読み書きしています。テキストファイルに読み書きしたプログラムとは異なり、読み書きの結果精度が落ちる、といったことはありません。

演習 13-11

要素型が double 型で要素数が 10 である配列の全要素の値を読み書きするプログラムを作成せよ。

演習 13-12

List 13-4（p.364）をもとにして、日付と時刻を struct tm 型の値として直接バイナリファイルに読み書きするように変更したプログラムを作成せよ。

ファイルのダンプ

List 13-5（p.366）で作成した「ファイルの中身を表示する」プログラムは、テキストファイルを対象としていました。そのため、表示できる文字として認識できないデータを含んだバイナリファイルの表示を正しく行うことはできません。

▶ 文字が化けたり、警報が出力されたりする可能性があります。

List 13-9 に示すプログラムは、表示すべきファイルをバイナリファイルとしてオープンし、その中身を、**文字**と、16 進数の**文字コード**の両方で表示するプログラムです。

List 13-9 chap13/list1309.c

```
// ファイルのダンプ（ファイルの中身を文字とコードで表示する）

#include <ctype.h>
#include <stdio.h>

int main(void)
{
    FILE *fp;
    char fname[FILENAME_MAX];            // ファイル名

    printf("ファイル名：");
    scanf("%s", fname);

    if ((fp = fopen(fname, "rb")) == NULL)                    // オープン
        printf("\aファイルをオープンできません。\n");
    else {
        int n;
        unsigned long count = 0;
        unsigned char buf[16];

        while ((n = fread(buf, 1, 16, fp)) > 0) {
            printf("%08lX ", count);                          // アドレス

            for (int i = 0; i < n; i++)                       // 16進数
                printf("%02X ", (unsigned)buf[i]);

            if (n < 16)
                for (int i = n; i < 16; i++)
                    printf("   ");

            for (int i = 0; i < n; i++)                       // 文字
                putchar(isprint(buf[i]) ? buf[i] : '.');

            putchar('\n');

            count += 16;
        }
        fclose(fp);                                           // クローズ
    }

    return 0;
}
```

なお、文字の表示では、表示できる文字と判定できるものは、文字そのものを表示して、そうでない場合は、その文字の代わりにピリオド '.' を表示します（水色部）。

13 ファイル処理

文字が表示可能であるかどうかの判定に利用しているのが、**<ctype.h>** ヘッダで提供される ***isprint*** 関数です。

	isprint
ヘッダ	**#include <ctype.h>**
形　式	**int *isprint*(int *c*);**
解　説	文字 *c* が、空白 ' ' を含めた表示文字かどうかを判定する。
返却値	判定が成立すれば 0 以外の値（真）を返し、成立しなければ 0 を返す。

本プログラムのように、ファイルやメモリの内容を一気に書き出す（表示する）プログラムは、一般にダンプ（dump）プログラムと呼ばれます。

▶ ダンプは、ダンプカーが一度に荷を下ろすさまにたとえた用語です。

本プログラムを実行して、本プログラム自身のソースファイルの中身をダンプ表示した結果を **Fig.13-9** に示します。

▶ 実行例は一例です。プログラムの実行環境で採用されている文字コードに依存します。

```
ファイル名：list1309.c⏎
00000000 2F 2F 20 83 74 83 40 83 43 83 8B 82 CC 83 5F 83 // .t.@.C....._.
00000010 93 83 76 81 69 83 74 83 40 83 43 83 8B 82 CC 92 ..v.i.t.@.C.....
00000020 86 90 67 82 F0 95 B6 8E 9A 82 C6 83 52 81 5B 83 ..g.........R.[.
00000030 68 82 C5 95 5C 8E A6 82 B7 82 E9 81 6A 0D 0A 0D h...\.......j...
00000040 0A 23 69 6E 63 6C 75 64 65 20 3C 63 74 79 70 65 .#include <ctype
00000050 2E 68 3E 0D 0A 23 69 6E 63 6C 75 64 65 20 3C 73 .h>..#include <s
00000060 74 64 69 6F 2E 68 3E 0D 0A 0D 0A 69 6E 74 20 6D tdio.h>....int m
00000070 61 69 6E 28 76 6F 69 64 29 0D 0A 7B 0D 0A 09 46 ain(void)..{...F
00000080 49 4C 45 20 2A 66 70 3B 0D 0A 09 63 68 61 72 20 ILE *fp;...char
00000090 66 6E 61 6D 65 5B 46 49 4C 45 4E 41 4D 45 5F 4D fname[FILENAME_M
000000A0 41 58 5D 3B 09 09 09 2F 2F 20 83 74 83 40 83 43 AX];...// .t.@.C
000000B0 83 8B 96 BC 0D 0A 0D 0A 09 70 72 69 6E 74 66 28 ........printf(
000000C0 22 83 74 83 40 83 43 83 8B 96 BC 81 46 22 29 3B ".t.@.C.....F");
000000D0 0D 0A 09 73 63 61 6E 66 28 22 25 73 22 2C 20 66 ...scanf("%s", f

… 以降省略 …
```

Fig.13-9 List 13-9 の実行結果一例

演習 13-13

List 13-6（p.368）のプログラムを書きかえて、ファイルのコピーをバイナリファイルとして行うプログラムを作成せよ。読み書きには、***fread*** 関数と ***fwrite*** 関数を利用すること。

13-3 printf 関数と scanf 関数

本節では、printf 関数と scanf 関数の仕様を学習します。

printf 関数：書式付きの出力

printf 関数は、第１引数で与えられた書式文字列を出力して、出力した文字数を返却する関数です（出力エラーが発生したときは負の値を返却します）。

なお、書式文字列内に変換指定が含まれる場合は、その指定にしたがって、第２引数以降の引数を**書式化**した上で出力します。

▶ 実引数が不足する場合の動作は定義されません。なお、実引数が、多すぎる場合は、あまった実引数は無視されます。

Fig.13-10 に示すのが、変換指定の構造です。

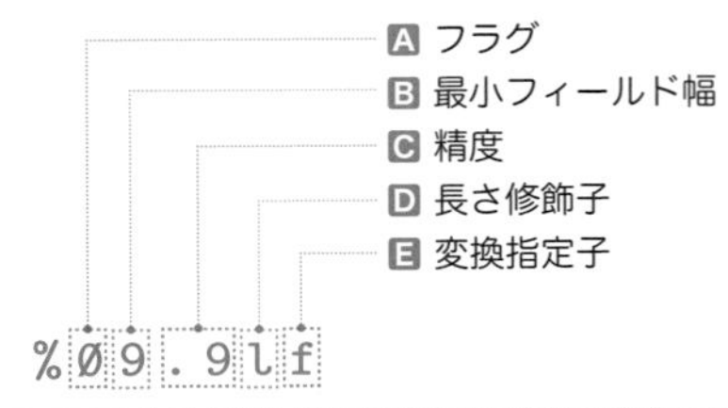

Fig.13-10 変換指定の構造

フラグ（flag）

-、+、空白、#、0 の各文字で、変換指定の意味を**修飾**します。0 個以上を指定でき、複数個指定する場合の順序は任意です。

-	変換結果をフィールド内に左づめにする。指定がなければ、**右づめ**となる。
+	符号付き変換される数値の先頭を、プラス符号またはマイナス符号とする。指定がなければ、負の値のみにマイナス符号が先頭に付けられる。
空白	符号付き変換の結果の先頭が符号でないか、あるいは、符号付き変換の結果の文字数が 0 であれば、数値の前に１個の空白を置く。空白フラグと + フラグの両方が指定されると、空白フラグは無効となる。
#	基数などの数値の表記形式が分かる代替形式に変換する（たとえば、８進数の先頭を 0 とし、16 進数の先頭を 0x または 0X とし、浮動小数点数には、小数部がなくても小数点文字を含める）。
0	空白の代わりに 0 をつめる。0 フラグと - フラグの両方が指定されると、0 フラグは無効となる。

最小フィールド幅（minimum field width）

非負の 10 進整数、もしくはアステリスク * で指定します（必要なければ、省略可能です）。

値を変換した結果の文字数が、指定されたフィールド幅より少なければ、フィールド幅を満たすまで、左側（- フラグが指定された場合は右側）に、（0 フラグを指定しなければ）空白がつめられます。

フィールド幅が存在しないとき、または小さいときでも、変換結果が切り捨てられることはありません。すなわち、変換結果の文字数がフィールド幅より大きければ、その変換結果を含む幅までフィールドが拡張されます。

精度（precision）

ピリオド . の後ろに10進整数またはアステリスク * が続く形式です。ピリオドだけを指定した場合は、精度は0とみなされます。

▶ 最小フィールド幅と精度をアステリスク*で指定したときは、それに対応するint型の実引数を、（変換対象の実引数の前に）与えなければなりません。

d、i、o、u、x、X変換	出力する数字の最小の個数。
a、A、e、E、f、F変換	小数点文字の後ろに出力する数字の個数。
g、G変換	最大の有効桁数。
s変換	最大のバイト数。

長さ修飾子（length modifier）

実引数の大きさを指定します（必要がなければ、省略可能です）。

hh	d、i、o、u、x、X変換指定子に対して、実引数の型がsigned char型またはunsigned char型であることを指定する（実引数は、整数拡張にしたがって拡張されているが、その値を表示する前にsigned char型またはunsigned char型に変換する）。 n変換指定子に対して、実引数がsigned char型へのポインタであることを指定する。
h	d、i、o、u、x、X変換指定子に対して、実引数の型がshort型またはunsigned short型であることを指定する（実引数は、整数拡張にしたがって拡張されているが、その値を表示する前にshort型またはunsigned short型に変換する）。 n変換指定子に対して、実引数の型がshort int型へのポインタであることを指定する。
l	d、i、o、u、x、X変換指定子に対して、実引数の型がlong型またはunsigned long型であることを指定する。 n変換指定子に対して、実引数の型がlong型へのポインタであることを指定する。 c変換指定子に対して、実引数の型がwint_t型であることを指定する。 s変換指定子に対して、実引数の型がwchar_t型へのポインタであることを指定する。 a、A、e、E、f、F、g、G変換指定子に対して、何の効果もない。
ll	d、i、o、u、x、X変換指定子に対して、実引数の型がlong long型またはunsigned long long型であることを指定する。 n変換指定子に対して、実引数の型がlong long型へのポインタであることを指定する。
j	d、i、o、u、x、X変換指定子に対して、実引数の型がintmax_t型またはuintmax_t型であることを指定する。 n変換指定子に対して、実引数の型がintmax_t型へのポインタであることを指定する。
z	d、i、o、u、x、X変換指定子に対して、実引数の型がsize_t型またはそれに対応する符号付き整数型であることを指定する。 n変換指定子に対して、実引数の型がsize_t型に対応する符号付き整数型へのポインタであることを指定する。
t	d、i、o、u、x、X変換指定子に対して、実引数の型がptrdiff_t型またはそれに対応する符号無し整数型であることを指定する。 n変換指定子に対して、実引数の型がptrdiff_t型へのポインタであることを指定する。
L	a、A、e、E、f、F、g、G変換指定子に対して、実引数の型がlong double型であることを指定する。

変換指定子（conversion specifier）

適用する**変換の種類**を指定する文字であり、アルファベット１文字で指定します。

無効な変換指定子に対する動作と、実引数の型が変換指定に対して正しくない場合の動作は定義されません。

d、i	int 型の実引数を [-]dddd 形式の符号付き 10 進表記に変換する。 精度は出力する数字の最小個数を指定する。値を変換した結果の数字の個数が指定された精度より少ない場合は、その精度になるまで前に 0 を付ける。省略時の精度は 1 となる。値 0 を精度 0 で変換した結果の文字数は 0 となる。
o、u、x、X	unsigned int 型の実引数を dddd 形式の符号無し８進表記（o）、符号無し 10 進表記（u）、符号無し 16 進表記（x または X）に変換する。x 変換では文字 abcdef を用い、X 変換では文字 ABCDEF を用いる。 精度は、出力すべき最小の桁数を指定する。値を変換した結果の桁数が指定された精度より少ない場合は、その精度になるまで前に 0 を付ける。省略時の精度は 1 となる。値 0 を精度 0 で変換した結果の文字数は 0 となる。
f、F	double 型の実引数を [-]ddd.ddd 形式の 10 進表記に変換する。このとき、小数点以下の数字の個数は、精度の指定に等しい。省略時の精度は 6 となる。精度に 0 が指定され、かつ # フラグが指定されていない場合は、小数点文字を出力しない。小数点文字を出力するときには、その前に必ず１個以上の数字を出力する。この変換は、適切な桁数へ、値の丸めも行う。
e、E	double 型の実引数を [-]d.ddde ± dd 形式の 10 進表記に変換する。このとき、小数点文字の前に１個の（実引数が 0 でない場合、0 以外の）数字を出力し、小数点以下には精度と同じ個数の数字を出力する。省略時の精度は 6 となる。精度に 0 が指定され、かつ # フラグが指定されていない場合、小数点文字を出力しない。この変換は、適切な桁数への値の丸めも行う。 E 変換指定子の場合、指数に先行する文字は、e ではなく E となる。指数は、常に２桁以上で指数を表すのに十分で最小の個数の数字からなる。値が 0 の場合、指数の値は 0 となる。
g、G	double 型の実引数を、有効桁数を指定する精度にしたがって、f 形式、あるいは e 形式（G 変換指定子の場合は、F 形式または E 形式）で変換する。 精度が 0 の場合は 1 とする。使用される形式は、変換される値に依存する。変換の結果から得られる指数が -4 より小さいか、精度以上であれば、e 形式（または E 形式）を用いる。 いずれの形式でも、# フラグが指定されない限り、後続する 0 を結果の小数部から取り除く。小数点以下に数字が続くときだけ、小数点文字を出力する。
a、A	浮動小数点数を表す double 型の実引数を [-]0xh.hhhhp ± d 形式に変換する。小数点文字の前に１個の 16 進数字（実引数が正規化された浮動小数点数の場合は 0 以外、そうでない場合は規定されない）を出力し、小数点以下には精度と同じ個数の 16 進数字を出力する。 精度が省略され、かつ FLT_RADIX が 2 のべき乗である場合、精度は値を正確に表現するのに十分な桁数とする。精度が省略され、かつ FLT_RADIX が 2 のべき乗でない場合、精度は double 型の値を区別するのに十分な桁数とする。ただし、後に続く 0 は省略してもよい。精度が 0 で、かつ # フラグが指定されていない場合、小数点文字を出力しない。a 変換では英字 abcdef を用い、A 変換では英字 ABCDEF を用いる。A 変換指定子の場合、16 進数字以外の文字は x と p ではなく、X と P となる。 指数は、常に１桁以上で 2 の指数を 10 進数で表現するのに十分で最小の個数の数字からなる。値が 0 の場合、指数の値は 0 とする。
c	長さ修飾子 l がなければ、int 型の実引数を unsigned char 型に型変換し、その結果の文字を出力する。 長さ修飾子 l があれば、wint_t 型の実引数を unsigned char 型に型変換し、その結果の文字を出力する。その変換は、wchar_t 型の２個の要素をもつ配列（最初の要素は、lc 変換指定に対する wint_t 型の実引数そのものであり、２番目の要素はナルワイド文字である）の先頭要素を指す実引数を、精度指定のない ls 変換指定で変換する場合と同じとする。

s	長さ修飾子 l がなければ、実引数は、文字型配列の先頭要素へのポインタでなければならない。配列内の文字を終端ナル文字の直前まで書き込む。精度が指定された場合、精度を超える個数のバイトは書き込まない。精度が指定されない場合または精度が配列の大きさよりも大きい場合、その配列はナル文字を含まなければならない。 長さ修飾子 l があれば、実引数は、**wchar_t** 型配列の先頭要素へのポインタでなければならない。配列内のワイド文字を終端ナルワイド文字も含めて多バイト文字に（最初のワイド文字の変換前に、**0** に初期化された **mbstate_t** オブジェクトが表す変換状態を用いて ***wcrtomb*** 関数を呼び出した場合の変換と同じ方法で）変換する。結果の多バイト文字を、終端ナル文字（バイト）の直前まで書き込む。精度が指定されない場合、配列は、ナルワイド文字を含まなければならない。精度が指定された場合、精度を超える（もしあれば、シフトシーケンスも含めて）バイト数は書き込まない。多バイト文字のバイト数を、精度で指定された長さと等しくするために、配列の末尾を越えてワイド文字にアクセスする必要がある場合、配列はナルワイド文字を含まなければならない。どのような場合においても、一つの多バイト文字の一部分だけが書き込まれることはない。
p	実引数は、**void** へのポインタでなければならない。そのポインタの値を処理系定義の方法で、表示可能な文字の並びに変換する。
n	実引数は、符号付き整数型へのポインタでなければならない。本関数の呼出しでその時点までに出力ストリームに出力された文字数を、その整数に格納する。実引数の変換は行わない（ただし、実引数を１個使用する）。この変換指定が、フラグ、フィールド幅、精度を含む場合の動作は定義されない。
%	**%** を出力する。実引数は必要としない。変換指定全体は、**%%** でなければならない。

printf 関数の形式は、次のとおりです。

```
int printf(const char * restrict format, ...);
```

第１引数に受け取るのは、書式を指定するための書式文字列であって、第２引数以降の引数の型や個数は可変です。

宣言中の **...** は、可変個の引数を受け取ることを示す省略記号（ellipsis）です。そのため、関数の呼出し側は、任意の型の引数を自由な個数渡すことができます。

▶ コンマ **,** と省略記号 **...** のあいだにはスペースを入れても構いませんが、**...** は連続しなければなりません。

printf 関数は、出力に成功した場合は出力した文字数を返却し、失敗した場合は負の値を返却します。たとえば、関数呼出し『**printf("%3d", 123)**』を評価すると、出力に失敗しない限り 3 が得られます。

これを応用すると、次のように、表示結果を判断することができます。

```
w = printf("%3d", x);

if (w < 0)
    // 出力に失敗した
else if (w == 3)
    // ちょうど3桁で出力できた
else
    // 4桁以上で出力された（xは4桁以上）
```

scanf 関数：書式付きの入力

scanf 関数は、第１引数で与えられた書式文字列の指令に基づいて、入力を読み取って変換したものを、第２以降の実引数が指すオブジェクトに代入します。

▶ 実引数が不足する場合の動作は定義されません。なお、実引数が多すぎる場合は、あまった実引数は、評価された上で無視されます。

指令は、次のいずれかです。

- **１個以上の空白類文字**
- **通常の文字**
  ※％でも空白類文字でもない多バイト文字
- **変換指定**

書式内の各指令は、先頭から順に実行されます。指令の実行に失敗すると、実行を中断して呼出し元に戻ります。失敗には、次の二つがあります。

- 入力誤り … 表現形式エラーが発生するかまたは入力文字が得られないことに起因する。
- 照合誤り … 不適切な入力に起因する。

空白類文字で構成される指令は、最初の非空白類文字の直前まで（この文字は読み取らずに残します）、あるいは、それ以上読み取ることができなくなるまで、入力読取りを繰り返し実行します。

通常の多バイト文字による指令は、ストリームでの“次の１個以上の文字”の読取りを実行します。入力した文字がこの指令を構成する文字と異なる場合、その指令は失敗して、その入力文字と、それ以降の文字は読み取られないままストリーム上に残ります。同様に、ファイルの終わりや、表現形式エラーや、読取りエラーのために文字が読み取れなかった場合は、指令は失敗します。

＊

Fig.13-11 に示すのが、変換指定の構造です。

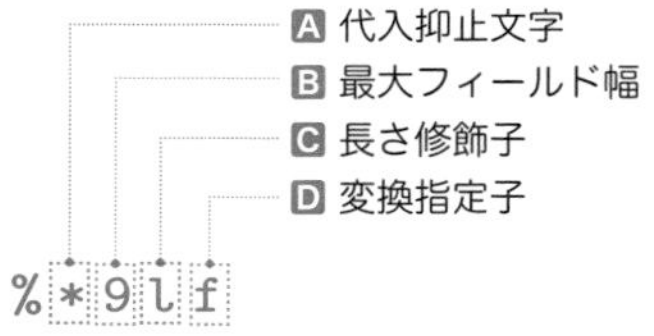

Fig.13-11 変換指定の構造

代入抑止文字

代入の抑止をアステリスク＊で指定します。指定の必要がなければ省略できます。

最大フィールド幅

最大フィールド幅（文字数）を正の10進整数で指定します。指定の必要がなければ省略できます。

長さ修飾子（length modifier）

変換後の値を代入するオブジェクトの大きさを指定します。指定の必要がなければ省略できます。

hh	d、i、o、u、x、X、n 変換指定子に対して、実引数の型が signed char 型または unsigned char 型へのポインタ型であることを指定する。
h	d、i、o、u、x、X、n 変換指定子に対して、実引数の型が short 型または unsigned short 型へのポインタ型であることを指定する。
l	d、i、o、u、x、X、n 変換指定子に対して、実引数の型が long 型または unsigned long 型へのポインタ型であることを指定する。 a、A、e、E、f、F、g、G 変換指定子に対して、実引数の型が double 型へのポインタ型であることを指定する。 c、s、[変換指定子に対して、実引数の型が wchar_t 型へのポインタ型であることを指定する。
ll	d、i、o、u、x、X、n 変換指定子に対して、実引数の型が long long 型または unsigned long long 型へのポインタ型であることを指定する。
j	d、i、o、u、x、X、n 変換指定子に対して、実引数の型が intmax_t 型または uintmax_t 型へのポインタ型であることを指定する。
z	d、i、o、u、x、X、n 変換指定子に対して、実引数の型が size_t 型またはそれに対応する符号付き整数型へのポインタ型であることを指定する。
t	d、i、o、u、x、X、n 変換指定子に対して、実引数の型が ptrdiff_t 型またはそれに対応する符号無し整数型へのポインタであることを指定する。
L	a、A、e、E、f、F、g、G 変換指定子に対して、実引数の型が long double 型へのポインタ型であることを指定する。

変換指定子（conversion specifier）

変換指定による指令は、各指定子に対する規定に基づいて、照合入力列の集合を定義します。変換指定の実行は、次に示す手順にしたがいます。

変換指定が [、c または n 指定子のいずれをも含まなければ、（*isspace* 関数で規定される）空白類文字を読み飛ばします。

変換指定が n 指定子を含まなければ、ストリームから入力項目を読み取ります。入力項目を、指定されたフィールド幅を超えない最長の入力文字の並び（照合入力列であるか、または照合入力列の先頭からの部分列）として定義します。

入力項目に続く先頭の文字は、（もしあれば）読み取られないまま残ります。入力項目の長さが 0 のとき、指令の実行は失敗します。この状態を**照合誤り**とします。ただし、ファイルの終わり、表現形式エラーまたは読取りエラーのためにストリームからの入力ができないときの失敗は、**入力誤り**とします。

% 指定子の場合を除き、変換指定は、入力項目を（または %n 指令のときには入力文字数を）、変換指定子に対して適切な型に変換します。入力項目が照合入力列でないとき、指令の実行は失敗します。この状態を、**照合誤り**とします。代入抑止文字 * が指定されていない場合、第1実引数に続く実引数のうち、変換結果をまだ受け取っていない先頭のものが指すオブジェクトに、変換結果を代入します。

このオブジェクトが適切な型をもたない場合、または変換結果が指定されたオブジェクト内で表現できない場合、その動作は定義されません。

d	符号が省略可能な10進整数。実引数 *base* に値 **10** を指定したときの ***strtol*** 関数の変換対象列の形式と同じ。実引数は、符号付き整数型へのポインタでなければならない。
i	符号が省略可能な整数。実引数 *base* に値 **0** を指定したときの ***strtol*** 関数の変換対象列の形式と同じ。実引数は、符号付き整数型へのポインタでなければならない。
o	符号が省略可能な8進整数。実引数 *base* に値 **8** を指定したときの ***strtoul*** 関数の変換対象列の形式と同じ。実引数は、符号無し整数型へのポインタでなければならない。
u	符号が省略可能な10進整数。実引数 *base* に値 **10** を指定したときの ***strtoul*** 関数の変換対象列の形式と同じ。実引数は、符号無し整数型へのポインタでなければならない。
x	符号が省略可能な16進整数。実引数 *base* に値 **16** を指定したときの ***strtoul*** 関数の変換対象列の形式と同じ。実引数は、符号無し整数型へのポインタでなければならない。
a、e、f、g	符号が省略可能な浮動小数点数、無限大、または **NaN**。***strtod*** 関数の変換対象列の形式と同じ。実引数は、浮動小数点型へのポインタでなければならない。
c	フィールド幅（この指令中にフィールド幅が存在しなければ **1** とする）で指定された長さの文字の並び。 長さ修飾子 l がなければ、実引数は、文字の並びすべてを受け取れる大きさをもつ文字型配列の先頭要素へのポインタでなければならない。ナル文字は付加しない。 長さ修飾子 l があれば、入力は初期シフト状態で始まる多バイト文字の並びでなければならない。その並びの中の多バイト文字一つ一つをワイド文字に変換するが、その変換は、最初の多バイト文字の変換前に **0** に初期化された **mbstate_t** オブジェクトが示す変換状態を用いて ***mbrtowc*** 関数を繰り返し呼び出したときの変換と同じとする。実引数は、結果のワイド文字の並びすべてを受け取れる大きさをもつ **wchar_t** 型配列の先頭要素へのポインタでなければならない。ナルワイド文字は付加しない。
s	非空白類文字の並び。 長さ修飾子 l がなければ、実引数は、文字の並びすべてと自動的に付加される終端ナル文字を受け取れる大きさをもつ文字型配列の先頭要素へのポインタでなければならない。 長さ修飾子 l があれば、入力は初期シフト状態で始まる多バイト文字の並びでなければならない。その並びの中の多バイト文字一つ一つをワイド文字に変換するが、その変換は、最初の多バイト文字の変換前に **0** に初期化された **mbstate_t** オブジェクトが示す変換状態を用いて ***mbrtowc*** 関数を繰り返し呼び出したときの変換と同じとする。実引数は、ワイド文字の並びすべておよび自動的に付加される終端ナルワイド文字を受け取れる大きさをもつ **wchar_t** 型配列の先頭要素へのポインタでなければならない。
[	期待される走査文字集合（scanset）の要素の文字の、空でない並び。 長さ修飾子 l がなければ、実引数は、文字の並びすべてと自動的に付加される終端ナル文字を受け取れる大きさをもつ文字型配列の先頭要素へのポインタでなければならない。 長さ修飾子 l があれば、入力は初期シフト状態で始まる多バイト文字の並びでなければならない。その並びの中の多バイト文字一つ一つをワイド文字に変換するが、その変換は、最初の多バイト文字の変換前に **0** に初期化された **mbstate_t** オブジェクトが示す変換状態を用いて ***mbrtowc*** 関数を繰り返し呼び出したときの変換と同じとする。実引数は、ワイド文字の並びすべておよび自動的に付加される終端ナルワイド文字を受け取れる大きさをもつ **wchar_t** 型配列の先頭要素へのポインタでなければならない。 この変換指定は、この左角括弧と対になる右角括弧（]）およびそこまでの書式文字列中のすべての文字の列を含む。左角括弧の直後がアクサンシルコンフレックス（^）でないとき、左右の角括弧間のすべての文字＝走査文字の並び（scanlist）が走査文字集合を構成する。ただし、左角括弧の直後がアクサンシルコンフレックスであるときの走査文字集合は、そのアクサンシルコンフレックスと右角括弧の間にある走査文字の並びに現れないすべての文字とする。 …次ページに続く。

13

ファイル処理

	変換指定が [] または [^] で始まっているときには、この右角括弧文字を走査文字の並びに含め、その次に現れる右角括弧文字を変換指定の終了とする。変換指定の開始が [] でも [^] でもないときの変換指定の終わりの文字は、最初に現れる右角括弧文字とする。文字 - （ハイフン）が走査文字の並びに含まれ、かつ先頭の文字（先頭が文字 ^ のときは2文字目）でも最後の文字でもない場合の動作は、処理系定義とする。
p	処理系定義の文字の並びの集合。***printf*** 関数の %p 変換が生成する集合と同じ。実引数は、**void** へのポインタへのポインタでなければならない。入力項目を処理系定義の方法で、ポインタ値へ変換する。入力項目が、同一プログラムの実行で以前に変換された値である場合、結果のポインタ値は、その変換前の値と等しくなければならない。これ以外の場合、%p 変換の動作は定義されない。
n	入力を読み取らない。実引数は、符号付き整数型へのポインタでなければならない。関数がその時点までに入力ストリームから読み取った文字数を、その符号付き整数に書き込む。 %n 指令を実行しても、関数が終了時に返却する入力項目の個数は、増加しない。この指定は実引数の変換を行わないが、実引数を1個使用する。この変換指定が、代入抑止文字またはフィールド幅指定を含む場合の動作は定義されない。
%	一つの **%** と照合する。変換も代入も行わない。この変換指定全体は、%% でなければならない。

scanf 関数は、読み込んだ項目数を返します。返却値を利用すると、次のような読込み結果の判断も可能です。

```
if (scanf("%d%d", &x, &y) == 2)
    // xとyの両方がきちんと読み込めた
else
    // 読込みに失敗した
```

なお、項目を 1 個も読み込めない場合には **EOF** を返します。

▶ ***printf*** 関数と ***scanf*** 関数の解説文では、本書で学習しない用語を多用しています。本書『入門編』の学習が終了して、ステップアップした段階でも、マニュアルとして利用できるようにするための配慮です（本書で学習した用語のみで説明しようとすると、両関数の機能の一部しか説明できないことになってしまいます）。

Column 13-2　restrict ポインタ

標準ライブラリ関数が受け取るポインタ型の引数の一部は、**restrict** 型修飾子付きで宣言されています。

ポインタを **restrict** 付きで宣言することによって、そのポインタによって指されるオブジェクトが、そのポインタを通じてのみアクセスされることを、コンパイラに伝えることができます（別のポインタを通じてアクセスされないことが保証されることから、コンパイラが最適化を行って高速なコードを生成できるようになります）。

本書『入門編』の学習段階では、詳細を理解する必要はありません。というよりも、**restrict** 型修飾子よりも先に学習すべきことで、本書で未解説のポインタに関する事項が、山のようにあるからです。

まとめ

- プログラム実行終了後も保持しておく必要のある数値や文字列などは、**ファイル**に保存しておく必要がある。

- ファイルを含めて、キーボード、ディスプレイ、プリンタなどに対するデータの読み書きに利用するのが、文字が流れる川ともいうべき**ストリーム**である。

- C言語プログラムの実行開始時に、３種類の**標準ストリーム**が準備される。
  - stdin … 標準入力ストリーム
  - stdout … 標準出力ストリーム
  - stderr … 標準エラーストリーム

- ストリームの制御に必要な情報を保存する型が、<stdio.h>ヘッダで定義される**FILE型**である。

- ファイルを開く操作を**オープン**という。ファイルのオープンは、*fopen*関数で行う。

- *fopen*関数は、ファイルのオープンに成功すると、そのファイルと結び付けられたストリームを制御するための情報を格納した**FILE型オブジェクトへのポインタ**を返却し、失敗すると空ポインタを返却する。

- ファイルのオープン時は、次のモードを指定できる。
  - 読取りモード … ファイルからの入力だけを行う。
  - 書込みモード … ファイルへの出力だけを行う。
  - 更新モード … ファイルに対する入出力を行う。
  - 追加モード … ファイルの末尾位置以降への出力を行う。

- その処理系でオープン可能であることが保証されるファイル名の最大長を保持するのに必要な配列の要素数が、オブジェクト形式マクロFILENAME_MAXとして提供される。

- ファイルの利用が終了したら、ファイルとストリームの結び付きを切り離してストリームを破棄する**クローズ**を行う。ファイルのクローズは、*fclose*関数で行う。

- *fscanf*関数は、*scanf*関数と同等な入力を、任意のストリームから行う関数である。いずれの関数も、読取りに成功した項目の個数を返却する。

- *fprintf*関数は、*printf*関数と同等な出力を、任意のストリームに対して行う関数である。

- *fgetc*関数は、任意のストリームから文字を読み取る関数である。

- *fputc*関数は、任意のストリームに対して文字を書き込む関数である。

- テキストファイルでは、読み書きする文字数（バイト数）が数値の桁数に依存する。

- バイナリファイルでは、記憶域上のビットをそのまま読み書きする。Type 型の値の読み書きは **sizeof**(Type) で行われるため、読み書きする文字数が数値の桁数に依存しない。

- バイナリファイルでは、精度を落とすことなく浮動小数点数値の読み書きが行える。

- バイナリファイルに対するデータの書込みには *fwrite* 関数を、読取りには *fread* 関数を利用する。

	読取り	書込み
1文字	c = fgetc(stream)	fputc(c, stream)
整形	fscanf(stream, "書式文字列", ...)	fprintf(stream, "書式文字列", ...)
バイナリ	fread(ptr, size, nmemb, stream)	fwrite(ptr, size, nmemb, stream)

- 任意の文字が表示可能であるかどうかの判定は、<ctype.h> ヘッダで提供される *isprint* 関数で行える。

- 日付と時刻の取得などを行うための各種の型や関数が <time.h> ヘッダで提供される。

chap13/summary.c

```
// 標準入力からの入力をファイルに書き込む

#include <stdio.h>

int main(void)
{
    FILE *fp;                        // コピー先
    char fname[FILENAME_MAX];        // コピー先ファイル名

    printf("コピー先ファイル名：");
    scanf("%s\n", fname);

    if ((fp = fopen(fname, "w")) == NULL)    // コピー先をオープン
        printf("\aコピー先ファイルをオープンできません。\n");
    else {
        int ch;
        while ((ch = fgetc(stdin)) != EOF)
            fputc(ch, fp);
        fclose(fp);                          // コピー先をクローズ
    }

    return 0;
}
```

改行文字を空読みする

実行例

```
コピー先ファイル名：abc.txt⏎
Hello!⏎
This is a pen.⏎
Ctrl + Z ⏎
```

※本プログラムを実行すると、キーボードから入力された文字がファイルに書き込まれます。

付録

C言語の歴史と規格

　ここでは、C言語の誕生から発展までの歴史的背景などを簡単に紹介します。

C言語の歴史

C言語のルーツは、Martin Richards 氏が開発した **BCPL 言語**であるといわれています。この言語を参考に Ken Thompson 氏が 1970 年に作ったのが**B言語**です。そして、その**B言語の後継として、Dennis M. Ritchie 氏が 1972 年頃に開発したのが、C言語です。**

当時 Ritchie 氏は、Ken Thompson 氏らと共同で、ミニコンピュータのオペレーティングシステムである **UNIX** の開発に携わっていました。この OS は、初期の段階ではアセンブリ言語を用いて開発されましたが、その後、C言語で書き直されました。

初期の UNIX を移植するために開発されたのがC言語ですから、ある意味では、

C言語はUNIXの副産物である

ともいえます。

その UNIX 本体だけでなく、UNIX 上で動作する多くのアプリケーションも、次から次へとC言語で開発されることになりました。

そのため、C言語は、まず UNIX の世界で広まりました。しかし、その勢いは、とどまることなく、大型コンピュータやパーソナルコンピュータの世界にも普及していったのです。

▶ さらに、C++ や Java など、後に生まれる多くのプログラミング言語に対して、直接的／間接的に影響を与え続けています。

K&R … C言語のバイブル

Ritchie 氏は、Brian W. Kernighan 氏とともに、C言語の解説書である

“The C Programming Language”, Prentice–Hall, 1978

を著しました。C言語の設計者が自ら著したこの書は、C言語の“バイブル”として多くの人々に読まれることになります。そして、二人の著者のイニシャルに由来して、“**K&R**”という愛称で親しまれます。

K&R の巻末には、C言語の言語仕様を規定した“**Reference Manual（参照マニュアル）**”が付録として採録されています。ここに記された言語仕様が、C言語の標準的な仕様と考えられることになりました。

標準規格と標準C

K&R の“参照マニュアル”に規定されている言語仕様は、曖昧(あいまい)で紛らわしい部分や不完全な部分が少なからずありました。そして、C言語の普及とともに、多くの《方言》が生まれ、独自の拡張機能をもつC言語が氾濫(はんらん)することになります。

本来のC言語は、可搬性が高いこと、すなわち、あるコンピュータ用にC言語で作ったプログラムを、他のコンピュータ用に移植しやすいということを大きな特長としていました。

しかし、方言の発生と相まって、満足な可搬性が維持できなくなってきます。

そのため、当然の流れとして、C言語の世界的な“**標準規格**”を定めようという動きがおこります。言語の仕様を全世界で共通化しようとするのですから、その作業はとても慎重（しんちょう）なものとなりました。

その作業は、国際標準化機構 ISO（International Organization for Standardization）と米国国家規格協会 ANSI（American National Standards Institute）の協力によって行われました。

そして、まず 1989 年 12 月に、米国内の規格である

ANSI X3.159–1989：Programming Language–C

が制定され、1990 年 12 月に、世界規格である

ISO/IEC 9889 : 1990(E) Programming Languages–C

が制定されました。これらは、体裁などは違うものの、内容としては同一です。規格制定年に由来して、“C89” あるいは “C90” と呼ばれるのが、一般的です。

その後、日本では、日本工業規格 JIS（Japanese Industrial Standards）によって、同じ内容の規格である

JIS X3010–1993：プログラム言語C

が 1993 年に制定されました。

▶ **日本工業規格**は、現在は日本産業規格と改称されています。

＊

ANSI 規格が ISO 規格より先に制定されたことなどから、標準規格に準拠するC言語は、日本では “ANSI C” と呼ばれることが多いようです。

もっとも、ANSI は単なる米国の規格であり、それと同一の規格が世界標準の ISO や、日本の JIS で定められているのですから、ANSI C ではなく『標準C』と呼ぶべきです。

＊

さて、標準Cの規格制定後も、『第２版』、『第３版』、『第４版』と改訂された規格が制定されました。これらは、制定年に由来して、“C99”、“C11”、“C17” と呼ばれています。

▶ 第４版は、出版年は 2018 年ですが、仕様が 2017 年に固まったことから、一般的には **C17** と呼ばれています（**C18** と呼ぶ人もいます）。
JIS による日本語版の標準Cは、**第１版**と**第２版**のみが出版されており、**第３版**以降は、本書執筆時点では出版されていません。

おわりに

単純な計算と入出力のみを行う第１章から始まって、少しずつ学習を進めていき、**ポインタ**、**構造体**、**ファイル処理**まで学習が進みました。

一つ一つの段階を進んでいく学習の途中で、いろいろなことに気付かれたのではないでしょうか。たとえば、

> 決まり文句として丸覚えしていた `main` 関数は、こういう意味だったのか。
> なるほど。このような機能もあったのか。
> この機能を使えば、最初の頃に作ったものよりも、よいプログラムが作れる。

といった具合です。

もちろん、このようなことは、C言語の学習に限ることではありません。すべての道に共通のことです。**どんな道であっても、最初から、その道の詳細までを知りつくした上で学習することは不可能だからです。**

そのため、C言語の“全体像”を見失うことなく、少しずつC言語の道を歩めるような解説を心がけました。したがって、最初の段階では、難しいことや細かいことなどをわざと隠して解説しておき、後から種明かしを行うこともありました。

ただし、本書ですべての種明かしが完了したわけではありません。

▶ 種明かしの続きは、本書の続編である**『中級編』**や**『実践編』**の役割です。

＊

これまでに、数え切れないくらいの人数の、学生やプロのプログラマを対象として、プログラミングやプログラミング言語を指導してきました。受講者が100人いれば、100種類のテキストが必要となるのではないか、と感じるくらい、学習の目的・学習の進度・理解の様子など、すべてが、個人ごとに大きく異なります。

たとえば、学習の目的もさまざまです。『情報系を専門とする学生であって、その修得は必須である。』、『趣味として勉強したい。』、『プログラミングを専門としない学部学科に所属しているけど、単位取得のために（仕方なく）学習しなければならない。』、『プロのゲームプログラマになりたい。』… といった感じです。

本書は幅広い読者層を想定して、簡単になりすぎないように、かつ、難しくなりすぎないように配慮しました。それでも、本書を簡単に感じた方もいらっしゃるでしょうし、難しく感じた方もいらっしゃるでしょう。

なお、C言語の“やさしい”部分のみを取り出して、読者のみなさんが理解できたと勘違いするようなトリックを使って解説する、といった方法はとっていません。というのも、やさしい部分のみを学習したために、いざ自分でプログラムを作ろうとしても何もできない、あるいは、プロの作った高度で質の高いプログラムを読んでもまったく理解できない、といった人たちを数多く見てきたからです。

ここでは、本書を読み進める上で、参考としていただきたいポイントを示します。

▶ 本書を読んで、次のようなことを感じられた方もいらっしゃるでしょう。
『こんな知識（例：構文図、専門用語の英語表記）は、自分には不要だ。』、『似たようなプログラム例が多すぎる。』、『なぜ、こんな細かいことを解説しているのだろうか。』、『章の構成がおかしいのではないか。』、『実際のソフトウェア開発では、こんなプログラムは作らないのだが。』…。
本書は、幅広い層の読者を想定した上で、私なりに考え抜いた上で執筆したものです。以下の解説は、これまでいただいたご質問やご意見に対する回答ともなっています。

▪ プログラムのコンパイル方法について

これまで、多くの読者の方から、**『学習開始の最も重要なステップである、プログラムのコンパイル方法を解説してほしい。』**といったご意見をいただいています。

この世の中には、極めて多くのOSや処理系・開発環境が存在します。一例をあげると、Visual Studio、Xcode、Eclipseなどです（MS-Windows上で動作するフリーのコンパイラを利用して講義をされている大学の先生や、大型計算機を利用して講義をされている先生もいらっしゃいます）。

特定のOSや、特定の処理系でのコンパイル方法についてページを割（さ）いて解説しても、異なる環境を利用している方々にとっては、ほとんど、あるいは、まったく役に立たない情報になりかねません。また、時の流れとともに、時代遅れの情報となってしまいます。

このような理由から、本書では、コンパイルの方法は解説していません。ご自身で、おもちの処理系のマニュアルやヘルプなどにあたられることを希望いたします。

▪ 専門用語について

本書で利用している専門用語は、原則として標準Cに準拠しています。さらに、専門用語を示す際は、“**キーワード**（keyword）”のスタイルで表記して、英語の語句を併記しています。

情報系の大学生であれば、英語の専門書を読む必要があります。本書に示している専門用語は、基本的な語句のみですから、すべて習得しておくべきです（大学院生であれば、なおさらです）。

▪ 構文図について

情報系の学生であれば、プログラミング言語を習得した後に、構文図の理解が必須である『コンパイラ』などの講義科目へと進みます。本書で示す程度の構文図は、ラクラクと読み書きできるようになっていなければなりません。

▪ 実数（浮動小数点数）の演算やキャストなどについて

本書では、浮動小数点型の`double`型や、キャストについて、第2章で学習します。また、その後の章でも、浮動小数点数の精度や、関数間の配列の受渡しなどについても詳細に学習します。

大学の講義でC言語を学習している学生の人数は、情報系よりも非情報系（たとえば、機械工学や電気工学などの工学系や、理学系や経済系など）のほうが圧倒的に多数です（というのも、情報系は、数多くの分野の一つにすぎないからです）。

そして、非情報系の専門分野での（先生方と学生さんたちの）要求を、少し極端に表現すると、**『構文図や文法の細かいことはどうでもいいから、とにかく数値計算（技術計算）ができるようになってほしい（できるようになりたい）。』**というものです。

浮動小数点数やキャスト、配列の受渡しなどを、早めに学習できるようにするとともに、それなりのページを割いているのは、このような理由によります。

▶　ただし、本書では、本格的な技術計算ができるようになるところまでの解説はしていません。

▪ 章構成について

本書は、前半の章に、かなりのページを割いています。理解の早い読者の方は、なかなか先に進まないことをもどかしく感じ、後半の章を物足りなく感じられたかもしれません。

しかし、このような構成としたのは、**選択文**（第３章）や**繰返し文**（第４章）の段階で挫折する学習者が少なくないことを、長年の教育経験で痛感しているからです。

前半の章のレベルのプログラムをもとにして、数文字あるいは数行程度を書きかえて新しいプログラムを作成する演習問題を、まったくこなせない学生、というのは、私が接してきただけでも、数え切れないくらいいました。

類似したプログラムを数多く示す構成となっているのは、このような理由からです。

▪ 演習問題について

プログラミング言語に限ることではないのですが、演習問題を出題すると、“先生が解答を示すまで解こうとせずにただ待っている”、あるいは “インターネットで類似した問題・解答を探し出そうとする” といった学生が多いようです（この傾向は、特にこの数年、非常に強まっているように感じられます）。

本書の演習問題は、『プログラミング力（りょく）』が身に付くように、私の長年の教育経験・プログラム開発の経験からエッセンスを抽出して作られたものです。

▶　たとえば、演習**4-18**（p.100）を考えてみましょう。実際のプログラムで、右のように記号文字を５個ごとに改行して表示することは、ほとんどないでしょう。ただし、“配列に入っている氏名の一覧を、各行に5個ずつ表示するプログラムを作る” のであれば、この程度の問題がパッと解けるようになっていなければなりません。

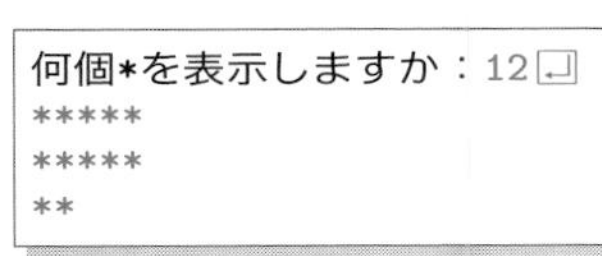

“演習問題のために作られた、作為的なわざとらしい問題” と感じられるかもしれませんが、きちんとした裏付けのもとに作成したものです。

演習問題に関しましては、自ら考えて問題を解く努力を期待しています。

▶　趣味で学習したい方の“解答を知りたい”という気持ちも理解できます。しかし、情報系の大学生・大学院生、プロを目指す学習者であれば、自ら解いて実力を付けてほしい、とも思っています。

参考文献

1) Brian W. Kernighan and Dennis M. Ritchie
"The C Programming Language Second Edition", Prentice Hall, 1988

2) American National Standards Institute
"ANSI/ISO 9899-1990 American National Standard for Programming Languages – C", 1992

3) International Standard
"ISO/IEC 9899 Information technology – Programming Languages – C Third Edigion", 2011

4) International Standard
"ISO/IEC 9899 Information technology – Programming Languages – C Fourth Edition", 2018

5) 日本工業規格
"JIS X3010-1993　プログラム言語C", 1993

6) 日本工業規格
"JIS X3010-2003　プログラム言語C", 2003

7) 平林 雅英
"ANSI C/C++ 辞典", 共立出版社, 1996

8) Bjarne Stroustrup・柴田望洋 訳
『プログラミング言語 C++ 第4版』, SBクリエイティブ, 2015

索引

記号

数字

A

B

C

D

E

お

か

き

く

す

せ

そ

た

ち

つ

て

れ

ろ

わ

謝辞

本書をまとめるにあたり、ＳＢクリエイティブ株式会社の野沢喜美男編集長には、随分とお世話になりました。

この場をお借りして感謝の意を表します。

著者紹介

柴田 望洋（しばた ぼうよう）

工学博士

福岡工業大学 情報工学部 情報工学科 准教授

福岡陳氏太極拳研究会 会長

■1963年、福岡県に生まれる。九州大学工学部卒業、同大学院工学研究科修士課程・博士後期課程修了後、九州大学助手、国立特殊教育総合研究所研究員を歴任して、1994 年より現職。2000 年には、分かりやすいC言語教科書・参考書の執筆の業績が認められ、㈳日本工学教育協会より著作賞を授与される。大学での教育研究活動だけでなく、プログラミングや武術（1990 年～ 1992 年に全日本武術選手権大会陳式太極拳の部優勝）、健康法の研究や指導に明け暮れる毎日を過ごす。

■**主な著書**（*は共著／★は翻訳書）

『秘伝C言語問答ポインタ編』，ソフトバンク，1991（第2版：2001）
『C：98 スーパーライブラリ』，ソフトバンク，1991（新版：1994）
『Cプログラマのための C++ 入門』，ソフトバンク，1992（新装版：1999）
『超過去問 基本情報技術者 午前試験』，ソフトバンクパブリッシング，2004
『新版 明解 C++ 入門編』，ソフトバンククリエイティブ，2009
『解きながら学ぶ C++ 入門編*』，ソフトバンククリエイティブ，2010
『新・明解C言語入門編』，SBクリエイティブ，2014
『プログラミング言語 C++ 第4版★』，ビャーネ・ストラウストラップ（著），SBクリエイティブ，2015
『新・明解C言語中級編』，SBクリエイティブ，2015
『C++ のエッセンス★』，ビャーネ・ストラウストラップ（著），SBクリエイティブ，2015
『新・明解C言語実践編』，SBクリエイティブ，2015
『新・解きながら学ぶC言語*』，SBクリエイティブ，2016
『新・明解C言語 ポインタ完全攻略』，SBクリエイティブ，2016
『新・解きながら学ぶ Java*』，SBクリエイティブ，2017
『新・明解 C++ 入門』，SBクリエイティブ，2017
『新・明解 C++ で学ぶオブジェクト指向プログラミング』，SBクリエイティブ，2018
『新・明解 Python 入門』，SBクリエイティブ，2019
『新・明解 Python で学ぶアルゴリズムとデータ構造』，SBクリエイティブ，2020
『新・明解 Java 入門 第2版』，SBクリエイティブ，2020
『新・明解 Java で学ぶアルゴリズムとデータ構造 第2版』，SBクリエイティブ，2020
『新・明解C言語で学ぶアルゴリズムとデータ構造 第2版』，SBクリエイティブ，2021

本書をお読みいただいたご意見、ご感想を以下の QR コード、URL よりお寄せください。

https://isbn2.sbcr.jp/09795/

新・明解C言語 入門編 第2版

2021 年 9 月 17 日　初版発行
2024 年 2 月 19 日　第 5 刷発行

著　者 … 柴田 望洋
編　集 … 野沢 喜美男
発行者 … 小川 淳
発行所 … ＳＢクリエイティブ株式会社
〒 105-0001　東京都港区虎ノ門 2-2-1
https://www.sbcr.jp/
印　刷 … 昭和情報プロセス株式会社
装　丁 … bookwall

落丁本、乱丁本は小社営業部（03-5549-1201）にてお取り替えいたします。
定価はカバーに記載されております。

Printed in Japan　ISBN978-4-8156-0979-5

SBクリエイティブの柴田望洋の著作

アルゴリズムとデータ構造学習の決定版!!

新・明解C言語で学ぶアルゴリズムとデータ構造 第2版

2色刷

アルゴリズム体験学習ソフトウェアで
アルゴリズムとデータ構造の基本を完全制覇！

B5 変形判、432 ページ

三値の最大値を求める初歩的なアルゴリズムに始まって、探索、ソート、再帰、スタック、キュー、線形リスト、２分木などを、学習するためのテキストです。

アルゴリズムの動きが手に取るように分かる〔アルゴリズム体験学習ソフトウェア※〕が、学習を強力にサポートします。数多くの演習問題を解き進めることで、学習内容が身につくように配慮しています。

Ｃ言語プログラミング技術の向上だけでなく、**情報処理技術者試験対策**のための一冊としても最適です。

※購入者特典として、出版社サポートサイトからダウンロードできます。

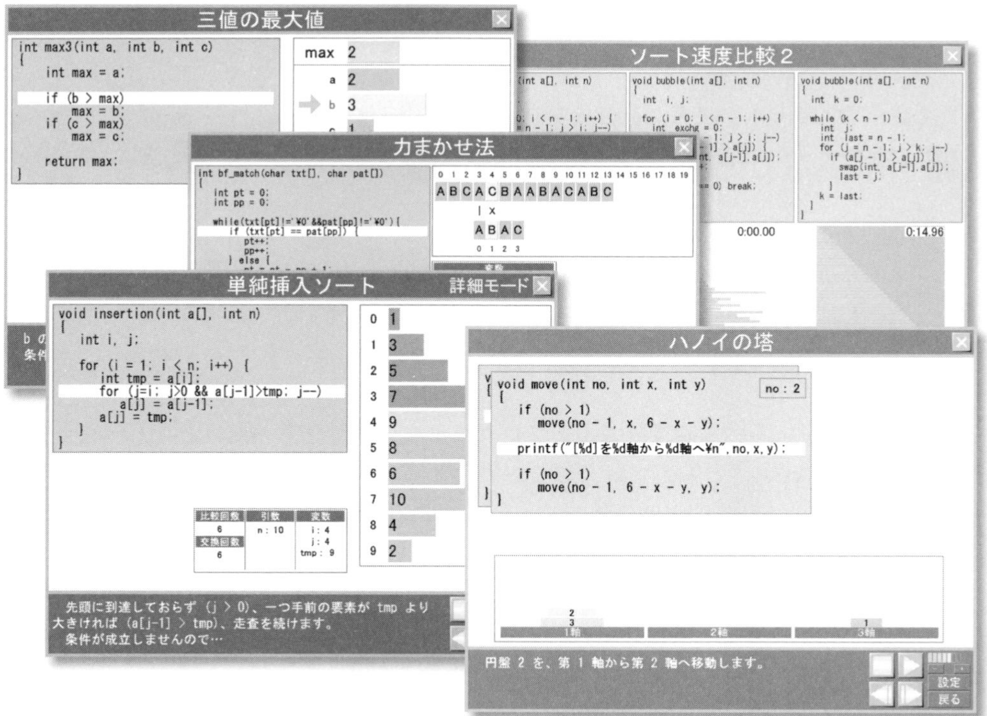

《アルゴリズム体験学習ソフトウェア》の実行画面例

SBクリエイティブの柴田望洋の著作

・・　ホームページのお知らせ　・・・・・・・・・・・・・・・・・・・・・・・・・

ご紹介いたしました、すべての著作について、本文の一部やソースプログラムなどを、インターネット上で閲覧したり、ダウンロードしたりできます。
以下のホームページをご覧ください。

柴田望洋後援会オフィシャルホームページ
https://www.bohyoh.com/